D0504081

BIBLIOTHEEK DEN HAAG
SCHEVE-
NINGEN

AFGESCHREVEN

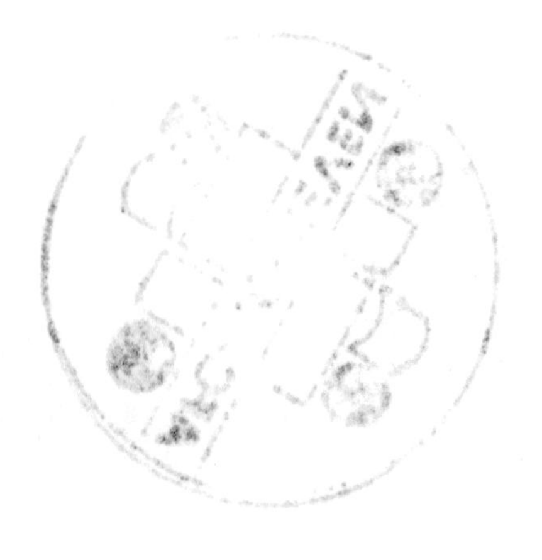

Gewetenloos

Van Patricia Cornwell zijn eerder verschenen:

1 Fataal weekend ◈
2 Corpus delicti ◈
3 Al wat overblijft ◈
4 Rigor mortis ◈
5 Modus operandi ◈
6 Het Kaïnsteken ◈
7 Doodsoorzaak
8 Onnatuurlijke dood
9 De brandhaard
10 Zwarte hoek
11 Het eindstation
12 Aasvlieg
13 Sporen
14 Roofdier
15 Dodenrol
16 Scarpetta ◈
17 De Scarpetta factor ◈
18 Mortuarium ◈
19 Rood waas ◈
20 Link ◈
21 Zuurstof ◈
22 Scherp ◈
23 Gewetenloos ◈
(1 t/m 22: met *Kay Scarpetta*)

Wespennest
Zuiderkruis
Hondeneiland

Het risico
Het front

Portret van een moordenaar

◈ Ook als e-book verkrijgbaar

Patricia Cornwell

Gewetenloos

UITGEVERIJ LUITINGH-SIJTHOFF

Uitgeverij Luitingh Sijthoff en Drukkerij Ten Brink vinden het belangrijk om op milieuvriendelijke en verantwoorde wijze met natuurlijke bronnen om te gaan.

Oorspronkelijke titel: *Depraved Heart*
Vertaling: Yolande Ligterink
Omslagontwerp: Studio Jan de Boer
Foto auteur: Patrick Ecclesine

ISBN 978 90 245 6700 3
NUR 332

www.lsamsterdam.nl
www.boekenwereld.com
www.patriciacornwell.com

Voor Staci

Juridische uitspraken over 'gewetenloosheid'

Verstoken van sociaal plichtsgevoel en met een fatale neiging tot wandaden.
De staat versus Mayer, hooggerechtshof Illinois (1883)

Verdorven onverschilligheid ten opzichte van mensenlevens.
De staat versus Feingold, gerechtshof New York (2006)

Roekeloosheid, verergerd door onverschilligheid ten opzichte van omstandigheden die objectief gezien het enorme risico van een fatale afloop met zich meebrengen.
De staat versus Sanchez, gerechtshof New York (2002)

De daden van een gewetenloos, verdorven en kwaadaardig hart – *un disposition à faire un mal chose* – kunnen expliciet of impliciet zijn, maar zijn altijd wetteloos.
William Blackstone, Commentaries on the Laws of England (1769)

Herr God, Herr Lucifer
Gevaar
Gevaar.

Uit de as
Verrijs ik, met mijn rode haar
En ik eet de mensen als asem.

Sylvia Plath, 'Lady Lazarus', 1965
(vertaling: Anneke Brassinga)

1

Ik gaf Lucy de oude teddybeer toen ze tien was en ze noemde hem Mister Pickle. Hij zit op het kussen van een met militaire precisie opgemaakt bed, de stijve lakens messcherp om de hoeken van de matras gevouwen.

De chronisch onverschillige beer zit me uitdrukkingsloos aan te staren, zijn met zwarte draad geborduurde mond een sombere omgekeerde V, en ik moet me hebben verbeeld dat hij blij en zelfs dankbaar zou zijn als ik hem redde. Een bijzonder irrationele gedachte als we het over een knuffel hebben, zeker van een jurist en wetenschapper, een dokter die alles klinisch en logisch zou moeten benaderen.

Verwarring en verbazing vechten om voorrang bij de onverwachte aanblik van Mister Pickle in de video die zojuist op mijn telefoon is verschenen. Opnamen van een vaste camera, schuin naar beneden gericht, mogelijk door een piepklein gaatje in het plafond. Ik kan de gladde stof op de onderkant van zijn poten onderscheiden, de zachte krullen van zijn olijfgroene mohair, de zwarte pupillen in zijn amberkleurige glazen ogen, het gele Steiff-labeltje aan de knoop in zijn oor. Ik weet nog dat hij dertig centimeter lang was en dus een handige metgezel voor een wervelwind als Lucy, mijn enige nichtje en feitelijk mijn enige kind.

Ik vond de speelgoedbeer tientallen jaren geleden op een gehavende houten boekenkast vol muf ruikende, onbeduidende koffietafelboeken over tuinieren en zuidelijke paleisjes in een nogal exclusief wijkje van Richmond dat Carytown heet. Hij was gekleed in een smoezelig, gebreid wit schortje dat ik hem meteen heb uitgetrokken. Vervolgens heb ik een aantal scheuren dichtgenaaid met steekjes waarvoor een plastisch chirurg zich niet zou hoeven schamen, hem in een spoelbak met lauwwarm water gelegd, hem gewassen met antibacteriële zeep die geen kleuren aantast en hem gedroogd met een föhn op de koele stand. In mijn ogen was het een mannetjesbeer en zag hij er veel beter uit zonder schortjes of andere dwaze kleertjes, en ik zei plagend tegen Lucy dat ze nu de trotse eigenaar was van een blote beer. Het zal ook eens niet, zei ze.

Als je te lang stilzit, scheurt tante Kay de kleren van je lijf, spuit je schoon en snijdt je open met een mes. Daarna naait ze je weer dicht en laat je naakt achter, voegde ze er vrolijk aan toe.

Ongepast. Verschrikkelijk. Eigenlijk helemaal niet grappig. Maar Lucy was op dat moment nog maar tien en ik hoor opeens haar kinderlijke, rappe stemmetje in mijn hoofd terwijl ik wegstap van het ontbindende bloed op de witte marmeren vloer, bruinrood met waterige gele randen. De stank lijkt de lucht te verduisteren en te bevuilen en de vliegen zijn net een legioen jankende duiveltjes, gestuurd door Beëlzebub. De dood is inhalig en lelijk. Hij pleegt een aanslag op onze zintuigen. Hij laat alle alarmbellen in ons lichaam afgaan met zijn levensbedreigende uitstraling. Wees voorzichtig. Blijf op afstand. Maak dat je wegkomt. Straks ben jij misschien aan de beurt.

We vinden lijken instinctief afstotelijk en walgelijk en mijden ze letterlijk als de pest. Maar dit voorgeprogrammeerde gedrag heeft een zeldzame uitzondering, die noodzakelijk is om ons volk gezond en veilig te houden. Een select groepje mensen komt op de wereld zonder deze automatische afkeer. We worden zelfs aangetrokken door de afschuwelijke aanblik en vinden lijken intrigerend, en dat is een goede zaak. Iemand moet de rest waarschuwen en beschermen. Iemand moet zich bezighouden met de pijnlijke en onaangename realiteit, het wie, hoe en waarom vaststellen en de rottende resten opruimen voor ze nog meer aanstoot geven en infecties verspreiden.

Ik geloof dat deze bijzondere mensen simpelweg anders in elkaar zitten. Of het nu goed is of slecht, we zijn niet allemaal hetzelfde. Dat heb ik altijd geweten. Geef me een paar flinke glazen Schotse whisky en ik geef toe dat ik eigenlijk niet, en ik citeer, 'normaal' ben, en dat ook nooit ben geweest. Ik ben niet bang voor de dood. Ik sla geen acht op de bijbehorende verschijnselen, behalve om er iets van te leren. Geuren, vloeistoffen, maden, vliegen, roofvogels, knaagdieren. Ze vertellen iets over de waarheid die ik wil achterhalen en het is belangrijk dat ik respect heb voor het leven dat is voorafgegaan aan het biologische fiasco dat ik onderzoek en veiligstel.

Ik wil maar zeggen dat ik geen last heb van dingen die de meeste mensen afkeer en afgrijzen inboezemen. Behalve als het om Lucy gaat. Ik houd te veel van haar. Dat is altijd zo geweest. Ik voel me meteen verantwoordelijk en schuldig, en dat is misschien precies de bedoeling nu ik zit te kijken naar de vertrouwde, simpele, vanillekleurige slaapkamer in de opnamen die zo onverhoeds op mijn telefoon zijn verschenen. Ik ben het meesterbrein, de gezaghebbende persoon, de liefhebbende tante die ervoor gezorgd heeft dat haar nicht in die kamer is beland. Ik heb Mister Pickle daar neergezet.

Hij ziet er nog net zo uit als toen ik hem uit de stoffige winkel in Richmond haalde en hem schoonmaakte, aan het begin van mijn carrière. Ik besef dat ik niet meer weet wanneer en waar ik hem voor het laatst heb gezien. Ik heb geen idee of Lucy hem is kwijtgeraakt, hem heeft weggegeven of hem in een kast heeft weggestopt. Mijn aandacht dwaalt even af als een paar kamers verderop in dit prachtige huis, waar een rijke jonge vrouw is gestorven, een flinke hoestbui losbarst.

'Jezus! Wat krijgen we nou? Je lijkt verdomme Typhoid Mary wel.' Het is inspecteur Pete Marino, met het gebruikelijke scherpe en grappig bedoelde gevit onder politiemensen.

De man van de staatspolitie van Massachusetts, wiens naam ik niet weet, zegt nog wat last te hebben van een 'zomergriepje'. Ik begin me af te vragen of hij in werkelijkheid geen kinkhoest heeft.

'Nou moet je eens goed luisteren, hersenloze sukkel die je bent. Wou je mij verdomme geven wat jij hebt? Wou je me ziek maken? Als je nou eens daar ging staan.' Marino's overbekende meelevendheid.

'Het is niet besmettelijk.' Weer een hoestbui.

'Jezus! Doe in godsnaam je hand voor je mond!'

'Maar ik heb handschoenen aan.'

'Verrek, trek ze dan uit.'

'Geen sprake van. Ik ga hier geen DNA achterlaten.'

'Je meent het. En je sproeit geen DNA door het hele huis elke keer dat je je longen uithoest?'

Ik verdring het geluid van Marino en de agent van de staatspolitie en blijf strak naar het schermpje van mijn telefoon kijken. De seconden tikken weg en de slaapkamer op de videobeelden blijft leeg. Er is niets anders te zien dan Mister Pickle op het oncomfortabele, strenge, militair ogende bed van Lucy. Het is alsof de witte lakens en de geelbruine deken met spuitverf op de smalle, dunne matras en het platte kussen zijn aangebracht. Ik haat bedden die zo strak zijn opgemaakt en mijd ze als het even kan.

Mijn eigen bed, met het heerlijke traagschuimmatras, de uiterst fijn geweven lakens en het donsdekbed, is een van mijn meest gekoesterde luxes. Hier kan ik uitrusten, vrijen, dromen of eigenlijk nog liever niet. Ik wil niet het gevoel hebben dat ik in krimpfolie ben gewikkeld. Ik weiger te slapen als een strak omwikkelde mummie en de bloedtoevoer naar mijn voeten te laten afsnijden. Niet dat ik onbekend ben met militaire kwartieren, overheidsonderkomens, armetierige motels of barakken in alle soorten en maten. Ik heb talloze uren doorgebracht op weinig uitnodigende plekken, maar niet uit vrije wil. Lucy is anders. Hoewel ze niet echt meer een eenvoudig, spartaans leven leidt, geeft ze ook niet zoveel om bepaalde geneugten als ik.

Je kunt haar midden in het bos of een woestijn in een slaapzak leggen; zij vindt alles prima zolang ze wapens en technologie bij de hand heeft om zich te beschermen tegen de vijand, wie dat op dat moment ook mag zijn. Ze gaat tot het uiterste om haar omgeving te beveiligen, en dat is nog een reden om aan te nemen dat ze geen idee had dat ze in haar eigen slaapkamer werd bespioneerd.

Ze wist het niet. Absoluut niet.

Ik kom tot de conclusie dat de video zestien of op zijn hoogst negentien jaar geleden is gemaakt met spionageapparatuur met een hoge resolutie die zijn tijd ver vooruit was. Met meerdere camera's, die beelden opleverden van vele megapixels. Een flexibel open platform. Computergestuurd. Speciale software. Goed te verbergen. Op afstand aan en uit te zetten. Geavanceerd spul voor het nieuwe millennium, dat staat vast, maar geen anachronisme en geen bedrog. Het is precies wat ik zou verwachten.

Mijn nichtje hield zich altijd bezig met de modernste technologische snufjes, en in de tweede helft van de jaren negentig zou ze bekend zijn geweest met nieuwe ontwikkelingen in bewakingsapparatuur, lang voordat andere mensen daar kennis mee maakten. Maar dat betekent niet dat Lucy zelf cameraatjes heeft verstopt in haar slaapkamer toen ze als student stage liep bij de FBI, een periode waarin ze al net zo onverdraaglijk onmededeelzaam en op zichzelf was als tegenwoordig.

Woorden als 'toezicht' en 'spionage' voeren de boventoon in de dialoog die in mijn hoofd plaatsvindt, want ik ben ervan overtuigd dat wat ik hier zie niet met haar medeweten is opgenomen. En nog minder met haar toestemming, wat belangrijk is. Ik geloof ook niet dat Lucy me deze video heeft toegestuurd, al lijkt hij te zijn verzonden via haar nummer voor noodgevallen. Dat is heel belangrijk. Het is ook een probleem. Bijna niemand heeft dat nummer. Ik kan de mensen die het hebben op één hand tellen. Ik bestudeer de opnamen zorgvuldig. De video is tien seconden geleden begonnen. Elf, inmiddels. Veertien. Zestien. Ik tuur naar de beelden, die vanuit verschillende hoeken zijn genomen.

Als Mister Pickle daar niet had gezeten, had ik Lucy's voormalige slaapkamer misschien niet herkend, ook al zijn de witte horizontale jaloezieën verkeerd om dichtgedaan, als de pool van textiel of een vacht die de verkeerde kant uit is gestreken, een gewoonte van haar waar ik een beetje gek van word. Ze doet jaloezieën altijd verkeerd om dicht en ik heb het opgegeven om steeds maar te zeggen dat het net zoiets is als je ondergoed binnenstebuiten aantrekken. Ze brengt ertegen in dat niemand naar binnen kan kijken als de gesloten jaloezieën naar boven zijn gedraaid in plaats van naar beneden. Iemand die zo denkt, is er heel erg op bedacht dat niemand haar kan bekijken, stalken, bespieden. Lucy zou dat nooit ongestraft toelaten.

Tenzij ze het niet wist. Tenzij ze de bespieder vertrouwde.

De seconden tikken weg en er verandert niets in de slaapkamer. Hij blijft leeg. Stil.

De muur van bouwblokken en de tegelvloer hebben de witte kleur van grondverf en het goedkope meubilair is afgewerkt met esdoornfineer. Alles is even eenvoudig en praktisch. Het prikkelt een uithoekje van mijn hersenen, een met pijn doortrokken deel van mijn geheugen dat ik verzegeld heb als een lijk onder gietbeton. Wat ik op het schermpje van mijn telefoon zie, zou een kamer kunnen zijn in een particuliere psychiatrische kliniek. Of het onderkomen van een bezoekende officier op een militaire basis. Of een nietszeggende pied-à-terre. Maar ik weet wat ik zie. Ik zou die humeurige teddybeer overal herkennen.

Mister Pickle is altijd gegaan waar Lucy ging, en de aanblik van zijn aangrijpende snoet herinnert me aan hoe mijn leven eruitzag in de lang vervlogen dagen van de jaren negentig. Ik was de hoofdlijkschouwer van Virginia, de eerste vrouw in die positie. Mijn egocentrische zuster Dorothy besloot mij Lucy op het dak te schuiven. Wat werd voorgesteld als een kort, spontaan bezoekje werd een permanent verblijf, en de timing had niet slechter gekund.

Het was mijn eerste zomer in Richmond en de stad werd belaagd door een seriemoordenaar die vrouwen wurgde in hun eigen huis, in hun eigen bed. De zaak escaleerde en de moorden werden steeds sadistischer. We kregen de dader maar niet te pakken. We hadden geen idee wie hij was. Ik was een nieuweling. Pers en politici vielen als een lawine over me heen. Ik paste niet in het team. Ik was kil en uit de hoogte. Ik was raar. Welke vrouw sneed nu lijken open in een mortuarium? Ik was onbeleefd en ontbeerde de zuidelijke charme. Mijn voorvaderen kwamen niet uit Jamestown of van de *Mayflower*. Ik, een afvallige katholiek, een multiculturele sociale liberaal uit Miami, was erin geslaagd de grondslag voor mijn carrière te leggen in de voormalige hoofdstad van de Confederatie, waar het aantal moorden per hoofd van de bevolking het hoogste in de Verenigde Staten was.

Ik heb nooit een bevredigende verklaring gekregen voor het feit dat Richmond de hoofdprijs behaalde als het om het aantal moordzaken ging, en ik heb ook nooit begrepen waarom de politie erover opschepte. Maar ik begreep evenmin wat het voor zin had de Burgeroorlog na te spelen. Waarom zou je je belangrijkste nederlaag vieren? Ik leerde al snel om geen uiting te geven aan mijn scepticisme en als me gevraagd werd of ik een Yankee was, zei ik dat ik het honkbal niet zo volgde. Dat was meestal afdoende.

De benoeming tot een van de eerste vrouwelijke hoofdlijkschouwers in de Verenigde Staten verloor al snel zijn glans, en de vreugde waarmee ik de positie had aanvaard sloeg om in twijfel. Het Virginia van Thomas Jefferson had meer van een koppig oud oorlogsgebied dan van een bastion van beschaving en verlichting, en het duurde niet lang voor de waarheid maar al te duidelijk werd. Mijn voorganger was een bekrompen, alcoholistische vrouwenhater die na zijn plotselinge dood een rampzalige bende had achtergelaten. Geen ervaren, gecertificeerde forensisch patholoog met een behoorlijke reputatie wilde zijn plaats innemen. Dus kwamen de mannen die het voor het zeggen hadden met een slimme oplossing. Waarom zouden ze geen vrouw nemen?

Vrouwen zijn goed in het opruimen van rotzooi. Dus waarom zochten ze niet een vrouwelijke forensisch expert? Het maakte niet uit of ze jong was en niet de benodigde ervaring had om een staatsinstelling te leiden. Zolang ze een gekwalificeerde deskundige was in het gerechtshof en manieren had, kon ze erin groeien. Wat dachten ze van een te hoog opgeleide, aan details verslaafde, perfectionistische, Italiaanse workaholic die in armoede was opgegroeid en zich nog helemaal moest bewijzen, een enorm gedreven, gescheiden vrouw zonder kinderen?

Nou ja, zo'n beetje zonder kinderen, tot er iets onverwachts gebeurde. Het enige kind van mijn enige zus, Lucy Farinelli, werd in wezen bij mij te vondeling gelegd. Alleen was deze vondeling tien jaar oud, wist ze meer over computers en machines dan ik ooit zou weten en was ze een onbeschreven blad waar het om gepast gedrag ging. Zeggen dat Lucy een moeilijk kind was, is net zoiets als zeggen dat bliksem gevaarlijk is. Het is een gegeven feit.

Mijn nichtje was en is een hele uitdaging. Onveranderlijk en ongeneeslijk. Maar als kind was ze onmogelijk en onbeschoft. Ze was een geniale inboorling, boos, mooi, fel, onbevreesd, meedogenloos en onaanraakbaar, overgevoelig en onverzadigbaar.

Wat ik ook deed, het was nooit genoeg. Maar ik probeerde het. Ik hield vol en bleef tegen de stroom in roeien. Ik ben altijd bang geweest dat ik een heel slechte moeder zou zijn. Ik heb geen reden om een goede te zijn.

Ik dacht dat een knuffelbeer een verwaarloosd kind zou troosten en het gevoel zou geven dat er van haar gehouden werd, en terwijl ik Mister Pickle op het bed in Lucy's voormalige slaapkamer zie zitten in een bewakingsvideo waarvan ik tot een minuut geleden niet wist dat die bestond, gaat de lichte schok over in een uitzaaiende rust. Ik word heel stil. Ik concentreer me. Ik denk helder, objectief en logisch na. Ik moet wel. De video op mijn telefoon is echt. Het is van het allergrootste belang dat ik dat aanvaard. De beelden zijn niet gefotoshopt of gemanipuleerd. Ik weet verdomd goed wat ik zie.

De FBI Academy. Washington Dormitory. Kamer 411.

Ik probeer na te gaan wanneer Lucy daar precies stage liep en later agent werd. Voor ze eruit werd gewerkt. Voor ze in feite werd ontslagen door de FBI. En later door de ATF. Daarna werd ze freelancer en verdween ze voor missies waar ik niets over wil weten, en weer later begon ze haar eigen forensische computerbedrijf in New York. Tot ze ook daar uit werd gewerkt.

Waarmee we aankomen in het heden, een vrijdagmorgen halverwege augustus. Lucy is een vijfendertigjarige, steenrijke tech-ondernemer die mij en mijn hoofdkwartier, het Cambridge Forensic Center (CFC) gul laat profiteren van haar talenten, en terwijl ik naar de bewakingsbeelden zit te kijken, bevind ik me op twee plekken tegelijk. In het verleden en in het heden. Ze houden verband met elkaar. Ze vormen een doorlopend geheel.

Alles wat ik heb gedaan en ben geweest is langzaam en onstuitbaar vooruitgeschoven tot in deze met bloed besproeide marmeren hal. Alles wat hieraan is voorafgegaan, heeft me gebracht waar ik ben, mank en vertrokken van pijn door een zwaar beschadigd been, met een rottend lijk naast me op de vloer. Mijn verleden. Maar vooral Lucy's verleden, en ik zie een melkweg voor me vol felle, wervelende vormen en geheimen in een enorme, inktzwarte leegte. Duisternis, schandalen, misleiding, bedrog; gewonnen, verloren en weer gewonnen fortuinen; slecht afgelopen schietpartijen en goed of nog maar net goed afgelopen schietpartijen.

Onze levens begonnen vol hoop, dromen en beloften, ze werden in snel tempo slechter en beter, uiteindelijk niet zo slecht en vervolgens vrij goed, tot alles afgelopen juni weer helemaal verkeerd liep en ik er bijna geweest was. Ik dacht dat het hele horrorverhaal nu voor altijd was afgelopen en we er niet meer voortdurend aan zouden hoeven denken. Ik had me niet erger kunnen vergissen. Het is alsof ik een sneltrein voor heb weten te blijven en er na een bocht in de rails vanaf de andere kant door ben geraakt.

2

'Heeft iemand het aan de dokter gevraagd?' Het is de stem van agent Hyde van de politie van Cambridge. 'Ik bedoel, dat kun je krijgen van marihuana, toch? Je rookt een heleboel wiet en als je dan high bent, krijg je van die idiote ideeën als: zal ik eens een gloeilamp vervangen in mijn blootje? Dat klinkt slim. Toch? Ha! Verdomd slim, nietwaar? En dan val je midden in de nacht, terwijl er niemand in de buurt is, van de trap en heb je een gat in je hoofd.'

Hydes voornaam is Park. Ik begrijp niet hoe je dat een kind kunt aandoen. Hij krijgt elke beledigende bijnaam die je maar kunt bedenken naar zijn hoofd geslingerd en geeft uiteraard lik op stuk. Om het allemaal nog erger te maken, is Park Hyde klein en mollig en heeft hij sproeten en weerbarstig peentjeshaar, als een slechte parodie op Raggedy Andy. Ik kan hem op dit moment niet zien. Maar ik heb een uitstekend gehoor, bijna bovenmenselijk, even goed als mijn geurzin (volgens de grappenmakers tenminste).

Ik zie geuren en geluiden voor me als kleuren in een spectrum of instrumenten in een orkest. Ik kan ze uitstekend van elkaar onderscheiden. Neem nou geurtjes. Sommige agenten gebruiken ze in overvloed en de mannelijke muskusgeur die Hyde draagt, is net zo luid als zijn stem. Ik kan hem in de naastgelegen kamer over me horen praten en vragen wat ik aan het doen ben en of ik me ervan bewust ben dat de dode vrouw drugs gebruikte en waarschijnlijk *gestoord, van het padje, helemaal de weg kwijt* was. De agenten lopen gekscherende opmerkingen uit te wisselen alsof ik er niet ben en Hyde is de aanvoerder, met zijn luidruchtige en lompe aanvallen en terzijdes.

Wat zijn de conclusies van dokter Dood? Hoe is het met het been van chef Zombie na je-weet-wel? (Fluister, fluister). Hoe laat gaat gravin Kay weer naar haar lijkkist? Verrek. Dat is misschien geen fijne opmerking na wat er twee maanden geleden in Florida is gebeurd. Ik wil maar zeggen: weten we zeker wat er echt is gebeurd, daar op de zeebodem? Is ze echt niet gegrepen door een haai? Wie weet heeft ze per ongeluk zelf een speer door haar been geschoten. Alles is nu goed met haar, toch? Ik bedoel, dat moet toch een flinke opdonder zijn geweest. Ze kan me toch niet horen, hè?

Zijn woorden en niet bijzonder zachte gefluister zijn net glinsterende, snijdende glasscherven. Fragmenten van gedachten. Dom en banaal. Hyde is de meester van de suffe bijnamen en de vreselijke woordspelingen, en ik denk aan wat hij vorige maand nog zei toen we met een groepje bij Paddy's, een kroeg in Cambridge, gingen toosten op de verjaardag van Pete Marino. Hyde stond erop me te trakteren op een 'stevige borrel', misschien een Bloody Mary, een Sudden Death of een Spontaneous Combustion.

Ik weet nog steeds niet goed wat het laatste is, maar hij beweert dat er maïswhisky in zit en dat het brandend wordt geserveerd. Het is misschien niet echt dodelijk, maar je zou willen dat het dat wel was, moet hij minstens vijf keer hebben gezegd. Hij doet wat aan cabaret en treedt af en toe op als stand-upcomedian in plaatselijke clubs. Hij denkt dat hij heel vermakelijk is. Dat is hij niet.

'Is dokter Dood er nog?'

'Ik ben in de hal.' Ik laat mijn paarse nitrilhandschoenen in een rode zak voor gevaarlijk afval vallen en de hoesjes om mijn schoenen maken glibberige geluiden als ik, nog steeds op het schermpje van mijn telefoon kijkend, over de bebloede marmeren vloer loop.

‘Sorry, dokter Scarpetta. Ik wist niet dat u me kon horen.’
‘Ik hoor je maar al te goed.’
‘O. Dan hebt u zeker ook gehoord wat ik net allemaal zei.’
‘Inderdaad.’
‘Sorry. Hoe is het met uw been?’
‘Het zit er nog aan.’
‘Kan ik iets voor u meenemen?’
‘Nee, dank je.’
‘We gaan even naar de Dunkin’ Donuts.’ De stem van Hyde komt uit de eetkamer en ik ben er me vaag van bewust dat hij en andere agenten daar rondlopen en kasten en laden opentrekken.

Marino is niet meer bij hen. Ik hoor hem niet en weet niet waar in het huis hij zich bevindt, en dat is net iets voor hem. Hij doet zijn eigen ding en maakt overal een wedstrijd van. Als hier iets te vinden is, zal hij het vinden. Ik zou ook om me heen moeten kijken. Maar nu even niet. Op dit moment gaat mijn aandacht naar de beelden van *vier-elf*, zoals we Lucy’s slaapkamer bij de FBI in Quantico, Virginia altijd noemden.

Tot dusver zijn er op de beelden geen mensen te zien en er wordt ook niets gezegd of ondertiteld terwijl ze seconde na seconde voorbijtrekken, zonder iets anders te bieden dan het statische beeld van Lucy’s kale en streng ogende voormalige onderkomen. Ik let op subtiele achtergrondgeluiden, draai het volume omhoog en luister mee via mijn wireless oortje.

Een helikopter. Een auto. Schoten op verre schietbanen.

Ik luister scherp als er voetstappen klinken, die mijn aandacht weer bij het heden bepalen, het hier en nu in dit historische huis aan de rand van de campus van Harvard.

Ik hoor de harde rubberen stap van geüniformeerde agenten in de richting van de hal komen. Ze hebben geen hoesjes over hun schoenen. Het zijn geen inspecteurs of technische rechercheurs en het is ook niet agent Hyde of een van de anderen. Nog meer personeel dat hier niet hoeft te zijn. Daar zijn er al meer dan genoeg van in en uit gelopen sinds ik een uur geleden hier arriveerde, niet lang nadat de zevenendertigjarige Chanel Gilbert dood werd aangetroffen in de met mahoniehout betimmerde hal van haar historische huis, vlak bij de dikke, antieke voordeur.

Dat moet een afschuwelijke ontdekking zijn geweest. Ik stel me voor hoe de huishoudster binnenkwam door de keukendeur, net als ze elke morgen deed, zo heeft ze aan de politie verteld. Ze moet meteen hebben gemerkt hoe extreem warm het in huis was. Vervolgens moet ze op de stank zijn afgegaan en naar de hal zijn gelopen, waar de vrouw voor wie ze werkte ligt te rotten op de vloer, haar gezicht verkleurd en verwrongen alsof ze woedend op ons is.

Wat Hyde zei is bijna waar. Chanel Gilbert zou inderdaad van een trap zijn gevallen terwijl ze gloeilampen verving in de lamp in de hal. Het lijkt een slechte grap, maar het is allesbehalve leuk om haar tengere lichaam te zien in de eerste stadia van ontbinding, opgezwollen en met hier en daar loslatende huid. Ze is na het oplopen van de hoofdwonden lang genoeg blijven leven om zwellingen en blauwe plekken te krijgen; haar ogen zitten dicht en zijn opgezet als die van een kikker, en haar bruine haar is een kleverige, bloederige massa die me doet denken aan een roestend schuursponsje. Ik vermoed dat ze nadat ze gewond is geraakt bewusteloos en bloedend op de vloer heeft gelegen terwijl haar hersenen opzwollen, waardoor het bovenste deel van haar ruggenmerg werd afgekneld tot uiteindelijk haar hart en longen ermee ophielden.

De politie koestert geen argwaan over dit sterfgeval, niet echt, wat de rechercheurs ook zeggen of beweren. Eigenlijk is het gewoon een stelletje voyeurs. Op hun eigen onbetamelijke manier genieten ze van het drama en van een van hun favoriete spelletjes, *Geef het slachtoffer de schuld*. Het moet haar eigen fout zijn. Ze heeft iets gedaan wat haar te vroege dood heeft veroorzaakt, iets stoms. Dat woord heb ik al een paar keer gehoord en ik ben helemaal niet blij met mensen die geen andere mogelijkheden meer willen zien. Ik ben er absoluut niet van overtuigd dat dit een ongeluk is. Er zijn te veel eigenaardigheden en inconsequenties. Als ze gisteravond laat of vanmorgen vroeg is overleden, zoals de politie vermoedt, waarom is het ontbindingsproces dan al zo vergevorderd? Terwijl ik het tijdstip van de dood probeer te bepalen, moet ik steeds weer denken aan iets wat Marino vaak zegt.

Teringzooi. Dat is wat ik hier voor me zie. En mijn intuïtie pikt nog iets anders op. Ik voel in dit huis nog een andere aanwezigheid. Anders dan de politie. Anders dan de dode vrouw. Anders dan de huishoudster die vanmorgen om kwart voor acht kwam opdagen en een schokkende ontdekking deed, die zacht gezegd haar dag heeft bedorven. Ik voel iets wat me van mijn stuk brengt en waar ik geen empirische verklaring voor heb, maar ik ben niet van plan er een woord over te zeggen.

Ik maak er geen gewoonte van om anderen deelgenoot te maken van mijn onderbuikgevoelens, mijn intuïtieve ingevingen. Niet de politie en zelfs niet Marino. Van mij wordt niet verwacht dat ik indrukken heb die niet te bewijzen zijn. Eigenlijk is het nog erger in mijn positie. Ik mag geen gevoelens hebben, maar word er tegelijkertijd van beschuldigd dat ik ze niet heb. Een kansloze situatie, dus. Een totale paradox. Maar dat is niets nieuws. Ik ben eraan gewend.

'Mevrouw?' Een onbekende mannenstem, maar ik kijk niet op en blijf roerloos in de hal staan, van top tot teen gehuld in witte beschermende kleding, met mijn telefoon in mijn blote handen, op een metertje afstand van een dode vrouw bij een staande trap.

Beroep onbekend. Op zichzelf. Aantrekkelijk op een scherpe, verontrustende manier, bruin haar, blauwe ogen volgens de foto op het rijbewijs dat ik onder ogen heb gekregen. De dochter van een van de bekendste filmproducers, Amanda Gilbert, de eigenares van dit dure stukje onroerend goed die op dit moment van Los Angeles onderweg is naar Boston. Dat is wat ik weet, en het verklaart een heleboel. Twee agenten en één man van de staatspolitie staan in de eetkamer luid te praten over films die Amanda Gilbert al dan niet gemaakt heeft.

'Die heb ik niet gezien. Maar wel die andere, met Ethan Hawke.'

'Die film waar ze twaalf jaar over hebben gedaan? Waarin je die jongen ziet opgroeien?'

'Dat was wel gaaf.'

'Ik kijk enorm uit naar *American Sniper.*'

'Over wat er gebeurd is met Chris Kyle? Ongelooflijk, hè? Je komt thuis als oorlogsheld met honderdtachtig treffers op je naam en een of andere sukkel maakt je af op de schietbaan. Alsof Spider-Man doodgaat aan een spinnenbeet.' Hyde is aan het woord. Hij en de andere twee agenten houden zich op bij de trap aan het uiteinde van de hal en wagen zich niet dichter bij mij of bij de stank die hen als een muur van smerige, hete lucht tegenhoudt. 'Dokter Scarpetta? Zoals ik al zei, we gaan koffie halen. Wilt u ook iets?' Hyde heeft ver uit elkaar staande, gelige ogen die me doen denken aan die van een kat.

'Nee, het gaat prima zo.' Maar dat is niet waar.

Ondanks mijn onverstoorbare gezicht gaat het helemaal niet prima. Ik hoor nog meer schoten en zie de schietbanen voor me. Ik hoor de doffe knal waarmee lood in omhoogschietende stalen doelwitten slaat. Het heldere gerinkel van uitgeworpen metalen hulzen die van de betonnen schietplatformen en banken stuiteren. Ik voelde de zuidelijke zon op mijn hoofd branden en het zweet opdrogen onder mijn werkkleren in een tijd waarin alles tegelijkertijd zo goed en zo slecht was als het in mijn leven ooit is geweest.

'Een flesje water dan, mevrouw? Of frisdrank misschien?' Het is de man van de staatspolitie die me tussen de hoestbuien door toespreekt. Ik ken hem niet en het zal onze relatie geen goed doen als hij me mevrouw blijft noemen.

Ik heb gestudeerd aan Cornell en Georgetown Law en heb de geneeskundige opleiding gevolgd van het Johns Hopkins. Ik ben kolonel bij de bijzondere reservisten van de luchtmacht. Ik heb getuigd voor subcommissies van de Senaat en ben ontvangen op het Witte Huis. Ik ben onder andere hoofdlijkschouwer van Massachusetts en directeur van de forensische laboratoria. Ik ben te ver gekomen in het leven om me gewoon mevrouw te laten noemen.

'Nee dank je, ik hoef niets,' antwoord ik beleefd.

'Misschien moeten we gewoon een paar liter koffie in kartonnen pakken halen. Dan is er genoeg en blijft ze warm.'

'Het is niet echt een dag voor warme koffie. Wat dacht je van ijskoffie?'

'Goed idee, want het is hierbinnen nog steeds bloedheet. Kun je nagaan hoe het eerder was.'

'Een oven, dat was het.' Nog meer afschuwelijk gehoest.

‘Nou, ik geloof dat ik een paar liter gezweet heb.’

‘We zullen wel snel klaar zijn. Een uitgemaakte zaak, nietwaar, dokter? De bloedproeven zullen interessant zijn. Wacht maar af. Ze was stoned, en als iemand high is denkt hij dat hij weet wat hij doet, maar dat is niet zo.’

‘High’ en ‘stoned’ zijn twee heel verschillende gevolgen van psychoactieve middelen en ik geloof niet dat wiet de verklaring is voor wat hier is gebeurd. Maar ik breng niet onder woorden wat er allemaal in mijn hoofd omgaat, hoewel de staatsagent en Hyde doorgaan met het over en weer kaatsen van grapjes en stekeligheden. Over en weer. Over en weer. Monotoon, slaapverwekkend. Eigenlijk wil ik gewoon met rust worden gelaten. Om naar mijn telefoon te kijken en uit te zoeken wat er in godsnaam met me gebeurt, wat de reden daarvoor is en wie ervoor verantwoordelijk is. Over en weer. Ze weten gewoon van geen ophouden.

‘Sinds wanneer ben jij hier de expert, Hyde?’

‘Dat zijn gewoon de harde feiten.’

‘Nou moet je eens goed luisteren. Amanda Gilbert is onderweg hiernaartoe. Dus we moeten zorgen dat we overal een antwoord op hebben, zelfs als er geen vraag is. Ze kent waarschijnlijk allerlei belangrijke en hooggeplaatste mensen die ons een boel problemen kunnen bezorgen. De media gaan hiervan smullen, dat staat vast, als ze dat tenminste niet al doen.’

‘Ik vraag me af of ze een levensverzekering had, of mammie een verzekering heeft afgesloten op haar werkloze junkie.’

‘Denk je dat ze het geld nodig heeft of zo? Heb je enig idee hoe rijk Amanda Gilbert is? Volgens Google bezit ze zo’n tweehonderd miljoen.’

‘Het staat me niet aan dat de airconditioning uit stond. Dat is niet normaal.’

‘Dat wil ik nou juist zeggen. Het is typisch zoiets wat mensen doen als ze stoned zijn. Ze gieten sinaasappelsap over hun cornflakes en nemen sneeuwschoenen mee naar de tennisbaan.’

‘Wat hebben sneeuwschoenen er nou weer mee te maken?’

‘Ik wil alleen maar zeggen dat het anders is dan dronken zijn.’

3

Ze praten met elkaar alsof ik er niet ben, en ik blijf naar de video op mijn telefoon kijken. Ik blijf wachten tot er iets gebeurt.

Hij is nu vier minuten aan de gang en ik kan hem niet pauzeren of opslaan. Welke toets, icoon of menukeuze ik ook probeer, niets doet het, en de opname gaat verder zonder dat er iets verandert. De enige beweging die ik tot dusver heb kunnen ontdekken, is de subtiele verandering in het licht aan de randen van de strak dichtgedraaide jaloezieën.

Het is een zonnige dag, maar er moeten wolken overdrijven, anders zou het licht niet zo veranderen. Het is alsof er in de slaapkamer aan een dimmer wordt gedraaid, waardoor het licht het ene moment helderder is dan het andere. Wolken die voor de zon langs trekken, concludeer ik terwijl Hyde en de staatsagent bij de mahoniehouten trap blijven staan en luid meningen ten beste geven, commentaar geven en roddelen, alsof ze denken dat ik doof ben of net zo dood als de vrouw op de vloer.

'Ik geloof niet dat we het haar moeten vertellen als ze ernaar vraagt.' Hyde heeft het nog steeds over de verwachte aankomst van Amanda Gilbert. 'Het feit dat de airco is uitgezet, is een detail dat we voor haar en zeker voor de pers willen verzwijgen.'

'Het is het enige vreemde aspect aan deze zaak. Het geeft me een slecht gevoel, weet je.'

Het is zeker niet het enige vreemde aspect aan deze zaak, denk ik, maar ik zeg het niet.

'Dat is zeker waar, en dan krijg je al die geruchten en samenzweringstheorieën overal op het internet.'

'Het is alleen dat moordenaars soms de airco uitzetten en de verwarming aan om het in huis zo warm mogelijk te maken en de ontbinding te versnellen. Dat doen ze om te verdoezelen wanneer het slachtoffer precies is overleden, zodat ze een alibi kunnen creëren en met het bewijs kunnen knoeien, nietwaar, dokter?' De staatsagent, die niet alleen kan hoesten maar ook nog praten, spreekt me rechtstreeks aan met een accent waarin de r klinkt als een w.

'Warmte versnelt de ontbinding,' antwoord ik zonder op te

kijken. 'Kou vertraagt die,' voeg ik eraan toe, terwijl ik opeens besef wat het betekent dat de slaapkamermuren in de video eierschaalwit zijn.

Toen Lucy haar intrek nam in de Washington Dormitory waren de muren van haar kamer beige. Ze zijn later overgeschilderd. Ik reken opnieuw uit wanneer de video is gemaakt. Het moet in 1996 zijn geweest. Misschien 1997.

'Dunkin' Donuts heeft heel behoorlijke broodjes. Wilt u iets eten, mevrouw?' De staatsagent in zijn blauw met grijze uniform heeft het weer tegen mij. Het is een man van een jaar of zestig met een buikje, en hij ziet er niet goed uit met zijn uitgeteerde gezicht en de donkere kringen onder zijn ogen.

Ik heb geen idee wat hij op de plaats delict doet, wat voor nut zijn aanwezigheid heeft. Bovendien is hij zo te horen behoorlijk ziek. Maar ik heb niets te zeggen over wie er wordt uitgenodigd. Ik kijk neer op het gehavende, dode gezicht van Chanel Gilbert en op haar bebloede, naakte lichaam met de groenige verkleuringen en de opgezwollen buik door de bacteriën en gassen in haar darmen, ontstaan bij het rottingsproces.

De huishoudster heeft de politie verteld dat ze het lichaam niet heeft aangeraakt en er zelfs niet bij in de buurt is geweest, en ik twijfel er niet aan dat Chanel Gilbert er nog precies zo bij ligt als ze is gevonden, met haar zwartzijden kimono open, zodat haar borsten en schaamstreek te zien zijn. De impuls om een naakte dode te bedekken ben ik lang geleden al kwijtgeraakt, tenzij het lichaam zich op een openbare plek bevindt. Ik verander niets aan de positie van het lichaam tot ik er zeker van ben dat alle foto's zijn gemaakt en het moment is aangebroken om het in een lijkenzak te verpakken en naar het CFC te transporteren. Dat zal snel gebeuren. Heel snel, zelfs.

Het spijt me. Dat zou ik tegen haar willen zeggen terwijl ik de plassen bloed bekijk, die kleverig donkerrood zijn en aan de randen zwart opdrogen. *Er heeft zich iets ernstigs voorgedaan. Ik moet weg, maar ik kom terug*, zou ik zeggen als ik kon. Ik ben me er vaag van bewust hoe luid de vliegen in de hal zijn gaan zoemen. De politie loopt in en uit en door al die open- en dichtgaande deuren zijn er steeds meer vliegen binnengekomen, die glanzend als druppels benzine overal overheen kruipen, op zoek naar wonden en andere openingen om hun eitjes te leggen.

Met een ruk kijk ik weer naar het schermpje van mijn telefoon. Het beeld is nog steeds hetzelfde, Lucy's lege slaapkamer, en de seconden tikken voorbij. Tweehonderdnegenentachtig. Driehonderdtien. Al bijna zes minuten; er moet meer komen. Wie heeft me dit toegezonden? Niet mijn nicht. Daar is geen enkele denkbare reden voor. En waarom zou ze dat nu doen? Na al die jaren? Ik heb het gevoel dat ik het antwoord weet. Ik wil niet dat het waar is.

Lieve God, laat ik het alsjeblieft mis hebben. Maar ik heb het niet mis. Het zou wel heel naïef van me zijn om één en één niet bij elkaar op te tellen.

'Ze hebben ook vegetarische broodjes, als u dat liever wilt,' zegt een van de agenten tegen me.

'Nee, dank je.' Ik blijf kijken, en dan voel ik dat er iets gebeurt.

Hyde richt zijn telefoon op me. Hij neemt een foto.

'Als je daar maar niets mee gaat doen,' zeg ik zonder op te kijken.

'Ik was van plan hem te tweeten nadat ik hem op Facebook en Instagram heb gezet. Grapje. Kijkt u een film op uw telefoon?'

Ik kijk net lang genoeg op om te zien dat hij me aan staat te staren. Hij heeft die glans in zijn ogen, de ondeugende glans die daar te zien is als hij op het punt staat een van zijn suffe grapjes te maken.

'Ik kan u niet kwalijk nemen dat u verstrooiing zoekt,' zegt hij. 'Het is hier een beetje een dooie boel.'

'Ik kan dat niet, ik ben veel te ouderwets,' zegt de staatsagent. 'Ik moet een behoorlijk scherm hebben om een film te kijken.'

'Mijn vrouw leest boeken op haar telefoon.'

'Ik ook. Maar alleen onder het rijden.'

'Haha. Wat ben je toch grappig, Hyde.'

'Denkt u dat het de moeite waard is om alles in kaart te brengen? Dokter?'

Ik merk dat er nog een agent is binnengekomen. Hij begint over de procedure met de bloedsporen. Ik weet zijn naam niet. Dunner wordend grijs haar, snor, kort en vierkant lichaam, de bouw van een brandkraan. Hij werkt niet bij de recherche, maar ik heb hem wel in de chique straten van Cambridge mensen zien aanhouden en bonnen zien uitschrijven. Weer zo iemand die hier niets te zoeken heeft, maar het is niet aan mij om agenten weg te sturen. Het lichaam en alle biologische bewijs dat daarmee in verband staat behoren tot mijn jurisdictie, maar daar houdt het mee op. Officieel.

Ja, *officieel*. Want over het algemeen bepaal ik zelf wat mijn verantwoordelijkheden zijn. Ik word zelden tegengesproken. Over het algemeen werken de politie en ik goed samen en meestal vinden de politiemensen het prima als ik het heft in handen neem. Ze zetten er bijna nooit vraagtekens bij. Of in ieder geval trekken ze mijn beslissingen nooit in twijfel. Dat zou nu anders kunnen zijn. Misschien is dit een voorproefje van hoe alles in twee korte maanden tijd veranderd is.

'Ik ben naar zo'n cursus over bloedsporen geweest en daar zeiden ze dat je alles in kaart moet brengen omdat er in de rechtbank naar gevraagd gaat worden,' zegt de agent met het uitdunnende grijze haar. 'Als je bij je getuigenis zegt dat je de moeite niet genomen hebt, maak je een slechte indruk op de jury. Dat noemen ze de lijst met nee-vragen. De advocaat stelt alle vragen waarop je volgens hem zeker nee gaat zeggen en dan lijkt het alsof je je werk niet hebt gedaan. Alsof je incompetent bent.'

'Vooral als de leden van de jury naar *CSI* kijken.'

'Je meent het.'

'Wat is er mis met *CSI*? Heb jij geen toverdoos in die koffer van jou?'

Het gaat maar door, en ik luister amper. Wel zeg ik dat het tijdverspilling zou zijn om de boel in kaart te brengen.

'Dat dacht ik al. Marino ziet er ook de zin niet van in,' antwoordt een van de mannen.

Blij dat Marino het zegt. Dan moet het wel waar zijn.

'We zouden het hele bureau hiernaartoe kunnen halen als u wilt. Dat kunnen we zo doen, daar wil ik u maar even aan herinneren,' zegt de staatsagent tegen me, en vervolgens legt hij me van alles uit over elektronische theodolieten met elektronische afstandsmeters, al gebruikt hij niet deze specifieke woorden.

Ik weet beter dan jij wat jullie kunnen doen en ik heb meer plaatsen delict onderzocht dan jij ooit zult zien.

'Dank je, maar dat is niet nodig,' antwoord ik zonder ook maar een blik te werpen op de donkere bloedvlekken onder en rond het lichaam.

Ik heb het schouwspel al geïnterpreteerd; het in kaart brengen en met elkaar verbinden van strepen, vegen, spetters en druppels bloed, of dat nu met stukken touw of met geavanceerde instrumenten gebeurt, kan daar niets aan toevoegen. Het bloed is terechtgekomen op de vloer onder en rond het lichaam, zo eenvoudig is het. Chanel Gilbert stond niet overeind toen ze de fatale hoofdwonden opliep, zo eenvoudig is het. Ze stierf waar ze nu ligt, zo eenvoudig is het.

Dat betekent niet dat er geen kwade opzet in het spel is. Verre van dat. Ik heb haar nog niet onderzocht op seksueel misbruik. Ik heb nog geen driedimensionale CT-scan van haar lichaam gemaakt en er nog geen sectie op verricht, en ik loop aan de hand van wat ik zie allerlei diagnoses na terwijl ik vraag wat er in haar badkamer en op haar nachtkastje te vinden is.

'Ik ben vooral geïnteresseerd in medicijnen op recept. Vooral medicijnen als lenalidomide, oftewel een langdurige niet-steroïde behandeling met een immunomodulator,' leg ik uit. 'Een recente antibioticakuur kan ook hebben bijgedragen aan de groei van bacteriën en als ze positief blijkt voor bijvoorbeeld clostridium, kan dat een sneller verloop van de ontbinding verklaren.'

Ik stel hen ervan op de hoogte dat ik verscheidene zaken heb gehad waarin ik door gas producerende bacteriën als clostridium letterlijk al na twaalf uur post-mortemverschijnselen waarnam die vergelijkbaar zijn met dit geval. Terwijl ik hierover met de politie praat, blijf ik naar mijn telefoon kijken.

'Hebt u het over clostridium difficile?' De staatsagent verheft zijn stem en stikt bijna in zijn volgende hoestbui.

'Bijvoorbeeld.'

'Zou ze daarvoor niet in het ziekenhuis moeten liggen?'

'Niet als ze slechts een milde vorm had. Hebben jullie antibiotica of iets anders in haar slaapkamer of de badkamer gezien, iets wat erop zou kunnen wijzen dat ze diarree had of een infectie?' vraag ik.

'Nou, ik weet niet zeker of ik medicijnen op recept heb gezien, maar wiet was er in ieder geval.'

'Ik vraag me af of ze iets besmettelijks had,' zegt de grijze agent uit Cambridge aarzelend. 'Ik heb er niet bepaald trek in om clostridium difficile op te lopen.'

'Kun je dat krijgen van een lijk?'

'Ik zou je niet aanraden in contact te komen met haar uitwerpselen,' antwoord ik.

'Fijn dat u het even zegt.' Sarcastisch.

'Houd die beschermende kleding aan. Ik ga zelf wel even naar de aanwezige medicatie kijken, want ik wil die toch liever met eigen ogen zien. En als jullie straks terugkomen van Dunkin' Donuts,' voeg ik eraan toe zonder op te kijken, 'denk er dan aan dat we hierbinnen niet eten of drinken.'

'Maakt u zich daar maar geen zorgen over.'

'In de achtertuin staat een tafel,' zegt Hyde. 'Ik dacht dat we daar wel spullen konden neerzetten voor de pauze, zolang het niet gaat regenen, tenminste. We hebben nog een paar uur voor de grote storm losbarst die ze hebben voorspeld.'

'En we weten zeker dat er niets is gebeurd in de achtertuin?' vraag ik nadrukkelijk. 'We weten dat die geen deel uitmaakt van de plaats delict en dat we daar met gerust hart kunnen eten en drinken?'

'Kom op, doc. Het is toch vrij duidelijk dat ze hier in de hal van een trap is gevallen en daarbij om het leven is gekomen?'

'Ik ga er niet van uit dat er ook maar iets duidelijk is als ik op een plaats delict verschijn.' Ik kijk amper naar de drie mannen op.

'Nou, om eerlijk te zijn vind ik het wel duidelijk wat hier gebeurd is. Waar ze aan is doodgegaan is natuurlijk uw afdeling en niet die van ons, mevrouw.' De staatsagent lijkt net een advocaat. Mevrouw dit en mevrouw dat. Zodat de jury vergeet dat ik dokter, jurist en hoofd van de forensische dienst ben.

'Er wordt niet gegeten, gedronken, gerookt of van de toiletten gebruikgemaakt.' Ik zeg het tegen Hyde en het is een bevel. 'Er worden geen sigarettenpeuken, kauwgomwikkels, snackverpakkingen, koffiebekers of wat dan ook bij het afval gegooid. Ga er niet zomaar van uit dat dit geen plaats delict is.'

'Maar u denkt niet echt dat het dat wel is.'

'Ik behandel het huis als een plaats delict en dat zouden jullie ook moeten doen,' antwoord ik. 'We weten namelijk niet wat hier precies is gebeurd tot ik meer gegevens heb. Er is veel reactie in de weefsels en veel bloed, wel een paar liter, schat ik. Haar schedel voelt zacht aan. Het kan zijn dat er meer dan één breuk in zit. Ze vertoont postmortale verschijnselen die ik niet zou verwachten. Zoveel wil ik jullie wel vertellen, maar ik weet pas echt waarmee we te maken hebben als ik haar bij mij op de tafel heb liggen. En dan het feit dat de airco is uitgeschakeld, in augustus tijdens een hittegolf. Dat staat me beslist niet aan. Laten we haar dood niet zo snel toeschrijven aan marihuana. Jullie weten wat ze zeggen.'

'Waarover?' De staatsagent kijkt verbijsterd en bezorgd en hij en de anderen hebben nog een paar stappen achteruit gedaan.

'Je kunt beter te maken hebben met wietrokers dan met dronkenlappen. Drank laat je gevaarlijke dingen doen, zoals op een trap klimmen, autorijden of vechten. Die aandrang krijg je niet van een joint. Wiet staat er niet om bekend dat het agressie opwekt of uitnodigt risico's te nemen. Integendeel, zelfs.'

'Het hangt af van de persoon en wat hij gerookt heeft, toch? En misschien van andere medicatie die is gebruikt?'

'Dat is in het algemeen wel waar.'

'Laat me u dan dit vragen. Zou u verwachten dat iemand die van een ladder valt zoveel bloed verliest?'

'Het hangt ervan af wat de verwondingen zijn,' antwoord ik.

'Dus als ze erger zijn dan u denkt en ze geen drugs of alcohol in haar bloed blijkt te hebben, zouden we een groot probleem kunnen hebben. Dat is eigenlijk wat u zegt.'

'Als je het mij vraagt, hebben we al een groot probleem, wat er ook gebeurd is.' Dat is de staatsagent weer, tussen de hoestbuien door.

'Zij in ieder geval. Wanneer ben jij voor het laatst ingeënt tegen tetanus?' vraag ik.

'Hoezo?'

'Bij een tetanusvaccinatie word je ook meteen ingeënt tegen kinkhoest. En dat zou je volgens mij wel eens kunnen hebben.'

'Ik dacht dat alleen kinderen kinkhoest kregen.'

'Dat heb je dan mis. Hoe is het begonnen?'

'Gewoon met een verkoudheid. Loopneus en veel niesen, een

week of twee geleden. Daarna deze hoest. Ik krijg van die hoestbuien en dan krijg ik amper lucht. Ik kan me eerlijk gezegd niet herinneren wanneer ik voor het laatst ben ingeënt.'

'Je moet naar de dokter. Ik zou niet graag zien dat je longontsteking of een klaplong opliep,' zeg ik tegen de staatsagent.

Dan laten hij en de anderen me eindelijk alleen.

4

Na acht minuten zie ik nog steeds alleen Lucy's lege slaapkamer. Ik probeer nogmaals het bestand op te slaan of te pauzeren. Dat gaat niet. De beelden trekken even onstuitbaar voorbij als het leven, zonder dat ze iets opleveren.

Negen minuten inmiddels en de slaapkamer is nog precies hetzelfde, leeg en stil, maar op de achtergrond is het druk op de schietbanen. De schoten knallen en ik zie fel licht aan de randen van de verkeerd om dichtgedraaide witte jaloezieën. De zon staat recht op de ramen en ik herinner me dat Lucy's kamer op het westen lag. Het is laat in de middag.

Beng-beng. Beng-beng.

Vier verdiepingen lager hoor ik het rommelende geluid van voorbijrijdend verkeer op de J. Edgar Hoover Road, de hoofdweg die midden over het terrein van de FBI-academie loopt. Spitsuur. De lessen zijn voorbij voor die dag. Politiemensen en FBI-personeel komen van de schietbanen. Even verbeeld ik me dat ik de scherpe bananengeur ruik van isoamylacetaat, van Hoppe's schoonmaakmiddel voor vuurwapens. Ik ruik verbrand kruit alsof het zich overal om me heen bevindt. Ik voel de zwoele warmte van Virginia en hoor het statische geruis van insecten in het door de zon verwarmde gras waartussen de hulzen zilver en goud glanzen. Het staat me allemaal heel levendig voor ogen, en dan gebeurt er eindelijk iets.

De video heeft credits. Die beginnen heel langzaam voorbij te rollen.

VERDORVEN HART – SCÈNE I

DOOR CARRIE GRETHEN

QUANTICO, VIRGINIA – 11 JULI 1997

De naam is een schok. Het is gekmakend om hem in dikke, rode letters heel traag, pixel voor pixel naar beneden te zien glijden, alsof hij in slow motion weg bloedt. Er is muziek onder gezet. Karen Carpenter zingt 'We've Only Just Begun'. Het is walgelijk om de video te laten begeleiden door die engelachtige stem en die zachtaardige tekst van Paul Williams.

Dat van zo'n lief lied een dreigement wordt gemaakt, een bespotting, de belofte van nog meer letsel, leed, kwelling en mogelijk de dood. Carrie Grethen daagt ons schaamteloos uit. Ze steekt haar middelvinger naar me op. Ik heb in jaren niet naar de Carpenters geluisterd, maar vroeger draaide ik hun cassettes en cd's grijs. Ik vraag me af of Carrie dat wist. Waarschijnlijk wel. Dus dit is de volgende fase van wat ze lang geleden al op stapel moet hebben gezet.

Ik voel mijn antwoord op deze uitdaging opborrelen als gesmolten lava en ben me scherp bewust van mijn woede, van mijn verlangen om de verwerpelijkste en verraderlijkste misdadigster die ik ooit ben tegengekomen te vernietigen. Ik had dertien jaar niet aan haar gedacht, niet sinds ik er getuige van was geweest dat ze omkwam toen haar helikopter neerstortte. Dat dacht ik tenminste. Maar ik had het mis. Ze heeft nooit in die helikopter gezeten, en dat feit is een van de ergste dingen die ik ooit heb moeten aanvaarden. Alsof je verteld wordt dat een dodelijke ziekte weer de kop heeft opgestoken. Of dat een gruwelijke tragedie niet slechts een akelige droom was.

Dus nu gaat Carrie verder waar ze gebleven is. Dat was te verwachten. Mijn man Benton heeft me de laatste tijd gewaarschuwd om geen band met haar te smeden, om niet in mijn hoofd met haar te praten en me in slaap te laten sussen door de overtuiging dat ze niet van plan is af te maken waaraan ze begonnen is. Ze wil me niet doden, omdat ze iets ergers van plan is. Ze wil me niet van de aardbodem laten verdwijnen, anders had ze dat afgelopen juni wel gedaan. Benton is crimineel informatie-analist bij de FBI, wat mensen nog steeds een 'profiler' noemen.

Hij denkt dat ik me met de misdadiger heb geïdentificeerd. Dat ik lijd aan het stockholmsyndroom. Daar heeft hij het de laatste tijd vaak over. En elke keer als hij dat doet, krijgen we ruzie.

'Doc? Hoe gaat het hier?' De naderende mannenstem wordt begeleid door het papierachtige geluid van plastic schoenhoezen. 'Ik ben klaar om het huis met je door te gaan, als je wilt.'

'Nog niet,' antwoord ik terwijl Karen Carpenter in mijn oortje blijft zingen.

Workin' together day to day, together, together...

Hij stommelt de hal binnen. Peter Rocco Marino. Marino, zoals de meeste mensen hem noemen, ik ook. Of Pete, hoewel ik hem nooit zo genoemd heb. Ik weet niet zeker waarom, maar misschien is het omdat we vroeger niet echt vrienden waren. Dan is er nog 'bastardo' als hij zich gedraagt als een klootzak en 'hufter' als hij het daarnaar maakt. Eén meter negentig, minstens honderdtien kilo, dijbenen als boomstammen en handen zo groot als wieldoppen: een massieve gestalte voor wie mijn metaforen ontoereikend zijn.

Hij heeft een breed, verweerd gezicht en sterke, witte tanden, de kaak van een actieheld, een stierennek en een borst van kleerkastformaat. Hij draagt een grijs Harley-Davidson-poloshirt, schuiten van sportschoenen, hoge sportsokken en een korte, kakikleurige broek met vele uitpuilende zakken. Aan zijn riem zitten zijn politiepenning en een pistool, maar die heeft hij niet nodig om te doen wat hij wil en het respect te krijgen dat hij eist.

Marino is een rechercheur die geen grenzen kent. Zijn jurisdictie mag dan Cambridge zijn, hij vindt altijd wel een manier om zijn bereik te vergroten tot ver buiten de bevoorrechte omgeving van MIT en Harvard, de vooraanstaande mensen die daar wel en de toeristen die daar niet wonen. Hij duikt overal op waar hij wordt uitgenodigd en vaak ook waar dat niet het geval is. Hij kan niet goed omgaan met grenzen. Zeker niet met die van mij.

'Ik dacht dat je wel zou willen weten dat de marihuana voor medicinale doeleinden was. Ik heb geen idee waar ze het vandaan had.' Zijn bloeddoorlopen ogen nemen het lichaam en de bebloede marmeren vloer op en blijven rusten op mijn borsten, zijn favoriete plek om zijn aandacht te parkeren.

Het maakt niet uit of ik operatiekleren aanheb, een beschermende overall, een labjas of een dikke jas in een sneeuwstorm. Marino kijkt ongegeneerd waar hij wil kijken.

'Bloemknoppen, tinctuur, iets wat eruitziet als in folie verpakte snoepjes.' Hij trekt een massieve schouder op om het zweet weg te vegen dat van zijn kin druipt.

'Dat heb ik gehoord.' Ik blijf kijken naar wat er op mijn telefoon gebeurt en begin me af te vragen of het hierbij blijft, alleen Lucy's lege slaapkamer met het licht tussen de lamellen van de jaloezieën en Mister Pickle die onbegrepen en eenzaam op het bed zit.

'Het zit in een heel oude houten doos die ik heb gevonden onder een stapel rotzooi in haar slaapkamerkast,' zegt Marino.

'Ik ga het bekijken, maar niet nu. En waarom zou ze medicinale marihuana verstoppen?'

'Misschien omdat ze er niet op legale wijze aan is gekomen. Of om te voorkomen dat de huishoudster het steelt. Weet ik veel. Maar het wordt interessant om te zien wat er in haar bloed zit, hoe hoog het THC-gehalte is. Dat zou kunnen verklaren waarom ze besloot midden in de nacht op een trap te klimmen en met gloeilampen te gaan rotzooien.'

'Je praat te veel met Hyde.'

'Misschien is ze gevallen en is dat echt alles. Geen onlogische gang van zaken,' zegt Marino.

'Volgens mij wel. En we weten niet eens of het wel midden in de nacht was. Eerlijk gezegd twijfel ik daaraan. Als ze om middernacht of nog later is gestorven, was ze op zijn hoogst acht uur dood toen ze werd gevonden. En ik ben er zeker van dat ze langer dood is.'

'Het is hier zo warm dat onmogelijk te zeggen is hoelang ze dood is.'

'Bijna waar, maar niet helemaal,' antwoord ik. 'Ik kom er wel achter als we meer onderzoek doen.'

'Maar we kunnen op dit moment niet zeggen hoelang ze precies dood is. En dat is een groot probleem, want haar moeder zal antwoorden willen. Ik zie haar niet aan voor iemand die genoegen neemt met gissingen.'

'Ik gis niet, ik schat. En in dit geval is mijn schatting dat ze meer dan twaalf uur en minder dan achtenveertig uur dood is,' zeg ik. 'Beter wordt het op dit moment niet.'

'Zo'n grote producent als Amanda Gilbert, met flink haar op de tanden, gaat niet blij zijn met zo'n antwoord.'

'Ik ben niet bezig met de moeder.' Dat geklets over Hollywood begint me te irriteren. 'Ik houd me bezig met wat hier gebeurd is, want er klopt niets van wat ik zie. Wat het tijdstip van overlijden betreft: wie het weet mag het zeggen. De details zijn met elkaar in tegenspraak. Ik weet niet of ik ooit zoiets verwarrends heb gezien, en misschien is dat juist de bedoeling.'

'Wiens bedoeling?'

'Dat weet ik niet.'

'De maximumtemperatuur was gisteren vierendertig graden. De minimumtemperatuur was 's nachts zevenentwintig komma acht graden.' Ik voel de blik van Marino terwijl hij eraan toevoegt: 'De huishoudster zweert dat ze Chanel Gilbert gisteren om een uur of vier 's middags voor het laatst heeft gezien.'

'Dat heeft ze tegen Hyde gezegd voordat wij hier arriveerden. Daarna is ze vertrokken,' merk ik op.

Het is niet onze gewoonte om onnodig op het woord van een derde af te gaan. Marino had zelf met de huishoudster moeten praten. Dat gaat hij zeker doen voordat de dag om is.

'Ze zegt dat Chanel haar passeerde op de oprit en in de rode Range Rover die buiten staat op weg was naar het huis.' Marino herhaalt wat hem verteld is. 'Dus laten we er even van uitgaan dat ze ergens na vier uur gistermiddag is overleden en vanmorgen om kwart voor acht al in deze slechte toestand was. Komt dat overeen met jouw schatting? Twaalf uur of misschien langer.'

'Dat kan niet,' zeg ik tegen hem terwijl ik op mijn telefoon kijk. 'En waarom blijf je maar impliceren dat ze midden in de nacht is overleden?'

'Vanwege haar kleding,' zegt Marino. 'Bloot onder een zijden kimono. Alsof ze klaar was om naar bed te gaan.'

'Zonder nachthemd of pyjama?'

'Veel vrouwen slapen naakt.'

'Is dat zo?'

'Nou, zij misschien wel. Waar sta je toch steeds naar te kijken op je telefoon?' Hij spreekt me er rechtstreeks op aan, op zijn gebruikelijke botte manier, die negen van de tien keer gewoon onbeschoft is. 'Sinds wanneer kijk jij op een plaats delict alleen maar naar je telefoon? Is alles in orde?'

'Er is misschien een probleem met Lucy.'

'Het zal ook eens niet.'

'Ik hoop dat het niets te betekenen heeft.'

'Dat is meestal zo.'

'Ik moet bij haar gaan kijken.'

'Zoals ik al zei: het zal ook eens niet.'

'Bagatelliseer dit alsjeblieft niet.' Ik kijk naar mijn telefoon in plaats van naar hem.

'Ik weet niet eens wat "dit" is. Wat is er in godsnaam aan de hand?'

'Dat weet ik nog niet. Maar er is iets mis.'

'Het zal wel.' Hij zegt het alsof hij niets om Lucy geeft, maar niets is minder waar.

Als iemand voor haar de vaderrol heeft vervuld, is het Marino. Hij heeft haar leren autorijden en schieten en hij heeft haar leren omgaan met onverdraagzame conservatievelingen, want dat was Marino toen we elkaar lang geleden in Virginia leerden kennen. Hij was een bevooroordeelde homohater die voortdurend probeerde Lucy's vriendinnen in te pikken, tot hij eindelijk inzag hoe verkeerd hij bezig was. Maar ondanks zijn laatdunkende en beledigende opmerkingen en de moeite die hij doet om het te verbergen, is hij Lucy's grootste verdediger. Op zijn geheel eigen manier houdt hij van haar.

'Doe me een lol en laat Bryce weten dat Rusty en Harold meteen hier moeten komen. We moeten het lichaam naar het lab overbrengen.' Ik houd mijn telefoon schuin, zodat Marino niet kan zien dat er een video op wordt afgespeeld, zodat hij de lege slaapkamer in de FBI-academie niet kan zien en het groene teddybeertje dat hij zeker zal herkennen.

'Maar jij hebt de truck bij je.' Er ligt iets beschuldigends in zijn stem, alsof ik iets voor hem verzwijg, wat ik ook doe.

'Ik wil dat mijn transportteam dit afhandelt.' Het is geen verzoek. 'Ik ga het niet zelf doen en ik ga hiervandaan niet rechtstreeks naar het lab. Jij trouwens ook niet. Je moet me helpen met Lucy.'

Marino zorgt ervoor het kleverige, donkere bloed te vermijden als hij vlak naast het lichaam op zijn hurken gaat zitten en naar de vliegen slaat, die voortdurend en gekmakend blijven rondzoemen. 'Als je maar zeker weet dat Lucy belangrijker is dan deze zaak? En als je Luke vraagt de sectie te doen?'

'Is dit een meerkeuzevraag of zo?'

'Ik begrijp gewoon niet wat je aan het doen bent, doc.'

Ik zeg dat mijn adjunct Luke Zenner de sectie zal doen, of ikzelf als ik eindelijk op het lab kom. Maar dat zou wel eens vanmiddag pas kunnen zijn, mogelijk zelfs het eind van de middag.

'Wat krijgen we nou weer?' Marino verheft zijn stem. 'Ik snap het niet. Waarom breng je het lichaam niet zelf naar het lab, zodat we weten wat er verdomme met haar gebeurd is als die moeder van haar uit Hollywood komt opdagen?'

'Ik moet weg en kom later terug.'

'Ik snap niet waarom je niet eerst het lichaam kunt wegbrengen.'

'Zoals ik al heb gezegd, ga ik niet rechtstreeks naar het CFC. We moeten naar Concord en ik kan natuurlijk niet gaan rondrijden met een lichaam achter in de truck. Het moet meteen de koelkast in.' Ik houd voet bij stuk. 'Harold en Rusty moeten nu komen.'

'Ik snap het niet,' zegt hij nogmaals, dit keer met een nijdig gezicht. 'Je gaat hier weg in dat bakbeest van een truck, maar je gaat niet rechtstreeks naar het CFC? Heb je een afspraak bij de kapper of zo? Moeten je nagels gelakt worden? Gaan jij en Lucy naar de schoonheidsspecialist?'

'Niet te geloven dat je dat zegt.'

'Het was een grapje. Iedereen kan met één blik zien dat ik een grapje maak. Je doet al maanden nergens meer moeite voor.' Marino's beschuldigende stem is scherp van woede en ik voel de bui alweer hangen.

Geef het slachtoffer maar de schuld. Het is uiteraard aan mezelf te wijten dat ik bijna dood was geweest.

'Wat wil je daar nou weer mee zeggen?' vraag ik.

'Ik wil zeggen dat je jezelf bent kwijtgeraakt. Niet dat ik het niet begrijp. Het is vast niet gemakkelijk om dingen te doen, niet zo gemakkelijk als vroeger, tenminste. Het zal best lastig zijn om je aan te kleden en je een beetje te verzorgen.'

'Ja, het is een beetje moeilijk om me te "verzorgen",' antwoord ik droog, maar het is waar dat mijn haar wel eens geknipt en gestyled mag worden.

Mijn nagels zijn kort en niet gelakt. Ik heb niet de moeite gedaan me op te maken voor ik vanmorgen van huis ging. Ik ben een beetje magerder dan voordat ik werd neergeschoten. Maar dit is niet het moment om op me te gaan lopen vitten, hoewel Marino zich daar in alle jaren dat ik hem ken nooit door heeft laten tegenhouden. Dit is echter wel een dieptepunt, om op een plaats delict kritiek te hebben op mijn uiterlijk terwijl ik in de rats zit over mijn nichtje. Hij zou me gewoon op mijn woord moeten geloven als ik zeg dat we meteen naar haar toe moeten. Hij vertrouwt me niet meer zo als vroeger. En dat is het probleem.

'Jezus. Waar is je gevoel voor humor gebleven?' zegt hij na een van mijn lange stiltes.

'Ik heb het thuisgelaten.' Ik ben zo gespannen dat het moeite kost mijn stem te bedwingen. Ik voel de marmeren vloer door mijn schoenzool en mijn rechterbeen wordt stijf.

Het klopt pijnlijk, als een ontstoken kies. Ik kan mijn knie haast niet buigen, en hoe langer ik hier blijf staan, hoe erger het allemaal wordt.

'Sorry. Het is niet dat ik je op de kast wil jagen, doc, maar het is allemaal zo onlogisch,' zegt Marino. 'Ik neem aan dat je de sectie meteen wil doen? Voordat de moeder er is met een miljoen vragen en eisen? Is dat niet ietsje belangrijker dan langs Concord rijden om te zien of alles goed is met Lucy? Tenzij ze ziek is of gewond of zoiets. Ik bedoel, weet je of er iets aan de hand is?'

'Nee. Daarom moeten we gaan kijken.'

'We willen geen moeilijkheden met Amanda Gilbert, en zij is precies het soort vrouw om herrie te schoppen. Juist nu zou jij geen problemen moeten veroorzaken. Ik zeg het maar gewoon, want wat je nu niet moet hebben...'

'Ik weet heel goed wat ik niet moet hebben.' Ik kijk op mijn telefoon en mijd zijn blik.

Marino ondervraagt me en schrijft me de wet voor omdat hij dat kan doen. Vroeger was hij mijn hoofdrechercheur, tot hij besloot dat hij niet meer voor me wilde werken. Hij weet hoe het bij mij op het lab gaat. Hij weet precies hoe ik denk. Hij weet hoe ik dingen doe en waarom. Maar opeens ben ik een raadsel voor hem. Alsof ik van een andere planeet kom. Dat is al zo sinds juni.

'Ik wil dat ze nu meteen wordt overgebracht, en ik kan het niet zelf doen,' zeg ik tegen hem. 'Ik moet naar Concord. We moeten zo snel mogelijk weg.'

'Goed dan.' Hij staat op en blijft even op het lichaam staan neerkijken terwijl ik naar mijn telefoon staar.

De credits zijn allang verdwenen. De muziek is opgehouden. Ik word nog steeds geconfronteerd met de lege slaapkamer van Lucy uit een periode die wel een half leven geleden lijkt, en mijn spanning en frustratie nemen toe. Ik word geplaagd, uitgedaagd, gemarteld. De gedachte komt bij me op dat Carrie het enorm amusant zou vinden als ze me nu kon zien, als ze me kon bespioneren zoals ze bij Lucy heeft gedaan.

'Ik geef toe dat ze er wel erg slecht uitziet voor een val van... hoe hoog? Nog geen twee meter,' zegt Marino vervolgens. 'Er zijn drugs in het spel en ze heeft ook nog overal van die occulte troep staan. Je vraagt je af wat voor vrienden ze heeft. Ik ben het met je eens dat er aspecten aan deze zaak zitten die niet echt met elkaar te rijmen zijn.'

'Wil je nu alsjeblieft gaan bellen.' Ik kan mijn blik niet van mijn telefoon afwenden.

Vaag ben ik me ervan bewust dat hij wegloopt en mijn kantoormanager Bryce Clark aan de lijn krijgt terwijl ik de seconden voorbij zie tikken. Het cinematografische cadeautje van Carrie Grethen duurt inmiddels tien minuten en ik weet nu al dat ik word lastiggevallen en gemanipuleerd, dat ze een sadistisch spelletje met me speelt. Maar ik moet blijven kijken.

Ik weet niet wat ik anders kan doen, dus geef ik me eraan over terwijl ik in de hal blijf staan, in de morbide aanwezigheid van Chanel Gilbert en met pijn in mijn been. Ik kijk neer op mijn telefoon en zie een stukje van het verleden van mijn nichtje voorbijgaan in de palm van mijn blote hand. Ik ruik het rottende vlees en het afbrekende bloed. Met het koude zweet op mijn rug kijk ik naar de video en denk dat dit niet echt kan zijn.

Maar het is wel echt. Daar kan geen twijfel aan bestaan. Ik herken de saaie muren van de slaapkamer, de twee ramen aan weerszijden van het bed en uiteraard Mister Pickle op het kussen. Ik zie de dichte deur die naar de gang op de vierde verdieping leidt en het licht dat aan de rechterkant naar binnen valt vanuit de badkamer. Alleen de vipgastenkamers hebben een eigen badkamer. Voor mij was Lucy een vip, en ik eiste dat ze ook zo zou worden behandeld door de FBI.

Ze heeft van 1995 tot 1998 in deze kamer gewoond, maar niet aan één stuk. Er waren tussenpozen terwijl ze haar studie afmaakte aan de University of Virginia, maar ze heeft al die tijd bijna onafgebroken gewerkt voor de Engineering Research Facility (ERF) van de FBI. Quantico was een soort tweede thuis voor haar. Carrie Grethen was haar mentor. De FBI heeft het nichtje dat ik als een dochter heb grootgebracht toevertrouwd aan de zorgen van een psychopathisch monster, en dat heeft ons hele leven veranderd. Het heeft alles veranderd.

5

Carrie komt de kamer in met een machinepistool over haar schouder. De Heckler & Koch die plat tegen haar buik ligt, is een MP5K. De K staat voor *kurz*, het Duitse woord voor kort.

Het machinepistool is gemaakt om in een koffertje te passen en het komt me ergens bekend voor. Ik ken dit wapen. Ik heb het eerder gezien. Ik voel iets verstrakken in mijn borst als Carrie zich dicht naar de camera buigt en er recht in kijkt met haar grote ogen, koud en fel als de winterhemel. Haar superkorte haar is zilverkleurig geverfd, haar smalle gezicht met de fijne trekken is scherp als een machete en haar hemdje, sportbroekje, schoenen en sokken zijn spierwit.

In 1997 was ze halverwege de twintig, hoewel ik in die tijd niet goed wist hoe oud ze was. Met haar slanke, gespierde lijf en blauwe ogen, waarvan de tint bij het wisselen van haar gevaarlijke stemmingen net zo snel veranderde als die van een wispelturige oceaan, kon ze voor veel ouder, veel jonger, tijdloos of oeroud doorgaan. Ze is heel bleek, alsof ze nooit de zon ziet. Haar witte huid lijkt te gloeien als een lampenkamp en contrasteert scherp met de zwarte band om haar hals en het stompe zwarte wapen dat zich nu heel dicht bij de camera bevindt.

Een vroeg model met een houten voorgreep, waarschijnlijk gefabriceerd in de jaren tachtig, mogelijk eerder, maar ik weet niet goed hoe ik dat weet. Ik zie de vuurselector aan de linkerkant met in witte letters de drie keuzes: *E* voor semiautomatisch, *F* voor volautomatisch. Hij staat op *S*, veilig. Op de een of andere manier ken ik dat wapen. Waar heb ik het verdomme eerder gezien?

'Een groet uit het verleden.' Carries ogen zijn diepblauw terwijl ze glimlacht en haar onderarm op de laadslede van het wapen laat rusten. 'Maar je weet wat ze zeggen. Het verleden is nooit voorbij. Het is niet eens verleden tijd. Als je op dit moment naar mijn cinematografische meesterwerk kijkt, moet ik je feliciteren. Je bent er nog, chef.' Het woord 'chef' klinkt vreemd, alsof de opname bewerkt is. 'Daaruit zou je moeten concluderen dat ik je nog niet weg wil hebben. Anders zou je er niet meer zijn.

Kun je je voorstellen hoeveel kansen ik tegen de tijd dat jij hiernaar kijkt heb gehad om je een kogel door het hoofd te jagen?' Carrie richt de korte loop van het machinepistool op de camera. 'Of nog beter, precies hierin?' Ze raakt de achterkant van haar nek aan, bij de schedelbasis ter hoogte van de C2. Als het ruggenmerg op dat punt wordt doorsneden, is dat meteen fataal.

Het verbaast me niet als ik haar die plek zie aanwijzen. Precies daar zijn de recente slachtoffers van een sluipschutter geraakt in New Jersey, Massachusetts en Florida, waar een misdadiger die in de media Koperkop wordt genoemd koperen kogels in de nekken van vier slachtoffers heeft geschoten. Een van die slachtoffers was Bob Rosado, een lid van het Amerikaanse huis van afgevaardigden. Hij werd afgelopen juni vermoord toen hij vanaf zijn jacht in Fort Lauderdale aan het duiken was. Zijn zoon Troy, die als tiener al een gewelddadige psychopaat in de dop was en een strafblad had, is daarna verdwenen en zou ook dood kunnen zijn. We hebben hem niet kunnen vinden. We weten niet waar hij is. Hij is voor het laatst gezien met haar – Koperkop, Carrie Grethen.

'Een expert kent veel verschillende manieren om iemand om het leven te brengen.' Ze praat langzaam en weloverwogen in de camera. 'En ik weet niet goed wat voor jou de beste manier zou zijn. Snel, zodat je geen idee hebt wat er gebeurt? Of langzaam en pijnlijk, bij volledig bewustzijn? Wil je weten of je op het punt staat dood te gaan of niet? Dat is de vraag. Hmm.'

Ze kijkt op naar de witte, geluiddempende tegels aan het plafond en de grijzige tl-buizen, die uit zijn. 'Ik ben waarschijnlijk nog steeds zorgvuldig aan het nadenken over dit dilemma. Ik vraag me af hoe na ik eraan toe ben gekomen een eind aan jouw leven te maken tegen de tijd dat je dit ziet. Maar laten we beginnen nu we nog alleen zijn. Straks komt Lucy terug. Dit is iets tussen jou en mij. Sst!' Ze houdt haar vinger tegen haar lippen. 'Ons geheimpje.'

Ze houdt vol getypte vellen papier omhoog, een soort script. 'Ik heb alles uitgeschreven in een verhaaltje waarin wordt uitgelegd wat je ziet en hoort.'

Ze voert een toneelstukje op. Ze wil aandacht. Maar van wie? Deze video is aan mij gestuurd. Toch heb ik het gevoel dat dit niet aan mij is gericht. *Misschien kun je er niet meer objectief over nadenken.*

'Er bevinden zich zes verborgen camera's hier in vier-elf, Lucy's knusse slaapkamertje met al haar kinderlijke spulletjes.'

Ze wijst met het machinepistool naar de filmposters aan de muur. *Silence of the Lambs* en *Sneakers*. Ze loopt naar een andere muur, waar een woeste Tyrannosaurus rex uit *Jurassic Park* een zwart silhouet vormt tegen een feloranje achtergrond. Lucy's favoriete films. Ik heb veel moeite gedaan om die posters voor haar te vinden toen ze stage ging lopen bij de FBI.

Carrie loopt naar het bed en duwt de loop van het machinepistool in het eenzame, donzige gezicht van Mister Pickle. Zijn grote, glazige ogen lijken paniek uit te drukken, alsof hij weet dat hij op het randje van de dood staat, en ik betrap mezelf er weer op dat ik gevoelens toeschrijf aan een zielloos voorwerp, een kleine teddybeer.

'Ze is nog maar een kind, weet je.' Carrie blijft voortdurend in beweging terwijl ze praat. 'Ze mag dan een IQ hebben van meer dan tweehonderd, ruim in het nog niet in kaart gebrachte rijk van supergenialiteit, maar ze heeft altijd de emotionele volwassenheid van een peuter gehad. Verknipt. Lucy is hopeloos verknipt. Ze heeft geen idee van de slimme apparaatjes in haar kamer, die volledig uit het zicht elke hoek bestrijken.

Kun je je voorstellen wat ik doe in mijn vrije tijd, als zij er niet is? Ik ben altijd aan het meekijken.' Ze wijst met twee vingers naar haar ogen. 'Net als het reclamebord in *The Great Gatsby* waarop dr. T.J. Eckleburg vanachter zijn bril uitkijkt over de Valley of Ashes, de morele woestenij van de Amerikaanse samenleving met zijn blinde, inhalige, leugenachtige regering.'

Ik kijk op van mijn telefoon als Harold en Rusty binnenkomen. Ze zijn net Ghostbusters in hun witte overalls met capuchon, hun in blauwe nitrilhandschoenen gestoken handen en de gasmaskers over hun neus en mond. Ze bespreken met Marino hoe ze de dode vrouw het best in de lijkenzak kunnen krijgen en of het een goed idee is om een zak over haar hoofd te doen. Misschien zitten er belangrijke sporen in haar haar. Hersenweefsel druipt uit een open breuk in haar schedel. Het kan best zijn dat er tanden loszitten. Een is er uit haar mond geslagen, een voortand die ik uit het bloed op de vloer heb opgeraapt.

'We willen niet dat er iets van zijn plaats raakt. Het is niet te zeggen wat er allemaal in dat bloed zit vastgekleefd, vooral in haar haar,' zegt Marino, maar ik hoor Carries stem in mijn oor.

'Er was eens een piepkleine slaapkamer, keurig aan kant,' leest ze voor uit haar script terwijl Marino met veel kabaal een brancard met aluminium poten uitklapt. 'Hij werd zwak verlicht door een flexibele bureaulamp op het bureau dat, net als de bijpassende stoel, de kledingkast, de ladekast en het tweepersoonsbed, gemaakt was van goedkoop multiplex met namaakhoutnerven.'

Carrie loopt door de kamer om alles te laten zien en ik kijk niet op van mijn telefoon terwijl ik tegen Marino, Rusty en Harold zeg dat ze zakken over het hoofd van Chanel Gilbert en ook over haar handen en haar voeten moeten doen. Daarna moeten ze haar in wegwerplakens wikkelen. Ik ben er vrij zeker van dat ik alles heb veiliggesteld wat de rit naar mijn kantoor wellicht niet zou doorstaan, maar we moeten uiterst zorgvuldig te werk gaan. Er mag niets achterblijven. Niets verloren gaan. Geen haar. Geen tand.

'Daarna kunnen jullie haar in een lijkenzak doen en naar buiten brengen,' zeg ik, terwijl Carrie in de video verdergaat: 'Boven op een tafelmodel koelkast bevonden zich een koffiezetapparaat, een pot poedermelk, een pak koffie van Starbucks, drie FBI-mokken, een beschadigde bierkroes met het wapen van de politie van Richmond' – ze pakt hem op en laat zien dat er een stukje uit de rand is – 'een Zwitsers legermes en zes dozen Speer Gold Dot 9-millimeterkogels die horen bij de MP5K die Lucy van Benton Wesley heeft gestolen en in deze kamer heeft verstopt.'

Er is iets vreemds aan de manier waarop ze Bentons naam zegt. Maar ik kan de opname niet stilzetten. Ik kan hem niet opnieuw afspelen. Als deze opname voor mij is bedoeld, waarom zou Carrie dan Bentons achternaam erbij zeggen, alsof de luisteraar die misschien niet zou weten? Ik begrijp er niets van, maar ik geloof niet dat Lucy een vuurwapen of wat dan ook van hem zou stelen.

Carrie liegt over de MP5K en stelt in één moeite door dat zowel Benton als Lucy de wet op de vuurwapens heeft overtreden, een misdrijf waarop een behoorlijke gevangenisstraf staat. Inmiddels zou het vergrijp verjaard moeten zijn. Maar dat is nog maar de vraag. Alles is een vraag. Dit zou heel slecht kunnen aflopen. Ik ben me bewust van ritselend papier, nog geen drie meter van me vandaan.

Harold vouwt iets open wat eruitziet als een gewone bruinpapieren zak zonder hengsels. Hij is zo verstandig ervan af te zien. Het hoofd van Chanel Gilbert is een bloederige puinhoop. Een plastic zak is geschikter, als het lichaam maar snel de koeling in gaat, en dat zeg ik zonder op te kijken.

'Zolang je haar maar meteen na aankomst in de koeler legt,' benadruk ik, want plastic en vocht vormen een slechte combinatie, vooral bij verregaande ontbinding.

'Helemaal mee eens,' zegt Harold. 'Zo gaan we het doen, chef.'

Hij heeft vroeger bij een begrafenisonderneming gewerkt en ik vraag me half af of hij slaapt in een kostuum compleet met das, donkere sokken en lakschoenen. Zijn gedachtegang is dat hij toch beschermende kleding aan moet en dat hij daaronder dus net zo goed keurig gekleed kan gaan.

'Ik geloof dat er iets in haar haar zit. Het zou glas kunnen zijn.' Het licht weerkaatst op zijn zwarte bril en zijn bruine ogen zijn groot en uilachtig door de corrigerende glazen.

'Ja, wat had je dan verwacht,' zegt Rusty. Toen hij arriveerde zag hij er net zo uit als altijd, een ouderwetse Beach Boy met een lange, grijze paardenstaart in een wijde flanelbroek met elastiek en een capuchontrui. 'Er liggen overal glasscherven.'

'Ik wil alleen maar voorzichtig zijn. Het zag er niet uit als een stukje van een gloeilamp. Maar ik ving er maar heel even een glimp van op en nu zie ik het niet meer.'

'Pak haar heel goed in. Zorg ervoor dat we niets kwijtraken,' antwoord ik terwijl Carrie het badkamertje in loopt en het licht aandoet.

'Nou, ik ben het kwijt.' Harold kijkt naar het haar, dat plakkerig is van het bloed, en haalt zijn vingers erdoorheen. 'Ik zag iets en nu zie ik het niet meer.'

'Ik kijk later nog wel. Ik heb geen glas in haar haar gezien,' antwoord ik.

'Maar zou je dat niet verwachten?' Harold kijkt omhoog naar het lichtpunt aan het plafond en naar de lege fittingen waarin twee gloeilampen hebben gezeten.

Hij kijkt naar de glasscherven die overal verspreid liggen en speelt een denkbeeldig scenario na terwijl Carrie doorgaat met haar toneelspel op de video. Harold doet iemand na die gloeilampen verwisselt en opeens achterover van de trap valt.

'Als ze gloeilampen en de glazen kap van de lamp in haar handen had en die tegelijk met haar op de grond zijn gevallen, zou het zijn of er een glazen bom was ontploft. Zou je dan niet overal op haar lichaam scherven verwachten?' vraagt hij, terwijl Carrie in de spiegel boven de wastafel kijkt, breed naar haar eigen spiegelbeeld lacht en met haar hand door haar uiterst korte witgouden haar gaat.

'Pak haar nou maar heel goed in en leg haar meteen in de koeler, dan zie ik het later wel,' herhaal ik mijn instructies.

Ik kan de video niet pauzeren. Het is alsof Carrie op het slechtst denkbare moment mijn telefoon heeft gekaapt, net nu ik me op de plaats bevind waar iemand onder verdachte omstandigheden is overleden en ik daar mijn volledige aandacht aan zou moeten schenken.

6

De enige manier om de video stop te zetten, is mijn telefoon uitdoen. Dat gaat niet gebeuren, en de vage gedachte komt bij me op dat ik hier nog wel eens problemen mee zou kunnen krijgen. Als de politie klaagt dat ik met mijn telefoon bezig was, dat ik een film aan het kijken was of aan het sms'en was of god mag weten wat, zou dat een heel slechte indruk maken.

'Opzij van de enige toegangsdeur naar Lucy's slaapkamer bevond zich een eigen badkamer.' Carrie maakt een gebaar alsof ze het lettermeisje is bij *Het rad van fortuin*, en Rusty schudt een paar plastic zakken open en doet ze over Chanel Gilberts blote voeten.

'Een luxe die niet was weggelegd voor andere agenten in opleiding.' Carrie kijkt neer op het script en dan weer in een verborgen camera. Dat doet ze herhaaldelijk. 'Die hadden allemaal kamergenoten. Ze moesten het doen met gezamenlijke toiletten, toilettafels en douches aan het einde van de gang. Maar de jonge, vroegwijze Lucy liet zich niet in met die minderwaardige wezens, die allemaal ouder waren dan zij en van wie er sommigen al waren afgestudeerd. Er was een gewijde presbyteriaanse predikante bij. En iemand die missverkiezingen had gewonnen.

Een ongewoon goed opgeleide groep zonder enig gezond verstand, en tegen de tijd dat jij dit ziet...' Ze beëindigt de zin abrupt en onhandig, hier is duidelijk montage aan te pas gekomen. 'Ik vraag me af hoeveel van hen inmiddels dood zullen zijn. Lucy en ik deden altijd voorspellingen. Zij verzamelde informatie over elke bewoner van haar verdieping, begrijp je? Maar ze noemde niemand bij naam. Ze zei nooit iets tegen de mensen die ze tegenkwam en haar afstandelijkheid werd terecht opgevat als verwaandheid en arrogantie. Lucy was verwend. Tante Kay was erin geslaagd een verwend kreng van haar te maken.'

Carrie verwijst naar je alsof ze het tegen iemand anders heeft.

Ze slaat een bladzijde van haar script om. 'Als tiener met bijzondere gaven en connecties had Lucy een uitzonderingspositie bij de FBI-academie, een positie die gelijkstond aan die van een beschermde getuige, een bezoekende politiecommissaris, een directeur van de FBI, een secretaris-generaal, met andere woorden, een *very important person*, maar Lucy is alleen een vip door wie ze kent en niet door haar prestaties.

Tante Kay had van tevoren al verordonneerd dat haar geliefde nichtje tijdens haar stage en tot ze eenentwintig was een eigen kamer met uitzicht, een eigen badkamer en een avondklok moest hebben. Ze moest voortdurend onder toezicht staan, en officieel en ogenschijnlijk was dat ook zo. Het werd benoemd in haar dossier, dat nog dun en onbelangrijk was toen ik dit filmde. Waarschijnlijk zal het mettertijd wel dikker worden, als de regering Lucy Farinelli doorkrijgt en beseft dat ze moet worden tegengehouden.'

Waar is dat dossier? De vraag komt bij me naar boven als een tekstballonnetje in een strip. *Benton zou het moeten weten.*

'Maar op deze zonnige julimiddag in 1997' – Carrie loopt en praat somber verder, bedachtzaam als de presentator van een misdaadprogramma – 'hadden de faculteit en het personeel van de academie er geen idee van dat de chaperonne van de jonge Lucy, ondergetekende dus, vaak bij haar bleef slapen en niet de onschuldige, excentrieke nerd was die met vlag en wimpel door de uitgebreide screening, de gesprekken en de leugendetectortest was gekomen voordat ze werd aangenomen om de computer en het casemanagement van de FBI up-to-date te maken.

Zelfs de psychologische profilers in de eenheid voor gedragswetenschappen, inclusief hun legendarische chef, hadden niet in de gaten dat ik een psychopaat ben.' De woorden 'legendarische chef' spreekt ze heel eigenaardig uit. 'Net als mijn vader en zijn vader.' Haar ogen zijn kobaltblauw in de camera. 'Ik ben echt heel zeldzaam. Nog geen procent van de vrouwelijke bevolking is psychopaat. En je kent het evolutionaire doel van de psychopaat inmiddels wel, nietwaar? Wij zijn de uitverkorenen die zullen overleven.

Denk daaraan als je gelooft dat ik er niet meer ben. Oeps! Ik moet nu even ophouden met het voorlezen van mijn prachtige verhaaltje. We hebben bezoek.'

De fluistering van een lange plastic rits. Ik kijk naar Marino, die uit zijn gehurkte houding omhoogkomt. Het lichaam is inmiddels een zwarte cocon op de vloer en Marino, Rusty en Harold trekken hun vieze handschoenen uit en laten ze in de rode zak voor biologisch afval vallen.

Ze trekken schone handschoenen aan. Het lichaam is slap als ze het optillen; de rigor mortis is volledig ontwikkeld en voorbijgegaan en alles is weer buigzaam. Dat kost over het algemeen minimaal acht uur, afhankelijk van verschillende factoren, zoals de omgevingstemperatuur, die buitengewoon hoog is, de kleding, in dit geval afwezig, en de lichaamsomvang, tenger maar gespierd.

Chanel Gilbert is ongeveer één meter zeventig en weegt misschien zestig kilo, en ik vermoed dat ze atletisch en fit was. Ze heeft witte strepen van haar badpak, maar vanaf haar middel is ze helemaal bleek. Haar buik, heupen en benen hebben weinig zon gehad. Een dergelijk patroon zie je wel bij mensen die wetsuits dragen, en ik denk aan wat Benton en ik altijd doen tussen twee duiken in. We trekken onze duiksokken uit, doen onze wetsuits omlaag en binden de neopreen mouwen om ons middel. Zo worden ons gezicht, onze schouders, onze borst en de bovenkant van onze voeten blootgesteld aan de zon, maar verder niets.

'Weten we of Chanel Gilbert aan sport deed?' vraag ik aan Marino, en ik bedenk tot mijn verbazing dat zij en Carrie Grethen in lichamelijk opzicht best op elkaar lijken. 'Ze heeft goed ontwikkelde schouders en armen en haar benen zien er ook sterk uit. Weten we zeker dat zij het is?' Ik kijk even naar hem.

'Is er al iemand met de buren gaan praten?'

'Wat krijgen we nou?' Hij kijkt me aan met een frons alsof ik net heb gezegd dat de aarde plat is. 'Wat denk jij dan?'

'Ik denk dat ze niet zomaar op uiterlijk alleen te identificeren is en dat we zorgvuldig te werk moeten gaan.'

'Omdat ze helemaal opgezwollen is en met een ingeslagen gezicht ligt te rotten, bedoel je?'

'Het gaat erom dat we zeker weten wie ze is. We kunnen er niet gewoon van uitgaan dat ze de vrouw is die hier woonde.' Het idee dat de dode vrouw op de vloer zou kunnen doorgaan voor een tweelingzus van Carrie Grethen, houd ik voor me.

Ik denk aan de laatste keer dat ik Carrie heb gezien, toen ze me in Florida neerschoot, en vergelijk dat gezicht met de foto op Chanels rijbewijs. De twee vrouwen lijken akelig veel op elkaar, maar als ik het zou wagen om dat te zeggen, zou het geobsedeerd en irrationeel klinken. Marino zou willen weten waarom die gedachte op dit moment bij me is opgekomen en ik kan hem niet vertellen dat ik Carrie op mijn telefoon zie. Dat mag Marino niet weten. Niemand mag het weten. Ik weet niet goed wat de juridische implicaties van de video zouden kunnen zijn, maar ik ben bang dat de hele zaak een valstrik is.

'Waarom denk je dat dit niet de vrouw is die hier woont?' De vraag komt van Harold, die op zijn hurken zijn sporenkoffer zit in te pakken.

Ik antwoord met een wedervraag: 'Hebben we reden om te denken dat ze duikt?'

'Ik heb nergens duikspullen gezien,' zegt Marino. Op dat moment komt Lucy in beeld in de video, argeloos en op haar gemak. 'Maar in een van de kamers verderop zag ik een paar onderwaterfoto's,' voegt hij eraan toe. 'Als we haar naar het busje hebben gebracht, kijk ik nog wel even verder.'

Ik zie Lucy rondlopen in haar privédomein, dat door Carrie is geschonden.

'Ik moet iets hebben waar we DNA van Chanel Gilbert op kunnen vinden, een tandenborstel of een haarborstel misschien,' zeg ik tegen Marino, maar het is moeilijk om mijn gedachten erbij te houden terwijl ik naar mijn nicht zit te kijken. 'En laten we navragen wie haar tandarts is en de foto's van haar gebit opvragen. Voordat we het zeker weten, laten we niets los over haar identiteit, zelfs niet tegenover haar moeder.'

'Dat lijkt me een beetje problematisch,' zegt Marino, maar ik kijk niet meer naar hem. 'Iemand heeft haar moeder gewaarschuwd, weet je nog? Ze zit in het vliegtuig van L.A. hiernaartoe, weet je nog? Dus als jij reden hebt om te denken dat dit niet haar dochter is... Nou, dan staan we mooi voor aap als mama arriveert.'

'Ben je er al achter wie haar op de hoogte heeft gesteld?' vraag ik.

'Nee.'

'Wij waren het in ieder geval niet.' Ik herhaal wat ik eerder heb gezegd. 'Ik heb Bryce expliciet op het hart gedrukt niets vrij te geven zonder mijn toestemming.'

'Iemand heeft het gedaan,' zegt Marino.

'Misschien de huishoudster, nadat ze het lichaam had gevonden,' oppert Rusty, en dat lijkt inderdaad niet onlogisch. 'Misschien heeft zij de moeder gebeld. Dat ligt redelijk voor de hand, denken jullie ook niet?'

'Ja, misschien,' antwoordt Marino. 'Want laat me raden. Mama betaalt waarschijnlijk alles hier, inclusief de huishoudster. Maar we moeten weten wie contact met haar heeft opgenomen en haar het slechte nieuws heeft verteld.'

'Wat we eerst heel zeker moeten weten, is wie de dode vrouw is.' Ik kijk even op naar Marino's bloeddoorlopen ogen en dan gaat mijn aandacht weer naar mijn telefoon, naar Lucy in haar sportkleren en met haar jongensachtig korte roodgouden haar.

Ze kan doorgaan voor zestien, maar ze was op het moment dat dit werd gefilmd drie jaar ouder. Ik krijg een onbeschrijflijk gevoel terwijl ik naar haar kijk. Ik voel woede, maar ook misselijkheid. Ik blijf mezelf voorhouden dat ik helemaal niets moet voelen en kijk amper naar Rusty en Harold als ze de brancard door de voordeur naar buiten rijden. Ik pak mijn sporenkoffer in en ruim alles op terwijl ik blijf kijken naar de video op mijn telefoon en meeluister via mijn draadloze oortje.

Ik ben aan het multitasken. Dat zou ik niet moeten doen.

Marino doet de ronde door het huis om de ramen en deuren te controleren en te zorgen dat alles veilig dicht is voordat we vertrekken. Ik ben nog niet klaar. Maar ik blijf niet. Ik kom wel terug nadat ik me ervan heb verzekerd dat Lucy veilig is – als ik verdomd zeker weet dat zij niet degene is die me deze opnamen heeft toegestuurd.

7

Ik ken mijn nichtje. Ik kan aan haar zien dat ze erop vertrouwt dat wat ze zegt en doet privé blijft, dat ze zich onbespied waant.

Ze denkt dat haar gesprek met Carrie iets van hun tweetjes zal blijven. Dat is niet zo. Hoe zou Lucy zich voelen als ze wist dat ik in zekere zin bij hen in die kamer was? Ik had er net zo goed op dat moment kunnen zijn, want ik ben er nu, en ik voel me een verrader. Iemand op wie zelfs haar eigen vlees en bloed niet kan vertrouwen.

'Hoe was het in de sportschool?' Carries blik dwaalt naar camera's die Lucy niet kan zien. 'Was het druk?'

'Je had aan de gewichten moeten gaan toen het nog kon.'

'Ik zei toch dat ik andere dingen te doen had en een verrassing moest voorbereiden.'

Carrie heeft nog steeds dezelfde hardloopkleren aan, maar het machinepistool is nergens te bekennen. Op de video staat niet aangegeven wanneer hij is opgenomen, alleen hoelang hij al loopt. Dat is al bijna twintig minuten als ik haar de koelkastdeur zie opentrekken.

'Ik heb een cadeautje voor je meegebracht.' Ze pakt twee St. Pauli Girls, wipt de kroonkurken eraf en geeft een van de groene flesjes aan Lucy.

Die kijkt ernaar, maar drinkt er niet van. 'Ik hoef geen bier.'

'We kunnen toch wel samen iets drinken?' Carrie gaat met haar vingers door haar geblondeerde, gemillimeterde haar.

'Je had het niet mee moeten brengen. Dat heb ik je niet gevraagd.'

'Je hoefde het niet te vragen. Ik ben heel attent.' Carrie pakt het Zwitserse legermes van de koelkast, en met het dikke, rode handvat in de palm van haar hand wipt ze met haar duimnagel een lemmet open. Een flits van roestvrij staal.

'Je had het niet ongevraagd moeten doen.' Lucy kleedt zich uit tot op haar sportbeha en slipje. Ze zweet en is rood van inspanning. 'Als ik word betrapt met alcohol in mijn kamer, kan ik wel inpakken.' Ze laat haar kleren in de bamboe wasmand vallen die ik voor haar heb gekocht, pakt een handdoek en begint zich af te drogen.

'Je kunt beter hopen dat ze er niet achter komen dat je hier een vuurwapen hebt,' zegt Carrie somber en dramatisch terwijl ze het glanzende, dunne, scherpe lemmet bekijkt. 'Een illegaal wapen.'

'Het is niet illegaal.'

'Straks wel.'

'Wat heb je ermee gedaan? Je hebt er iets mee gedaan.'

'Nou, het zou een misdaad zijn als het zoekraakte. Maar ach, wat is de wet nou helemaal? Willekeurige regeltjes, verzonnen door feilbare stervelingen. Benton is min of meer je oom. Misschien is het geen stelen als je iets van je oom meeneemt.'

Lucy loopt naar de kast, trekt de deur open en kijkt erin. 'Waar is het? Wat heb je er verdomme mee gedaan?'

'Heb je dan niets geleerd in de tijd dat we samen zijn? Je kunt me niet tegenhouden als ik iets wil doen en ik heb jouw toestemming niet nodig.' Carrie kijkt recht in de camera en glimlacht.

Ik zie hoe Lucy op de hoek van het bureau in haar kamer gaat zitten en haar bruine, gespierde benen over de rand laat bungelen. Ze raakt zichtbaar van streek.

Het licht dat langs de randen van de gesloten jaloezieën dringt is veranderd. Een paar seconden geleden had Lucy nog hardloopschoenen en sokken aan, nu niet meer. Ze heeft blote voeten. De video is ingrijpend en heel handig gemonteerd en ik vraag me af wat ertussenuit is gehaald en aan elkaar is geplakt om Carrie in staat te stellen de boel te manipuleren.

'Als jij iets wilt, pak je het gewoon,' zegt Lucy tegen haar. 'Je probeert voortdurend me verkeerde dingen te laten doen, dingen die slecht voor me zijn.'

'Ik laat je helemaal niets doen.' Carrie loopt naar haar toe en streelt haar haar, maar Lucy rukt haar hoofd weg. 'Wijs me niet af.' Carries gezicht bevindt zich slechts een paar centimeter van dat van Lucy en ze staren elkaar bijna neus aan neus aan. 'Wijs me niet af.'

Ze kust haar en Lucy reageert niet. Ze blijft stoïcijns zitten, als een standbeeld.

'Je weet wat er gebeurt als je zo doet,' zegt Carrie met een scherpte die laat doorschemeren waartoe ze in staat is. 'Niets goeds. Je moet er echt mee ophouden andere mensen de schuld te geven van je eigen gedrag.'

'Waar is dat klotegeweer!' Lucy komt van het bureau. 'Je zou me maar al te graag in de problemen brengen, hè? Je vindt het leuk om me erin te luizen. Waarom? Omdat niemand zal geloven wat ik zeg als je me in diskrediet brengt. Dan krijg ik nooit wat ik verdien en waar ik recht op heb. Helemaal nooit. Dat zou afschuwelijk zijn.'

'Hoe afschuwelijk? Vertel.' Carries ogen zijn helder zilverblauw.

'Je bent gestoord,' zegt Lucy. 'Loop naar de hel.'

'Maak je geen zorgen. Ik verdonkeremaan het bewijs. Ik zal de lege flesjes meenemen en weggooien.' Carrie neemt een slok van het Duitse bier. 'Dan word je niet op het matje geroepen.'

'Wat kan mij dat bier schelen! Waar is het geweer? Het is niet van jou.'

'Je weet wat ze zeggen: hebben is hebben en krijgen is de kunst. Het is te repareren, weet je. Die MP5K zal zo lekker schieten.'

'Begrijp je wel wat er kan gebeuren? Natuurlijk begrijp je dat. Dat is juist het punt, nietwaar? Alles wat jij doet, is erop gericht mensen in je greep te krijgen, om modder te vinden waarmee je kunt gooien, dat is vanaf het begin je bedoeling geweest. Geef me dat geweer terug. Waar is het?'

'Alles op zijn tijd,' zegt Carrie met een suikerzoet, neerbuigend stemmetje. 'Ik beloof je dat het weer op zal duiken op het moment dat je het het minst verwacht. Wat dacht je van een massage? Laat me mijn vingers in je zetten. Ik weet precies hoe ik je kan verlossen van wat je dwarszit.'

'Ik hoef dit niet.' Lucy pakt het flesje St. Pauli Girl van het bureau.

Ze loopt op haar blote voeten de badkamer in, en ook daar is een verborgen camera. Ik zie hoe ze het bierflesje leeggiet. Ik hoor het bier in de wasbak spetteren en als ze in de spiegel kijkt, is op haar mooie, spitse gezichtje een mengeling van verdriet, gekwetstheid en boosheid te zien, maar verdriet en gekwetstheid voeren de boventoon. Lucy hield van haar. Carrie was haar eerste liefde. In sommige opzichten was ze ook Lucy's laatste liefde.

'Je bent niet te vertrouwen, wat je ook doet en wat je me ook geeft.' Lucy gaat harder praten terwijl ze de kraan helemaal opendraait om het bier weg te spoelen.

Ze kijkt weer in de spiegel. Haar gezicht is zo jong, zo kinderlijk. Er staan tranen in haar ogen. Ze probeert dapper te zijn, haar veranderlijke emoties te bedwingen, en ze gooit water in haar gezicht en droogt het af met een handdoek. Als ze de slaapkamer weer in loopt, besef ik dat Carrie een netwerk van bewegingssensoren moet hebben geïnstalleerd, die ze zo heeft geprogrammeerd dat ze de camera's in- en uitschakelen als iemand van het ene vertrek naar het andere gaat. Ik kon zien wat Lucy in de badkamer deed, maar Carrie kon ik niet zien. Nu wel. Ik zie ze allebei weer.

'Wat een verspilling. En wat een ondankbaarheid.' Carrie steekt haar tong uit en gaat met de punt licht over de rand van het bierflesje.

Ze kijkt recht in een camera en likt langzaam langs haar onderlip. Haar ogen staan glazig. Ze zijn bijna Pruisisch blauw en veranderen mee met haar stemming.

'Ga alsjeblieft weg,' zegt Lucy. 'Ik wil geen ruzie. We moeten hier een eind aan maken zonder elkaar in de haren te vliegen.'

Carrie buigt voorover om haar hardloopschoenen en haar sokken uit te doen. 'Wil je me de lotion even geven?' Haar enkels zijn onnatuurlijk blauw en er liggen blauwe aderen op. De huid is bijna doorzichtig, als bijenwas.

'Je gaat hier niet douchen. Je moet weg. Ik moet me aankleden voor het etentje.'

'Een etentje waarvoor ik niet ben uitgenodigd.'

'Je weet heel goed waarom niet.' Lucy pakt een toilettas in camouflagekleuren van de ladekast.

Ze zoekt erin naar een plastic flesje zonder etiket en gooit dat naar Carrie, die het als een bal uit de lucht grist.

'Houd maar. Ik ga het toch niet gebruiken, van mijn levensdagen niet.' Lucy gaat weer op het bureau zitten. 'Het is niet bekend wat voor gevolgen het op de lange termijn heeft als je koperpeptiden en andere metalen en mineralen op je huid smeert. Met andere woorden: het is verdomme niet getest. Zoek het maar eens op. Wat wel bekend is, is dat te veel koper giftig is. Zoek dat ook maar eens op als je toch bezig bent.'

'Nu klink je net als die irritante tante van je.' Carries ogen worden donkerder en het bezorgt me iedere keer een schokje als ze over me praat alsof ik niet degene ben die hiernaar kijkt.

'Helemaal niet,' zegt Lucy. 'Tante Kay zegt lang niet zo vaak "verdomme" als ik. Ik waardeer het zeer dat je een fles van die zogenaamde collageenproducerende dagcrème voor me hebt gemaakt...'

'Dagcrème? Dat had je gedacht.' De arrogantie van dat opgeblazen wicht. 'Het is een middeltje voor huidvernieuwing.' De neerbuigendheid spat ervan af. 'Koper is essentieel voor een goede gezondheid.'

'Het stimuleert ook de aanmaak van rode bloedcellen, en dat is het laatste waar jij hulp bij nodig hebt.'

'Wat aandoenlijk. Je geeft om me.'

'Op dit moment geef ik helemaal niets om je. Maar waarom zou je in godsnaam koper op je huid smeren? Heb je wel eens aan een dokter gevraagd of iemand met jouw aandoening een lotion kan gebruiken waar koper in zit? Als je je huid vol blijft smeren met die troep, kruipt er straks bloedpudding door je aderen. Straks krijg je nog een hartaanval en val je dood neer.'

'God, nu ben je net je tante. Kleine Kay junior. Hallo, Kay Junior.'

'Laat tante Kay erbuiten.'

'Het is onmogelijk om haar ergens buiten te laten, Lucy. Denk je dat jullie geliefden zouden kunnen zijn als jullie geen familie waren? Het zou best te begrijpen zijn. Ik zou voor haar kunnen gaan. Absoluut. Ik zou het zeker proberen.' Carrie steekt haar tong in de opening van het bierflesje. 'Ze zou nooit meer anders willen. Dat kan ik je verzekeren.'

'Houd je smerige bek.'

'Ik vertel alleen de waarheid. Ze zou zich bij mij zo heerlijk voelen. Zo vol leven.'

'Houd je bek!'

Carrie zet het biertje neer, draait de dop van het flesje lotion, ruikt er verlekkerd aan. 'O, wat héérlijk. Weet je het zeker? Ook geen klein beetje op die plekjes waar je haast niet bij kunt?'

'Ik wil maar even gezegd hebben dat ik spijt heb dat ik jou ooit heb ontmoet.' Lucy smeert cacaoboter op haar lippen.

'Al die toestanden omdat dat schoonheidskoninginnetje tegelijk met ons ging hardlopen op de Yellow Brick Road. Toeval. En dan krijg jij het meteen op je heupen.'

'Toeval, ammehoela.'

'Het was echt toeval. Ik zweer het je, Lucy.'

'Gelul!'

'Ik zweer op de Bijbel dat ik Erin niet heb verteld dat we daar om drie uur zouden zijn. En voilà.' Carrie knipt met haar vingers. 'Zij was er toevallig ook.'

'Helemaal in haar eentje, en dan loopt ze met ons mee. Ze negeert me alsof ik er niet ben en houdt zich alleen met jou bezig. Ja, hoor. Louter toeval.'

'Het was niet mijn schuld.'

'Net zoals ze overal komt opdagen waar jullie het met elkaar gedaan hebben, Carrie.'

'Wou jij het hebben over dingen die slecht zijn voor je gezondheid?'

'Bedoel je jezelf?'

'Jaloezie. Puur vergif.'

'Wat dacht je van liegen, zoals jij constant doet. Altijd en eeuwig.'

'Je moet dit iedere keer als je naar buiten gaat opdoen, zelfs op bewolkte dagen in de winter.' De stroperige, doorzichtige lotion die Carrie in haar hand laat lopen, ziet eruit als sperma. 'En je vloekt te veel. Dat vulgaire is omgekeerd evenredig aan je intelligentie en je talenknobbel. Overmatig vloeken wordt meestal geassocieerd met een laag IQ, een beperkte woordenschat en een vijandige instelling.'

'Luister je wel naar me? Ik zit hier geen grapjes te maken.'

Lucy lijkt te trillen van emotie, van woede en pijn.

'Een rugmassage dan? Ik beloof je dat je je dan beter zult voelen.'

'Ik heb het gehad met dat liegen van jou! Met al dat bedrog en dat je overal de eer voor opstrijkt!' Lucy huilt inmiddels. 'Met al die klotestreken van je! Je weet niet wat het is om van iemand te houden. Je bent er niet toe in staat!'

Carrie blijft volkomen kalm, wat er ook gebeurt of wordt gezegd, en haar aandacht flitst van de ene verborgen camera naar de andere, als een exotisch reptiel dat de lucht proeft met zijn gespleten tong.

'Je bent een hoer en een bedrieger!'

'Op een dag zal ik je herinneren aan wat je hebt gezegd. En dan zul je misschien wensen dat je dat niet had gedaan.' Carrie houdt een hand op met een lik lotion erin en glimlacht opgewekt.

'Moet ik nu bang worden?' Er staan dikke aderen in Lucy's hals als ze naar Carrie kijkt.

Carrie begint zichzelf in te smeren, langzaam en wellustig wrijft ze over haar gezicht en haar hals. Ze klikt met haar tong alsof Lucy een hond is en wenkt haar met het flesje alsof ze haar een bot voorhoudt.

'Kom. Dan smeer ik je in. Precies zoals je het lekker vindt.' Ze wrijft snel haar handpalmen over elkaar. 'Ik zorg dat ik warme handen heb en werk mijn tovermiddel in je huid. Als een soort geïmproviseerde nanotechnologie.'

'Blijf van me af!' Lucy veegt woedend met de rug van haar hand de tranen weg, en opeens is de video afgelopen.

Ik probeer terug te spoelen, maar dat gaat niet. Ik kan hem niet opnieuw afspelen. Ik kan er helemaal niets mee.

8

De icoontjes reageren niet. Als ik op de link in de sms druk, gebeurt er niets.

Dan is de link er opeens niet meer, alsof ik hem uit mijn berichten heb gewist. Maar dat heb ik zeker niet gedaan. De opname is als een verontrustende droom voor mijn ogen verdwenen. Hij is weg alsof hij er nooit is geweest. Ik kijk om me heen en zie het donkere, opgedroogde bloed, de glasscherven, de smerige plek op de vloer waar het lichaam heeft gelegen. Mijn aandacht blijft hangen bij de staande trap.

Glasvezel, rubberen voetjes, vier treden en bovenop een plateautje, precies in het midden, en dat begint me te verontrusten, zoals zoveel details in deze zaak. De trap staat recht onder de lamp, die op een gegeven moment op de marmeren vloer kapot is gevallen. Als Chanel echt haar evenwicht heeft verloren, zou ik verwachten dat de ladder was gaan schuiven en mogelijk was gekanteld en omgevallen toen ze viel. Ik kijk naar de door het bloederige haar veroorzaakte vegen aan de rand van de zwart verkleurende troep op de plek waar haar bovenlichaam heeft gelegen. Het lijkt erop dat ze op een gegeven moment haar hoofd heeft bewogen.

Of iemand anders heeft het bewogen.

We hebben geen voetafdrukken of handafdrukken gevonden, niets wat kan wijzen op de aanwezigheid van een tweede persoon, ook niet van de huishoudster die het lichaam heeft ontdekt. Ik denk eraan dat Chanels blote voeten aan de onderkant schoon waren. Toen ze eenmaal lag, is ze niet meer overeind gekomen. Ze is niet in haar eigen bloed gestapt. Het lijkt erop dat niemand dat heeft gedaan, maar ik kijk nauwkeurig naar een plaats delict die me steeds verdachter voorkomt terwijl ik luister of ik Marino hoor, want als hij terugkomt, kunnen we bij Lucy gaan kijken. Ik verwacht half-en-half dat er een tweede signaaltje zal klinken op mijn telefoon ten teken dat er nog een video is ontvangen, en ik blijf hopen dat Lucy me belt. Ik sms haar terwijl ik zorgvuldig de hal bekijk en me concentreer op de stukken schoon, wit marmer, op zoek naar iets wat erop wijst dat iemand de vloer heeft schoongemaakt in een poging iets aan de plaats delict te veranderen om een bepaalde indruk te wekken.

We hebben nog niet gezocht naar latente bloedsporen, naar sporen die zijn achtergebleven als er bloed is weggeschrobd en die we zonder behulp van chemicaliën niet meer kunnen zien.

Ik weet niet zeker of de politie die moeite wel heeft gedaan, want die leek ervan overtuigd dat het sterfgeval te wijten is aan een ongeluk, dus hurk ik bij mijn sporenkoffertje en maak het weer open.

Ik pak de fles met reagens. Na even schudden besproei ik gedeelten van de vloer die schoon lijken. Meteen lichten, een paar centimeter van het ontbindende bloed, een rechthoekige vorm en veegsporen felblauw op. De rechthoek is afkomstig van een voorwerp, mogelijk een emmer, en is samen met andere sporen akelig goed te zien op het witte marmer.

Voor deze chemicaliën is het niet nodig dat het donker is; het zonlicht dat door het raampje boven de deur valt en het omgevingslicht hebben geen invloed op het lichtgevende saffierblauw. Ik zie het duidelijk: een patroon van lange druppels, sommige zo klein als een speldenknop. Ze zien eruit als spetters die in een scherpe hoek zijn neergekomen. Gemiddelde snelheid. Wat ik zou associëren met een flink pak rammel.

Ik onderwerp de blauwe mist bij de plek waar het hoofd heeft gelegen aan een scherpe inspectie. Mogelijk uitgeademd bloed, en ik denk aan de ontbrekende voortand die ik heb veiliggesteld toen ik net binnen was. Chanel zal een bloedende wond in haar mond hebben gehad en toen ze bewusteloos en stervend op de vloer lag, ademde ze een mengsel van bloed en lucht uit. Het lijkt erop dat iemand dit gedeelte van de vloer heeft schoongemaakt in een poging alles wat niet past bij een ongeluk te verwijderen.

Zo ziet het eruit, maar ik moet voorzichtig zijn. Er kunnen andere verklaringen zijn, zoals een valse chemische reactie met iets anders dan bloed. En zelfs als het bloed is, dan kan het al een tijdje op de vloer hebben gezeten. Het is mogelijk dat het niets te maken heeft met de dood van Chanel Gilbert. Maar dat geloof ik niet.

Ik voer een snelle en gemakkelijke waarschijnlijkheidstest uit door een wattenstaafje te bevochtigen met gedestilleerd water en daarmee over een stukje van het driehoekige, blauw oplichtende spoor te wrijven. Daarna druppel ik een oplossing van fenolftaleïne en waterstofperoxide op het wattenstaafje, dat meteen roze verkleurt, wat positief is voor bloed. Als laatste neem ik foto's, waarbij ik een plastic meetlat gebruik voor de schaal.

'Marino?' Ik kijk om me heen.

Op ons tweeën na is het huis leeg. Hyde, de politieagent met het grijze haar, en de man van de staatspolitie zijn op weg naar Dunkin' Donuts of wie weet waarnaartoe. Ik hoor geluid in de buurt van de keuken. Dan hoor ik een deur dichtslaan, een verre en gedempte bons, mogelijk van beneden, en dat is vreemd. Ik zou gezworen hebben dat iedereen weg was, dat er behalve Marino en mij niemand meer in de buurt was. Misschien heb ik het mis. Ik spits mijn oren en hoor nog meer beweging bij de keuken.

'Marino?' roep ik luid. 'Ben jij dat?'

'Nee, het is een kwade geest.' Ik kan hem niet zien, alleen horen, en nu komt het geluid uit de gang aan de andere kant van de trap.

'Weet je zeker dat alleen wij nog hier zijn?' Ik sta alleen in de lege, kwalijk riekende ruimte.

'Hoezo?' Langzaam naderende, zware voetstappen.

'Ik dacht dat ik een deur dicht hoorde slaan. Ik hoorde een bons. Het klonk alsof het uit de kelder kwam.'

Geen antwoord.

'Marino?' Ik ga met wattenstaafjes over nog een paar lichtgevende vlekken en steeds is de waarschijnlijkheidstest positief voor bloed. 'Marino?'

Stilte.

'Marino? Hallo!'

Ik roep nog een paar keer, maar hij geeft geen antwoord, dus stuur ik Lucy nog maar een sms. Dan bel ik haar noodlijn, maar ik krijg meteen de voicemail en probeer de normale lijn waarop ik haar meestal bel. Ook daar wordt niet opgenomen. Als ik het geheime nummer van haar vaste telefoon bel, krijg ik een foutmelding en een opname.

Het nummer dat u probeert te bereiken, is niet langer in gebruik...

Weer het geluid van een dichtgaande deur, ver en gedempt. Het klinkt niet als een normale deur. Te zwaar.

Als een dichtslaande kluisdeur.

'Hallo?' roep ik. 'Hallo!'
Geen antwoord.
'Marino?'
Ik kijk om me heen en blijf heel stil staan luisteren. Het enige geluid in het huis is het onophoudelijke gezoem van de vliegen. Ze kruipen over het bloed en cirkelen traag rond, als verkenningsvliegtuigjes, op zoek naar wonden en lichaamsopeningen, het rottende vlees waarin ze hun eitjes leggen. Het gezoem klinkt boos en roofzuchtig, alsof ze zijn beroofd van hun ongeboren baby's en van een karkas, een voedselbron die hen toekwam. Ze lijken meer lawaai te maken, ook al zijn er nu minder, en de stank lijkt nog net zo erg ook al is het lichaam weg, maar dat is onmogelijk.

Mijn zintuigen staan op scherp, ze draaien op volle toeren en ik word weer overvallen door dat gevoel, als door een giftige damp. Ik voel dat hier iemand aanwezig is. Ik voel iets slechts en bloedstollends in dit huis. Dan denk ik aan wat Marino heeft gezegd. Chanel Gilbert hield zich bezig met 'occulte troep'. Ik weet niet wat hij bedoelde. Misschien liet ze zich in met duistere krachten, vooropgesteld dat die bestaan. Maar dan bedenk ik dat het begrijpelijk is als ik me bespied voel, omdat Lucy ook bespied werd. Daar was ik zojuist getuige van.

'Marino?' Ik probeer het nog eens. 'Marino, waar ben je? Hallo?'

Ik probeer me de deur naar de kelder voor de geest te halen, waar ik nog niet ben geweest.

Ik heb nog geen kans gehad om het huis te doorzoeken, maar ik ben er vrij zeker van dat de deur zich in de keuken bevindt, waar ik ben binnengekomen toen ik hier arriveerde. Ik ben langs dezelfde weg naar binnen gegaan als de huishoudster en ik weet nog dat ik tegenover de voorraadkamer een dichte deur zag. Ik vermoedde toen dat die toegang gaf tot een lagergelegen wasruimte, een kelder of mogelijk een keuken die in voorbije eeuwen werd gebruikt door het huishoudelijk personeel.

Ik luister scherp en heb lang genoeg gewacht. Maar net als ik Marino wil gaan zoeken, hoor ik weer voetstappen, groot en zwaar. Ik blijf waar ik ben en hoor ze naderen. Dan zie ik hem bij de trap.

'Godzijdank,' mompel ik.

'Wat is er?' Hij loopt de hal in en zijn blik gaat meteen naar de blauw oplichtende sporen op de vloer. 'Wat is dit?'

'Er is mogelijk geknoeid met de plaats delict.'

'Ja, dat zie ik. Ik weet niet wat ik precies zie, maar er is iets. Goed idee om het zekere voor het onzekere te nemen en even te sprayen.'

'Ik dacht dat je in het niets was verdwenen.'

'Ik heb in de kelder gekeken, maar daar is niemand te bekennen,' zegt Marino terwijl hij de blauwe gloed uit verschillende hoeken bekijkt. 'Maar de buitendeur was niet op slot, en ik weet dat ik die heb afgesloten toen ik eerder rondkeek.'

'Misschien heeft een van de andere agenten hem van het slot gedaan?'

'Zou kunnen. Laat me raden wie. Zo zie je maar weer wat ik allemaal voor mijn kiezen krijg.' Zijn dikke duimen schieten over zijn telefoon terwijl hij een sms opstelt. 'Het zou stom zijn, verdomd slordig. Vogel, waarschijnlijk. Ik vraag het hem. Eens kijken wat hij zegt.'

'Wie?'

'Die agent van de staatspolitie. Typhoid Mary, weet je wel. Hij denkt niet helder na, waarschijnlijk heeft hij kinkhoest, zoals jij al zei. Hij zou naar huis moeten gaan en daar moeten blijven.'

'Wat had de staatspolitie hier eigenlijk te zoeken?' vraag ik.

'Niets beters te doen. Hij is kennelijk een vriendje van Hyde, en die heeft hem waarschijnlijk getipt met het oog op de moeder. Je weet wat er gebeurt met mensen als Hollywood ter sprake komt. Iedereen wil meeliften met de beroemdheden. Nou, het is maar goed dat ik de buitendeur heb gecontroleerd. Als hier iemand inbreekt omdat wij een deur open hebben gelaten, breekt de pleuris uit.' Hij kijkt op zijn telefoon. 'Oké, daar gaan we. Antwoord van Vogel. Hij zegt dat de deur beslist dicht zat. Hij heeft hem aan de binnenkant afgesloten. Hij zegt dat hij dicht moet zijn. Dat was hij niet.' Marino typt een antwoord.

'We gaan.' Ik loop met mijn sporenkoffertje langs de trap een kort, met donker hout betimmerd gangetje in om dezelfde weg naar buiten te nemen als waarlangs ik naar binnen ben gekomen.

'We komen terug zodra we bij Lucy zijn geweest. Dan kijken we nog wel eens goed rond. Daarna handelen we de rest af op mijn kantoor en doen we alles wat we moeten doen.'

'Heb je nog niets van haar gehoord?'

'Nee.'

'Ik zou iemand langs kunnen sturen...' begint hij, maar hij maakt de zin niet af.

Het heeft geen zin. Marino weet beter dan wie ook dat je niet de politie langs kunt sturen om te kijken of alles goed is met Lucy. Als ze thuis is en er is niets aan de hand, doet ze het hek niet open, en als de politie zonder haar toestemming naar binnen gaat, begint er een alarminstallatie te joelen die zijn weerga niet kent. Ze heeft bovendien een heel arsenaal aan vuurwapens.

'Er is ongetwijfeld niets aan de hand,' zegt Marino als we de keuken in lopen.

Die is ergens in de laatste twintig jaar gerenoveerd en het oorspronkelijke houtwerk is vervangen door grenenhout vol knoesten, lichter van tint dan de brede vloerplanken. Ik neem alles in me op: de witte apparatuur, de minimalistische aankleding met de roestvrijstalen hanglampen en de eikenhouten tafel in de stijl van de Shakers, gedekt met een enkel bord, een wijnglas en bestek, tegenover een raam aan de zijkant van het huis.

Ik loop naar de tafel toe en krijg weer dat vreemde gevoel als ik in mijn zak zoek naar schone handschoenen en ze aantrek. Ik pak het bord op, een dinerbord met een kleurig patroon, waarop Koning Arthur te zien is op een wit paard met een bloedrode deken, met de Ridders van de Ronde Tafel te paard achter hem en een kasteel op de achtergrond. Ik draai het om. Op de achterkant staat een stempel met de tekst WEDGWOOD BONE CHINA, MADE IN ENGLAND. Als ik de keuken rond kijk, zie ik een lege bordenhanger naast de buitendeur.

'Dat is raar.' Ik zet het bord weer op de tafel. 'Dit is Wedgwood. Met andere woorden: een bord voor verzamelaars.' Ik loop naar de lege bordenhanger. 'Zo te zien heeft het hier gehangen.' Ik trek een paar kasten open en op de planken staat eenvoudig wit aardewerk, praktisch, duurzaam, geschikt voor vaatwasser en magnetron. Geen spoor van Wedgwood of iets wat daarop lijkt. 'Waarom zou je een decoratief bord van de muur halen en er de tafel mee dekken?'

Marino haalt zijn schouders op. 'Geen idee.'

Hij loopt naar het aanrecht, waar een onderkastje openstaat. Vlak daarbij staat een roestvrijstalen afvalemmer op de zwart-witte rechthoekige tegels. Hij trapt op het pedaal zodat het deksel omhooggaat, kijkt in de bak, en meteen verschijnt er een verbaasde, boze trek op zijn gezicht.

'Wat krijgen we nou weer,' zegt hij zachtjes.

'Wat is er?' vraag ik.

'Die idioot van een Hyde. Hij moet het afval hebben meegenomen toen hij wegging. De hele zak, zonder zelfs maar te kijken wat erin zat. Wat bezielt die vent in godsnaam? Je brengt geen hele zak vuilnis naar het lab, en voor zover ik weet is hij niet eens een rechercheur. Zie je wat ik bedoel met wat ik voor mijn kiezen krijg?'

Marino pakt zijn telefoon terwijl ik de deur naar buiten opendoe, dezelfde deur waardoor ik vanmorgen om acht uur drieëndertig naar binnen ben gekomen. Ik weet precies hoe laat dat was. Dat is een van de dingen waar ik op let.

'Wat heb je verdomme uitgespookt?' zegt Marino boos, en zijn oortje knippert blauw als hij de telefoon omhooghoudt om me de naam van agent Hyde op het schermpje te laten zien. 'Hoe bedoel je, je hebt het niet gedaan en je weet er niets van?' Marino praat hard en beschuldigend. 'Wou je me vertellen dat hij niet bij jou is of in het lab? Dat iemand anders ervandoor is met het keukenafval en dat jij geen idee hebt wie? Besef je wel wat er allemaal bij dat verdomde afval zou kunnen zitten?

Laat me de situatie schetsen, sukkel. Het ziet ernaar uit dat ze de tafel voor zichzelf heeft gedekt, en dat betekent dat ze waarschijnlijk nog niet zo lang hier was voordat ze doodging en dat er toen iets is gebeurd, want ze is niet aan eten toegekomen.' Marino's gezicht is dieprood. 'Bovendien heeft de doc sporen gevonden die erop wijzen dat iemand heeft geprobeerd het bloed in de hal weg te vegen, misschien om iets in scène te zetten. Dus zorg dat je meteen terugkomt en het huis verzegelt als een plaats delict, verdomme. Het kan me geen donder schelen wat de buren ervan denken als we er een grote gele strik om binden. Doe het!'

'Vraag wat er voor zover hij weet in de afvalemmer zat,' zeg ik terwijl Marino over de telefoon Hyde de wind van voren blijft geven.

'Hij weet het niet.' Marino kijkt me aan terwijl hij de verbinding verbreekt. 'Hij zegt dat hij nog niet aan het afval was toegekomen. Hij heeft het niet meegenomen en hij heeft geen idee wat erin zat. Dat is wat hij zegt.'

'Nou, kennelijk heeft iemand het meegenomen.'

'Hij zegt dat hij het zal uitzoeken. Vogel of Lapin moet het hebben. Godverdomme!'

Vogel is de agent van de staatspolitie. Lapin moet de grijze agent uit Cambridge zijn die ik hier wel bonnen heb zien uitschrijven, de man die op cursus is geweest en volgens zijn eigen idee nu een deskundige is op het gebied van bloedsporen.

'Misschien moet je het navragen bij Lapin?' vraag ik. 'Om te horen of hij iets met het afval heeft gedaan? Dit is namelijk nogal verontrustend.'

'Ik kan me niet voorstellen dat hij het zou meenemen.' Toch belt Marino hem.

Hij vraagt hem naar het keukenafval. Dan kijkt hij me aan en schudt zijn hoofd terwijl hij een zonnebril uit een zak van zijn cargobroek haalt. Een vintage Ray-Ban aviator, dat type met een metalen montuur, die ik hem vorige maand heb gegeven voor zijn verjaardag. Hij zet hem op zodat ik zijn ogen niet meer kan zien. Dan beëindigt hij het gesprek.

'Niets,' zegt hij terwijl hij naar buiten loopt. 'Hij zegt dat volgens hem niemand nog iets gedaan heeft met het afval, en hij heeft het niet aangeraakt. Hij heeft het zelfs niet gezien. Hij heeft het zeker niet meegenomen. Maar iemand heeft het gedaan, want toen we hier vanochtend kwamen, stond de afvalemmer er niet zo bij.'

We lopen de zwoele zomerochtend in. Een warm briesje beroert de oude bomen in de zijtuin.

'Misschien heeft de huishoudster het afval buitengezet voor ze wegging,' zeg ik, de enige andere mogelijkheid die bij me opkomt. 'Heeft iemand haar zien vertrekken en opgemerkt of ze iets in haar handen had?'

'Dat is een goede vraag,' zegt hij terwijl we de drie houten treden af lopen die uitkomen op de oprit van oude bakstenen.

Opzij van de trap staan twee grote containers tegen het huis. Marino tilt de zware deksels van donkergroen plastic op.

'Leeg,' zegt hij.

'Het afval wordt iedere week opgehaald, waarschijnlijk op woensdag hier in het centrum van Cambridge, en het is nu vrijdag,' antwoord ik. 'Dus Chanel Gilbert heeft al een paar dagen niets in de containers gegooid? Dat is een beetje vreemd. Heb je iets gezien waaruit kan worden afgeleid dat ze de stad uit is geweest en net terug is?'

'Tot dusver niets.' Marino veegt zijn handen af aan zijn korte broek. 'Maar het lijkt niet onlogisch. Ze komt thuis, ziet dat er een paar gloeilampen kapot zijn en besluit ze te vervangen.'

'Het kan ook heel anders zijn gegaan. Als we kijken naar de sporen die we hebben gevonden, krijgen we een ander verhaal.' Ik herinner hem aan mijn ontdekking toen ik de vloer bespoten heb met reagens. 'Laten we gaan kijken of alles goed is met Lucy, dan gaan we daarna meteen terug en maken het hier af. Als Hyde en de anderen het huis verzegelen, kun je ze misschien beter zeggen dat ze het huis niet verder moeten doorzoeken voor we terug zijn.'

'Goed dat ik jou heb om me te vertellen hoe ik mijn werk moet doen.'

'Ik heb een bericht naar het lab gestuurd. Ze zullen meteen een CT-scan doen en kijken of dat iets nuttigs oplevert,' antwoord ik.

Op de oprit, voor mijn truck, staat de rode Land Rover die op naam staat van Chanel Gilbert. Ik kijk door het raampje zonder de wagen aan te raken. Op de achterbank staat een tas met lege flessen, allemaal dezelfde, zonder etiket. Het dashboard is stoffig en de SUV zelf is smerig van de pollen en het boomafval. De ruimte tussen de motorkap en de voorruit ligt vol bladeren en dennennaalden. Auto's blijven in deze buurt niet brandschoon. Als mensen een garage hebben, gebruiken ze hem als opslagruimte.

'Zo te zien staat hij al een tijdje buiten. Maar dat betekent niet dat er niet onlangs mee gereden is.' Terwijl ik het zeg, bespeur ik een ver gebons dat snel dichterbij komt.

'Ja.' Marino is afgeleid en kijkt naar mijn rechterbeen. 'Trouwens, je loopt een stuk slechter dan eerder op de dag. Misschien wel slechter dan ik in weken heb gezien.'

'Fijn om te weten.'

'Ik zeg het maar even.'

'Dank je dat je dat opmerkt, en nog wel met je gebruikelijke diplomatie.'

'Je hoeft niet boos op mij te worden.'

'Waarom zou ik?'

De helikopter is een breed, zwart, tweemotorig toestel dat op een hoogte van ongeveer vierhonderdvijftig meter en een paar kilometer naar het westen langs de rivier de Charles vliegt. Het is niet de Agusta van Lucy met zijn blauw met zilveren romp. Ik haal mijn sleutels uit mijn schoudertas en probeer te lopen zonder stijfheid te vertonen of met mijn been te trekken, want Marino's commentaar steekt en maakt me weer bewust van mijn tred.

'Misschien kan ik beter rijden.' Hij kijkt sceptisch toe.

'Helemaal niet.'

'Je hebt vandaag al veel te veel gelopen. Je moet uitrusten.'

'Dat gaat niet gebeuren,' zeg ik tegen hem.

9

Vijfentwintig kilometer ten noordwesten van Cambridge is de weg amper breed genoeg voor mijn grote, vierkante truck.

Het witte voertuig met zijn donker getinte ramen heeft het chassis van een Chevrolet G 4500 en is eigenlijk een ambulance met het esculaapteken en de weegschaal van Vrouwe Justitia in blauw op de deuren. Maar er zitten geen zwaailichten op. Ook geen sirene of geluidsinstallatie. Ik doe niet aan medische noodhulp. Daar is het een beetje te laat voor tegen de tijd dat ik ergens naartoe word geroepen, en er wordt niet van mij verwacht dat ik er een risicovolle, agressieve rijstijl op nahoud. Zeker niet hier, in de trotse geboorteplaats van de natie, waar de eerste schoten van de Amerikaanse Revolutie over de hele wereld werden gehoord.

Het plaatsje Concord in Massachusetts is bekend dankzij beroemde oud-inwoners als Hawthorne, Thoreau en Emerson, om de wandel- en ruiterpaden en natuurlijk om Walden Pond. De mensen hier zijn erg op zichzelf, vaak op het snobistische af, en schreeuwende claxons, lichtsignalen, rode en blauwe zwaailichten, het overtreden van de maximumsnelheid en het negeren van verkeerslichten zijn hier niet normaal en niet gewenst. Ze maken ook geen deel uit van de standaardwerkwijze van een lijkschouwer.

Maar als ik een sirene had, zou die nu aanstaan. Hij zou iedereen op de weg aansporen aan de kant te gaan. Verdomd jammer dat ik de truck bij me heb. Ik wilde dat ik een minder opvallende wagen had. Al was het maar een van de bestelwagens of SUV's van het CFC. Alles beter dan dit. Iedereen die ons ziet, kijkt met grote ogen naar de Magere Hein-mobiel, zoals Marino hem noemt. Hij is in het veilige deel van de wereld waar Lucy's spectaculaire landgoed ligt ongeveer net zo gewoon als een ufo. Niet dat mensen hier niet doodgaan. Ze krijgen ongelukken, plotselinge en rampzalige hartaanvallen en beroven zichzelf van het leven, net als overal. Maar bij dat soort zaken is zelden een mobiele forensische eenheid nodig, en ik zou er niet in rijden als ik niet rechtstreeks van het huis van Chanel Gilbert kwam.

Het zou handig zijn geweest om een ander voertuig te nemen, maar daar was geen tijd voor. Ook niet voor de luxe om te douchen of andere kleren aan te trekken. Ik voel een bezorgdheid die snel plaatsmaakt voor onverholen angst, en die jaagt me in een hogere versnelling. Ik ben al aan het mobiliseren en er komt een spijkerharde vastberadenheid over me, gepaard met een nietsontziend stoïcisme. Ik heb herhaaldelijk geprobeerd Lucy te bellen, maar ze neemt niet op. Ik heb haar partner Janet geprobeerd, maar die neemt ook niet op. En hun vaste telefoonlijn lijkt niet te werken.

'Ik vind het niet leuk om het te moeten zeggen, maar ik ruik het.' Marino zet zijn raam op een kiertje en de warme, vochtige lucht sijpelt naar binnen.

'Wat ruik je?' Ik houd mijn aandacht bij de weg.

'De stank die je uit het huis hebt meegedragen en die nu in

deze klotetruck hangt.' Hij wappert met zijn hand voor zijn gezicht.

'Ik ruik niets.'

'Je weet wat ze zeggen: een vos ruikt zijn eigen hol niet.' Marino verkracht altijd alle gezegden en denkt dat idioom een ander woord is voor sukkel.

'Het gezegde luidt "een vos ruikt zijn eigen hol eerst",' antwoord ik.

Hij doet zijn raampje helemaal naar beneden en omdat we langzaam rijden, is het geruis van de rijwind niet erg hard. Ik hoor de helikopter. Die hoor ik al sinds we uit Cambridge zijn vertrokken en ik ben er zo'n beetje van overtuigd dat we worden gevolgd, mogelijk door een nieuwsploeg. Het kan zijn dat de media erachter zijn wie de moeder is van de dode vrouw, ervan uitgaand dat de dode vrouw echt Chanel Gilbert is.

'Kun jij zien of dat een pershelikopter is? Dat zou voor de hand liggen, maar het klinkt alsof hij groter is,' zeg ik tegen Marino.

'Geen idee.' Hij buigt zijn nek en kijkt zo goed hij kan omhoog, en het zweet ligt als dauw op zijn glanzende, kaalgeschoren hoofd. 'Ik kan hem niet zien.' Hij kijkt door het zijraam naar de grote bomen, een woekerende heg en een gehavende brievenbus.

In de verte cirkelt een roodstaartbuizerd. Ik heb roofvogels altijd beschouwd als een goed teken, een positieve boodschapper. Ze herinneren me eraan dat ik boven het gekrakeel moet blijven staan, dat ik een scherpe blik moet hebben en moet afgaan op mijn instinct. Er gaat weer een pijnscheut door mijn bovenbeen en hoe vaak ik de gebeurtenissen ook heb ontleed, ik kom er niet achter waar ik me misrekend heb, wat ik niet heb opgemerkt of wat ik anders had moeten doen. Ik was een havik die werd neergeschoten als een duif. Een gemakkelijke prooi.

'Het is niets voor haar, dat is het punt,' zegt Marino, en ik besef dat ik niet heb gehoord wat hij daarvoor heeft gezegd. 'En het is ook niets voor jou, doc. Ik vind het nodig om je daarop te wijzen.'

'Het spijt me. Waar heb je het over?'

'Lucy en haar zogenaamde noodgeval. Ik blijf me afvragen of

je haar soms verkeerd begrepen hebt. Want het lijkt me niets voor haar. Het staat me niet aan dat we zomaar zijn weggelopen bij een zaak waarvan zou kunnen blijken dat het geen ongeluk is.'

'Het is niets voor Lucy om een noodgeval te hebben?' Ik werp hem een korte blik toe. 'Iedereen kan een noodgeval hebben.'

'Maar dit begrijp ik niet, en ik zweer je dat ik geprobeerd heb het te begrijpen. Ze stuurt je een sms vanaf haar noodnummer en dat is dat? Wat schreef ze precies? "Kom meteen hierheen" of zoiets? Want dat is niets voor haar, zoals ik al zei.'

Ik heb hem niet verteld wat er in de sms stond. Niets, namelijk. Het was een link naar een video. Dat was alles. Nu is die spoorloos verdwenen en hij weet er helemaal niets van.

'Laat me die sms eens zien.' Hij steekt een van zijn grote handen uit. 'Laat me eens precies zien wat ze schreef.'

'Niet nu ik achter het stuur zit.' Ik graaf me dieper in een beerput van leugens en dat geeft me geen goed gevoel.

Ik vind het vreselijk dat ik in deze positie ben gebracht, maar ik weet geen uitweg. Het is in ieder geval mijn bedoeling om mensen te beschermen.

'Wat schreef ze dan precies? Geef me de exacte woorden,' dringt Marino aan.

'Iets wees erop dat er een probleem was.' Ik kies mijn woorden heel zorgvuldig. 'En nu neemt ze geen van haar telefoons op. Janet ook niet,' zeg ik nog maar eens.

'Zoals ik al zei: dat is helemaal niets voor haar. Lucy laat nooit merken dat ze een probleem heeft of dat ze iemand nodig heeft.' Hij heeft gelijk. 'Misschien heeft iemand haar telefoon gestolen. Misschien heeft zij die sms niet zelf gestuurd. Hoe weet je dat je niet naar haar landgoed en in een hinderlaag wordt gelokt?'

'Door wie dan?' Ik let goed op hoe ik klink. Mijn stem is rustig en beheerst. Er is niets te horen van wat ik allemaal voel.

'Je weet heel goed door wie. Het is precies iets voor Carrie Grethen. Om ons in een hinderlaag te lokken, om ons precies daar te brengen waar ze ons wil hebben. Als ik haar zie, schiet ik meteen.' Dat is geen loos dreigement. Marino meent het voor de volle honderd procent. 'Zonder vragen te stellen.'

'Dat wil ik niet horen. Je hebt het niet gezegd, en zeg het niet nog eens,' antwoord ik, en de dieselmotor lijkt onnatuurlijk lawaaiig.

Ik ben op deze weg een witte olifant. Ik hoor hier niet te rijden in een lijkschouwerstruck. Ik kan me voorstellen dat als ik hem zelf zag rijden en niet zou weten waarom hij op weg was naar de buurt waar Lucy woont...

Waarom neemt ze haar telefoon niet op? Wat is er gebeurd?

Ik wil er niet over nadenken. Ik kan het niet verdragen om erover na te denken en ik word geteisterd door videobeelden die ik nooit had mogen zien. Tegelijkertijd vraag ik me af wat ik nu echt heb gezien. Hoeveel heeft Carrie ertussenuit geknipt? Hoe heeft ze mij in gedachten kunnen hebben als toekomstig publiek? Had ze mij wel in gedachten?

Hoe kan Carrie toen al hebben geweten wat ik bijna twintig jaar later zou doen? Ik geloof niet dat dat mogelijk is. Of misschien wil ik gewoon niet geloven dat ze in staat is zo ver vooruit te plannen. Dat zou angstaanjagend zijn, en ze is al angstaanjagend genoeg. Obsessief ga ik na wat er die dag allemaal is gebeurd. Ik bekijk mijn eigen ochtend als een plaats delict, detail voor detail, seconde voor seconde. Ik graaf, onthul en reconstrueer terwijl ik beide handen aan het stuur houd.

De videolink is om negen uur drieëndertig precies op mijn telefoon aangekomen, iets meer dan een uur geleden. Ik herkende het signaal van Lucy's noodlijn. Het klinkt als een cis op een elektrische gitaar. Ik heb meteen mijn vieze handschoenen uitgedaan en ben weggestapt van het lichaam. Ik heb de opname bekeken en nu is die weg. Voorgoed verdwenen. Dat is wat er is gebeurd. Dat is wat ik Marino wil vertellen. Maar dat kan ik niet, en daarom loopt het nog moeizamer tussen ons dan anders.

Hij vertrouwt me niet helemaal. Dat voel ik al sinds ik in Florida door het oog van de naald ben gekropen.

Geef het slachtoffer maar de schuld.

Alleen ben ik dit keer het slachtoffer en volgens zijn perceptie moet dat mijn schuld zijn. Dat wijst erop dat ik niet ben wie ik vroeger was. In ieder geval niet voor hem. Hij gedraagt zich anders. Het is moeilijk er de vinger op te leggen, subtiel als een schaduw die er vroeger niet was. Ik zie het als hij in de buurt is, als de wisselende tinten blauw en grijs van een tumultueuze zee. Hij blokkeert het zonlicht. De realiteit verandert als hij zijn gezicht laat zien.

Twijfel.

Ik denk dat het voornamelijk dat is. Marino twijfelt aan me. Hij heeft me niet altijd gemogen en in het begin van mijn carrière heeft hij me misschien gehaat, en daarna heeft hij een hele tijd te veel van me gehouden. Maar al die tijd heeft hij nooit getwijfeld aan mijn oordeel. Hij heeft op een heleboel dingen van mij kritiek, maar grillig, irrationeel of onbetrouwbaar gedrag heeft nooit op die lijst gestaan. Het is nieuw dat hij me beroepsmatig niet vertrouwt, en het voelt niet goed. Het voelt afschuwelijk.

'Hoe meer ik erover nadenk, hoe meer ik het met je eens ben, doc,' gaat Marino verder terwijl ik de grote truck bestuur. 'Voor die verregaande staat van ontbinding heeft ze langer dood moeten zijn. Ik weet niet hoe we dat aan haar moeder gaan uitleggen. Dat, en het feit dat er plekken blauw oplichtten op de vloer. Een zaak die begon als een eenvoudig geval, maar nu zijn er vragen, grote vragen. En wij hebben er geen antwoord op. Waarom niet? Ten eerste omdat we hier in Concord zijn en niet in Cambridge om alles tot op de bodem uit te zoeken. Hoe leg ik Amanda Gilbert uit dat jij een privételefoontje kreeg, het lichaam van haar dochter op de vloer hebt laten liggen en gewoon bent weggelopen?'

'Ik heb het lichaam niet op de vloer laten liggen,' antwoord ik.

'Ik bedoelde het figuurlijk.'

'Het lichaam bevindt zich letterlijk veilig in het lab, en we zijn niet zomaar weggelopen. Daar is niets figuurlijks aan. Alles is achtergelaten zoals het was en we komen snel terug. Bovendien is het niet aan jou om dat uit te leggen, Marino, en ik ben op dit moment niet van plan de details te bespreken met Amanda Gilbert. Om nog maar te zwijgen over het feit dat we eerst zeker moeten zijn van de identiteit van de dode vrouw.'

'Laten we er even van uitgaan dat het Chanel Gilbert is,' antwoordt Marino. 'Wie zou het anders kunnen zijn? Haar moeder gaat een heleboel lastige vragen stellen.'

'Daar heb ik een heel eenvoudig antwoord op. Ik zal zeggen dat we de identificatie moeten bevestigen. We moeten meer details weten en betrouwbare getuigenverslagen hebben. We moeten onweerlegbare feiten hebben die ons vertellen wanneer haar dochter voor het laatst in leven is gezien en wanneer ze voor het laatst een e-mail heeft verstuurd of getelefoneerd heeft. Dat is de ontbrekende schakel. Als we daarachter zijn, hebben we een grotere kans om vast te stellen wanneer ze is overleden. De huishoudster is belangrijk. Zij is degene die over de beste informatie zou kunnen beschikken.'

Ik hoor mezelf woorden gebruiken als 'betrouwbaar', 'onweerlegbaar' en 'feiten'. Door het gevoel dat hij me geeft, schiet ik in de verdediging. Ik voel zijn twijfel. Alsof er een sombere berg boven me uittorent.

'Eerlijk gezegd koester ik enige argwaan tegenover die huishoudster,' zegt hij. 'Stel dat ze erbij betrokken is en dat zij degene is die de airco heeft uitgezet?'

'Is haar daarnaar gevraagd?'

'Hyde zegt dat de airco al uit was toen hij het huis in kwam. Die huishoudster wist kennelijk helemaal niet waarom het er zo warm was.'

'We moeten met haar praten. Hoe heet ze?'

'Elsa Mulligan, dertig jaar oud, uit New Jersey. Ze is kennelijk hiernaartoe verhuisd toen Chanel Gilbert haar de baan aanbood.'

'Waarom iemand uit New Jersey?'

'Daar hebben ze elkaar ontmoet.'

'Wanneer?'

'Maakt het uit?'

'Op dit moment hebben we zoveel vragen dat alles uitmaakt,' antwoord ik.

'Ik kreeg de indruk dat Elsa Mulligan nog niet zo lang voor Chanel werkt. Een paar jaar? Ik weet het niet zeker. Dat is zo'n beetje alles wat ik weet, want ze was niet meer bij het huis toen ik daar aankwam. Ik geef door wat Hyde zei. Ze heeft hem verteld dat ze een afschuwelijke stank rook toen ze door de keukendeur naar binnen kwam, alsof er iets was doodgegaan, en zo was het ook. Het was loeiheet in het huis, ze ving een vleug op van de stank en ze volgde haar neus naar de hal.'

'Had Hyde het idee dat ze de waarheid sprak? Wat zegt jouw gevoel?'

'Ik ben van niets of niemand meer zeker,' zegt Marino. 'Meestal kunnen we er in ieder geval op rekenen dat het lijk ons de waarheid vertelt. Dode mensen liegen niet. Alleen de levenden doen dat. Maar het lichaam van Chanel Gilbert vertelt ons helemaal niets omdat de ontbinding is versneld door de hitte die alles in de war heeft geschopt. Ik vraag me af of een huishoudster zoiets zou weten.'

'Het zou kunnen als ze naar misdaadprogramma's kijkt.'

'Dat zal wel,' zegt hij. 'Ik vertrouw haar niet. Ik krijg een steeds slechter gevoel over de zaak en ik wou dat we de boel niet zomaar hadden achtergelaten.'

'We hebben de boel niet zomaar achtergelaten, en jij wordt zelf het probleem als je dat blijft zeggen.'

'Vind je dat echt?' Hij kijkt even naar me. 'Wanneer heb jij voor het laatst zoiets gedaan?'

Nooit, luidt het antwoord. Ik neem geen privételefoontjes aan als ik op een plaats delict ben en ik onderbreek nooit wat ik aan het doen ben. Maar deze keer was het anders. Ik hoorde het signaaltje van Lucy's noodnummer, en zij is niet iemand die overdreven reageert of ten onrechte alarm slaat. Ik moest wel gaan kijken of er niet iets verschrikkelijks was gebeurd.

'Hoe zit het met dat inbraakalarm, dat aanstond toen ze vanmorgen arriveerde?' vraag ik aan Marino. 'Jij zei dat de huishoudster het heeft uitgeschakeld. Weten we zeker dat het was ingeschakeld toen ze de deur opendeed?'

'Het is uitgeschakeld om zeven uur vierenveertig, het tijdstip waarop ze Hyde heeft verteld dat ze gearriveerd is. Eigenlijk zei ze kwart voor acht.' Marino zet zijn zonnebril af en begint hem schoon te maken met de onderkant van zijn shirt. 'Het beveiligingsbedrijf bevestigt dat het alarm vanmorgen op dat tijdstip is uitgeschakeld.'

'En gisteravond?'

'Het is een paar keer in- en uitgeschakeld. De laatste keer dat het is ingeschakeld, was tegen tienen. De code is ingevoerd en daarna is geen van de deurcontacten verbroken. Met andere woorden: het lijkt er niet op dat iemand het alarm heeft ingeschakeld en vervolgens het huis heeft verlaten. Het is meer alsof degene die het heeft ingeschakeld de rest van de nacht thuisbleef. Dus misschien leefde Chanel toen nog.'

'Aangenomen dat zij het alarm heeft ingeschakeld. Heeft ze een eigen code die alleen zij gebruikt?'

'Nee. Er is maar één code en die wordt door iedereen gebruikt. De huishoudster en Chanel gebruikten dezelfde idiote code. Een-twee-drie-vier. Zo te horen was Chanel niet erg bezig met veiligheid.'

'Dat zou me verbazen voor iemand die in Hollywood heeft gewoond. Van zo iemand verwacht je niet dat hij zo goed van vertrouwen is. En een-twee-drie-vier is de gebruikelijke code als een bewakingssysteem wordt geïnstalleerd. Er wordt van je verwacht dat je die code verandert in iets wat moeilijk te raden is.'

'Ze heeft kennelijk niet de moeite genomen.'

'We moeten uitzoeken hoelang ze hier woonde en hoe vaak ze in Cambridge was. Ik heb niet de kans gehad om rond te kijken, maar ik kan wel zeggen dat het huis niet erg bewoond aandeed.' Terwijl ik zit te praten, wil ik niets liever dan hem precies vertellen waarom we zo opeens op weg zijn naar het huis van Lucy.

Ik wil hem de video laten zien, maar dat kan niet. En als het wel kon, mocht hij hem nog niet zien. Ik zou het niet durven met het oog op juridische problemen. Ik kan niet bewijzen wie hem verstuurd heeft of waarom. De video zou een valstrik kunnen zijn en die zou best kunnen zijn opgezet door onze eigen overheid. Lucy geeft op de film toe dat ze in het bezit is van een illegaal vuurwapen, een volautomatisch machinepistool dat ze volgens Carrie gestolen heeft van mijn man Benton – een FBI-agent. Elke overtreding met een wapen van de derde klasse is een ernstig probleem, precies het soort probleem dat Lucy niet kan gebruiken. Vooral nu niet.

De laatste maanden is ze in de gaten gehouden door de politie en de FBI. Ik weet niet hoe nauwlettend. Vanwege haar voormalige relatie met Carrie maakt iedereen zich zorgen over Lucy's betrokkenheid bij haar. Leeft Carrie eigenlijk nog wel? Dat is de meest opruiende vraag die ik deze zomer heb gehoord. Misschien is Carrie wel dood. Misschien is alles wat er gebeurd is op touw gezet door mijn nichtje. Die gedachte voert me terug naar Marino. Kon ik hem de video maar laten zien.

Ik blijf mezelf voorhouden dat het geen zin zou hebben, zelfs al was het mogelijk en niet te onvoorzichtig. Ik weet hoe hij zou reageren. Hij zou ervan overtuigd zijn dat iemand – waarschijnlijk Carrie – me lastigvalt. Hij zou zeggen dat ze precies weet hoe ze me moet manipuleren, hoe ze me op de kast kan jagen, en het stomste wat ik in zijn ogen zou kunnen doen, is wat ik nu aan het doen ben. Ik had moeten blijven waar ik was. Ik had niet moeten reageren. Ik heb me door haar laten beïnvloeden en er komen ongetwijfeld nog andere nare trucjes.

Het spel is op de wagen, hoor ik Marino al beweren, en ik vraag me af wat hij zou zeggen als hij wist op welke datum de opnamen gemaakt waren.

11 juli 1997. Zijn verjaardag, zeventien jaar geleden.

10

Ik kan het me niet precies herinneren, maar verjaardagen worden bij ons groots gevierd en ik zal voor hem gekookt hebben, een van zijn lievelingsgerechten, wat hij maar wilde.

Het is lang geleden dat Lucy het in haar slaapkamer op de FBI-academie uitmaakte met Carrie. Ervan uitgaand dat de datum op het videobestand juist is, hadden ze met zijn tweeën de hindernisbaan gelopen die bekendstaat als de Yellow Brick Road. Daarna had Lucy in de sportzaal verder getraind. Ik heb geen idee waar ik toen was en ik weet niet waar Marino geweest kan zijn of wat hij aan het doen was. Dus vraag ik het hem.

'Waar komt dat opeens vandaan?' vraagt hij. 'Waarom wil je weten wat ik in 1997 op mijn verjaardag heb gedaan?'

'Vertel het maar gewoon, als je het nog weet.'

'Ja, absoluut.' Hij kijkt naar me, maar ik houd mijn ogen op de weg. 'Het verbaast me dat jij het niet meer weet.'

'Help me even. Ik heb geen idee.'

'Jij en ik zijn samen naar Quantico gereden. Daar hebben we Lucy en Benton opgepikt en toen zijn we naar de Globe and Laurel gegaan.'

Opeens staat de legendarische ontmoetingsplek van het korps mariniers me weer levendig voor de geest. Ik zie de bierkroezen op de bar van gewreven hout, het plafond vol politie- en leger-insignes van over de hele wereld. Goed eten, goede drank en een enorm wapen boven de deur met de adelaar, de wereldbol en het anker met daarboven een banier met de tekst SEMPER FIDELIS. We maakten deel uit van die eeuwige trouw en loyaliteit en wat daarbinnen gebeurde, kwam niet naar buiten. Ik ben er in geen jaren meer geweest. Dan zie ik iets anders voor me. Een dronken Marino. Geen fijn gezicht. Ik zie hem met wilde ogen in het halfduister van de parkeerplaats tegen Lucy staan schreeuwen en vloeken, zijn armen strak langs zijn zij en zijn vuisten gebald alsof hij haar zou kunnen slaan.

'Er was die avond iets met Lucy.' Ik houd het opzettelijk vaag. 'Jullie werkten elkaar op de zenuwen en kregen ruzie. Zoveel weet ik er nog wel van.'

'Ik zal je geheugen even opfrissen,' zegt hij. 'Ze kon niets eten. Ze had buikpijn. Ik dacht natuurlijk dat ze ongesteld was.'

'En je had er geen moeite mee om dat te zeggen waar iedereen bij was.'

'Ik dacht dat ze kramp had en PMS. Dat herinner ik me van mijn verjaardag in 1997. Ik had me echt verheugd op de Globe en zij moest het weer helemaal bederven.'

'Ik geloof dat ze zei dat ze een buikspier had verrekt op de hindernisbaan.' Ik weet dat Lucy pijn had en herinner me nog dat ze niet wilde dat ik haar onderzocht.

'Ze leek verdorie wel zo gek als een deur, zo kloterig gedroeg ze zich. Nog erger dan normaal,' zegt Marino.

Ik herinner me hoe ze bij de auto tegen elkaar stonden te schreeuwen. Ze wilde niet naar binnen. Ze dreigde terug te lopen naar haar kamer, was woedend en in tranen, en nu weet ik misschien waarom. Zij en Carrie waren eerder die dag gaan hardlopen op de Yellow Brick Road en hadden daar niet geheel toevallig de nieuwe agent in opleiding ontmoet, een voormalige miss die Erin heette. Lucy geloofde dat Carrie haar bedroog met

Erin. Het stond allemaal op die video.

Nog meer stukjes van een puzzel uit het verleden, en ik blijf terugkeren naar mijn vraag. Hoe kon Carrie in die tijd hebben geweten dat ze me op een dag een kijkje zou willen geven in het privéleven van mijn nichtje? En zou Carrie ook hebben verwacht dat ik de video nog tijdens het kijken zou gaan interpreteren en in sommige opzichten verfraaien? Elke seconde ervan bracht informatie terug die ik had begraven en weggestopt. Andere details zijn nieuw, en dat is even verontrustend. Wat weten we nog meer niet over Carrie Grethen?

Ik denk aan haar obsessie voor de schadelijke effecten van vervuiling en de zon. Ik had geen idee van haar geloof in magische middeltjes en haar pathologische ijdelheid. Voor zover ik weet heeft niemand ooit gezegd dat ze een bloedafwijking had, en dat zal Lucy's positie bij de overheid geen goed doen. Zij was op de hoogte van deze details. Dat is wel duidelijk, want ze praat erover in de video die ik heb gezien. Ik ben me er echter niet van bewust dat ze de informatie ooit met iemand heeft gedeeld, en mijn stemming zakt verder weg in de donkere diepte van het schuldbesef.

Ik was de drijvende kracht achter Lucy's stage in Quantico. Carrie had gelijk toen ze zei dat ik het allemaal had geregeld en dat ik strikt had vastgelegd hoe de FBI met mijn nichtje diende om te gaan. Dus we kunnen met enig recht zeggen dat het mijn schuld is dat Lucy haar mentor Carrie ooit heeft ontmoet. De nachtmerrie die erop zou volgen, is aan mij te wijten. En nu krijgt die een vervolg. Dat had ik niet verwacht. En ik weet eerlijk niet wat ik moet doen, behalve dat ik zo snel mogelijk naar Lucy toe moet om te zien of ze veilig is.

Marino beklopt zijn zakken, op zoek naar sigaretten. Dit is de derde keer dat hij er een opsteekt sinds we uit Cambridge zijn vertrokken. Als er een vierde volgt, ga ik voor de bijl. Ik zou nu wel een sigaret kunnen gebruiken. Echt. Ik probeer de beelden uit de video van me af te zetten. Ik probeer te vergeten dat ik me een spion, een verrader, een afschuwelijke tante voelde toen ik Lucy en Carrie in alle intimiteit en met amper iets aan samen zag, terwijl ik luisterde naar Carries respectloze en geringschattende opmerkingen over mij. Ik vraag me hetzelfde af als altijd.

Hoeveel daarvan is terecht? In welke mate is het een accurate weerspiegeling van wie en wat ik echt ben?

Ik ben zo gespannen dat ik bij de lichtste aanraking zou kunnen ontploffen, mijn rechterbeen klopt en de pijn trekt van mijn bovenbeen naar mijn kuitspier. Zelfs de kleinste bijstelling van het gaspedaal wordt duurbetaald. Als ik de rem intrap, zoals ik net gedaan heb, moet ik er flink voor boeten. Marino trekt zijn schouder op en ruikt aan zijn shirt om zich ervan te overtuigen dat hij niet onfris ruikt.

'Ik ben het niet,' besluit hij. 'Het spijt me, doc. Je stinkt als een rottend lijk. Misschien moet je maar niet in de buurt van Lucy's hond komen.'

Ik neem langzaam de blinde bochten waarin ronde, bolle spiegels aan dikke oude bomen zijn bevestigd, terwijl ik uitkijk en luister naar ander verkeer.

De zon valt door het zware bladerdak en tekent vlekjes licht en schaduw die steeds van vorm veranderen, als wolken. De wind buldert en schudt de bladeren als pompons, en de met creosoot bewerkte elektriciteitspalen met de doorzakkende zwarte kabels doen me verlangen naar muziek. De oude huizen hebben vermoeide gezichten, de naaldbomen en loofbomen groeien maar raak en de grond bestaat uit een dikke compostlaag vol door elkaar kronkelende slingerplanten, dood onkruid en rottende bladeren.

De verf op de overhellende en ingezakte gebouwen bladdert af. Ik zal nooit begrijpen waarom bijna niemand zich er iets van aan lijkt te trekken hoe vervallen en sjofel alles eruitziet. Er wonen maar weinig mensen in Concord die moeite doen voor het onderhoud van tuin of gras en nergens staat een hek omheen, behalve om Lucy's landgoed. Honden en katten lopen vrij rond en ik moet altijd voor ze uitkijken als ik hier rijd. Dat is over het algemeen een of twee keer per maand voor een diner, een brunch of een wandeltocht, en als Benton de stad uit is, breng ik wel eens de nacht door in de gastensuite die Lucy voor me heeft ontworpen en ingericht.

En eindje verderop ligt een smaragdgroene slang languit op een zonnig stukje van het wegdek, de kop omhoog om de trilling van onze nadering te beoordelen. Ik rem af als hij over de weg kronkelt en verdwijnt in de dichte, groene zomerbegroeiing. Dan geef ik weer gas. Vervolgens rem ik weer af voor een eekhoorn, een dikke grijze die met trekkende snorharen op zijn achterpoten blijft staan alsof hij me uitscheldt en dan pas wegschiet.

Daarna moet ik helemaal stoppen om een stationwagen met houten zijpanelen langs te laten. Die stopt ook en even ontstaat er een impasse. Maar ik ga niet achteruit. Dat is niet mogelijk. De wagen kruipt met moeite langs mijn truck. Ik voel de boze blik van de bestuurder.

'Ik geloof dat je hier in de buurt ieders dag hebt bedorven,' zegt Marino. 'Ze vragen zich af wie er vermoord is.'

'Laten we hopen dat het antwoord daarop "niemand" is.' Ik werp een blik op mijn telefoon om te kijken of er nog een sms van Lucy's noodnummer is gekomen, maar dat is niet het geval, dus rijd ik verder over de weg, de weg die naar haar toe leidt, de weg die ik zo goed ken en die ik ben gaan haten.

Het gras en het onkruid staan tot borsthoogte tot aan de rand van het wegdek en de zware boomtakken hangen er laag boven, wat het zicht nog slechter maakt. Er zijn maar weinig straatlantaarns en als ik hierlangs rijd, zie ik vaak beesten die zichzelf in gevaar hebben gebracht. Ik stop altijd. Schildpadden spoor ik een beetje aan en als het nodig is pak ik ze op en zet ze veilig in het bos. Ik ben altijd alert op konijnen, vossen, herten en ontsnapte sierkippen.

Ik pas op voor jonge wasberen die het bos uit waggelen en onschuldig en lief als stripfiguurtjes midden op de door de zon verwarmde weg gaan zitten. Laatst heb ik na een flinke regenbui een leger groene kikkers aangemoedigd hun stelling te verlaten. Ze leken te mopperen toen ik ze een zetje gaf. Geen enkel teken van dankbaarheid, ook al redde ik ze het leven. Maar ja, mijn patiënten bedanken me ook niet.

Ratelend rijd ik over het gebarsten asfalt, dat aan de randen afbrokkelt als een oudbakken brownie. Ik moet gaten ontwijken die diep genoeg zijn om een band te laten klappen en een wiel te beschadigen en ik zie de lage, snelle auto's voor me waarin Lucy rijdt. Zoals altijd verbaas ik me erover hoe ze Ferrari's en Aston Martins over dergelijke wegen krijgt. Maar ze is zo soepel als een quarterback en schiet moeiteloos heen om alles wat haar in de weg staat of wat haar last zou kunnen bezorgen. Als altijd slalommend op het scherpst van de snede, mijn ongrijpbare doerak van een nichtje.

Alleen is ze nu door iets gegrepen. Dat zie ik zodra we na een scherpe bocht bij de ingang van haar twintig hectare grote landgoed komen. Het grote, zwarte ijzeren hek staat open en de oprit wordt geblokkeerd door een witte Ford SUV.

'Verdomme,' zegt Marino. 'Nou zal je het hebben.'

Ik kom voorzichtig tot stilstand. Uit de SUV stapt een FBI-agent in een donker poloshirt, die naar ons toe loopt. Ik ken hem niet. Hij komt me niet bekend voor. Ik steek mijn hand in mijn schoudertas en mijn vingers strijken langs de harde omtrek van de 9 mm Rohrbaugh in de holster. Dan vind ik de dunne zwartleren portefeuille waarin mijn koperen penning en mijn identiteitspapieren zitten. Ik laat mijn raampje zakken en hoor het luide gebonk van de helikopter, een groot ding, waarschijnlijk hetzelfde tweemotorige toestel dat ik eerder heb gehoord, alleen vliegt het nu lager en langzamer. Veel dichterbij.

De agent is achter in de twintig of voor in de dertig. Zeer gespierd, pokerface, dikke aderen over zijn onderarmen en handen. Mogelijk van Latijns-Amerikaanse afkomst en zeker niet uit deze buurt. Mensen uit New England hebben op een onopvallende manier iets heel oplettends. Als ze erachter zijn dat je niet hun vijand bent, zijn ze zeer hulpvaardig. Deze man is bepaald niet van plan aardig of behulpzaam te zijn, hoewel hij verdomd goed weet wie ik ben, ook al is dat niet wederzijds.

Ik twijfel er niet aan dat hij ervan op de hoogte is dat ik getrouwd ben met Benton Wesley. Mijn man is gestationeerd bij de afdeling Boston. Deze agent waarschijnlijk ook. Ze zullen elkaar waarschijnlijk kennen en misschien zelfs op vriendschappelijke voet staan. Ik moet nu de indruk krijgen dat dat allemaal niets uitmaakt voor de harde vent die het terrein van mijn nichtje bewaakt. Maar hij brengt precies het tegenovergestelde over van wat de bedoeling is. Onbeleefdheid is een teken van zwakte, van kleinzieligheid, van een existentieel probleem. Door grof tegen mij te zijn, laat hij eigenlijk zien hoe hij over zichzelf denkt.

Ik geef hem geen kans de eerste zet te doen. Meteen sla ik

mijn portefeuille open en laat hem zien wat erin zit. Kay Scarpetta, arts en jurist. Ik ben benoemd tot hoofdlijkschouwer van Massachusetts en hoofd van het Cambridge Forensic Center. Ik ben belast met het onderzoek naar doodsoorzaken volgens artikel 38 van de algemene wet van Massachusetts in navolging van instructie 5154.30 van het ministerie van Defensie.

Hij neemt niet de moeite dat allemaal te lezen. Na een korte blik op mijn papieren geeft hij de portefeuille terug en kijkt langs me heen naar Marino. Dan staart hij mij aan, niet in mijn ogen, maar daartussen. Dat is geen bijster origineel trucje. Ik doe hetzelfde als ik in de rechtszaal word geconfronteerd met een vijandige advocaat. Ik ben er heel goed in om naar mensen te kijken zonder ze echt aan te kijken. Deze agent is er niet zo goed in.

'Mevrouw, u moet vertrekken,' zegt hij met een stem die net zo vlak is als zijn gezicht.

'Ik kom voor mijn nichtje, Lucy Farinelli,' antwoord ik rustig en vriendelijk.

'Dit terrein staat onder toezicht van de FBI.'

'Het hele terrein?'

'U zult moeten vertrekken, mevrouw.'

'Het hele terrein?' herhaal ik. 'Dat is opmerkelijk.'

'Mevrouw, u moet nu meteen vertrekken.'

Hoe vaker hij 'mevrouw' zegt, hoe koppiger ik word, en met dat 'nu meteen' gaat hij te ver. Nu ga ik zeker niet meer terug. Maar ik laat niets merken en mijd Marino's blik. Ik voel zijn agressie en weiger naar hem te kijken. Als ik dat doe, springt hij uit de truck en gaat de confrontatie aan met de agent.

'Hebt u een gerechtelijk bevel om dit hele terrein te betreden en doorzoeken?' vraag ik. 'Als het antwoord nee is en u geen bevel hebt voor het héle terrein, dient u uw voertuig aan de kant te zetten en me door te laten. Als u weigert, bel ik de minister van Justitie.'

'We hebben een huiszoekingsbevel,' zegt hij uitdrukkingsloos, maar zijn kaakspieren verstrakken.

'Een huiszoekingsbevel voor twintig hectare, inclusief de oprit, het bos, de kustlijn, de steiger en het water daaromheen?' Ik weet heel goed dat de FBI dat niet heeft.

Hij zegt niets en ik bel Lucy's noodnummer nog een keer. Ik

verwacht bijna dat Carrie opneemt, maar dat gebeurt niet, godzijdank, en de andere mogelijkheid, die nog erger is, is ondenkbaar. Stel dat Lucy me die video heeft gestuurd? Wat ter wereld zou dat kunnen betekenen?

'Je bent hier,' antwoordt Lucy tot mijn verrassing, en ik word eraan herinnerd dat dat technisch genie overal op haar terrein bewakingscamera's heeft hangen.

'Ja, we staan voor de poort,' zeg ik. 'Ik probeer je al een uur te bellen. Is alles goed met je?'

'Prima,' zegt Lucy. Het is beslist haar stem.

Ze klinkt rustig en ingehouden. Ik bespeur geen enkele angst. Maar wel de kalmte voor de storm. Ze is erop voorbereid zichzelf en haar familie te verdedigen tegen de vijand, in dit geval de federale overheid.

'Ja, we zijn zo snel mogelijk gekomen. Zoals je wilde.' Dat is de enige verwijzing die ik van plan ben te geven naar de video die op mijn telefoon is beland. 'Ik ben blij dat je het me hebt laten weten.'

'Pardon?' Meer zal ze niet zeggen, maar de betekenis is luid en duidelijk.

Ze weet niets over de sms. Ze heeft hem niet verzonden. Ze had me hier niet verwacht.

'Ik heb Marino bij me,' zeg ik behoorlijk hard. 'Heeft hij toestemming om jouw terrein te betreden, Lucy?'

'Ja.'

'Mooi. Lucy, je hebt rechercheur Pete Marino van de politie van Cambridge net toestemming gegeven. En je hebt mij, je tante, de hoofdlijkschouwer, toestemming gegeven. We hebben allebei jouw toestemming om je terrein op te komen,' antwoord ik. 'Is de FBI in je huis?'

'Ja.'

'Waar zijn Janet en Desi?' Ik maak me zorgen om Lucy's partner en de kleine jongen. Die hebben al genoeg doorgemaakt.

'Ze zijn hier.'

'De FBI zal ons op dit moment waarschijnlijk niet je huis binnenlaten.' Ik vertel haar iets wat ze zeker al zal weten.

'Het spijt me.'

'Dat hoeft niet. Het moet hun spijten, niet jou.' Ik staar naar een punt tussen de ogen van de agent en word aangespoord door mijn behoefte iemand te beschermen van wie ik meer houd dan ik kan zeggen. 'Kom maar naar buiten, Lucy.'

'Dat zullen ze niet leuk vinden.'

'Het kan me niet schelen of ze het leuk vinden of niet.' Ik houd mijn blik nog steeds gericht op het punt tussen de ogen van de agent. 'Je bent niet aangehouden. Ze hebben je niet gearresteerd, toch?'

'Ze zoeken een reden. Ze denken kennelijk dat ze me iets kunnen maken, wat dan ook. Rommel op de openbare weg gooien. Schuin oversteken. Ordeverstoring. Verraad.'

'Hebben ze je op je rechten gewezen?'

'Zo ver zijn we niet gekomen.'

'Ze zijn zo ver niet gekomen omdat er geen aannemelijke aanleiding voor is, en ze kunnen je niet vasthouden als je niet gearresteerd bent. Ga meteen naar buiten. We zien je op de oprit,' zeg ik tegen haar, en we breken het gesprek af.

Vervolgens gaan we kijken wie het het eerst opgeeft. Ik blijf in mijn enorme witte truck zitten terwijl de agent naast zijn ineens piepkleine witte SUV blijft staan. Hij maakt geen aanstalten om in te stappen. Hij is van plan de oprit te blijven blokkeren. Ik wacht af. Ik geef hem een minuut en blijf wachten. Twee minuten, drie minuten. Als er dan nog niets gebeurt, zet ik de auto in de versnelling.

'Wat ga je doen?' Marino kijkt naar me alsof ik gek ben geworden.

'Ik ga wat opzij, zodat het verkeer erlangs kan.' Dat is niet waar. De truck staat ruim zes meter van de weg af.

Ik rijd langzaam naar voren en geef een scherpe draai aan het stuur. Op die manier zet ik de wagen schuin neer, bijna loodrecht op de SUV en nog geen tien centimeter van zijn achterbumper. Als de agent naar achteren rijdt, raakt hij me in de flank. En hij schiet er ook niets mee op om naar voren te rijden en om te draaien.

'We gaan.' Ik zet de motor uit.

Marino en ik stappen uit en ik sluit de portieren af. Klik. Ik laat de sleutels in mijn schoudertas vallen.

'Hé!' Nu komt er leven in de agent. Hij kijkt me recht aan,

woedend als een valse hond. ‘Hé! Zo kan ik geen kant meer op!’

‘Dan weet je ook eens hoe dat voelt.’ Ik glimlach naar hem terwijl we door het open hek lopen. Lucy’s huis staat een halve kilometer verderop.

11

‘Dat je dat deed,’ zegt Marino. ‘Niet te geloven.’

‘Waarom niet?’ Het onophoudelijke gebonk van de helikopter werkt me op de zenuwen en het lopen valt me zwaar.

Lucy’s huis staat op een heuvel boven de rivier de Sudbury en de oprit is behoorlijk steil. Geen gemakkelijke wandeling. Ik kan met geen mogelijkheid Marino met zijn gedachteloze grote passen bijhouden. Hij lijkt te vergeten wat er nog niet zo lang geleden met me is gebeurd. Misschien omdat hij er niet bij was. Misschien omdat hij er niet aan wil denken. Het is net iets voor hem om ervan uit te gaan dat hij me ervoor had kunnen behoeden en om daarmee bezig te zijn in plaats van met de gevolgen voor mij en hoe ik me voel.

‘Nou, één ding is zeker. Er is geen agent in Massachusetts die de truck van een lijkschouwer gaat wegslepen,’ zegt hij vervolgens.

‘Hij weegt bijna vijf ton en er zouden lijken in kunnen liggen. Geen goed idee, dus.’ Ik blijf een paar meter achter hem lopen, zodat hij gedwongen is zijn pas te vertragen en zich om te draaien als hij met me wil praten.

‘Zeker niet.’ Hij kijkt naar me om en dan omhoog naar de helikopter. ‘Wat moet dat toch? Is dit wat we vanaf Cambridge al horen? Denk jij dat het dezelfde helikopter is?’

‘Ja.’

‘Geen toestel van de pers, dat is zeker. Het is die verdomde FBI. Ze zijn ons van de plaats delict hiernaartoe gevolgd. Waarom? Wat hebben zij te maken met Chanel Gilbert of met ons?’ vraagt hij.

‘Zeg jij het maar.’ De pijn schiet door mijn bovenbeen.

‘Het is wel duidelijk dat ze wisten dat we hiernaartoe gingen.’

‘Ik weet niet wat hun duidelijk was.’

‘Het is net alsof ze ons begeleid hebben naar het landgoed van Lucy.’

‘Ik geloof niet dat dat hun bedoeling is. Ik had een minuutje geleden heel sterk de indruk dat we hier niet welkom zijn. Het kan zijn dat ze ons zijn gevolgd. Maar ze hebben ons zeker niet begeleid.’ Ik moet even pauzeren.

Ik laat mijn gewicht op mijn linkerbeen rusten en de uitbundige symfonie van pijn in mijn rechterbeen sterft weg tot een zacht tromgeroffel, tot het trage strijken van een cello. De hoge tonen zijn weg, en juist die zijn onverdraaglijk. Met de rest, het rustigere, diepere ritme van de pijn, heb ik leren leven.

‘Jezus, doc.’ Marino blijft staan. ‘Gaat het een beetje?’

‘Het gaat best.’

Hij kijkt recht omhoog en we lopen verder. ‘Er is iets verdomd eigenaardigs aan de hand,’ besluit hij.

Hij heeft geen idee hoe eigenaardig. ‘Dit is ernst. Dat staat wel vast,’ antwoord ik.

De helikopter is een grote, tweemotorige Bell 429. Helemaal zwart, onheilspellend als een Apache. Ik zie de op een girostabilisator gemonteerde camera onder de neus en het warmtebeeldsysteem dat als een radarkoepel onder de buik hangt. Ik herken de speciale operatieplatforms die bekendstaan als laadrekken, ontworpen om leden van een arrestatieteam of het eliteреddingsteam voor gijzelaars te vervoeren. In de cabine zitten beslist een stuk of zes agenten op de bankjes, klaar om aan touwen naar beneden te komen en op commando het terrein te bezetten.

‘Misschien bespioneren ze je,’ zegt Marino, en zijn commentaar doet me denken aan andere vormen van spionage die ik niet uit mijn hoofd kan krijgen.

Even zie ik Carrie weer voor me in Lucy’s slaapkamer. Ik zie haar doordringende ogen en haar schrikbarend korte gebleekte haar. Ik voel haar kille agressie. Het is alsof ze in de buurt is, en dat zou heel goed zo kunnen zijn.

‘Dan zouden ze eens iets minder opvallends moeten bedenken dan een gevechtshelikopter.’ Ik zeg het terwijl mijn hoofd bij iets heel anders is, terwijl we over een ronde oprit lopen die lang genoeg is voor een stevig eindje joggen. In het midden ligt een weide van duizenden vierkante meters vol wilde bloemen, waarop enorme granieten beelden van fantasiewezens op hun gemak lijken rond te dolen. We zijn al langs een draak, een olifant, een buffel, een neushoorn en net nog langs een moederbeer met haar jongen gekomen, allemaal ergens in het westen gemaakt van plaatselijke steen en met een kraan op hun plek gezet. Lucy hoeft niet bang te zijn dat iemand de beelden steelt, want ze wegen tonnen. Ik kijk naar haar uit terwijl het monotone geluid van rotorbladen boven ons blijft klinken. Bonk-bonk-bonk-bonk.

Ik heb het warm, alles plakt en doet pijn en het lawaai is om gek van te worden. BONK-BONK-BONK-BONK! Ik houd van helikopters, maar niet van deze. Ik haat hem alsof hij een levend, ademend wezen is en we persoonlijke vijanden zijn. Dus ga ik maar bij mezelf na of alles het nog doet en concentreer me op mijn gehoor, mijn gezicht, mijn ademhaling en de pijn die bij elke stap en elke verandering in mijn evenwicht door mijn been schiet. Die concentratie zorgt ervoor dat ik rustig en beheerst blijf. Ik voel de warmte van de stenen door de zolen van mijn enkelhoge schoenen en het zonlicht dat door de zachte stof van mijn katoenen werkshirt dringt. Het zweet dat langs mijn borst, mijn buik en de binnenkant van mijn benen sijpelt, is koel. Ik ben me bewust van de zwaartekracht als ik me de heuvel op duw; mijn lichaam lijkt wel twee keer zoveel te wegen. Op het land is elke beweging zwaar en traag, terwijl ik helemaal niets woog toen ik me onder water bevond. Ik zweefde.

Ik zweefde steeds dieper naar de duisternis. Het is niet waar wat ze zeggen, dat je naar het licht toe beweegt. Ik heb geen licht gezien, geen helder licht, helemaal geen licht. Het is de duisternis die ons opeist, die ons verleidt tot een kunstmatige slaap. Ik wilde me eraan overgeven. Het was het moment waarop ik altijd heb gewacht, het moment waarvoor ik heb geleefd, en dat is juist waar ik niet overheen kan komen.

Ik heb de dood in de ogen gekeken op de bodem van de zee toen het slib omhoogwolkte en een donkere draad van mij naar boven schoot en zich verloor in de belletjes. Ik besefte dat ik bloedde en voelde het irrationele verlangen om de regulator uit mijn mond te halen. Benton zegt dat ik dat ook deed; zodra hij de regulator weer in mijn mond deed, trok ik hem eruit. Hij moest hem op zijn plaats houden. Hij moest mijn grijpende handen wegduwen en me dwingen te ademen, te leven.

Later heeft hij me uitgelegd dat het verwijderen van de regulator een kenmerkende actie is als iemand onder water in paniek raakt. Maar ik herinner me niet dat ik in paniek was. Ik herinner me dat ik me wilde bevrijden van mijn trimvest, mijn regulator en mijn zuurstoftank omdat ik daar een reden voor had. Ik wil weten wat die reden was. Het speelt voortdurend door mijn hoofd. Er gaat geen dag voorbij dat ik niet nadenk over de vraag waarom doodgaan het beste idee leek dat ik ooit had gehad.

Lucy komt de bocht om lopen.

Ze komt met ferme pas op ons af en opeens lijkt het donderende geluid nog harder. Dat verbeeld ik me natuurlijk. Maar ik verbeeld me niet wat ze aanheeft. Op de vormeloze, oude, grijze sportbroek en het T-shirt staat met grote letters FBI ACADEMY. Ze had net zo goed met een strijdvlag kunnen wapperen. Het is net zoiets als je in uniform vertonen nadat je door de krijgsraad bent veroordeeld of een Olympische medaille dragen nadat die je is afgenomen. Ze steekt haar middelvinger op naar de FBI. Misschien schuilt er nog iets anders achter haar gedrag.

Ik blijf haar staan aanstaren alsof ze een geest uit het verleden is. Net heb ik haar nog als tiener gezien in haar kamer op de FBI-academie en ik zou bijna geloven dat mijn ogen me bedriegen. Maar dat verandert niets aan haar kleding, en ze zou best kunnen doorgaan voor zo'n jonge meid. Het is alsof de Lucy van de video in het echt op me af komt lopen, een Lucy die inmiddels halverwege de dertig is. Maar dat is haar niet aan te zien. Ik betwijfel of ze er ooit zo oud zal uitzien als ze is.

Ze heeft een kinderlijk felle energie en haar lichaam is ook niet echt veranderd, hoewel haar discipline als het erom gaat fit en vitaal te blijven niet uit ijdelheid is geboren. Lucy leeft als een bedreigde diersoort die bij de lichtste beweging of het minste geluid opkijkt en daardoor nauwelijks slaapt. Ze mag dan grillig zijn, ze is heel verstandig. Ze bezit een ijzeren logica en rationaliteit. Als ik wat sneller ga lopen om haar tegemoet te gaan, herinnert de felle pijnscheut me eraan dat ik nog niet dood ben.

'Je hinkt erger.' Haar roodgouden haar glanst in de zon en ze is bruin na een recent reisje naar Bermuda.

'Met mij is alles prima.'

'Helemaal niet.'

De uitdrukking op haar spitse, knappe gezichtje is moeilijk te lezen, maar ik zie spanning in haar ferme lippen. Ik voel haar sombere stemming, die het heldere licht om haar heen opzuigt. Als ik haar omhels, voelt ze klam aan.

'Is alles goed met je? Echt?' Ik houd haar nog even vast, opgelucht dat ze niet gewond is of in de boeien geslagen.

'Wat doe je hier, tante Kay?'

Ik ruik haar haar en haar huid en bespeur de zompige, zilte geur van stress. Ik merk hoe alert ze is aan de druk van haar vingers en haar voortdurend zoekende blik. Ze kijkt uit naar Carrie. Ik weet het. Maar we gaan er niet over praten. Ik kan haar niet vragen of ze iets weet van de videolink die naar mijn telefoon is gestuurd of haar vertellen dat het erop lijkt dat zij hem verstuurd heeft. Ik kan niet laten blijken dat ik een filmpje heb bekeken dat heimelijk is opgenomen door Carrie. Met andere woorden: ik ben nu medeplichtig aan de spionage van Carrie Grethen, en wie weet aan wat nog meer.

'Wat doet de FBI hier?' vraag ik in plaats daarvan.

'En jij?' Ze gaat aandringen op een antwoord. 'Heeft Benton iets laten vallen over wat er ging gebeuren? Verdomd aardig van hem. Hoe kan die man zichzelf nog recht in de ogen kijken?'

'Hij heeft me helemaal niets verteld. Zelfs niet door te zwijgen. En waarom vloek je zo? Waarom moeten jij en Marino altijd zoveel vloeken?'

'Wat?'

'Ik erger me gewoon aan al die krachttermen. Het is om het woord een "verdomme",' antwoord ik, terwijl er een golf van emoties over me heen slaat.

Het is alsof de Lucy die ik voor me zie weer negentien is en opeens voel ik me helemaal trillerig, overmand door het meedogenloos verstrijken van de tijd, door het verraad van de natuur, die ons het leven geeft en het meteen weer begint terug te nemen. Dagen worden maanden. Een jaar wordt tien jaar en langer, en hier sta ik op de oprit van mijn nichtje te denken aan mezelf op haar leeftijd. Hoeveel ik ook wist over de dood, ik wist in wezen helemaal niet veel over het leven.

Ik dácht alleen dat ik dat deed. Ik ben me bewust van hoe ik eruitzie nu ik hinkend over Lucy's landgoed loop terwijl dat wordt doorzocht door de FBI, twee maanden nadat ik ben beschoten met een harpoen. Ik ben magerder en mijn haar moet nodig geknipt worden. Ik ben traag en verkeer op voet van oorlog met traagheid en de zwaartekracht. Ik kan Carries stem in mijn hoofd niet tot zwijgen brengen en ik wil hem niet horen. Ik voel een pijnscheut en opeens ben ik boos.

'Hé. Gaat het wel?' Lucy kijkt me scherp aan.

'Ja. Neem me niet kwalijk.' Ik kijk op naar de helikopter en haal diep adem om te kalmeren. 'Ik probeer gewoon te begrijpen wat er allemaal gebeurt.'

'Hoe kom je hier? Hoe wist je dat je hierheen moest komen?'

'Door die dringende oproep die jij hebt gestuurd, toch?' Het antwoord komt van Marino. 'Hoe hadden we het anders moeten weten?'

'Ik heb geen idee waar je het over hebt.'

'Heus wel.' Zijn vintage Ray-Ban is recht op haar gericht. 'Je hebt ons laten weten dat je een of ander noodgeval aan de hand had en wij hebben meteen alles uit onze handen laten vallen. We hebben verdomme letterlijk een lijk op de vloer laten liggen.'

'Zo erg is het nou ook weer niet,' antwoord ik.

'Wat zeg je nou?' Ze kijkt oprecht verbaasd en verward.

'Ik kreeg een sms,' leg ik uit. 'Van jouw noodnummer.'

'Ik kan je verzekeren dat die niet van mij kwam. Misschien hebben zij hem verstuurd.' Ze bedoelt de FBI.

'Hoe dan?'

'Ik zeg toch dat hij niet van mij kwam. Dus je hebt een bericht gehad? En daarom heb je opeens besloten om hierheen te rijden in een forensische truck?' Ze gelooft ons niet. 'Wat komen jullie verdomme in werkelijkheid doen?'

'Laten we ons eerder afvragen wat zij komen doen.' Ik kijk op naar de helikopter.

'Benton,' zegt ze weer beschuldigend. 'Je bent hiernaartoe gekomen omdat hij je een tip heeft gegeven.'

'Nee. Ik verzeker je van niet.' Ik blijf even op de oprit staan uitrusten. 'Hij heeft tegen geen van ons ook maar iets gezegd. Hij heeft er niets mee te maken dat ik besloot snel hiernaartoe te komen, Lucy.'

'Wat heb je uitgespookt?' Marino doet altijd alsof iedereen wel ergens aan schuldig is.

'Ik weet niet goed waarom ze zijn gekomen,' antwoordt Lucy. 'Ik weet helemaal niets zeker, alleen dat vanmorgen vroeg bij mij het vermoeden rees dat er iets stond te gebeuren.'

'Op basis waarvan?' vraagt Marino.

'Er is iemand op het terrein geweest.'

'Wie?'

'Ik heb niet gezien wie het was. Op de camerabeelden was niemand te zien. Maar de bewegingssensoren gingen af.'

'Misschien een dier.' Ik begin weer heel langzaam te lopen.

'Nee. Er was niets en toch was er iets. En er heeft iemand in mijn computer ingebroken. Dat is al een week of zo aan de gang. Nou ja, het is niet nodig om "iemand" te zeggen. Ik denk dat we wel weten wie het is.'

'Laat me raden, gezien dit onverwachte bezoek...' Marino steekt zijn afkeer van de FBI niet onder stoelen of banken.

'Programma's die vanzelf openden en sloten of te langzaam opstartten,' zegt ze. 'De cursor die bewoog terwijl ik er niet aan zat. Mijn computer werd ook heel traag en laatst is hij gecrasht. Dat was niet zo erg. Ik heb overal back-ups van. Alles wat van belang is, is gecodeerd. Het moet wel van hen komen. Ze zijn niet bepaald subtiel.'

'Is er ook maar iets uitgelekt of gecorrumpeerd?' vraag ik. 'Wat dan ook?'

'Het lijkt er niet op. Er is een onbevoegd gebruikersaccount aangemaakt door iemand die er best wat van weet, maar die geen genie is. Ik heb dat allemaal onder controle. Ik houd bij wie er inlogt, welke e-mails er worden verstuurd en ik probeer erachter te komen wat de hacker wil. Het is geen erg geavanceerde aanval, anders zouden we er pas iets van gemerkt hebben als het te laat was.'

'Maar je weet zeker dat het de FBI is?' vraagt Marino. 'Ik bedoel, het lijkt wel logisch aangezien ze vandaag zijn komen opdagen met een huiszoekingsbevel.'

'Ik kan niet met zekerheid zeggen wie er zit te snuffelen. Maar waarschijnlijk zijn zij het of heeft het met hen te maken. De FBI gebruikt vaak andere servers als ze onderzoek doen naar cybercriminaliteit. En veronderstelde cybercriminaliteit is hun excuus om te spioneren. Als ze bijvoorbeeld reden hebben om te denken dat ik geld witwas of kinderpornosites bezoek, dat soort gelul, weet je wel. Als zij het zijn, zullen ze zeggen dat ze onderzoek naar me deden wegens iets wat ze zelf verzonnen hebben, alleen om in mijn computer te kunnen kijken.'

'En het lab?' Dat is het meest problematische scenario. 'Is dat helemaal veilig? Is er een mogelijkheid dat onze computers ook zijn gehackt?'

Lucy is de systeembeheerder van het computernetwerk van het CFC. Ze doet al het programmeerwerk. Ze voert forensisch onderzoek uit op alle elektronische apparaten en opslagmiddelen die als bewijsstuk worden ingebracht. Ze is de firewall voor de gevoeligste informatie over welk sterfgeval dan ook, maar tegelijk is ze de achilleshiel.

Het zou een ramp zijn als de verkeerde persoon binnen wist te komen. Er zouden twijfels kunnen rijzen over de bewijsvoering nog voordat een zaak voor de rechter kwam. Aanklachten zouden vervallen. Veroordelingen zouden worden herroepen. Duizenden moordenaars, verkrachters, drugsdealers en dieven zouden uit de gevangenissen van Massachusetts en elders worden vrijgelaten.

'Waarom gebeurt dit allemaal zo plotseling?' vraag ik. 'Waarom hebben ze opeens zo'n belangstelling, aannemend dat het om de FBI gaat?'

'Het is begonnen toen ik terugkwam van Bermuda,' zegt ze.

'Wat heb je in godsnaam uitgespookt?' wil Marino weten, met zijn gebruikelijke tact.

'Niets,' zegt ze. 'Maar ze zijn vastbesloten om een zaak tegen me te verzinnen die hout snijdt.'

'Wat voor zaak?'

'Wat dan ook,' zegt ze. 'Het maakt niet uit. Het zou me niet verbazen als ze al een zaak hebben voorbereid. Eigenlijk kun je daar wel op rekenen. Ik ben er in ieder geval van overtuigd. De

FBI heeft de akelige gewoonte om ergens huiszoeking te doen terwijl alles al klaar is om je in staat van beschuldiging te stellen. Ze baseren hun zaken niet op bewijzen. Ze baseren de bewijzen op de zaak die ze besloten hebben te voeren, ook al is die verkeerd. Ook al is het allemaal een leugen. Weet je hoe zelden het voorkomt dat het Openbaar Ministerie tegen de FBI in gaat en iemand níét aanklaagt? In minder dan één procent van alle gevallen. Het OM hoort maar één kant van het verhaal.'

'Waar kunnen we praten?' Ik wil dit gesprek niet op haar oprit voortzetten.

'Ze kunnen ons niet horen. Ik heb net de microfoons van die lamp, de volgende en die daarna uitgeschakeld.' Ze wijst naar de koperen straatlantaarns. 'Maar we kunnen net zo goed ergens heen gaan waar we ons geen zorgen over zulke dingen hoeven te maken. Mijn hoogstpersoonlijke Bermudadriehoek. Ze zitten te kijken en opeens verdwijnen we van de radar.'

De agenten die haar huis doorzoeken, houden ons in de gaten via haar bewakingscamera's. Ik voel de frustratie in me opborrelen. Lucy's strijd tegen de FBI is zo oud als de oorlogen in het Midden-Oosten. Het is een machtsstrijd, een conflict dat al zo lang gaande is dat ik niet weet of iemand zich nog wel precies herinnert hoe het is begonnen. Ze was waarschijnlijk een van de briljantste agenten die de FBI ooit in dienst heeft gehad en toen ze haar uiteindelijk wegjoegen, had het daarmee afgelopen moeten zijn. Maar dat was het niet. Dat zal het nooit zijn.

'Kom mee,' zegt ze.

12

We sjouwen door het heldergroene gras waarin overal bloedrode klaprozen, goudgele zonnebloemen, witte madeliefjes, oranje Amerikaanse zijdeplanten en paarse asters bloeien. Het is alsof ik door een schilderij van Monet loop.

Achter een schaduwrijk en geurig bosje sparren is een lagergelegen gedeelte dat ik nooit eerder heb gezien. Het lijkt wel een meditatieplek of een openluchtkerk met zijn stenen banken en uitgehouwen rotsblokken, waardoor je het idee krijgt van een met stromend water gevulde vijver, uitgesleten door rivierstenen. Ik kan van hier af het huis en de oprit niet zien, alleen golvend gras, bloemen en bomen, met daarboven het voortdurende gebonk van de helikopter.

Lucy gaat op een rotsblok zitten en ik kies een stenen bank waarop vlekjes zonlicht vallen doordat de zon door de kornoeljes schijnt. Harde, niet meegevende oppervlakken hebben tegenwoordig niet mijn voorkeur; ik ga heel voorzichtig zitten en doe wat ik kan om het ongemak zo beperkt mogelijk te houden.

'Is dit hier altijd al geweest?' vraag ik terwijl het licht over mijn gezicht speelt als de takken bewegen in de wind. 'Ik heb het namelijk nooit gezien.'

'Het is er nog niet zo lang,' zegt Lucy, en ik vraag niet hoelang.

Sinds half juni, vermoed ik. Sinds ik bijna dood was geweest. Ik kijk om me heen en zie nergens camera's, maar wel een tweede draak die haar rotstuin bewaakt, ditmaal een klein en komisch exemplaar dat op een groot brok rozenkwarts ligt. Zijn rode granaatogen kijken me recht aan. Marino probeert de bank tegenover die van mij en gaat een aantal keer verzitten.

'Verdomme,' zegt hij. 'Zijn we holenmensen of zo? Waarom geen houten banken of stoelen met kussens? Ooit aan gedacht?' Door de warmte en de hoge vochtigheidsgraad druipt het zweet van hem af en hij wuift geïrriteerd insecten weg en controleert zijn sokken op teken. 'Jezus! Ben je vergeten te sproeien of zo?' Zijn donkere bril wordt naar Lucy gewend. 'Het stikt hier van de muggen.'

'Ik gebruik een knoflookspray, veilig voor mens en huisdier. Daar hebben muggen een hekel aan.'

'Je meent het. Dan zijn dit zeker Italiaanse muggen. Want deze klotebeesten zijn er gek op.' Hij slaat ergens naar.

'Steroïden, cholesterol, uit de kluiten gewassen mensen die meer kooldioxide uitstoten dan anderen,' zegt Lucy tegen hem. 'Bovendien transpireer je veel. Bij jou zou het waarschijnlijk niet eens helpen als je knoflook om je nek hing.'

'Wat wil de FBI?' Ik kijk op naar de helikopter, nog geen driehonderd meter boven ons. 'Wat willen ze precies? Dat moeten we zien te achterhalen nu we even onder vier ogen kunnen praten.'

'Hun eerste bestemming was mijn wapenkluis,' antwoordt ze. 'Tot dusver hebben ze al mijn geweren en hagelgeweren ingepakt.'

Opeens moet ik weer aan Carrie denken. Ik zie haar in de slaapkamer met de MP5K om haar nek.

Ik vraag aan Lucy: 'Hebben ze belangstelling voor iets in het bijzonder?'

'Nee.'

'Ze moeten een bepaald wapen zoeken.'

'Ik heb voor al mijn wapens een vergunning en geen ervan heeft iets te maken met de Koperkopincidenten,' zegt Lucy. 'Ze weten donders goed dat die moorden zijn gepleegd met het precisiegeweer dat op het jacht van Bob Rosado is gevonden. Ze hebben twee maanden geleden al vastgesteld dat dat het gezochte wapen is, dus waarom zoeken ze nog? Als ze iets moeten zoeken, is het dat verknipte zoontje van hem, Troy. Hij loopt nog vrij rond. En Carrie ook. Als zij Bonnie is, is hij waarschijnlijk haar nieuwste Clyde. En waar is de FBI? Hier op mijn landgoed. Dit is gewoon pesterij. Het gaat om iets anders.'

'Ik kan je wel wat wapens lenen,' biedt Marino aan. 'Een vierviiftig Bushmaster bijvoorbeeld.'

'Dat hoeft niet. Ik heb er meer dan ze denken,' zegt ze. 'Ze hebben geen idee wat ze missen, waar ze gewoon langs zijn gelopen.'

'Ga ze alsjeblieft niet lopen uitdagen,' waarschuw ik. 'Geef ze geen excuus om je aan te pakken.'

'Me aan te pakken? Ik denk dat dat precies de bedoeling is, en ze zijn er al mee begonnen.' Ze kijkt me aan met haar heldergroene ogen. 'Ze willen me aanpakken. Ze willen me onbeschermd achterlaten, zodat ik mijn familie en mijn huis niet kan verdedigen. Ze hopen dat we verslagen en vermorzeld worden, dat we elkaar naar de keel vliegen. Dood is nog beter. Ze willen dat we allemaal vermoord worden.'

'Als je iets nodig hebt, hoef je het maar te vragen,' zegt Marino. 'Met iemand als Carrie in de buurt moet je meer vuurkracht hebben dan alleen handwapens.'

'Die zullen ze ook nog wel meenemen, als ze dat al niet gedaan hebben,' antwoordt ze. 'Het is echt te idioot voor woorden dat er handwapens op het huiszoekingsbevel staan. Ze pakken ook al mijn keukenmessen in, inclusief de Shun Fuji-shantokumessen die jij ons gegeven hebt,' zegt ze tegen me, en ook dat is een schandaal.

Voor zover wij weten heeft Carrie Grethen in haar laatste dodelijke rondgang iemand neergestoken met een legermes. Niets wijst erop dat Lucy daar iets mee te maken had, en haar vuurwapens en messen komen in geen enkel opzicht overeen met de karakteristieken van de moordwapens. Het is absurd om haar wapenkluis en haar keuken leeg te halen.

Even trekken Carries laatste slachtoffers aan me voorbij. Schijnbaar willekeurige mensen, tot ik besefte dat ze stuk voor stuk iets met mij te maken hadden, al was het in de verte. Ze hebben nooit geweten wat hen overkwam, met uitzondering van Rand Bloom, de schofterige onderzoeker van een verzekeringsmaatschappij, die ze heeft doodgestoken en heeft achtergelaten op de bodem van een zwembad. Hij moet een moment, zo niet meerdere, van angst, paniek en pijn hebben gekend.

Maar Julie Eastman, Jack Segal, Jamal Nari en congreslid Rosado hebben niet geleden. Het ene moment gingen ze hun gewone gang en het volgende was er niets meer. Ik zie weer voor me hoe Carrie op de video de achterkant van haar nek aanraakte, tussen de eerste en de tweede ruggenwervel. Toen al kende ze de precieze plek voor een hangmansbreuk en wist ze dat het slachtoffer bij deze verwonding letterlijk meteen dood is.

Ze is terug. Ze leeft en is gevaarlijker dan ooit, maar zelfs terwijl ik dat denk, slaat de twijfel toe. Stel dat we allemaal voor de gek worden gehouden? Ik kan niet bewijzen dat ik na de jaren negentig nog iets van Carrie Grethen gezien of gehoord heb. Het staat niet onomstotelijk vast dat ze iets te maken heeft met een reeks misdaden die eind vorig jaar is begonnen. Stel dat die video van Lucy's telefoon niet door haar is verzonden?

Ik kijk naar mijn nichtje.

'Vanaf het begin,' zeg ik tegen haar. 'Wat is er gebeurd?'

Gezeten op haar rotsblok vertelt Lucy dat die morgen om negen uur vijf precies haar huistelefoon overging. Die telefoon heeft een geheim nummer, maar dat betekent niet dat de FBI het niet kan achterhalen en het betekent ook niet dat zij pogingen daartoe niet ruimschoots kan dwarsbomen. Ze beschikt over communicatietechnologie die iedereen die haar wil overvallen gemakkelijk te slim af is, en ze wist binnen een paar seconden dat ze werd gebeld door FBI-agent Erin Loria, onlangs overgeplaatst naar de FBI-divisie in Boston. Erin is achtendertig jaar oud, geboren in Nashville in Tennessee, zwart haar, bruine ogen, één meter achtenzeventig, drieënzestig kilo. Ik verberg mijn schrik als ik Lucy dit hoor zeggen.

Ik laat niet merken dat ik weet wie Erin Loria is. Ik reageer niet als Lucy uitlegt dat de gezichtsherkenningssoftware zodra Erin in het zicht van de bewakingscamera's verscheen vaststelde dat het inderdaad om Erin Loria ging, voormalig schoonheidskoningin, afgestudeerd aan de rechtenfaculteit van Duke University en sinds 1997 agent bij de FBI. Ze is een tijdje wijkagent geweest en trouwde met een gijzelingsbemiddelaar die de FBI verliet en bij een advocatenfirma ging werken. Ze woonden in Noord-Virginia, kregen geen kinderen, scheidden in 2010, en niet lang daarna trouwde ze met een federale rechter die eenentwintig jaar ouder is dan zij.

'Welke rechter?' vraagt Marino.

'Zeb Chase,' zegt Lucy.

'Dat meen je niet. De Slapende Rechter?'

De reden voor die bijnaam is precies tegengesteld aan wat je zou verwachten. Ik herinner me zijn kleine, roofzuchtige oogjes onder de zware oogleden en hoe hij met zijn kin bijna op zijn borst ineengedoken op zijn stoel zat, als een in een zwart gewaad gestoken gier die wachtte tot er iets doodging. Door die houding kon je gemakkelijk denken dat hij ontspannen of half in slaap was, maar in werkelijkheid had hij niet oplettender of agressiever kunnen zijn terwijl hij zat te wachten tot een advocaat of een getuige-deskundige een misrekening maakte. Dan dook hij erbovenop en verslond de arme ziel levend.

In mijn eerste jaren in Virginia was hij nog openbaar aanklager en hebben we bij veel zaken samengewerkt. En hoewel mijn bevindingen over het algemeen de aanklacht ondersteunden, botsten Zeb Chase en ik vaak. Hij leek zich aan me te ergeren, en toen hij eenmaal rechter was, werd hij alleen maar vijandiger. Ik heb tot op de dag van vandaag geen idee waarom, maar ik bedenk dat hij misschien wel de rechter is die het vaakst gedreigd heeft me schuldig te verklaren aan minachting voor de rechtbank. Nu is hij getrouwd met Erin Loria, die haar eigen verleden heeft met Lucy en dus ook met mij. Mijn interne weerhaan draait. Hij wijst ergens naar. Ik weet niet waarnaar. Misschien wil ik het niet weten.

'Dus FBI-agent Loria is naar Boston verhuisd en haar man de rechter zit nog steeds in Virginia,' veronderstelt Marino.

'Hij kan natuurlijk niet zo makkelijk zijn biezen pakken en achter haar aan komen,' antwoordt Lucy, en ze heeft gelijk.

De standplaats van rechter Chase is het oostelijke district van Virginia, waar hij zitting zal houden tot hij ontslag neemt, overlijdt of uit zijn ambt wordt gezet. Hij kan niet zomaar naar Massachusetts verhuizen, ook al heeft zijn vrouw dat wel gedaan. Dat is in elk geval iets om dankbaar voor te zijn.

'Ben je zeker van het jaar waarin Erin Loria bij de FBI begon?' vraag ik aan Lucy. '1997? Het jaar dus dat jij daar was?'

'Niet het enige jaar dat ik daar was,' zegt ze, en ik denk eraan dat Erin Loria is getrouwd met een federaal ambtenaar die is aangesteld door het Witte Huis.

Dat is niet goed. Dat is helemaal niet goed. Ze zal beweren dat hij evenmin invloed heeft op haar zaken als Benton op die van mij. Ze zal zweren dat zijne edelachtbare niets met haar werk te maken heeft, dat ze allebei volledig binnen de wettelijke grenzen en richtlijnen blijven. Dat is natuurlijk niet waar. Het is nooit waar.

'Ik weet dat je ook voor en na 1997 in Quantico was,' zeg ik tegen Lucy, terwijl mijn gedachten als biljartballen tegen elkaar blijven kaatsen. 'Ik weet dat je nooit echt weg bent gegaan nadat je eenmaal bij de FBI was begonnen.'

'Tot ze me eruit hebben gezet,' zegt ze, alsof het niets voorstelt dat ze in feite is ontslagen. 'Al voordat ik agent werd, was ik daar in de zomer, de vakantie, de meeste weekends, elke vrije minuut die ik had. Dat weten jullie waarschijnlijk nog wel. Ik regelde mijn lessen zo dat ik vroeg op de donderdagochtend al uit Charlottesville weg kon en pas laat op de zondag terug hoefde. Ik was meer in Quantico dan op de universiteit.'

'Jezus,' mompelt Marino. 'Erin Loria was daar in dezelfde tijd als jij. En het is niet echt massaal daar.'

'Dat klopt,' zegt Lucy.

'Weer zo'n spook uit het verleden, net als Carrie. Waar ben jij in godsnaam ingetrapt in je formerende jaren? Een soort hondenstrontsuperlijm die je nooit meer weg krijgt?'

Hij bedoelt haar vormende jaren, maar Lucy en ik zeggen er niets van. We glimlachen niet eens. Niet nu we op de harde, meedogenloze zitplaatsen van Lucy's meditatieplek, haar kerk, haar Stonehenge zitten.

'Het is zeker een heel speciaal soort hondenstront,' zegt hij. 'En je hebt het niet alleen nog op je schoenen, je laat er overal sporen van achter, zodat de rest van ons er ook in kan trappen.'

'Welk jaar?' vraag ik. Dit is bijna niet te geloven.

'We hebben elkaar overlapt,' zegt ze. 'Erin was in Quantico toen ik stage liep bij de ERF, toen Carrie er ook was, dus. Dat klopt. En ze kenden elkaar.'

'Hoe goed?' Ik houd mijn gezicht strak.

'Goed genoeg.' Lucy vertrekt geen spier. 'Ze werden behoorlijk goede vriendinnen.'

'Jezus Christus.' Marino krabt aan een echt of ingebeeld bultje op zijn rug. 'Je kunt je moeilijk voorstellen dat dat toeval is als je al het andere in ogenschouw neemt. Waar je hier ook mee gesproeid hebt, het werkt niet. Ik zeg het maar even. Ik heb bulten, hele grote. Je kunt ze verdomme vanuit de kosmos zien.'

'Erin en ik hadden kamers op dezelfde verdieping, maar ik herinner me haar niet zo goed, alleen dat ze me niet zag staan.' Terwijl Lucy aan het woord is, blijft Marino krabben en slaan en mopperen. 'Ik kende haar niet persoonlijk. In dat jaar heb ik helemaal geen vrienden gemaakt onder de nieuwe agenten. Dat heb ik alleen gedaan bij mijn eigen lichting, twee jaar later. Ik herinner me vooral dat ze Miss Tennessee was. Hoger is ze niet gekomen in haar carrière als schoonheidskoningin. Ze flopte totaal bij de talentenopdracht tijdens de verkiezing van Miss Amerika en daarna is ze rechten gaan studeren. Toen ze daarmee klaar was, heeft ze gesolliciteerd bij de FBI-academie. Goed voor undercoverwerk als je eruitziet als een Barbie, neem ik aan. Ach, nou ja. Je kunt er een rechter mee aan de haak slaan, blijkbaar. Je krijgt er uitnodigingen mee voor het kerstfeest in het Witte Huis.'

'Jullie waren tegelijkertijd in Quantico. Dat betekent dat Erin bekend is met je achtergrond en meer weet dan in je personeelsdossier staat.' Ik verwijs naar het spookbeeld, naar Carrie.

Lucy zegt niets.

'Carrie Grethen.' Ik zeg het maar hardop. 'Er zijn een aantal redenen waarom Erin van haar zou weten. Erin weet precies wie en wat Carrie is.'

'Nu wel,' zegt Lucy. 'Dat staat vast. Maar in 1997 had niemand een idee waar ze mee te maken hadden. Ik ook niet.'

Voor zover we weten, had Carrie toen nog geen moord gepleegd. Ze was niet een van de tien meest gezochte criminelen. Ze was nog niet opgesloten in een psychiatrische gevangenis en was daar nog niet uit ontsnapt. Ze was nog niet zogenaamd omgekomen bij een helikoptercrash voor de kust van North Carolina. Toen ze bij de ERF werkte, was nog niet bekend dat ze een misdadiger was en werd ze nog niet dood gewaand, en het is mogelijk dat zij en Erin Loria bondgenoten waren. Ze kunnen vriendinnen zijn geweest. Ze kunnen een verhouding hebben gehad en nog steeds contact met elkaar hebben, wat een bizarre gedachte is.

Een van de gevaarlijkste vluchtelingen op de planeet zou op vriendschappelijke voet kunnen staan met een FBI-agent die getrouwd is met een door de Amerikaanse president aangestelde rechter. Mijn hersenen gaan in noodtempo alle mogelijke verbanden af, tellen twee en twee bij elkaar op en komen misschien uit op vier. Maar het kan ook vijf zijn of een ander fout antwoord. Misschien is er wel helemaal geen antwoord.

Maar het baart me ernstige zorgen dat ik amper twee uur geleden, op het moment dat Erin Loria Lucy's terrein betrad, een sms heb ontvangen met een link naar een heimelijk opgenomen video die Carrie in de kamer van Lucy heeft gemaakt terwijl de voormalige Miss Tennessee een eindje verderop woonde. Erger is nog dat Carrie en Lucy in de video ruzie over haar maakten.

'Wacht even,' zegt Marino tegen Lucy. 'Laten we teruggaan naar het moment waarop je vaste telefoon ging, voordat we dit allemaal voor zoete koek slikken en ons allerlei idiote dingen in het hoofd gaan halen. Jouw software heeft gegevens verzameld over de beller. Je ontdekte dat de inval werd geleid door FBI-agent Loria. Wat gebeurde er toen?'

'Letterlijk?'

'Punt voor punt.'

'Ik wist dat ze in een voertuig zat dat met drieëntwintig kilometer per uur over de weg reed die jullie net ook hebben genomen.' Lucy trekt haar benen op, zet haar voeten op het rotsblok en slaat haar armen om haar gebogen knieën.

We kunnen geen van allen comfortabel zitten in haar buitenkerk. Maar de zon voelt fijn, ook al is het door de vochtigheid enorm drukkend, en de luchtverplaatsing is traag, maar aangenaam tegen mijn vochtige huid. Het is van dat warme, zware weer dat een hevige storm belooft, en die wordt voor vanmiddag ook voorspeld. Ik kijk op naar de dikke, donkere wolken die uit het zuiden optrekken en mijn blik blijft haken aan de helikopter die luid boven het water zweeft en in de lucht hangt als een enorme zwarte, opblaasbare orka in de Thanksgiving-parade van Macy's.

'Ik wist dat ze nog vijftig meter van mijn hek was toen ze belde,' vervolgt Lucy, 'en toen ik haar vroeg waarmee ik haar kon helpen, stelde ze me ervan op de hoogte dat de FBI een huiszoekingsbevel had voor mijn huis en alle bijgebouwen. Ze gaf me bevel het hek open te doen en open te laten, en binnen een paar minuten stonden er vijf FBI-wagens voor de deur. Ze hadden zelfs een speurhond bij zich.'

'Hoe laat heb je de helikopter voor het eerst gezien?' Mijn blik blijft gevestigd op het toestel dat nu roerloos boven het dichte bos links van Lucy's huis hangt, dat we van hieraf niet kunnen zien.

'Ongeveer toen jullie aan kwamen rijden.'

'Even voor de zekerheid...' Marino fronst. 'Om een of andere reden vloog er heel toevallig een FBI-helikopter boven Cambridge toen wij daar met een zaak bezig waren. En vervolgens volgde die helikopter ons toevallig hiernaartoe. Oké. Nu krijg ik echt de kriebels, je weet wel, dat heel slechte gevoel waarvan je haar overeind gaat staan...'

'Je hebt geen haar,' zegt Lucy.

'Waar zijn ze in godsnaam mee bezig?' Marino kijkt boos omhoog, alsof de FBI God is.

'Nou, ze gaan het mij in ieder geval niet aan de neus hangen,' zegt ze. 'Ik weet niet waar ze naartoe zijn gevlogen en ook niet waarom, en ik heb geen tijd gehad om het na te gaan. Toen hun auto's eenmaal voor de poort stonden, was het gedaan met mijn privacy. Het was geen slim idee om bij de luchtverkeersleiding te gaan kijken of op hun frequentie af te stemmen om te achterhalen wie er rondzoemde en waarom. Bovendien had ik andere dingen te doen. Vooral die hond is irritant, en dat is ook de bedoeling. Dat is echt een klotestreek.'

'Van wie?'

'Ik moet wel tot de conclusie komen dat Erin erachter zit. Als ze ook maar een beetje haar best heeft gedaan, weet ze dat ik een Engelse buldog heb die Jet Ranger heet en die zo oud is dat hij amper kan lopen en zien, en dat het beest doodsbang zou worden van een Mechelse herder die het huis doorzoekt. Om het nog maar niet te hebben over Desi. Of over Janet, die zo erg werd lastiggevallen dat ze op het punt stond iemand tegen de grond te slaan. Dit is persoonlijk.'

Haar groene ogen branden. Ze kijkt me recht aan.

'Daar zou ik niet zo snel van uitgaan.' Ik kies mijn woorden zorgvuldig. 'Ik zou dit allemaal niet persoonlijk opvatten,' adviseer ik mijn nichtje, ook al heb ik daar mijn twijfels over. 'We moeten allemaal objectief blijven en helder nadenken.'

'Het voelt alsof iemand me iets betaald wil zetten.'

'Ik moet toegeven dat ik me dat ook afvraag,' zegt Marino.

'Dit is zorgvuldig gepland.' Lucy lijkt overtuigd. 'Al een hele tijd.'

'Wie zou je iets betaald willen zetten?' informeer ik. 'Niet Carrie.'

'Nou en of wel,' snauwt Marino.

'Ik zeg het maar gewoon.' Ik ga door, voorzichtig. 'Carrie geeft geen bevelen aan de FBI, ook al heeft ze Erin Loria misschien gekend toen jullie allemaal in Quantico waren.'

'Ze waren niet bepaald vreemden voor elkaar.' Lucy strekt haar slanke, sterke benen en doet een paar buikspieroefeningen terwijl ze strak naar haar feloranje hardloopschoenen blijft kijken, die op en neer bewegen. 'Bepaald niet,' voegt ze eraan toe.

'O, verdomme. Vertel me nou niet dat die twee het ook al met elkaar deden.' Marino verschuift op de harde bank en masseert zijn onderrug. 'Weet de rechter dat?'

'Ik weet niet of het zich tot het bed beperkte,' zegt Lucy alsof het haar niet meer kan schelen, maar daar geloof ik niet in.

'Nou, als we iets over Carrie weten, is het wel dat iedereen gelijke kansen bij haar heeft,' zegt Marino. 'Leeftijd, ras, geslacht, ze laat zich nergens door weerhouden. Dit hele verhaal wordt steeds verknipter.'

'Ik weet nog dat ik een keer de kantine in liep en ze aan een tafeltje zag zitten,' zegt Lucy tegen mij in plaats van tegen hem. 'Af en toe zag ik ze met elkaar praten in de sportzaal, en op een regenachtige morgen gleed Carrie uit toen ze langs een rotswand abseilde. Ze kreeg een behoorlijke schaafwond van het touw en vertelde me dat een van de nieuwe agenten haar had geholpen door de wond schoon te maken en te verbinden. Dat was Erin Loria. Ik vermoedde toen al dat Erin haar niet had geholpen omdat ze toevallig tegelijkertijd op dezelfde plek waren. Ze waren elkaar niet gewoon tegen het lijf gelopen. Ze waren samen aan het trainen. Maar verder?' Lucy haalt haar schouders op, draait haar gezicht naar de zon en sluit haar ogen. 'Carrie was veel socialer dan ik. Als je begrijpt wat ik bedoel.'

'Heb je haar ooit over Erin horen praten, over haar in het bijzonder?' vraagt Marino.

'Niet echt. Maar Carrie kan manipuleren als de beste. Ze is een politiek dier. Ze is veel beter met mensen dan ik ooit zal zijn en ze kan bijna iedereen overhalen om samen met haar over de schreef te gaan.'

'Precies. En we weten niet met wie ze contact kan hebben,' geeft Marino terug. 'We weten niet met wie de FBI allemaal praat. Dat gespuis zorgt gewoon dat er informatie komt, van wie dan ook. Ze sluiten voortdurend pacten met de duivel.'

'Dat ben ik met je eens,' zegt Lucy. 'Ze heeft hen van informatie voorzien. Ook al is het maar indirect.'

13

Terwijl ze praat, roept ze nog meer beelden op uit een video waar ze niets van afweet. Ik neem tenminste aan dat ze er niets van afweet. Dan denk ik aan een andere onappetijtelijke mogelijkheid.

Als Carrie echt degene is die me de link heeft toegestuurd, kan ze soortgelijke dingen naar de FBI hebben gezonden. Misschien heeft ze Erin Loria dezelfde opname gestuurd, en ik wil er niet aan denken wat de FBI ermee zou kunnen doen. Wat vernederend voor Lucy. En gevaarlijk. Dan denk ik weer aan het illegale machinepistool.

Dat zou de reden kunnen zijn voor hun komst.

'Het enige probleem met het idee dat Carrie de FBI van informatie voorziet of hier verder iets mee te maken heeft,' zegt Marino, 'is dat ik betwijfel of ze wel geloven dat ze bestaat. Dat meen ik echt. Ze zouden kunnen geloven dat ze dood is, net als wij tot twee maanden geleden. Vergeet die rechter. Vergeet wat er in het verleden in Quantico is voorgevallen. Vergeet alles behalve dat er geen bewijs is dat Carrie leeft. Maakt niet uit wat wij denken.'

'Wat wij dénken?' Ik kijk naar hem. 'Dénken we alleen maar dat ze met een harpoen op me geschoten heeft en dat het een wonder is dat ik niet ben doodgebloed of verdronken?'

'Dat is haar favoriete bezigheid. Iedereen laten denken dat ze niet bestaat,' zegt Lucy met haar ogen dicht. Haar gezicht ziet er vredig uit in het felle licht.

Ze is kalm, maar dat kan ze diep vanbinnen niet zijn. Ik ken niemand die zo gesloten is als mijn nicht. Het idee dat agenten elke centimeter van haar privédomein doorzoeken, is gruwelijk. De gedachte komt bij me op dat ik de volgende zou kunnen zijn, en ik vraag me af wat Benton zou doen als er een heel leger collega's voor de deur van ons prachtige oude huis in Cambridge zou staan.

'Laten we ons beperken tot wat er onder onze neus gebeurt.' Marino is zijn stenen bank zat, staat op en rekt zich uit. 'Wat zeggen ze dat je gedaan hebt, Lucy?'

'Je kent de FBI.' Hoog gezeten op haar rots haalt ze haar schouders op. 'Ze zeggen niet waar je je volgens hen schuldig aan hebt gemaakt en ze vragen ook niets. Ze gooien met modder tot er iets blijft plakken. Misschien herinner je je een bepaald detail niet helemaal goed. Misschien zeg je dat je op zaterdag boodschappen bent wezen doen en was het eigenlijk op zondag. Dan kunnen ze je pakken op een valse verklaring, een strafbaar feit.'

'Je hebt zeker niet met Jill Donoghue gebeld.' Ik ben ervan overtuigd dat ik het antwoord al weet.

Jill Donoghue is de hoogst aangeschreven strafpleiter in de Verenigde Staten en ze is briljant als het om smerige trucjes gaat. Dat is precies wat we nu nodig hebben. Het betekent overigens niet dat ik haar mag.

'Ik heb helemaal niemand gebeld,' bevestigt Lucy mijn vermoeden.

'Waarom niet?' vraag ik. 'Ze had de eerste moeten zijn die je belde.'

'Kom op, Lucy. Je weet beter,' zegt Marino. 'Je kunt niet zonder advocaat als je met de FBI te maken hebt. Wat mankeert je?'

'Ik heb erbij gehoord. Ik weet hoe ze denken,' zegt ze. 'Ik wilde lang genoeg meewerken om erachter te komen waar ze zich precies zo druk over maken. Of waar ze voorgeven zich zo druk over te maken.'

'En?' vraag ik.

Ze haalt nogmaals haar schouders op. Ik weet niet of ze het antwoord niet weet of het weigert te zeggen.

'Ik ga naar het huis om te kijken wat ze verdomme uitspoken,' besluit Marino. 'Maak je geen zorgen. Ik ga niet naar binnen. Maar ik zorg dat ze me zien. Ze kunnen naar de hel lopen.'

'Janet, Desi en Jet Ranger zijn in het botenhuis,' zegt Lucy tegen hem. 'Misschien kun je even bij ze gaan kijken. Zorg dat ze daar blijven. Ze moeten in het botenhuis blijven, en denk eraan dat Jet Ranger niet kan zwemmen. Laat hem niet op de steiger,' voegt ze er met grote nadruk aan toe. 'Niet eens in de buurt. Ze mogen hem niet uit het oog verliezen,' zegt ze, en dan zie ik het.

Ik zie de spiertrekking in haar gezicht, een onwillekeurige reactie op een hoogst onaangename gedachte.

'En zeg maar dat ik eraan kom,' zegt Lucy, en nu bespeur ik haar moordlustige woede.

Die verdwijnt net zo snel weer onder vele lagen, heel diep in een onbereikbare ruimte. Als een duiker die even aan de oppervlakte komt, zich weer laat zakken en weg is. Er is niets meer dan de wiegende zee, het licht dat weerkaatst op het water en de vlakke, lege horizon.

Ik kan het me niet herinneren. Ik weet alleen dat het gebeurd is. Zo moet het zijn om geboren te worden, om je in het warme water te bevinden en dan plotseling en met geweld door het geboortekanaal te worden gedreven en gedwongen te worden te ademen, te leven. Ik heb er geen herinnering aan dat Benton me naar het oppervlak hielp. Ik weet niet meer dat we de boot bereikten en hoe ik erin kwam. Ik kan niet de ladder hebben beklommen.

Mijn eerste echte herinnering is dat iemand een masker over mijn gezicht houdt om me zuurstof te geven en dat ik een enorm droge mond had. Het voelde alsof mijn rechterbeen zich in een klem bevond die zo strak was aangedraaid dat mijn bot verbrijzelde. Het was de ergste pijn die ik ooit heb gevoeld, dat is nu tenminste mijn indruk. De speer van zwarte koolstofvezel was binnengedrongen door de vierhoofdige dijspier, had de vastus medialis doorboord en had daarbij het bot geschampt voordat hij aan de andere kant van mijn been naar buiten was gekomen. Ik begreep er niets van toen ik het zag.

Eén bizar moment dacht ik dat ik een ongeluk had gehad op een bouwterrein en dat er een wapeningsstaaf door mijn been stak. Vervolgens geloofde ik niet dat wat ik zag echt was, tot ik de punt van de harpoen aanraakte en de pijn door de schacht trilde. Ik zag bloed op mijn handen en bloedvegen op de glasvezelvloer van de boot. Ik bleef maar naar de binnenkant van mijn been reiken om me ervan te vergewissen dat de harpoen zich niet in de buurt van mijn beenslagader bevond.

Lieve God, laat me alsjeblieft niet doodbloeden. Je bloedt dood. Nee, als je zou doodbloeden, was dat al gebeurd. Ik weet nog wat er door mijn hoofd ging. De gedachten waren als splinters die mijn bewustzijn doorboorden, losse stukjes en brokjes, daarna werd alles zwart en nog weer later dreef ik weer terug.

Ik ben me er vaag van bewust dat ik op de vloer van de boot lag. Ik herinner me bloed en een heleboel handdoeken en Benton die zich dicht over me heen boog.

'*Benton? Benton? Waar ben ik? Wat is er gebeurd?*'

Hij hield zachtjes mijn been stil, dwong me te ademen en praatte tegen me. Hij legde alles uit. Dat zegt hij, maar ik kan het me niet meer voor de geest halen, geen woord ervan. Het is allemaal zo wazig. Zo vreemd buiten bereik.

'Heeft Desi enig idee wat er aan de hand is?' vraag ik aan Lucy. Als ik me tot haar richt, zie ik dat ze niet meer zit.

'Gaat het?' Ze staat naast me. 'Waar was je zo-even?'

Ik vertel haar niet dat ik losse fragmenten van een afschuwelijke illusie zie als ik *daar* ben, waar dat ook mag zijn. Voortdurend komt de gedachte in me op dat ik ben gestorven en teruggekomen, en ik ga dergelijke gedachten met niemand delen. Ik wil niet praten over de gevoelens en beelden die ongewild en op de gekste momenten bij me binnendringen. De aanleiding is altijd triviaal. Het sissen van een aansteker, van een sproeier. Een beweging in mijn ooghoek.

Uit het niets, plotseling, gewelddadig als een beroerte weergalmen het getrek en de gillende pijn door mijn hoofd. Het was alsof een haai mijn been had gegrepen, eraan rukte en met me wegzwom. Ik aanvaardde mijn lot. Ik stond op het punt te verdrinken. Toen werd alles opeens leeg en donker alsof er een stroomstoring was. En opeens hoor ik het weer, krankzinnig genoeg.

Een cis op een elektrische gitaar.

Mijn blik gaat naar de telefoon die ik afwezig vasthoud en naar het bericht boven in het schermpje:

*Lucy*ICE *bericht.*

Ik voer mijn wachtwoord in en ga naar mijn berichten, en dit exemplaar is net als het andere. Een link en verder niets. Maar het kan niet van Lucy komen. Hoe zou dat mogelijk zijn? Het kan gewoon niet. Ze staat nog geen twee meter van me af. Ze herkent het signaaltje net zo goed als ik en kijkt me aan.

Vervolgens kijkt ze naar haar eigen telefoon en dan weer naar mij. 'Ik heb je geen sms gestuurd,' zegt ze.

'Dat weet ik. Of beter gezegd: ik heb het je niet zien doen.'

'Je hebt het me niet zien doen? Ik hoor net het signaaltje van mijn eigen ICE-lijn, mijn tweede lijn op deze telefoon.' Ze houdt hem omhoog en kijkt verbijsterd en op haar hoede. 'En ik heb je niets gestuurd.'

'Ja. Ik ben me ervan bewust dat ik je je telefoon niet heb zien aanraken.'

'Waarom praat je zo?'

'Ik zeg alleen wat ik wel en niet heb gezien,' antwoord ik.

'Heb je dat signaal voor iemand anders gebruikt?'

'Jij zorgt voor mijn beltonen en je hebt deze voor me ontworpen zodat hij uniek is, Lucy. Niemand in mijn adresboek heeft...'

'Oké,' valt ze me ongeduldig in de rede. 'Welk nummer geeft hij dan?'

'Geen nummer. Alleen "LucyICE", zo sta je in mijn adresboek. En als ik nu naar mijn contacten ga en daar kijk? Hier.' Ik houd mijn telefoon omhoog, maar laat haar niet dicht in de buurt komen. 'Het ziet er precies zo uit als altijd. LucyICE.' Ik zeg het telefoonnummer op. 'En dat is jouw nummer.' Ik kijk haar recht aan. 'Is het mogelijk dat iemand het gekaapt heeft? Is het in het bijzonder mogelijk dat iemand een manier heeft gevonden om jouw noodnummer te kapen zodat het lijkt alsof jij dringend belt of sms't terwijl je dat niet doet?'

'Goeie manier om je aandacht te trekken. Om je alles uit handen te laten vallen, precies zoals je nu doet. Goeie manier om je zover te krijgen dat je op een vastgesteld tijdstip naar wens reageert.' Lucy kijkt om zich heen alsof iemand ons in de gaten zou kunnen houden, loopt naar me toe en steekt haar hand uit. 'Laat eens zien.'

Ik ben niet van plan haar mijn telefoon te geven en doe een stap achteruit.

'Ik moet het zien.' Ze blijft haar hand uitsteken naar mijn telefoon. 'Ik verzeker je dat je dat bericht niet van mij hebt gekregen, wat er ook in mag staan. Laat me zien wat het is.'

'Dat ga ik niet doen.'

'Waarom niet?'

'Om juridische redenen. Zo roekeloos ga ik niet zijn. Ik weet niet zeker wie dit doet, Lucy.'

'Wie wat doet?'

'Wie me berichten stuurt alsof ze van jou komen.'

'En je bent bang dat ik er toch zelf achter zit.' Ze kijkt gekwetst.

'Ik weet niet zeker wie het is,' herhaal ik.

'Wat bedoel je met juridische redenen?' Ze begint boos te worden, en ik ook. 'Je bent precies als alle anderen. Je denkt dat ik iets gedaan heb. De FBI doorzoekt mijn huis, dus dan moet ik wel ergens schuldig aan zijn.'

'We gaan hier niet over discussiëren. Je hebt niets gehoord, zelfs geen beltoon, verdomme. Ga achteruit.' Ik ben ontzet over de klank van mijn stem en Lucy staat op het punt te ontploffen.

'Ik kan je niet helpen als je dingen voor me achterhoudt, tante Kay!'

'Je kunt helpen door een heel eenvoudige vraag te beantwoorden, Lucy. Kan het zijn dat iemand je nummer gebruikt? Kan iemand het hebben gekaapt?'

'Je weet beter dan wie ook dat ik niemand mijn telefoonnummers geef.' Ze heeft uitdagend haar armen over elkaar geslagen. 'Ik bel trouwens bijna nooit iemand met mijn noodnummer. En alleen jij hebt dat nummer. En Benton, Marino en Janet natuurlijk.'

'Nou, het lijkt erop dat nog iemand het heeft. Ik vraag me af hoe dat heeft kunnen gebeuren. Vooral hoe dat jou heeft kunnen gebeuren.'

'Ik weet niet hoe dat kan. Ik weet er niet genoeg van.'

'Ik hoor je bijna nooit zeggen dat je iets niet weet.' Voorzichtig en stijf sta ik op van de stenen bank. 'Een paar minuten privacy, alsjeblieft.'

Uit mijn zak haal ik mijn draadloze oortje. Ik doe het in, klik op de link en meteen rolt er een tekst over het scherm, net zo bloedrood als eerder:

VERDORVEN HART – SCÈNE II
DOOR CARRIE GRETHEN
11 JULI 1997

Ik voel hoe de stenen draak toekijkt vanaf zijn zitplaats van rozenkwarts. Zijn glinsterende granaatoogjes lijken me te volgen als ik zo ver mogelijk wegloop van Lucy.

Carries grote gezicht is net dat van een dolfijn als ze in de microcamera kijkt die verborgen is in een beige plastic puntenslijper op batterijen in de vorm van een baksteen.

Ze pakt hem op en filmt zichzelf uit verschillende hoeken, en dan richt ze de piepkleine lens op de donkere, roze grot van haar mond. Ze beweegt haar tong in wisselend tempo heen en weer, groot en dik, als een obscene metronoom. Dan langzaam van boven naar beneden. En weer heel snel heen en weer. Ze brengt haar roze lippen naar elkaar toe en maakt er muzikale poppende geluidjes mee. Dan houdt ze de puntenslijper omhoog als de schedel in *Hamlet* en praat tegen het ding.

'God te zijn of niet God te zijn, dat is de kwestie: is het nobeler om de onthouding van het uitstellen van genot te doorstaan, of om toe te geven aan directe bevrediging? Het antwoord is onthouding. Ik mag niet toegeven. Ik moet geduldig zijn, zo geduldig als nodig is, hoe moeilijk dat ook is, hoeveel dat ook van me vraagt. God plant gebeurtenissen miljoenen jaren vooruit. Dat kan ik ook, chef,' zegt ze, en ik hoor het weer, een gemonteerde zin.

Tegen wie heeft ze het als ze 'chef' zegt?

'Hoi. Welkom terug.' Carrie loopt naar de computer op het bureau, zet de puntenslijper neer, trekt de stoel naar achteren en gaat zitten.

Ze legt haar hand op de muis, klikt ermee en op het scherm verschijnt een stilstaand beeld van Lucy en mij. Ik zit halverwege een zin te gebaren en Lucy zit boven op een houten picknicktafel glimlachend te luisteren. Ik herken het pakje van parelgrijze zijde dat ik aanhad en dat ik lang geleden al heb weggegeven. Carrie moet een zoomlens hebben gehad. Ze moet zich buiten het zicht hebben bevonden. Ik herken meteen de plek, het weer, het gebladerte.

De parkeerplaats bij de ERF. *Warm en zonnig. Laat op de dag.*

Het bladerdek van de loofbomen is donkergroen en volwassen. Er is nog geen enkel teken van verkleuring in te zien, geen spoor van goud of rood. Het is zomer. Juli of augustus. Het zou de tweede helft van juni kunnen zijn, maar niet de eerste helft. Niet eerder dan half tot eind juni. Misschien zat Carrie in een auto toen ze Lucy en mij filmde bij de picknicktafels op het beboste terrein naast de personeelsparkeerplaats. Ik zie het, voel het en ruik het alsof ik daar weer ben.

Ik heb het elegante zijden pakje aan dat Benton me voor mijn verjaardag had gegeven, op 12 juni, bijna precies een maand voor die van Marino. Ik ben er vrij zeker van dat het 1995 is en ik weet helemaal zeker dat ik het pakje maar één keer naar de rechtszaal heb gedragen omdat het vreselijk kreukte. Toen ik in het getuigenbankje moest verschijnen, zag de rok eruit alsof hij opgefrommeld in een la had gelegen voordat ik hem aantrok, en de rimpels vanonder de armen van het jasje waren net enorme kraaienpoten. Ik zie het pakje duidelijk. Ik weet nog dat ik er een grapje over gemaakt heb tegen Lucy.

Het was een rechtszaak in Noord-Virginia, niet ver van Quantico, en ik ben daarna bij haar langsgegaan en heb samen met haar geluncht aan een van de picknicktafels. Niet in 1997. Beslist niet. Ze was net begonnen met haar stage en ze lachte om mijn pakje. Ik zei dat zweetvlekken er ook duidelijk op te zien waren en dat Benton een typische man was, die niet aan zulke dingen dacht. Hij mocht dan gevoelig en bijzonder intuïtief zijn en een uitmuntende smaak hebben, hij moest geen kleren voor me uitzoeken.

Ik werk niet voor de FBI, ik herinner me dat ik dat zei, of woorden van die strekking. *Ik kleed me niet voor vergaderingen in een commandocentrum, ik kleed me voor de vuilnisbelt. Wassen en weer aantrekken, dat is mijn stijl.*

Carrie was al in 1995 aan het spioneren. Misschien maakte ze vlak nadat ze ons ontmoette al heimelijk opnamen van Lucy en zelfs van mij. Ik kijk op mijn telefoonschermpje en zie Carrie twee jaar later, in juli 1997, opstaan van het bureau. Ik zie haar door de kamer lopen. *Let op. Laat je niet door je herinneringen afleiden van haar gemanipuleer.*

'Ben je lekker herinneringen aan het ophalen, chef? Want ik heb het gevoel dat je je heerlijk allerlei dingen zit te herinneren waar je in geen jaren aan hebt gedacht.' Carrie kijkt recht in een andere camera. 'Ik wou dat ik wist welke sterrendatum het nu bij jou is. Ik zit hier in Lucy's bekrompen, fantasieloze boudoir in het land van wandelende lullen met vuurwapens en insignes.'

Carrie is op blote voeten en draagt dezelfde witte hardloopkleren als in de vorige video, maar het licht dat om de buitenranden van de dichte jaloezieën komt, is niet zo fel als eerder. Het is later op de dag.

'Lucy is even weg om iets huishoudelijks te doen. Verbaast dat je? Ik stel me voor dat je je achter de oren krabt. Weet je wat ik me afvraag? Oké, zeg het maar eerlijk.' Carrie buigt zich samenzweerderig naar de camera. 'Helpt ze een beetje mee in het huis van tante Kay? Doet ze de afwas, maakt ze de toiletten schoon, zet ze het vuilnis buiten, biedt ze het überhaupt wel eens aan? Zo niet, dan zou je haar eens moeten aanspreken op dat aspect van haar aanzienlijke onvolwassenheid en verwendheid. Want ik krijg haar zonder probleem zover dat ze zich als een verantwoordelijk mens gedraagt. Ik zeg gewoon: "Lucy, doe dit of doe dat. En snel een beetje!"' Carrie lacht en knipt met haar vingers. 'Op dit moment is ze bezig met onze was.

Nu we even een paar seconden voor onszelf hebben, ga ik je iets vertellen over wat je kunt verwachten. Tegen de tijd dat jij dit ziet, zullen er maanden en jaren voorbij zijn gegaan. Ik weet niet hoeveel. Het kunnen er vijf zijn, maar ook dertig. Ze zullen in een oogwenk voorbijgaan en hoe ouder we worden, hoe sneller de tijd zal gaan die ons dichter bij het verval en het lichamelijke niet-bestaan brengt.

De dagen lijken voor mij al veel sneller te gaan dan voor Lucy, en jouw dagen moeten nog veel sneller gaan dan die van ons, omdat de hersenen een biologische klok hebben, de suprachiasmatische kernen in de hypothalamus' – ze tikt tegen haar voorhoofd – 'en die veroudert net als de rest van ons lichaam. Wat verandert is niet de tijd, maar onze perceptie daarvan, want de instrumenten in ons biologische omhulsel zijn onderworpen aan vermoeiing door stress en algehele slijtage. Ze worden minder accuraat, als een niet gekalibreerde giroscoop of kompas, en je waarnemingen kloppen niet meer.

Je geheugen moet je al met horten en stoten terugvoeren in de tijd, als op een lopende band. Het verleden wordt snel en wonderbaarlijk gereconstrueerd en teruggebracht, zodat je opnieuw meemaakt wat je ziet. Wat een wonderbaarlijke tocht zal dat zijn. Beschouw het als mijn geschenk aan jou. Een stukje onsterfelijkheid, een paar druppels van de fontein van de eeuwige jeugd. Maar zoals ik tot mijn verontschuldiging blijf benadrukken, kan ik niet zeggen wanneer dat gebeurt.

Op dit moment in de tijd en de ruimte kan ik eerlijk niet voorspellen op welk moment ik zal besluiten dat de geschiedenis van de wereld er helemaal klaar en geschikt voor is om jou eindelijk goed te informeren over de betekenis van jouw leven en dood en het begin en eind van alle mensen op de aarde die belangrijk voor je zijn. Daar ben ik er een van. Jazeker. We hebben nooit de gelegenheid gehad om vrienden te worden. We hebben zelfs nooit een behoorlijk gesprek gevoerd. Niet eens een vriendschappelijk gesprek. En dat is schokkend, als je bedenkt wat je van mij had kunnen leren. Laat me je een paar feiten bijbrengen over Carrie Grethen.'

Ze wordt gefilmd door een andere verborgen camera als ze door de kamer naar een legergroene canvas rugzak op de grond loopt. Ze gaat op haar hurken zitten en rommelt erin. Ze haalt er een grote envelop uit die niet is dichtgeplakt en daaruit trekt ze opgevouwen vellen papier, nog meer pagina's van een script.

'Wist je dat ik schrijver ben, verteller, artiest? Dat ik verslingerd ben aan Hemingway, Dostojevski, Salinger, Kerouac en Capote? Natuurlijk niet. Je wilt me niet zien als mens. Je wilt me niets toeschrijven wat positief of opmerkelijk is, zoals waardering voor poëzie en proza. Of een scherp gevoel voor humor.

Ik geef je een korte karakterschets die je een paar aanwijzingen zal verschaffen, en die kun je delen met wie je maar wilt. Zet ze in een van je saaie technische boeken. Dat is een idee. Neem me alsjeblieft niet kwalijk dat ik de voorkeur geef aan de derde persoon als ik het over mezelf heb. Ik praat niet over "mij". Ik praat over "haar". Ben je er klaar voor? Weet je het zeker?'

14

'Er was eens een alchemist die haar eigen beschermende tovermiddeltjes maakte, middeltjes die haar eeuwig jong hielden.'

Carrie houdt een flesje lotion omhoog terwijl ze haar script voorleest.

'Met haar zeer blanke huid' – ze raakt haar bleke wang aan – 'en lichtblonde haar' – ze raakt haar platinablonde haar aan – 'viel ze als een mot weg tegen de achtergrond van de nietszeggende, witte slaapkamer in het FBI-complex, alsof natuurlijke selectie de verklaring was voor wat ze was geworden. Maar dat was niet het geval. Iets anders had de kleur uit haar ziel gebleekt, daar mutaties in aangebracht en paranormale behoeften en gedragspatronen geschapen waardoor ze zich afkeerde van het licht en de duisternis opzocht.

Carrie wist als jong kind al dat ze geen goed mens was. Als de mensen in de kerk spraken over goede herders, barmhartige Samaritanen en christenen die zuiver waren van hart, wist ze dat ze daar niet bij hoorde. Op heel jonge leeftijd wist ze al dat ze anders was dan iedereen op school of thuis. Ze leek op niemand, en hoewel dat verwarrend was, deed het haar ook veel genoegen dat ze zo ongewoon begenadigd was. Het was een zeldzaam voordeel om tegen extreme temperaturen te kunnen, om de hitte of de kou amper te voelen en om als een kat in het donker te kunnen zien. En het was een genot om haar slapende lichaam te verlaten en naar verre landen en het verleden te reizen, talen te spreken die ze nooit had geleerd en zich plaatsen te herinneren waar ze nooit was geweest. Carries IQ was onmetelijk hoog.

Maar wie veel is gegeven, kan ook veel worden afgenomen, en op een dag sprak haar moeder verschrikkelijke woorden die geen kind ooit zou mogen horen. Kleine Carrie was voorbestemd jong te sterven. Ze was zo bijzonder dat Jezus niet lang zonder haar kon en haar vroeg zou terugroepen naar de hemel.

"Je moet het zien als een heilige voorbestemming," legde Carries moeder uit. "Jezus was aan het winkelen en toen hij de miljoenen baby's bekeek die op het punt stonden geboren te worden, heeft hij jou eruit gepikt en opzij laten leggen. Het zal niet lang duren voor Hij terugkomt om je voor altijd mee naar huis te nemen."

"Moet hij dan eerst geld sparen om me te betalen?" vroeg Carrie.

"Jezus heeft geen geld nodig. Jezus kan doen wat Hij wil. Hij is volmaakt en almachtig."

"Waarom heeft Hij me dan niet gewoon betaald toen Hij me had gevonden en me meteen mee naar huis genomen?"

"Het is niet aan ons om vragen te stellen bij wat Jezus doet."

"Maar het klinkt alsof Hij arm is en helemaal niet zo almachtig, mama. Het klinkt alsof Hij me niet kon betalen, net zoals jij de dingen die je opzij laat leggen niet kunt betalen."

"Je mag nooit iets oneerbiedigs zeggen over onze Verlosser."

"Maar dat heb ík toch niet gedaan, mama, maar jij. Jij zei dat Hij me op dit moment niet kan betalen, anders zou ik al bij Hem in de hemel zijn. En dan zou ik ook geen last meer zijn voor jou. Je wilt me niet. Je wilt dat ik doodga."

Carries moeder waste de mond van haar dochtertje en draaide het helderwitte stuk Ivory-zeep zo hard rond dat het rood werd van haar bloedende tandvlees. Daarna gaf ze de analogie van het opzijleggen op omdat ze besefte dat het niet helemaal was wat ze bedoelde. In plaats daarvan herinnerde ze Carrie er keer op keer aan dat ze een voorbeeldig en zuiver leven moest leiden en God daarvoor moest danken zolang dat nog kon, omdat niemand weet hoelang hij op aarde zal verblijven.

Ze legde uit dat ze met de metafoor van het opzijleggen eigenlijk bedoelde dat de aarde een soort opslagruimte was. Sommigen bleven daar langer dan anderen, afhankelijk van "wat we hebben meegekregen voordat we op deze aarde in de opslag werden gezet om op Jezus te wachten".

Wat haar moeder wilde zeggen met dat rare verhaal over het opzijleggen, was dat er een foutje in de familie zat, een foutje dat fataal kon zijn en dat Carrie had geërfd. Dat was geen verzinsel. Het was helaas een feit en toen Carrie veertien was, waren zowel haar oma van moederskant als haar moeder overleden aan een trombo-embolie, veroorzaakt door een afwijking in het beenmerg, polycythemia vera. Carrie maakte de afspraak met God dat haar niet hetzelfde lot zou treffen en onderging stipt om de twee maanden een aderlating waarbij wel een halve liter bloed werd afgenomen, dat werd bewaard voor persoonlijk gebruik. Dat was niet het enige interessante ritueel dat ze tot ver in de volwassenheid zou volhouden.'

Carrie loopt gebarend door de kamer en kijkt in de camera. Ze vermaakt zich prima. Ze geniet hiervan.

'Uiteindelijk deden er vreemde geruchten over haar de ronde bij de Engineering Research Facility van de FBI,' gaat ze verder, 'maar het zou een schending van haar burgerrechten zijn geweest om de hoogste burgercomputerexpert te vragen naar haar gezondheid of naar haar persoonlijke overtuigingen en hoe ze daaraan uiting gaf. Het ging niemand iets aan of ze haar eigen bloed bewaarde of opdronk, of ze polyseksueel was, of ze communiceerde met de Andere Wereld. Haar voorliefdes en fantasieën deden niet ter zake zolang ze er niet mee te koop liep.

Hoelang ze leefde was evenmin relevant, als ze de belangrijke opdracht maar uitvoerde waarvoor de federale overheid haar had ingeschakeld, een technisch hoogstandje waarvoor geen FBI-agent nodig was, en dat was Carrie ook niet. Ze was een onafhankelijke, ingehuurde kracht met een bijzondere beveiligingsstatus, die noch uit het politiekorps, noch uit het leger afkomstig was. Op persoonlijk vlak werd ze beschouwd als een nerd, een onbeduidende halvegare die achter haar rug werd uitgescholden en belachelijk gemaakt.'

Haar ogen zijn donker en koud als ze recht in de camera kijken. 'De FBI dacht dat Carrie de seksistische en vulgaire opmerkingen en sneren niet hoorde. Maar ze hoorde ze wel. Ze had in haar jeugd heel goed geleerd niet te reageren op pesterijen, niet terug te slaan of iets anders te doen waarmee ze de vijand macht gaf.

Straf is geen straf als je je niet gestraft voelt, als je de bedoelde pijn niet voelt. Het draait allemaal om perceptie. Het draait erom hoe je ergens op reageert, want die reactie is het echte wapen. Dat wapen brengt de verwondingen toe. In jouw geval reken ik erop dat je jezelf kwetst met je eigen reacties, want je hebt je lesje nog niet geleerd, een lesje dat niemand mij heeft hoeven bijbrengen: als je geen pijn voelt en niet laat zien dat je gekwetst bent, is er ook geen sprake van een wapen, maar slechts van een zwakke poging...'

Haar warme, aangename stem met de subtiele tongval van Virginia zwijgt opeens en het scherm wordt zwart. Het gaat precies als de eerste keer. De link verdwijnt. Hij is plotseling weg, net als de vorige.

Jill Donoghue is niet beschikbaar, en ik sta erop dat haar secretaresse haar gaat roepen. Ik geef alleen bevelen als ik het echt meen, en op dit moment voel ik me net een motor die op het punt staat in de soep te draaien. Ik weet dat ik niet erg aardig klink, maar ik kan het niet helpen.

'Het spijt me, doctor Scarpetta, maar ze is naar een getuigenverhoor,' zegt de secretaresse om me te overtuigen. 'Als het goed is pauzeren ze om twaalf uur.'

'Aan twaalf uur heb ik niets. Het spijt me zeer, maar ik moet haar nu spreken. Ze zal heus wel belangrijke dingen aan het doen zijn. Maar niet zo belangrijk als dit. Ga haar alstublieft voor me halen,' antwoord ik, en ik denk aan geduld, of ik zelf een geduldig mens ben, want zo klink ik in ieder geval niet.

Daar is een goede reden voor, besluit ik. Vanmorgen zeker. Carrie weet heel goed wat ze doet. Ze geeft me aanwijzingen. Hoewel ik het niet kan uitstaan om zo gemanipuleerd te worden, zou het roekeloos en dom zijn om met oogkleppen op te gaan lopen. Ze heeft duidelijk gemaakt dat het allemaal draait om timing. Dus is het logisch dat het tijdstip waarop de sms'jes op mijn telefoon belanden niet willekeurig gekozen is.

Ik vraag me af of ze me zelfs hier in Lucy's rotstuin bespioneert, waar de zon steeds verdwijnt achter witte wolken die aan de onderkant geribbeld zijn als een wasbord, terwijl de bovenkant verticaal omhoogsteekt. Er is noodweer in aantocht, een daverend zomeronweer. Ik ruik het naderende ozon terwijl ik wegloop van Lucy's heiligdom onder de blote hemel, over het dikke groene gras dat meeveert onder mijn schoenen. Ik ga in de schaduw van een Amerikaanse kornoelje staan en wacht tot mijn hartslag zakt. Er klinkt hemeltergende muzak op de kantoortelefoon van Donoghue en mijn irritatie laait fel op. Mijn gezicht brandt van woede.

Ik heb mezelf altijd beschouwd als beheerst en doelbewust, een gelaten, geduldige, logisch denkende, niet emotionele wetenschapper. Maar ik ben duidelijk niet geduldig genoeg, bij lange na niet, en er schiet van alles door mijn hoofd terwijl de beelden aan me voorbijtrekken. Ik zie steeds het onbewogen gezicht van Carrie Grethen voor me met die inwitte huid en die ogen die telkens van kleur veranderden tijdens haar lezing, haar monoloog. Van diepblauw naar aquamarijn en vervolgens naar het ijsblauw van een Siberische husky, en daarna werden haar irissen zo donker dat ze bijna zwart leken. Ik zag wat er in haar hoofd omging, de contouren van het monster dat ze is, haar spirituele kwaadaardigheid, en ik haal nog eens diep adem en blaas de lucht langzaam uit.

De video met zijn abrupte einde had het effect van een driedubbele espresso of misschien een flinke dosis digitalis. Mijn hart lijkt uit mijn borst te willen springen. Ik voel me vergiftigd. Ik voel zoveel dingen dat ik ze onmogelijk allemaal kan beschrijven, en ik haal langzaam en diep adem. Ik open mijn longen en adem heel diep, heel langzaam en heel rustig in en uit terwijl ik op Donoghue wacht. Eindelijk hoor ik een klik op de lijn en houdt de muzak op.

'Wat is er aan de hand, Kay?' Jill Donoghue komt meteen ter zake.

'Niets goeds, anders zou ik je niet storen. Neem me niet kwalijk.' Ik zet een paar stappen en mijn rechterbovenbeen laat me weten dat het er nog is.

'Wat kan ik voor je doen? En wat hoor ik toch voor lawaai? Is dat een helikopter? Waar ben je?'

'Het is waarschijnlijk een helikopter van de FBI,' antwoord ik.

'Dan neem ik aan dat je je op een plaats delict bevindt...'

'Ik ben op het landgoed van Lucy en ja, dat wordt behandeld als een plaats delict. Ik wil je graag aanstellen als mijn advocaat, Jill. Liefst meteen.' Ik kijk naar Lucy, die een eindje verderop op een bankje zit te doen alsof ze geen belangstelling heeft voor mijn gesprek.

'Daar kunnen we zeker over praten, maar wat gebeurt er allemaal...' begint Donoghue.

'We praten er nu over,' val ik haar in de rede. 'Maak daar alsjeblieft aantekening van. Op vijftien augustus om tien minuten over elf in de ochtend heb ik je aangesteld als mijn advocaat en je gevraagd ook Lucy te vertegenwoordigen. Aangenomen dat je daarmee kunt instemmen.'

'Op die manier vallen we alle drie onder de geheimhoudingsplicht van een advocaat ten opzichte van zijn cliënten,' zegt ze.

'Dat geldt alleen niet als je tegen Lucy praat zonder dat ik erbij ben.'

'Dat begrijp ik. Ik geloof zo langzamerhand dat er toch al niets meer geheim of privé is.'

'Dat is tegenwoordig een verstandig standpunt. Voorlopig ben ik bereid jullie te vertegenwoordigen. Maar als er tegenstrijdige belangen blijken te zijn, zal ik een van jullie aan een collega moeten overdragen.'

'Dat begrijp ik.'

'Kun je vrijuit praten?'

'Lucy zegt dat de plek waar ik me op dit moment bevind veilig is. Ik ga ervan uit dat dat voor het grootste deel van haar terrein niet geldt, en mijn telefoon kan zijn afgetapt. Dat kan ook gelden voor het e-mailaccount van mijn werk. Om eerlijk te zijn heb ik geen idee wat er nog veilig is.'

'Heeft Lucy met de FBI gesproken? Al was het maar om goedemorgen te zeggen?'

'Ze heeft tot op zekere hoogte meegewerkt. Ik ben bang dat ze dit veel te licht opvat.' Ik kijk omhoog naar de helikopter en stel me voor dat de agenten in het toestel terugkijken. 'Ik ben er niet blij mee dat ze je niet meteen heeft gebeld.'

'Dat was geen goed idee, nee. Maar ik ken haar. Het ligt in haar aard om de FBI te onderschatten. Dat moet ze absoluut niet doen.'

Lucy ijsbeert inmiddels heen en weer terwijl ze iets typt op haar telefoon, dus ze maakt zich er kennelijk niet ernstig zorgen over dat de FBI haar e-mails of iets anders kan lezen. Dat zou me niet moeten verbazen, en ik zou niet graag in de schoenen staan van iemand die besluit haar privacy te schenden. Ze zou het zien als een uitdaging, een wedstrijd. En ze zou hem met gelijke munt terugbetalen. Ik kan me slechts bij benadering voorstellen hoeveel onheil en vernietiging ze in computersystemen zou kunnen aanrichten als ze daar zin in had, en ik moet denken aan de blik in Carries ogen toen ze zei dat Lucy een verwend kreng was. De video die ik net heb bekeken, blijft door mijn hoofd spelen. Ik kan de beelden niet van me afzetten.

Ik moet voortdurend denken aan Carries spottende woorden, hoe enorm ze met zichzelf bezig is en de bodemloze poel van haat in haar hart. Het is schandelijk dat ik hieraan word onderworpen. Mijn somberheid, boosheid en verwarring zijn moeilijk te definiëren. Ik vraag me af wat ze er eigenlijk mee voorheeft. Dan valt me iets anders in. Als ik iemand erover vertel – ook Jill Donoghue – zal er getwijfeld worden aan mijn geloofwaardigheid.

Niemand zal me geloven, en daar is een goede reden voor. De links die me zijn toegestuurd, werken niet meer. Ik kan met geen mogelijkheid bewijzen dat ze ooit toegang hebben gegeven tot door Carrie Grethen of wie dan ook gemaakte opnamen.

'Wie is er nog meer op het terrein?' Donoghue blijft me vragen stellen om zich voor te bereiden voordat ze op pad gaat.

'Marino. Janet en hun geadopteerde zoontje, Desi,' antwoord ik. 'Nou ja, hij is nog niet officieel geadopteerd. Zijn moeder, Janets zus, is drie weken geleden overleden aan alvleesklierkanker.'

Donoghue zegt dat het haar enorm spijt om dat te horen en in haar stem is die bijzondere klank te horen die telkens opduikt als ze medeleven probeert te betuigen of een vriendelijk woord wil zeggen. Het doet me denken aan een pianosnaar die een beetje ontstemd is of aan het doffe gerinkel van goedkoop glas. Ze voert een geoefend toneelspelletje op als ze zich inleeft in een ander. Ze meent er helaas niets van, en ik zorg ervoor dat ik altijd voor ogen blijf houden dat haar charisma en haar zogenaamde medeleven een luchtbel zijn. Als je erin prikt, blijft er niets over.

'Hoe zit het nu met Janet en Lucy?' vraagt Donoghue. 'Zijn ze getrouwd?'

De vraag overvalt me en ik word weer overmand door onheilspellende voorgevoelens en misschien wel schaamte als ik antwoord: 'Dat weet ik eigenlijk niet.'

'Je weet niet of het nichtje dat je als een dochter hebt opgevoed is getrouwd?'

'Ze hebben er nooit iets over gezegd. Niet tegen mij.'

'Maar je zou het weten als het zo was.'

'Niet per se. Het is net iets voor Lucy om in het geheim te trouwen. Maar het zou me verbazen,' verklaar ik. 'Nog niet zo lang geleden heeft ze nog tegen Janet gezegd dat ze moest vertrekken.'

'Waarom?'

'Lucy vreest voor Janets veiligheid en voor die van Desi.' Ik kijk naar Lucy om me ervan te vergewissen dat ze me niet kan horen.

Ze staat met haar rug naar me toe op haar telefoon te kijken.

'Zijn ze bij haar niet veiliger?' vraagt Donoghue.

'Dat leek Lucy een paar maanden geleden niet te denken.'

'Ook getrouwde mensen kunnen elkaar het huis uit sturen. Getrouwd of niet, dat maakt niets uit.'

'Dat brengt me terug bij wat ik net zei. Ik weet niet hoe het zit. Ik weet niet of ze zich kunnen beroepen op het verschoningsrecht van een echtpaar. Dat zul je henzelf moeten vragen.'

'Weet Janet dat ze niets tegen de FBI mag zeggen?' vraagt Donoghue. 'Ze zullen proberen haar aan de praat te krijgen, waarover dan ook. Als ze haar vragen hoe laat het is of wat ze bij het ontbijt heeft gegeten, mag ze het niet vertellen.'

'Janet heeft bij de FBI gewerkt en is nu jurist. Ze weet hoe ze met agenten moet omgaan.'

'Ja, ja, dat weet ik. Zowel zij als Lucy hebben bij de FBI gezeten, en dat betekent dat ze er te veel vertrouwen in hebben dat ze die wel aankunnen. Weet Benton wat er aan de hand is? Ik neem aan van wel.'

'Ik heb geen idee.' Ik wil het niet weten.

Het is weer zo'n ondenkbare mogelijkheid. Een heel grote mogelijkheid. Eigenlijk kan ik me moeilijk voorstellen dat Benton niet wist dat er een inval gedaan zou worden bij een van zijn eigen familieleden. Hoe kan hij dat niet geweten hebben? Dit is geen plotselinge ingeving. Dit is zorgvuldig gepland.

'Ik zag hem vanmorgen vroeg bij de rechtbank, bij een gesprek met de rechter over de status van een zaak,' voegt Donoghue eraan toe. 'Ik zou bijna zeggen dat hij zich gedroeg alsof er geen vuiltje aan de lucht was, maar dat doet hij altijd.'

'Dat klopt.' Ik geloof niet dat Benton me heeft verteld dat hij vanmorgen naar de rechtbank moest.

'Je hebt hem niet verteld waar je je nu bevindt en wat er gebeurt,' zegt Donoghue ten overvloede. 'En je hebt geen reden om te vermoeden dat hij ervan weet?'

Benton en ik hebben samen koffiegedronken. We genoten van

een paar rustige minuten op het terras voordat we allebei aan het werk gingen. Ik zie zijn knappe gezicht voor me zoals het er uren geleden uitzag.

'Nee,' antwoord ik.

Ik heb aan niets gemerkt dat hem iets dwarszat. Maar Benton is een stoïcijnse man. Hij is een van de ondoorgrondelijkste mensen die ik ooit heb ontmoet.

'Hoe waarschijnlijk is het dat hij het niet weet, Kay?'

Heel onwaarschijnlijk. Dat moet ellendig genoeg de waarheid zijn, want hoe kan hij er geen idee van hebben gehad dat zijn collega's op het punt stonden een inval te doen bij Lucy en haar eigendommen in beslag te nemen? Natuurlijk wist hij ervan, en hoe kan dat hem niet dwars hebben gezeten? Hoe heeft hij bij mij in bed kunnen slapen en met me kunnen vrijen in de wetenschap dat er zoiets ging gebeuren? De woede flitst door me heen. Ik voel me verraden. Dan voel ik niets meer. Dit is ons leven. Ik ken geen stel dat minder met elkaar praat.

We hebben altijd geheimen voor elkaar. Af en toe liegen we. Misschien alleen maar door te zwijgen, maar we misleiden elkaar opzettelijk en doen de waarheid geweld aan omdat ons werk dat vereist. Op momenten als dit, met een FBI-helikopter boven me terwijl agenten Lucy's huis doorzoeken, vraag ik me af of het het allemaal wel waard is. Benton en ik zijn verantwoording schuldig aan een hogere macht die eigenlijk een lagere macht is. We dienen trouw een strafrechtelijk systeem met zoveel fouten en tekortkomingen dat het eigenlijk niet meer werkt.

'Ik heb hem niet meer gesproken sinds we vanmorgen van huis zijn gegaan,' zeg ik kort tegen Donoghue. 'Ik heb hem niets verteld.'

'Daar zullen we het voorlopig maar bij laten,' zegt ze, en na een gewichtige pauze voegt ze eraan toe: 'Ik heb een vraag voor je, Kay, nu we het er toch over hebben. Heb je ooit de term *data fiction* gehoord?'

'Data fiction?' herhaal ik, en Lucy draait zich om en kijkt naar me alsof ze gehoord heeft wat ik zei. 'Nee, nooit. Hoezo?'

'Het is een term die centraal staat in een zaak waarvoor ik vanmorgen in het gerechtshof was. Geen zaak die rechtstreeks met jou te maken heeft. Nou ja, we praten er nog wel over als ik je zie. Ik kom eraan.'

15

Ik beëindig het gesprek en blijf peinzend tegen de kornoelje staan leunen. De helikopter is een enorme, dreigende zwarte horzel. Hij vliegt laag en luidruchtig over de rivier, op en neer, gaat dan scherp naar links of rechts en vliegt methodisch door het luchtruim alsof hij iets zoekt.

Ik voel de zon in mijn nek terwijl ik naar het pas gemaaide gras en het weelderige groen kijk. De weide achter de rotstuin vormt een met verf bespat doek in heldere, primaire kleuren en felle mengelingen daarvan. Het is hier adembenemend mooi. En het zou hier ook vredig moeten zijn, maar de FBI heeft er een oorlogsgebied van gemaakt, en ik besef dat ik helemaal alleen sta. Ik kan niemand in vertrouwen nemen, niet echt, zeker Benton niet.

Jill Donoghue had vanmorgen vroeg een getuigenverhoor en is hem daarbij tegengekomen. Waarvoor moest hij naar het gerechtshof in Boston en waarom heeft hij daar niets over gezegd voordat we allebei van huis gingen? Wat echt aan me knaagt, is dat Donoghue het had over iets wat data fiction wordt genoemd, en wel in de context van de reden van mijn telefoontje. Of was het gewoon iets waarmee ze in gedachten bezig was? Ik draai me om en kijk op naar de helikopter die naar het oosten zwenkt, een bocht beschrijft en over Lucy's huis recht op ons af vliegt.

'Zijn we hier klaar?' Lucy's gezicht is als uit steen gehouwen.

Ik kan er niet zeker van zijn dat ze niets heeft kunnen horen van mijn gesprek. Ik heb geen idee wat ze wel en niet weet.

'Ja, we moesten maar eens gaan,' antwoord ik, en we gaan samen op weg naar het huis. 'Voordat we nog een woord met elkaar wisselen, wil ik je eraan herinneren dat niets wat we tegen elkaar zeggen onder het verschoningsrecht valt.'

'Dat is niets nieuws, tante Kay.'

'Ik wil dus heel voorzichtig zijn met wat ik je vraag of vertel, Lucy. Als je dat maar goed begrijpt.' Het dikke gras maakt een vegend geluid onder mijn schoenen en de vochtigheidsgraad nadert snel het verzadigingspunt.

Over pakweg een uur krijgen we hier een Bijbelse zondvloed.

'Ik weet alles over het verschoningsrecht.' Ze kijkt even naar me. 'Wat wil je weten? Vraag maar nu het nog kan. Over een paar minuten is het niet meer veilig om dit gesprek te voeren.'

'Jill Donoghue maakte een opmerking over een zaak waarin data fiction een rol speelt. Ik wil weten of je enig idee hebt waar ze het over heeft, want de term is me niet bekend.'

'Data fiction is een trending onderwerp op Undernet, de ondergrondse versie van het internet.'

'Het Undernet waarop voornamelijk illegale dingen gebeuren?'

'Dat hangt ervan af aan wie je het vraagt. Voor mij is het gewoon een ver buitengebied van de cyberspace, zoiets als het Wilde Westen, een plek waarop ik mijn zoekmachines kan loslaten.'

'Vertel me meer over data fiction.'

'Het is wat er kan gebeuren als we zo vertrouwen op de technologie dat we volledig afhankelijk worden van dingen die we niet kunnen zien. We kunnen dan niet langer zelf beoordelen wat waar en onwaar is, wat juist is en onjuist. Met andere woorden: als de realiteit wordt bepaald door software die ons alle werk uit handen neemt, wat gebeurt er dan als die software het mis heeft? Stel dat alles wat we geloven niet echt waar is, maar een lege huls, een luchtspiegeling? Stel dat we ten oorlog trekken, de stekker eruit trekken, of beslissingen van levensbelang nemen op basis van valse gegevens?'

'Ik zou zeggen dat dat al vaker gebeurt dan wij willen weten,' antwoord ik. 'Het is in ieder geval iets waar ik me zorgen over maak, elke keer als we onze jaarlijkse misdaadstatistieken opstellen en de regering op basis daarvan beslissingen neemt.'

'Denk je eens in dat bewapende drones worden bestuurd door onbetrouwbare software. Met één muisklik kun je het huis van de verkeerde persoon opblazen.'

'Dat hoef ik me niet in te denken,' antwoord ik. 'Ik vrees dat het al is gebeurd.'

‘En wat dacht je van valse informatie en manipulatie in de financiële wereld, iets wat nog veel erger is dan Ponzifraude? Denk eens aan alle online transacties en bankopgaven. Je denkt dat je een bepaalde hoeveelheid geld, middelen of schulden hebt omdat het op je beeldscherm staat of in een kwartaalrapport dat door software wordt opgesteld. Stel dat die software gegevens creëert waarbij elke cent verantwoord wordt, maar die eigenlijk onjuist zijn? Stel dat dat wordt gebruikt om fraude te plegen? Dan is er sprake van data fiction of gegevensvervalsing.’

‘En op dit moment buigt het federaal gerechtshof zich over een zaak waarbij dat speelt.’ Ik loop langzaam de heuvel weer op. ‘Kennelijk heeft Jill Donoghue daar iets mee te maken. En Benton misschien ook.’

‘Wil je even stoppen, tante Kay?’ Lucy blijft staan om op me te wachten.

‘We moeten praten over hoe je me noemt. Je kunt geen tante Kay blijven zeggen.’

‘Wat moet het dan worden?’

‘Kay.’

‘Het klinkt me vreemd in de oren.’

‘Doctor Scarpetta. Baas. Hé daar. Iets anders dan tante Kay. Je bent geen kind meer. We zijn allebei volwassen.’

‘Zo te zien heb je veel pijn,’ zegt Lucy. ‘We moeten ergens heen waar je kunt gaan zitten.’

‘Maak je om mij maar geen zorgen. Het gaat prima.’

‘Je hebt pijn. Het gaat helemaal niet prima.’

‘Sorry dat ik zo verdomd langzaam loop.’

Ik ben zo’n beetje gewend aan de uitstralende, kloppende pijn in mijn been. Elke week gaat het beter, maar ik kan niet snel lopen. Trappen zijn moeilijk. Het is een ellende om urenlang op de harde tegels in de snijkamer te staan. Ik hoor me niet zo snel zo erg in te spannen, bijvoorbeeld door in deze enorme hitte en vochtigheid een heuvel op te lopen. Mijn bloeddruk mag niet te veel stijgen.

Als ik het toch doe, word ik eraan herinnerd dat botten uit levend weefsel bestaan, en het langste en zwaarste bot in het menselijk lichaam is het dijbeen. Er zitten twee grote zenuwen aan vast, de nervus femoralis en de nervus ischiadicus, die van de onderrug naar de knie lopen en als hogesnelheidstreinen pijn over hun spoor vervoeren. Ik blijf even staan om over mijn been te wrijven en zachtjes de spieren te masseren.

'Je moet een stok gebruiken,' zegt Lucy.

'God, nee.'

'Ik meen het.' Ze kijkt naar mijn been als ik stijfjes weer begin te lopen. 'Je bent kwetsbaar. Je kunt niet wegrennen. Als je een stevige wandelstok had, zou je die tenminste als wapen kunnen gebruiken.'

'Dat klinkt als de logica van een zevenjarig kind, iets wat Desi zou kunnen zeggen.'

'Het is duidelijk te zien dat je gewond en kwetsbaar bent, en dat maakt je tot een gemakkelijk doelwit. Slechte mensen ruiken je zwakte zoals een haai bloed ruikt. Het is de verkeerde boodschap.'

'Ik ben deze zomer al eens een gemakkelijke prooi geweest voor een soort haai. Dat gebeurt me niet nog eens. Ik heb een pistool in mijn tas.' Ik klink een beetje buiten adem.

'Laat het ze maar niet zien. Ze zitten te wachten op een excuus om te gaan schieten.'

'Dat is niet grappig.'

'Zie je mij soms lachen?'

Haar huis komt in zicht, hout en glas met een koperen dak, op een heuvel die uitzicht biedt op een deel van de rivier dat zo breed is als een baai. De helikopter klapwiekt weer boven het bos, heel laag dit keer, en de boomtoppen schudden door de luchtverplaatsing.

'Wat zoeken ze toch?' vraag ik.

'Ze willen de opnamen hebben.' Lucy zegt het heel nuchter en ik ben geschokt.

Ik blijf op de oprit naar haar staan staren. 'Welke opnamen?'

'Ze denken dat ik die hier ergens verborgen heb, begraven als een schat, misschien, of in een geheime bunker. Dat is toch niet te geloven?' zegt ze spottend. 'Denken ze soms dat ik de camera in een metalen kistje stop, een gat graaf en dan geloof dat hij veilig is? Als ik niet wil dat ze iets vinden, lukt dat ze in geen miljoen jaar.'

'Welke opnamen?'

'Ik kan je garanderen dat ze een bodemradar gebruiken en zoeken naar geologische aanwijzingen dat ik iets onder de grond heb verstopt.' Lucy's aandacht is bij de helikopter, die zo dichtbij is en zoveel lawaai maakt dat we moeten schreeuwen. 'Straks komen ze waarschijnlijk met schoffels, gewoon voor de lol, om mijn zorgvuldig aangelegde tuin te vernielen. Want wat ze vooral willen, is wraak nemen en mij op mijn plek zetten.'

'Welke opnamen?' Ik verwacht bijna dat ze zal toegeven dat de video-opnamen die ik heb ontvangen ook naar haar zijn verstuurd.

'Die uit Florida.'

Ze bedoelt de opnamen die twee maanden geleden zijn gemaakt toen ik werd neergeschoten tijdens een duik naar een scheepswrak voor de kust bij Fort Lauderdale.

'Er staat niets nuttigs op, maar dat zullen ze wel niet weten. Het hangt ervan af waar je naar zoekt,' zegt ze, en ik besef dat ze tegen mij en tegen iedereen gelogen heeft. 'Of beter nog: waar je niet naar zoekt, wat nog aannemelijker is. En dat plezier kan ik ze niet gunnen. Ik weet vrij zeker wat ze willen, en dat zullen ze van mij niet krijgen.'

Mijn duikmasker met ingebouwde minicamera is verdwenen. Dat dacht ik tenminste. Het is niet meer teruggevonden nadat Carrie had geprobeerd me te vermoorden. Dat heeft men mij tenminste willen laten geloven.

De verklaring die mij daarvoor is gegeven, luidt dat het redden van mijn leven op dat moment belangrijker was dan het zoeken naar het masker. Tegen de tijd dat duikers het gingen zoeken, was het door de stroming meegevoerd en mogelijk bedekt met slib.

'Ze wilden die opnamen twee maanden geleden al hebben.' Ik ben voorzichtig met mijn woorden. 'Waarom komen ze hier nu mee?'

'Tot op heden hadden ze slechts een theorie. Ze zijn ervan overtuigd dat ik die opnamen heb.'

'De FBI is daarvan overtuigd,' zeg ik, en ze knikt. 'Waar baseren ze dat op? Hoe kun jij weten waarvan ze overtuigd zijn?'

'Toen ik onlangs terugvloog van Bermuda, had ik binnen een

paar minuten na mijn landing op Logan een heel leger douanemensen aan boord.'

'Stop.' Ik steek mijn hand op en blijf weer staan. 'Voordat je verdergaat: waarom kan het de FBI iets schelen dat je op Bermuda bent geweest? Waarom zouden ze je daar in de gaten houden?'

'Misschien omdat ze vermoedden wie ik daar ging opzoeken.'

Ik denk aan Carrie en vraag: 'En wie was dat?'

'Een vriendin van Janet. Niet iemand over wie jij je druk hoeft te maken.'

'Ik zou zeggen dat ik me er wel druk over moet maken, want het is kennelijk iemand voor wie de FBI belangstelling heeft.'

'Ze blijven gewoon rondsnuffelen voor het geval Carrie echt bestaat.'

'Als ze niet bestaat, wie heeft mijn been dan de vernieling in geholpen?' Ik onderdruk een flits van woede.

'Om een lang verhaal kort te maken: de FBI heeft de douane op me afgestuurd. Ze hebben mijn hele vliegtuig doorzocht en me een lange lijst vragen gesteld over mijn reis, over het waarom ervan en of ik had gedoken. Ze hebben me meer dan een uur vastgehouden en ik twijfel er geen seconde aan wat hun bedoeling was. Ze hadden instructies om het masker en opnameapparatuur te zoeken, met andere woorden, voorwerpen waarvoor de FBI belangstelling had, maar dat wilden ze mij niet laten weten. De FBI kon niet zomaar naar hartenlust mijn hele vliegtuig en bagage doorzoeken zonder enorm de aandacht te trekken. Maar de douane kon dat wel.'

Ik weet niet hoe Lucy mijn duikmasker in handen kan hebben gekregen. Dan denk ik aan Benton. Als hij het gevonden heeft, maar het niet heeft overhandigd, is hij schuldig aan het achterhouden van bewijsmateriaal, het belemmeren van de rechtsgang en wat zijn kameraden van de FBI hem nog meer voor de voeten zouden kunnen werpen.

'Moeten we...' Ik maak de vraag niet af, maar kijk nadrukkelijk naar de camera's op de lantaarnpalen.

'Ik heb het geluid van de camera's waar we langslopen uitgezet. Ze weten ongetwijfeld dat ik dat doe. Zodra ik binnenkom, zullen ze mijn telefoon in beslag nemen, zodat ik niet kan knoeien met mijn eigen beveiligingssysteem,' zegt Lucy. 'Ze hebben eerder mijn duikspullen al bekeken.'

'Maar jij was er niet bij toen het gebeurde.'

'Ze zullen beweren dat ik er wel was.'

'Dat slaat nergens op. Je was niet eens in Florida.'

'Bewijs dat maar eens.'

'Dus ze willen aanvoeren dat jij bij me was toen ik werd neergeschoten? Dat jij mee bent gedoken? Hoe kunnen ze dat met enige mogelijkheid hard maken? Je was er niet bij.'

'Wie kan dat onweerlegbaar bewijzen?' Ze blijft erover doordrammen. 'Benton en jij? Want verder doet niemand zijn mond open.'

Ze bedoelt dat de twee politieduikers die eerst naar het wrak waren afgedaald zijn vermoord. Ik ken niemand anders die er getuige van kan zijn geweest dat ik werd neergeschoten, behalve Benton en de dader, Carrie.

'Ze denken dat ik je duikmasker heb,' zegt Lucy.

'Heb je het ook?'

'Niet echt.'

'Niet echt?'

'Zodra jij de camera op je masker aanzette,' zegt ze, 'zond die de beelden door naar een van tevoren ingestelde site.'

Ik denk weer aan Bermuda. Ik denk aan de vriendin van Janet, die Lucy zou zijn gaan opzoeken.

'Wat voor site?' vraag ik.

'Daar gaan we maar niet op in.'

'Dat zijn al twee dingen die je me niet wilt vertellen. Wie je op Bermuda hebt ontmoet en waar de videobeelden naartoe zijn gestuurd.'

'Dat klopt.'

'Nou, als iemand mijn masker heeft, weet ik daar niets van,' zeg ik nog. Daar geeft ze geen antwoord op en we zijn inmiddels heel dicht bij haar huis. 'Voor zover ik weet, is het nooit gevonden. Toen ze me in de boot hadden gekregen, ging het er natuurlijk allereerst om me in leven te houden. Bovendien moest er onder water een plaats delict worden onderzocht, want er was een dubbele moord gepleegd.'

Ik zie de twee geharpoeneerde lichamen in het luik van het gezonken schip voor me, de lichamen van de politieduikers die een paar tellen voordat Benton en ik van de boot stapten waren vermoord. Toen ik ze zag, wist ik dat ik de volgende was. Daarop kwam Carrie achter een stuk van de roestende romp tevoorschijn. Ik hoor het zachte gezoem waarmee ze door het water naar me toe werd gestuwd en de felle tik van de eerste speer, die mijn zuurstoffles raakte. Daarna kwam de schok toen de tweede door mijn bovenbeen ging.

'Behalve spullen die ik misschien was kwijtgeraakt nadat ik was neergeschoten, moesten er nog lichamen geborgen worden,' merk ik op. 'Het heeft uren geduurd voor de gezonken boot en het gebied eromheen grondig werden afgezocht en mij is altijd verteld dat mijn masker niet meer is gevonden.' Daar blijf ik me aan vasthouden.

'Maar ze weten dat je er een had,' antwoordt Lucy. 'Ze weten dat je een masker ophad toen Carrie je zou hebben beschoten. En dat is het probleem. Dat het ze is verteld.'

'Zou hebben beschoten?'

'Zo zien zij het, ja,' zegt Lucy. 'Ze weten dat er een camera op je masker zat en dat verondersteld mag worden dat de beelden die van die duik zijn gemaakt, zijn doorgestuurd. Mogelijk naar mij. Ze zullen ervan uitgaan dat ik ergens een apparaat had dat alles vastlegde wat er met jou gebeurde.'

'Waarom zouden ze daarvan uitgaan?'

'Het is onvermijdelijk.'

'Er moet een goede reden voor zijn.' Ik voel me steeds minder op mijn gemak. 'Vertel me waarom,' zeg ik, terwijl het gevoel steeds sterker in mijn borst rondfladdert.

'Die reden ben je zelf,' zegt Lucy, en nu weet ik het weer. 'Je hebt het bij de verhoren over het masker gehad. Je hebt de FBI verteld dat ik een cameraatje heb bevestigd aan het masker dat je ophad toen Carrie op je schoot, dus zou precies moeten zijn vastgelegd wat er is gebeurd. Maar dat is niet zo.'

'Hoe bedoel je, dat is niet zo?'

'Weet je nog dat je me erover vertelde nadat ze in het ziekenhuis met je gepraat hadden?'

'Amper.'

'Weet je nog dat je de FBI hebt verteld over het masker en wat je ermee kunt doen?'

'Amper.'

Ik weet niet echt meer wat ik tegen Lucy, tegen de FBI of tegen wie dan ook heb gezegd. Die eerste gesprekken zijn een warrige herinnering, alsof ik ze heb gedroomd, en ik kan niet meer achterhalen wat er letterlijk is gezegd. Maar ik weet dat ik de waarheid verteld zal hebben als me vragen zijn gesteld, vooral als ik gewond was en onder de medicijnen zat, als ik zo van de wereld was als ik moet zijn geweest.

Ik zal geen reden hebben gehad om te denken dat het niet veilig was om precies te vertellen wat ik wist of dacht te weten. De gedachte dat die informatie tegen ons gebruikt zou kunnen worden, zal niet bij me zijn opgekomen. Ik zal geen moment hebben gedacht dat de FBI twee maanden later Lucy's landgoed zou doorzoeken en er luchtopnamen van zou maken.

'Het spijt me als ik je problemen heb bezorgd. Nou ja, "als" is niet het goede woord. Het is wel duidelijk dat ik dat heb gedaan,' zeg ik tegen haar.

'Helemaal niet.'

'Het lijkt er toch op dat ik alles op de een of andere manier erger heb gemaakt,' antwoord ik. We zijn bijna bij het pad. 'Het spijt me enorm, Lucy, want het was zeker niet mijn bedoeling.'

'Je hoeft nergens spijt van te hebben. En nu is ons gesprek afgelopen. Drie-twee-een, en het geluid staat weer aan.' Ze raakt een app op haar telefoon aan, kijkt naar me en knikt. Met één vingerbeweging is onze privacy verleden tijd.

16

Precies op dat moment wordt de voordeur geopend door een vrouw in een kaki cargobroek en een donker poloshirt. Ze kon ons zien op de bewakingscamera's, ook al kon ze niet horen wat we zeiden.

Haar magere lijf lijkt nog nietiger door de .40 kaliber Glock en de glanzende koperen penning aan haar riem. Ik neem haar automatisch op. Licht naar voren gebogen schouders; over een tijdje loopt ze krom. Rechte, natuurlijke tanden zonder verkleuringen door verzwakt glazuur. Armen met donker donshaar erop. Anorexia of boulimia. Als ze niet oppast, krijgt ze al vroeg last van botontkalking en hartproblemen. Ze ziet er niet bekend uit. Ik geloof niet dat ik haar ooit eerder heb gezien. Maar ik weet heel goed wie ze is.

De FBI-agente die een verhouding kan hebben gehad met Carrie Grethen ziet ons het stenen pad op stappen. We lopen eroverheen en ze kijkt zwijgend toe, haar gezicht omlijst door lang, zwart haar dat nu al dunner wordt bij de slapen en op haar kruin. Haar scheve glimlach is op zijn best onoprecht en op zijn slechtst neerbuigend, zoals nu, en ik moet goed kijken om de voormalige schoonheidskoningin in haar te zien. Alleen een nauwkeurige inspectie onthult de fijne botstructuur onder de door de zon verweerde huid, de welvingen die hebben plaatsgemaakt voor scherpe botten, platte billen en hangende borsten. Haar donkere ogen met de wallen eronder staan ver uit elkaar en er lopen rimpels van haar neus naar haar pruilmond.

De restanten van haar Barbie-uiterlijk verdwijnen in rap tempo, en als ik haar in Quantico heb ontmoet toen Lucy daar werkte, weet ik het niet meer, en ik heb toch een goed geheugen voor mensen. Er is geen enkele herkenning. Die zou er wel zijn als we aan elkaar waren voorgesteld en ik ooit een praatje met haar had gemaakt. Misschien zijn we elkaar gepasseerd in de gang. Of hebben we samen in de lift gestaan. Ik weet het niet, en het kan me niet schelen of ze echt een verhouding had met Carrie. Het gaat erom wat Lucy toentertijd geloofde, en het is verbijsterend ongepast dat Erin Loria de zoekactie op Lucy's landgoed leidt en dat ze ook maar iets met mijn nichtje van doen heeft.

'Een eigenaardig geval van belangenverstrengeling.' Ik treed haar niet bepaald vriendelijk tegemoet.

'Pardon?'

'Als je er goed over nadenkt, begrijp je misschien waar ik het over heb.' Ik geef haar geen hand.

Ik moet denken aan wat ik in de video heb gezien, hoe gekwetst en jaloers Lucy was nadat Erin op de hindernisbaan was verschenen. Dat was geen toeval. Het lijkt erop dat Carrie en Erin vlak onder haar neus een verhouding hadden, en ik kan me niet voorstellen wat er door Lucy heen moet zijn gegaan toen Erin zeventien jaar later met een huiszoekingsbevel bij haar op de stoep stond.

'Ik ben Kay Scarpetta, de hoofdlijkschouwer.'

'Ja, dat weet ik.'

'Ik wilde het maar even gezegd hebben. Ik kan je zo nodig mijn identiteitsbewijs laten zien.' Ze blijft in de deuropening staan zonder een centimeter aan de kant te gaan. 'Ik geloof dat jij en Lucy elkaar al eerder hebben ontmoet,' voeg ik er ironisch aan toe.

'Ik weet wie u bent. En ik weet wie uw nichtje is. U zult ongetwijfeld weten dat we elkaar al heel lang kennen.' Weer die irritante glimlach terwijl ze naar Lucy kijkt. 'Fijn dat jullie er niet vandoor zijn gegaan.'

'Dat zal de reden wel zijn waarom die helikopter hier rondvliegt. Voor het geval ik probeer te ontsnappen van mijn eigen terrein. Op zo'n briljant idee kan alleen de FBI komen.' Lucy klinkt altijd verveeld als ze iemand minacht.

'Een ondoordachte opmerking. Het was luchtig bedoeld. Grappig.' Erins slimme humor komt hooghartig over. 'Je zou natuurlijk niet zo dom zijn om op de vlucht te slaan. Ik plaagde maar wat.'

'Laat me raden wie de piloot is.' Lucy kijkt op naar de zwarte, tweemotorige legerhelikopter. 'John, één meter vijfennegentig anabole steroïden. Big John met de behendigheid van een vrachtwagen. Je had hem laatst moeten zien landen bij die hangar die jullie in gebruik hebben op Hanscom. O, neem me niet kwalijk. Wist je niet dat algemeen bekend is dat de FBI een geheime hangar voor bijzondere operaties heeft op luchtmachtbasis Hanscom? Die grote, pas met belastingdollars opnieuw ingerichte hangar naast MedFlight?'

'Hoe dan ook' – Lucy blijft haar pesten met de niet zo geheime FBI-hangar net buiten Boston – 'Big John had drie pogingen nodig om het toestel boven de landingsplaats te krijgen, en het landingsgestel ging alle kanten uit. Een van de ski's raakte de grond en kaatste weer terug alsof de heli een pup was die onvast naar de volgende tree voelt als hij leert de trap af te lopen. Ik zie het altijd meteen als Big John aan de knuppel zit. Ik zou hem nog wel een paar tips kunnen geven over helihantering. Denken, niet aanraken. Dat soort dingen.'

Ik zie aan Erins ogen wat er allemaal door haar hoofd gaat. Ze is boos en probeert een gevat antwoord te verzinnen. Ik geef haar de kans niet.

'Ik wil graag het huis van mijn nichtje in.' Ik kijk langs haar heen naar de enorme open ruimte van hout en glas die hoog boven het water uitsteekt.

'Prima,' zegt Erin zonder opzij te gaan. 'Ik moet u namelijk wat vragen stellen.'

Ik kijk naar de stoffige voetafdrukken op de dieprode kersenhouten vloeren en de stapels witte kartonnen dozen tegen een van de muren.

In de woonkamer zijn de micakapjes van de lampen gehaald, de meubels in Missionstijl zijn verschoven en de kussens slordig teruggelegd. Ik zie kartonnen koffiebekers en verfrommelde voedselverpakkingen op de tafels en de met de hand besneden Afrikaanse mahoniehouten schoorsteenmantel. In een design glazen kom die ik in Murano voor Lucy heb gekocht, zitten lege suikerzakjes en roerstokjes. Na twee korte uren is het alsof er een leger door haar prachtige huis is gedenderd. De FBI steekt zijn middelvinger naar haar op. Of eigenlijk doet haar voormalige medestudent dat.

'De vragen kun je voor Jill Donoghue bewaren,' laat ik Erin weten. 'Ze komt eraan. En ik heb geleerd niet te eten of drinken op een plaats delict.' Ik kijk haar recht in haar kille, starende ogen. 'We nemen geen koffie mee naar binnen, tappen geen water en gaan niet naar het toilet. En we laten zeker onze troep niet achter. Zo te zien ben je de basisopleiding over gedrag op een plaats delict vergeten. Nogal vreemd voor iemand die getrouwd is met een rechter. Je zou beter dan wie ook moeten weten dat je er in de rechtszaal last mee krijgt als je je niet aan het protocol houdt.'

'Kom toch binnen,' zegt Erin alsof ze hier woont en niet gehoord heeft wat ik zei.

'Ik ga bij de rest kijken.' Lucy wil weglopen.

'Niet zo snel.' Erin grijpt haar bij de arm.

'Haal je hand van mijn arm,' zegt Lucy zachtjes.

'Hoe is het met uw been?' vraagt Erin aan mij terwijl ze Lucy alleen maar steviger vastgrijpt. 'Toen ik het hoorde, vroeg ik me meteen af hoe het u gelukt is om niet te verdrinken. Trouwens, u moet de groeten hebben van Zeb.'

De Slapende Rechter zal me ongetwijfeld missen als kiespijn. Maar ik zeg: 'Doe hem de groeten terug.'

'Ik vraag je beleefd om je hand van mijn arm te halen,' zegt Lucy, en Erin beseft dat het verstandiger is haar te laten gaan.

'Zo te zien loopt u op het moment nogal moeilijk.' Erin richt haar aandacht op mij. 'Hoe is het gegaan? U bent op een diepte van vijfentwintig, dertig meter buiten bewustzijn geraakt? Als iemand mij harpoeneerde, weet ik zeker dat ik van mijn stokje zou gaan.'

'Het zal even duren voor mijn been weer normaal functioneert. Maar ik verwacht een volledig herstel.' Het klinkt gekunsteld, en dat is ook de bedoeling, als ik de zin herhaal die ik lange en pijnlijke weken geleden heb geformuleerd. 'Dat is de enige vraag die ik beantwoord totdat Jill Donoghue er is.'

'Natuurlijk. Wat u wilt. Maar ik zie hier niemand die u op uw rechten wijst, doctor Scarpetta. Dit is geen verhoor, ik vraag u alleen om wat nuttig advies.' Dan zegt ze tegen Lucy: 'En ik ben bang dat ik jouw telefoon in beslag zal moeten nemen. Ik heb er niet moeilijk over gedaan. Ik had het kunnen doen zodra ik arriveerde, maar dat heb ik niet gedaan. Ik heb je het voordeel van de twijfel gegeven. En wat doe jij? Je knoeit met het beveiligingssysteem.'

'Het is niet hét beveiligingssysteem,' zegt Lucy. 'Het is míjn beveiligingssysteem. Ik kan ermee doen wat ik wil.'

'Ik heb je het voordeel van de twijfel gegeven,' herhaalt Erin, 'en in ruil daarvoor belemmer je ons onderzoek.' Ze neemt de telefoon van Lucy over. 'Nu ga ik dus wel moeilijk doen.'

'Jouw "voordeel van de twijfel" hield in dat je me mijn telefoon lang genoeg hebt laten houden om te kijken wie ik zou bellen en wat ik er verder mee zou doen, en intussen tapte je alle apparatuur af die je denkt dat ik heb,' zegt Lucy. 'Ik dank je zeer. Het was uitermate nuttig om te zien waar je precies belangstelling voor hebt, maar niet zo nuttig voor jou. Wat je echt wilt, is gebruikersnamen en wachtwoorden, en die heb je niet gekregen, hè? En raad eens? Die zul je ook nooit krijgen. Zelfs de NSA en de CIA komen niet door mijn firewalls heen.'

Toch is het iemand gelukt.

Het lijkt erop dat iemand, waarschijnlijk Carrie, Lucy's mobiele telefoon heeft overgenomen en ingebroken heeft in haar computersysteem, haar draadloos netwerk, en dat kan op zijn beurt de beveiliging van haar huis in gevaar brengen. In Lucy's wereld maakt alles deel uit van een web dat zo ingewikkeld in elkaar zit dat ik het niet begrijp. Haar netwerken hebben netwerken, haar servers hebben servers en haar proxy's hebben proxy's.

Het punt is dat niemand echt weet wat ze doet en hoe ver haar macht reikt, en als iemand haar privacy schendt, ook al is het Carrie, moet ik me afvragen of Lucy dat heeft toegestaan. Ze kan het hebben uitgelokt. Lucy zal elke uitdaging in cyberspace aannemen. Ze is er vast van overtuigd dat ze zal winnen.

'Wij komen overal in waar we in willen,' pocht Erin. 'Maar als je slim bent, werk je mee. Dan geef je ons alles wat we nodig hebben, ook wachtwoorden. Hoe moeilijker je dit maakt, hoe slechter het voor je zal aflopen.'

'Nu ben ik echt bang.' Lucy's stem is zo bijtend als de vrieskou en ik hoor haar in de video sarcastisch tegen Carrie zeggen: *Moet ik nu bang worden?*

Lucy was niet bang. Niet zo bang als ieder ander zou zijn.

'Je bent altijd veel te zeker van jezelf geweest.' Erin verspert de deuropening met haar arm en ik kom tot de conclusie dat wat ze nu doet voor mij bedoeld is.

Het is niet te geloven. Ze probeert indruk te maken. Ik zou lachen als de situatie ook maar iets grappigs had.

'Zo ben je de eerste keer ook in de problemen gekomen,' zegt Erin tegen Lucy.

'De eerste keer?' Lucy kijkt naar de helikopter die weer over haar landgoed cirkelt. 'Even denken wanneer dat was. Eens kijken. Wanneer ben ik de eerste keer in de problemen gekomen? Toen was ik waarschijnlijk twee of drie, of misschien was ik nog niet eens geboren.'

'Ik zie dat je vastbesloten bent dit zo moeilijk mogelijk te maken.'

'Twee-, driehonderd meter in deze hitte en met deze vochtigheid, met wat zeker een zware lading zal zijn.' Lucy wendt haar blik niet af van de helikopter, die nu laag boven het bos naast het huis hangt. 'Laat me raden. Minstens zes mensen achterin. Waarschijnlijk gespierde jongens met een zware uitrusting. Maar ik zou niet in de dodemanscurve blijven hangen als ik Big John was. Ik wens hem veel succes met de autorotatie in een noodgeval. En als ik hem was, zou ik alweer op de grond staan met het weer dat eraan komt. Misschien kun je dat beter even via de radio aan hem doorgeven en hem er meteen aan herinneren dat hij misschien nog dertig minuten behoorlijk zicht heeft voor het snel verslechtert tot ver onder de VFR-voorschriften. Hij kan beter maken dat hij terugkomt op Hanscom zolang het nog te doen is en dat dure toestelletje in zijn speciale hangar zetten, want er is kans op hagel.'

'Je bent geen spat veranderd. Nog steeds dezelfde arrogante...' Erin wil iets vulgairs zeggen, maar houdt zich in.

'Arrogante wat?' Lucy kijkt haar aan.

'Je bent nog helemaal niet veranderd.' Erin kijkt strak terug en dan zegt ze tegen mij: 'Uw nichtje en ik hebben samen in Quantico gezeten.'

'Gek, ik herinner me jou helemaal niet,' liegt Lucy soepel en met veel overtuiging. 'Misschien kun je me een oude klassenfoto laten zien en jezelf aanwijzen.'

'Je herinnert je mij heus wel.'

'Echt niet.' Lucy kijkt onschuldig.

'Jazeker wel. En ik herinner me jou.'

'En moet ik daaruit opmaken dat je me kent?'

'Goed genoeg.' Erin kijkt naar mij terwijl ze het zegt.

'In werkelijkheid weet je helemaal niets van mij,' zegt Lucy. 'Helemaal niets.'

Dit is niet het moment om Lucy een preek te geven. Maar als ik kon, zou ik haar vertellen hoe gevaarlijk het is om zo te praten. Ze laat zich in de kaart kijken door haar woede. Die woede zal de FBI nog meer reden geven om haar te kortwieken of in een kooitje te zetten.

'Ik wil graag het huiszoekingsbevel zien,' zeg ik tegen Erin.

'Dit is niet uw huis.'

'In dit huis bevinden zich persoonlijke bezittingen van mij, mogelijk ook materiaal dat betrekking heeft op rechtszaken. Je zult moeten oppassen hoe je daarmee omgaat, want het kan je later problemen opleveren als dat niet zorgvuldig gebeurt.'

'Wat dacht u hiervan: u bent hier alleen omdat ik dat toesta.' Erin heeft besloten er een wedstrijdje van te maken. 'Omdat ik vriendelijk wil blijven en niemand wil buitensluiten.'

Ik haal een pen en een notitieblok uit mijn schoudertas. 'Ik doe alleen hetzelfde als jij. Ik maak aantekeningen.'

'Ik schrijf niets op.' Ze houdt haar lege handen omhoog.

'Maar dat ga je wel doen.' Ik kijk op mijn horloge. 'Het is vijfentwintig minuten over elf, vrijdagmorgen 15 augustus. We bevinden ons in de hal van Lucy's huis in Concord.' Ik schrijf het op. 'En ik heb FBI-agent Erin Loria net gevraagd om het huiszoekingsbevel, omdat ik medebewoner ben van dit huis. Niet vast, maar ik heb hier een appartement waarin zich persoonlijke bezittingen en vertrouwelijke informatie bevinden. Daarom wil ik graag het huiszoekingsbevel inzien.'

'Dit is niet uw huis.'

'Ik citeer het vierde amendement op de verklaring van de burgerrechten,' antwoord ik. '"Burgers hebben er recht op dat hun persoon, hun huis, hun papieren en eigendommen veilig zijn voor doorzoekingen en inbeslagnemingen zonder geldige reden." Ik wil het huiszoekingsbevel zien om me ervan te vergewissen dat het naar behoren is ondertekend door een rechter en dat die rechter niet toevallig de edelachtbare Zeb Chase is, de echtgenoot van FBI-agent Erin Loria.'

'Dat is belachelijk!' valt ze me in de rede. 'Hij zit in Virginia.'

'Als federaal rechter kan hij in theorie elk gewenst federaal gerechtelijk bevel ondertekenen. Het zou natuurlijk onethisch zijn.' Ik maak aantekeningen. 'Ik wil het huiszoekingsbevel zien. Ik heb het nu drie keer gevraagd.' Ik zet er een streep onder voor extra nadruk.

17

Het is het gebruikelijke document, zonder slimmigheden of onverwachte dingen. Op de lijst met te zoeken en in beslag te nemen voorwerpen staat zo'n beetje alles wat je maar kunt bedenken, ook geheime luiken, deuren, kamers en uitgangen, al dan niet verbonden met het huis zelf en de bijgebouwen.

Op de inventarislijst van wat de FBI tot dusver in beslag heeft genomen staan geweren, handwapens, munitie, herlaadapparatuur, messen en alle soorten snij- en steekinstrumenten, duik- en bootuitrusting, opnameapparatuur, computers, externe harde schijven en elke andere vorm van elektronische opslag. Op het juridische verlanglijstje staan bovendien mogelijke bronnen van biologisch bewijsmateriaal, in het bijzonder DNA, en dat vind ik vreemd. Niet dat deze dag ook maar enigszins normale dingen heeft opgeleverd.

In mijn achterhoofd speelt de gedachte dat de FBI Lucy's DNA al heeft. Ze heeft voor ze gewerkt. Ze hebben haar DNA-profiel en haar vingerafdrukken, en ook die van Janet, Marino en mij om ons te kunnen uitsluiten. Voor de zevenjarige Desi hebben ze geen belangstelling, neem ik aan. Hij heeft hier niets mee te maken. Ik begrijp niet precies wat de agenten hopen te vinden, maar ze zijn overduidelijk nog niet klaar, en omdat ze vastberaden zijn om elke computer en alles wat erop staat in beslag te nemen, moet ik nadenken over een ander akelig scenario. Stel dat de FBI een manier zoekt om de hand te leggen op vertrouwelijke informatie van mijn hoofdkwartier, het Cambridge Forensic Center?

Lucy is de loper die toegang geeft tot alles wat we bij het CFC doen. Ze is de bewaarder van mijn elektronische koninkrijk en daarom een potentiële toegangspoort voor de FBI. Ze kunnen proberen via haar toegang te krijgen tot de e-mailaccounts van het lab en tot dossiers die tientallen jaren teruggaan, en nu vraag ik me af waarom ze dat zouden willen. Ik vraag me af waarom de helikopter me hiernaartoe is gevolgd. Is dat echt gebeurd? Of leek het alleen maar zo? Zit de FBI alleen achter Lucy aan? Zitten ze eigenlijk wel achter Lucy aan, of moeten ze mij hebben?

'De dossiers van het CFC en alle documenten en laboratoriumuitslagen die daarmee te maken hebben, zijn vertrouwelijk.' Ik geef Erin het huiszoekingsbevel terug. 'Ze worden beschermd door de staatswetten en de federale wetten en je kunt Lucy's positie als mijn werknemer niet gebruiken om toegang te krijgen tot informatie die het CFC toebehoort. Je weet hoe onbehoorlijk dat zou zijn.'

Ik neem het woord 'onwettig' niet in de mond, omdat de FBI er wel voor zou zorgen dat het dat niet is. Ze zouden de waarheid verdraaien en veranderen om al hun daden te rechtvaardigen. Het is erger dan David tegen Goliath. In dit geval heeft David geen steen en beschikt Goliath over een geweer. Maar die wetenschap weerhoudt me er nooit van het gevecht aan te gaan met overheidsdienaren. Ik houd altijd voor ogen dat ze geacht worden voor het volk te werken en geen wet op zichzelf zijn, ook al gedragen ze zich daar wel naar. Ik ben altijd in de minderheid en dat vergeet ik ook nooit.

'Je beseft welke ernstige gevolgen elke inbreuk daarop zou hebben voor de strafzaken waarin het CFC een rol speelt,' voeg ik eraan toe. 'Ik zou de integriteit van onze dossiers niet kunnen garanderen, en daaronder zijn ook duizenden federale zaken, zaken van de FBI. Ik denk dat je je heel goed bewust bent van de mogelijke gevolgen. Ik zou ook willen opperen dat het ministerie van Justitie niet zit te wachten op meer verhalen over privacyschending, spionage en verknoeide onderzoeken.'

'Dreigt u met slechte persberichten?'

'Ik herinner je aan bepaalde gevolgen van je mogelijke daden.' Ik blijf voorzichtig met mijn woorden terwijl ik achter haar aan loop, door een gang met warmrode kersenhouten panelen waaraan schilderijen en prenten van Miró hangen. 'Het huiszoekingsbevel voor het huis van mijn nichtje geeft je op geen enkele manier toegang tot het CFC. Of tot mij persoonlijk, trouwens.'

'Want als u ook maar iets hierover doorgeeft aan de pers,' zegt Loria als we bij de grote slaapkamer komen, 'klaag ik u aan wegens hindering van de rechtsgang.'

'Ik heb geen enkel dreigement geuit.' Ik schrijf het op. 'Ik ben degene die zich bedreigd voelt.' Dat schrijf ik ook op. 'Waarom bedreig je mij?' Ik onderstreep het.

'Dat doe ik niet.'

'Het voelt wel zo.'

'En ik respecteer uw gevoelens.' Ze heeft inmiddels ook een aantekenboekje voor de dag gehaald en schrijft op wat ik zeg, misschien ter zelfbescherming.

Ik zal nooit vergeten dat de FBI als een sluwe vos staat op het gebruik van primitieve middelen als pen en papier om vast te leggen waarvan de agenten getuige zijn. Ze maken aantekeningen. Op die manier is het gemakkelijker om iets wat een verdachte of een getuige gezegd of gedaan heeft uit zijn verband te rukken.

'Dat je mijn gevoelens respecteert, is niet genoeg,' antwoord ik. Het is zwaar om te zien wat zich in de grote slaapkamer afspeelt. 'Je hebt geen aannemelijke reden, geen enkele rechtvaardiging om vertrouwelijke rapporten van lijkschouwers of daarmee samenhangende communicatie in te zien. Het gaat in sommige gevallen om geheime stukken die betrekking hebben op onze troepen, onze mannen en vrouwen in het leger. Je hebt geen recht op de e-mails en andere berichten tussen mijn stafleden onderling en met mijzelf.'

'Ik heb begrip voor uw positie,' zegt Erin.

'Je zult die nog beter begrijpen als je een van mijn zaken in gevaar brengt,' antwoord ik niet erg beleefd. 'En dat is geen dreigement. Het is een belofte.'

'Ik zal noteren dat u dat gezegd hebt.'

Gelukkig hoeft Lucy er geen getuige van te zijn dat twee agentes in haar inloopkast met in handschoenen gestoken handen door de zakken gaan van alles wat ze ooit heeft gedragen; haar spijkerbroeken, haar vliegoveralls, haar uitgaanskleren.

Ze kijken naar haar schoenen en laarzen en snuffelen in koffertjes en laden, terwijl aan de andere kant van de kamer een mannelijke agent Janets kast doorzoekt en kunstwerken van de muren haalt, spectaculaire doeken en foto's van Afrikaans wild. Hij zet ze tegen elkaar en slaat met een vlakke hand tegen de betimmering. Het enige wat ik kan bedenken, is dat hij op zoek is naar geheime compartimenten. In mijn maag zit een knoop ter grootte van een softbal.

'Dit zou zoveel gemakkelijker kunnen verlopen als we eerlijk met elkaar zouden communiceren,' zegt Erin terwijl ik naar het raam loop en de jaloezieën opendoe. 'Er kan zoveel worden voorkomen als we de waarheid te horen krijgen over wat er gebeurd is.'

'Over wat er gebeurd is?' Ik draai me niet om.

'In Florida,' zegt ze. 'We moeten de waarheid weten.'

'Je impliceert dat degenen onder ons die erbij betrokken zijn liegen, alsof je er automatisch van uitgaat dat iedereen liegt.' Ik kijk naar buiten, want ik ben niet van plan naar haar te kijken. 'En misschien heb je gelijk. In onze wereld liegt iedereen waarschijnlijk, ook de organisatie waarvoor jij werkt. In jouw wereld heiligt het doel de middelen. Je kunt doen wat je wilt en af en toe wordt daardoor de waarheid achterhaald. Ervan uitgaand dat je die zou herkennen.'

'Toen u in juni gewond raakte...'

'Toen ik werd aangevallen, bedoel je.' Ik kijk naar de ruime achtertuin, die steil afdaalt naar een net zo steile, dichtbeboste helling.

'Toen u bent neergeschoten. Ik stel vast dat er bewijzen te over zijn dat u bent neergeschoten.'

'Je stelt vast? Dat klinkt alsof je voor de rechter staat...'

'Ik zou u willen vragen,' valt ze me in de rede, 'of u ooit een harpoen in uw bezit hebt gehad.'

'Dat vraag je maar als Jill Donoghue er is.'

'En Lucy? Het is wel duidelijk dat ze van wapens houdt. Weet u hoeveel vuurwapens ze in haar kelder heeft liggen? Zou het u verbazen als ik u vertelde dat het er bijna honderd zijn? Waar heeft ze zoveel wapens voor nodig?'

Het antwoord dat ik geneigd ben te geven, is dat Lucy met de hand gemaakte wapens verzamelt, wapens waarvan slechts enkele exemplaren bestaan. Ze geniet van de gecompliceerde technologie, de kunst en wetenschap achter elke mooie innovatie, ook als die dodelijk is. Ze voelt zich aangetrokken tot machtssymbolen, of dat nu wapens, auto's of vliegmachines zijn, en ze verzamelt ze omdat het kan. Er is niet veel wat zij zich niet kan veroorloven. Als ze een door Zev aangepaste Glock wil of een exquise, voor een linkshandige schutter omgebouwde 1911, speelt geld voor haar geen rol.

Ik geef geen antwoord op Erins vragen, maar dat weerhoudt haar er niet van ze te stellen. Intussen kijk ik naar het licht dat over het water flikkert, naar de lichte stroming en de dertig meter lange steiger van cipressenhout met het uit teak en glas opgetrokken botenhuis aan het eind. Lucy is vertrokken om bij Janet, Desi en Jet Ranger te gaan kijken, en ik heb haar aangespoord niet terug te komen naar het huis voor Donoghue hier is. Ik hoop dat zij snel komt. Ik kijk uit naar Marino, maar zie hem nergens.

'Ik ga tegenover jou geen blad voor de mond nemen, Kay. En ik neem aan dat je het niet erg vindt dat ik je zo noem.'

Ik zeg niets. Ik vind het wel erg.

'We kunnen alleen afgaan op wat jij beweert dat er gebeurd is, en op wat Benton beweert gezien te hebben. Jij zegt dat Carrie Grethen op je geschoten heeft...'

'Het is niet wat ik beweer of wat Benton beweert. Het is wat echt gebeurd is.' Ik draai me naar haar om.

'Jouw bewering dat Carrie Grethen je heeft neergeschoten is alleen gebaseerd op het feit dat je haar hebt herkend. Een vrouw die je... hoelang niet gezien hebt? Dertien, veertien jaar, op zijn minst. Verscheidene mensen zijn getuige geweest van de dood van die vrouw.'

'Niet echt.' Dát ga ik in ieder geval wel vertellen. 'Er is aangenomen dat ze dood was. We hebben nooit echt gezien dat ze in de neergestorte helikopter zat. Er zijn nooit stoffelijke resten gevonden. Er is geen bewijs dat ze dood is. In feite is er bewijs voor het tegendeel, en dat weet de FBI heel goed. Ik hoef jou niet te vertellen...'

'Jouw bewijs. Jouw zeer onzekere en speculatieve bewijs,' valt Erin me weer in de rede. 'Je ving een glimp op van iemand in een duikpak met camouflageprint en op de een of andere manier wist je meteen wie het was.'

'Een duikpak met camouflageprint?' vraag ik. 'Dat is een interessant detail.'

'Een detail dat jij ons hebt gegeven.'

Ik zeg niets. Ik laat een ongemakkelijke stilte vallen, die zij naar believen kan vullen.

'Misschien herinner je je dat niet meer. Er is waarschijnlijk een heleboel dat je je niet herinnert na een dergelijke verwonding,' zegt ze. 'Hoe is het inmiddels met je geheugen? Ik vraag me af of je onder water een tijdje zonder zuurstof hebt gezeten.'

Ik blijf zwijgen.

'Dat kan ernstige gevolgen hebben voor je geheugen.'

Ik reageer niet.

'Jij beweerde dat degene die je heeft neergeschoten een camouflagepak aanhad,' zegt ze dan. 'Dat detail komt van jou.'

'Ik herinner me niet dat ik dat gezegd heb, maar het had gekund, want het is waar.'

'Natuurlijk herinner je je dat niet meer.' De neerbuigendheid druipt van haar woorden.

'Ik herinner me niet dat ik dit aan jullie agenten verteld heb,' antwoord ik. 'Maar ik herinner me wel wat ik heb gezien.'

'Op de een of andere manier herkende je een dood gewaande persoon.' Ze vervat haar stelling over Carrie in andere woorden. 'Ook al had je haar in meer dan tien jaar niet gezien en had je ook geen foto's van haar onder ogen gehad, je bent toch zeker van haar identiteit. Ik citeer uit de vrije hand je eigen verklaring onder ede, die je op 17 juni in het ziekenhuis hebt afgelegd ten overstaan van onze agenten in Miami.'

'Een verklaring die niet is opgenomen,' merk ik op. 'Hij is alleen opgeschreven. Het is moeilijk te bewijzen dat de agenten hebben opgeschreven wat er werkelijk gezegd is, omdat er geen onweerlegbaar bewijs is. En ik vraag me af hoe we er zeker van kunnen zijn dat het een verklaring onder ede was.'

'Dus als je niet onder ede stond, had je misschien....'

Ze wordt onderbroken door een bekende stem in de gang. 'Hallo! Hallo! Zo is het wel genoeg! Het is bijzonder onbeleefd om zonder mij te beginnen!'

Jill Donoghue komt glimlachend binnenlopen, zoals altijd heel chic gekleed in een van haar maatpakken, dit keer nachtblauw. Haar donkere, golvende haar is korter dan toen ik haar voor het laatst zag. Verder is ze nog precies hetzelfde, altijd energiek en fris, altijd ergens tussen de vijfendertig en de vijftig.

'Ik geloof niet dat we elkaar eerder hebben ontmoet.' Ze stelt zich voor aan Erin, en een korte schermutseling maakt duidelijk dat de FBI niet gaat winnen. 'U bent dus nieuw in Boston en omgeving,' concludeert Donoghue. 'Laat ik u dan vertellen hoe het werkt. Als mijn cliënt zegt dat ze niet met u wil praten tot ik er ben, dan houdt u op met praten.'

'We hadden een terloops gesprek over haar identificatie van Carrie Grethen...'

'Ziet u wel. Voor mij is dat praten.'

'... en hoe ze haar of wie dan ook kan hebben herkend als je nagaat met welke snelheid het allemaal is gebeurd, en gezien de extreme stress van de veronderstelde situatie.'

'Verondersteld?' Donoghue moet bijna lachen. 'Hebt u het been van doctor Scarpetta gezien?'

'Laat maar eens zien dan.' Erins ogen schitteren uitdagend, met de zekerheid dat ik me niet ga uitkleden.

Dan kent ze mij nog niet. Ik trek de rits van mijn cargobroek open.

18

'Laat maar,' zegt ze vlug. 'Je hoeft niets te bewijzen.'

'In mijn beroep leer je het snel af om preuts te zijn.' Ik duw de rechterpijp van mijn broek omlaag tot op mijn knie. 'Als je net klaar bent met een ontbindend of drijvend lijk, kan het je echt niet schelen wie er naast je in de douche staat. Hier zijn de ingangs- en uitgangswonden.'

Ik wijs ze aan, rond, vuurrood en iets kleiner dan een muntstuk van tien dollarcent.

'De harpoen is door mijn quadriceps gegaan,' leg ik uit. 'Hij is hier, bijna midden op mijn bovenbeen ingeslagen en er net boven mijn knieschijf uit gekomen. De punt stak ongeveer tien centimeter naar buiten. Er werd uiteraard behoorlijke schade toegebracht aan spieren en botten, wat werd verergerd door het touw. Het ene eind daarvan was bevestigd aan de speer en het andere aan een boei op het water. Je kunt je voorstellen hoe dat getrokken en gerukt moet hebben.'

'Een afschuwelijke gedachte. Uiterst pijnlijk.' Erin zwijgt even voor het effect. 'Maar het ligt binnen de mogelijkheden dat de wond door jezelf is toegebracht, waarna je een verhaal hebt verzonnen over een spook in camouflagepak.'

Ik houd een denkbeeldige harpoen vast en probeer de punt in lijn te brengen met de ingangswond in mijn been. 'Moeilijk, maar niet onmogelijk. Wat voor motief zou ik daarvoor hebben?'

'Je zou alles doen voor je nichtje, nietwaar?'

'Daar hoef je geen antwoord op te geven,' zegt Donoghue.

'Ik zou helemaal niet alles voor haar doen,' antwoord ik. 'En ik heb mezelf niet in mijn been geschoten. Ik weet niets over een camouflagepak, maar dat betekent niet dat Carrie er geen droeg.'

'En als je Lucy's leven kon redden? Zou je dan liegen?'

'Daar hoef je geen antwoord op te geven,' zegt Donoghue.

'Zou je liegen om het beschamende feit te verhullen dat je zelfmoordneigingen hebt?'

'Het ligt meer in mijn aard om te schieten op datgene waardoor ik bedreigd word,' antwoord ik.

'Je hoeft niets uit te leggen,' zegt Donoghue tegen me.

'Een harpoen in mijn eigen been schieten heeft geen enkele zin, en dat heb ik ook zeker niet gedaan,' voeg ik eraan toe. 'En wat wil je nou eigenlijk zeggen? Ik kan het niet meer volgen. Lieg ik om Lucy te beschermen? Of lieg ik over een zelfmoordpoging? Misschien wil je daar nog een andere theorie aan toevoegen?'

'Was er sprake van paniek?' Erin vindt het een stuk moeilijker om haar zelfbeheersing te bewaren. 'Toen je besefte dat je was neergeschoten? Ben je in paniek geraakt?'

'Daar hoef je geen antwoord op te geven,' zegt Donoghue.

'Heb je er ooit ook maar een seconde aan getwijfeld dat de persoon die op je schoot Carrie Grethen was?' Erin proeft bloed.

'Daar hoef je geen antwoord op te geven.'

'Is het ooit bij je opgekomen, doctor Scarpetta, dat je in je paniek dacht dat zij het was, maar dat je het mis had?'

'Daar hoef je geen antwoord op te geven.'

'Gelukkig maar, want ik begrijp de vraag niet echt. Nogal verwarrend, al die theorieën.' Mijn aandacht is bij de rivier daarbuiten, bij de trage rimpelingen en wervelingen.

Het water heeft de groenige kleur van een oude fles en stroomt langzaam om het landgoed heen dat het eigendom is van Lucy. Er flitst een beeld door mijn hoofd. Ik zie mijn gezicht door een beslagen duikmasker in donker, modderig water. Ik zie dat ik dood ben.

'Het spijt me,' zegt Erin met een kilte die tegen het vriespunt aan ligt. 'Laat ik het nog eens proberen. Is het ooit bij je opgekomen dat de persoon die je zag iemand anders kan zijn geweest?'

'Daar hoef je geen antwoord op te geven.'

'O, ik snap het. We laten de zelfmoordtheorie even voor wat die is en gaan er weer van uit dat ik door iemand anders ben neergeschoten,' antwoord ik.

'Is het niet veel waarschijnlijker' – Erin gaat verder met haar onsamenhangende ondervraging – 'dat je in de fractie van een seconde waarin je die persoon zag meteen aannam dat het Carrie Grethen was? Je wist het niet, je nam het aan. En waarom zou je ook niet? Je was in gedachten met haar bezig.'

'Daar hoef je ook geen antwoord op te geven,' zegt Donoghue.

'Je had alle reden om bang voor haar te zijn, om voortdurend over je schouder te kijken.' Erin probeert me een reactie te ontlokken. 'Zou het daarom niet redelijk zijn om te veronderstellen dat je naar haar uitkeek en dat je daarom in die fractie van een seconde waar we het over hebben dacht dat je haar zag?'

Ze blijft consequent de woorden 'fractie van een seconde' bezigen. Ze oefent voor de jury en beweert dat het treffen zo snel verliep dat ik niet echt iets heb kunnen zien. Dus heb ik ook niet gezien wie me heeft neergeschoten. Ik was eenvoudig bang voor wie het zou kunnen zijn en ging dus uit van een veronderstelling waar ik koppig aan blijf vasthouden. En als dat verhaal niet werkt, kan ze me nog altijd afschilderen als een gek die om god mag weten welke reden zelf een harpoen door haar been heeft geschoten. Na nog een paar minuten zegt Donoghue dat ze onder vier ogen met haar cliënt moet praten.

'Ik ben hier nooit eerder geweest,' zegt ze ten behoeve van

Erin tegen me. 'Zou je me een rondleiding willen geven, Kay? Het ziet er absoluut adembenemend uit.'

We gaan de gang in en lopen langzaam en rustig over de rode vloer van jarrahout onder de micalampjes met hun aangename koperachtig gele gloed door. Ik ben me bewust van Lucy's beveiligingssysteem, van elk toetsenpaneel, elke camera en elke bewegingssensor die we passeren. Ze herinneren me eraan dat er geen enkele sprake kan zijn van privacy.

'Wil je iets in het bijzonder zien?' Ik stel Donoghue een schijnbaar onschuldige vraag, er rekening mee houdend dat overal in Lucy's huis camera's hangen.

'Toen ik binnenkwam, ben ik linksaf gegaan, maar aan het eind van de rechtergang leek een interessante plek te zijn.' Haar achteloze commentaar brengt een ernstig probleem aan het licht.

Ze heeft het over de gastensuite die Lucy voor me heeft ingericht. Het is mijn slaapkamer, mijn privéplek als ik hier verblijf. Als we dichter bij de deur komen, zie ik waar Donoghue het over heeft. Achter de deur is nog een gang. Aan het eind daarvan staat de deur van mijn suite open. Bij onze nadering komt er een man in een goedkoop kakikleurig pak tevoorschijn met een groot, verzegeld pak van bruin papier, dat hij in beide armen draagt. Het is een sterke, pezige, donkere man met glinsterende bruine ogen. Zijn haar is aan de zijkanten opgeschoren en bovenop heeft hij stekeltjes. Hij ziet eruit als een militair.

'Goedemiddag,' zegt hij alsof we tot hetzelfde team behoren. 'Kan ik u ergens mee helpen?'

'Waar ga je daarmee naartoe en waarom?' Donoghue wijst naar het bruinpapieren pak in zijn armen.

'Ach, ik wil u niet vermoeien met alles wat we hier doen. Maar u kunt nu niet naar binnen. Ik ben Doug Wade. En u bent?'

'Jill Donoghue. Mag ik uw penning even zien?'

'Met alle plezier, als ik er een had,' zegt hij. 'Maar ik ben maar een belastingman. Wij krijgen geen penningen, pistolen en andere leuke dingen.'

Ik blijf voor mijn kamer staan. Maar ik laat merken dat ik er ben, ook al ga ik niet naar binnen.

Vanuit de deuropening zie ik twee agenten mijn bed afhalen,

de matras omkeren en er half af halen en de honingkleurige lakens van Egyptisch katoen op een hoop op de vloer gooien. Hun handen voelen zorgvuldig naar mogelijke verstopplekken. Deze mensen zijn niet van de belastingdienst, of ze moeten zoeken naar een matras vol zwart geld. Ze zoeken iets anders. Maar wat?

Nog meer geweren? Een harpoen? Mijn duikmasker? Drugs?

Door de open kastdeur kan ik mijn kleren zien en de schoenen die slordig zijn teruggezet op de planken. Ik zie dat mijn iMac niet meer op het bureau in het kantoor met uitzicht op de rivier staat. Lucy heeft veel moeite gedaan om het gastenverblijf naar mijn smaak in te richten, met veel glas, een kleurig zijden kleed op de glanzende kersenhouten vloer, koperen lichtknoppen, een koffiebar, een gashaard en grote foto's van Venetië.

Ik heb hier vaak in volle tevredenheid knusse uurtjes doorgebracht, waarin ik heel even aan alles kon ontsnappen. Dat zal misschien nooit meer kunnen. Ik voel mijn woede groeien als ik denk aan het grote, in bruin papier verpakte pak dat ik net langs heb zien gaan. Snel ga ik na wat er op de desktop of in de documenten zou kunnen staan. Wat zouden de belastingdienst of de FBI of een ander agentschap kunnen zien dat problemen zou kunnen opleveren?

Ik gooi regelmatig documenten weg en maak de prullenbak leeg, maar dat zal de specialisten van de overheid er niet van weerhouden alles wat op mijn computer stond weer boven water te krijgen. Lucy had de harde schijf zo goed kunnen schoonmaken dat geen enkel gewist bestand hersteld zou kunnen worden. Maar ik ga ervan uit dat ze daar geen tijd voor heeft gehad. Ze beweert dat ze pas wist dat haar huis doorzocht zou worden toen Erin Loria belde en haar aanwezigheid bekendmaakte, dus zal Lucy maar een paar minuten hebben gehad om zich met de beveiliging te bemoeien. Maar ik weet niet wat de waarheid is. Ze kan net zo manipulatief en leugenachtig zijn als de FBI. Misschien heeft ze het daar geleerd.

'Goedemorgen,' zeg ik, en beide agenten kijken op. Ze zijn geen van beiden een dag ouder dan veertig en zien er zeer verzorgd uit in hun cargobroeken en poloshirts. 'Wordt mijn administratie gecontroleerd?'

‘Ik mag hopen van niet, want daar is geen lol aan,’ zegt een van hen opgewekt.

‘Ik vroeg me af of dat de verklaring was voor het feit dat iemand van de belastingdienst net is weggelopen met mijn computer, wat trouwens volgens mij niet de juiste gang van zaken is. Ik heb altijd begrepen dat de belastingdienst niet zonder toestemming een particulier woonhuis kan betreden. Heeft Lucy daar toestemming voor gegeven?’

Geen antwoord.

‘Haar partner Janet dan?’

Niets.

‘Nou, ik heb het in ieder geval ook niet gedaan,’ zeg ik. ‘Dus ik vraag me af wie de belastingdienst toestemming heeft gegeven dit huis te doorzoeken en ervandoor te gaan met persoonlijke eigendommen. Niet alleen die van mijn nichtje, maar ook die van mij.’

‘We mogen echt niet praten over een lopend onderzoek, mevrouw,’ zegt de andere agent kort en met luide stem.

‘Als er een onderzoek naar mij wordt ingesteld en mijn administratie wordt gecontroleerd, heb ik het recht om dat te weten. Zo is het toch?’ vraag ik aan Donoghue, maar ik heb haar bevestiging niet nodig. ‘Ik weet niet goed wat hier gaande is en ik vind het noodzakelijk om er nogmaals op te wijzen dat mensen van de belastingdienst niet naar believen allerlei dingen kunnen meenemen.’

Ik speel een spelletje met ze en dat weten ze heel goed. Er wordt niet meer geglimlacht.

‘U zult het met hen moeten opnemen, mevrouw,’ zegt de agent met de harde stem; zijn toon is nu scherper. ‘Wij werken niet voor de belastingdienst.’

Ik ben er niet van overtuigd dat de man in het kakikleurige pak, die net naar buiten is gelopen met de iMac, wel voor de belastingdienst werkt. Hij leek niet echt het type, hij was heel anders dan alle belastingmensen die ik ooit heb ontmoet. En hij zei dat hij belastingman was en geen accountant. Een gewone belastingman doet meestal zaken die betrekking hebben op onbetaalde belasting, terwijl een controle door een accountant wordt gedaan. Ik weet überhaupt niet wat de belastingdienst in het huis van Lucy komt doen.

'Dit is mijn advocaat en ik ben blij dat ze getuige is van jullie lopende onderzoek,' zeg ik dan. 'Beelden zeggen altijd meer dan woorden. Ik wens u nog een prettige dag, heren.'

'Hoe wisten ze dat dit jouw kamer is?' vraagt Donoghue als we weglopen.

'Hoe wist jij dat het mijn kamer is?' vraag ik op mijn beurt.

'Omdat ik iemand erover hoorde praten toen ik het huis in liep. Ik ving opmerkingen op die erop neerkwamen dat ze net de computer van de doctor hadden ingepakt en dat ze ervoor moesten zorgen dat duidelijk was dat alles in die kamer van jou is,' legt ze uit. 'Daar bestond kennelijk geen twijfel over. Enige reden om te denken dat je een probleem zou kunnen hebben met de belastingdienst?'

'Niet meer reden dan ieder ander, voor zover ik weet.'

'En Lucy?'

'Ik heb niets te maken met haar financiën. Daar praat ze met mij niet over. Ik neem aan dat ze netjes belasting betaalt,' antwoord ik.

'Waarom zou de belastingdienst een onderzoek naar haar instellen?'

'Daar is geen enkele reden voor, volgens mij.' Ik voeg er niet aan toe dat Doug Wade in zijn kakikleurige pak niet zo'n soort belastingman is.

Als hij gemachtigd was een onderzoek in te stellen naar vermoedelijke belastingfraude, zou hij een pistool en een penning hebben. Bovendien werken de agenten van de belastingdienst meestal met zijn tweeën. Ik wil niet zeggen dat er iets schimmigs is aan Doug Wade en de reden van zijn aanwezigheid, maar ik weet heel zeker dat het niet is wat ze zeggen dat het is. De FBI trekt zijn eigen plan. En niet een plan dat erg aangenaam is of in dit geval zelfs maar gerechtvaardigd.

'Bovendien,' zeg ik zo hard tegen Donoghue dat iedereen het kan horen, 'is het de vraag of de FBI wel dingen in beslag kan nemen die van mij zijn, alleen omdat ze zich in Lucy's huis bevinden.' Ik weet al wat ze zal zeggen, maar dat weerhoudt me er niet van te hopen op een mogelijke uitweg, en ik ben in de stemming om de FBI te laten weten dat ik me niet laat intimideren.

'Ze kunnen alles in beslag nemen in een pand waarvoor ze een huiszoekingsbevel hebben,' zegt ze. 'Ze zullen beweren dat ze niet kunnen weten of de laptops die zich hier bevinden van Lucy zijn of van iemand anders, zoals van Janet of van jou. Ze zullen beweren dat ze dat alleen te weten kunnen komen door te kijken wat erop staat.'

'Met andere woorden: ze kunnen doen wat ze willen.'

'Inderdaad,' zegt ze. 'Daar komt het zo'n beetje op neer.'

Ik zie buiten in de drukkende hitte geen agenten heen en weer lopen en kijk naar de voertuigen die voor het huis staan, een rijtje van vier witte Chevrolet SUV's. Daarachter staat een zwarte Ford sedan en ik vraag me af van wie die is. Misschien van die zogenaamde belastingman.

De helikopter is verdwenen en ik hoor de wind in de bomen en het verre gerommel van de donder. Uit het zuiden trekt een soort Chinese Muur van wolken op, even ontzagwekkend als een bouwwerk dat je vanuit de ruimte kunt zien. Er hangt een vochtige en onheilspellende atmosfeer.

'Waarom?' Donoghue kijkt op naar de dreigende wolken.

'Waarom wat?'

'Waarom vloog hier een helikopter? Wat spookte die in godsnaam uit? Hoelang heeft hij hier rondgecirkeld?'

'Bijna een uur.'

'Misschien filmen ze alles wat hier gebeurt.'

'Waarom zouden ze dat doen?'

'Politieke behoedzaamheid,' beslist Donoghue. Ze bedoelt het risico om in het openbaar in verlegenheid te worden gebracht of een slechte indruk te maken.

'Ik stel voor dat we naar de steiger gaan.' Ik wijs op de lantaarns en op een paar bomen waaraan camera's met microfoon zijn bevestigd.

Langzaam daal ik de houten trap af van de tuin naar de waterkant. Het is laagtij en ik vang de moerassige geur op van rottende vegetatie. De warme, drukkende lucht staat bol van een gewelddadige belofte. In het zuiden trekken de dreigende wolken snel op. Er staat ons zwaar noodweer te wachten en ik wil die verdomde FBI niet hier hebben als het uitbreekt. Ik wil niet dat ze met hun natte en modderige voeten het huis in en uit sjouwen. Ze hebben al genoeg schade aangericht.

Onze voetstappen weerklinken hol op het verweerde hout van de steiger. Het botenhuis staat op palen en eronder liggen kleurige kajaks, die zelden worden gebruikt. Lucy heeft niet veel belangstelling voor transportmiddelen zonder motor. Ik vermoed dat peddelen meer iets voor Janet is.

'Hoe was je getuigenverhoor vanmorgen?' Ik ga haar voor naar de voorkant van het botenhuis en denk aan gegevensvervalsing, aan een zaak die Donoghue vanmorgen kennelijk in de federale rechtbank heeft besproken.

Benton was daar ook. Heeft gegevensvervalsing iets te maken met de reden van de komst van de FBI? Ik vraag het niet rechtstreeks, en Donoghue laat niets los.

'Ik vroeg het me af omdat jij erover begon.' Ik zeg niet waar ze over begon, maar ze begrijpt wat ik wil zeggen.

'Het ging goed,' antwoordt ze dan. 'Er werd een motie ingediend om de zaak te laten seponeren, omdat het bewijs niet betrouwbaar is.'

'Waarom niet?'

'Ik geloof dat we er altijd van uit moeten gaan dat digitale media onbetrouwbaar kunnen zijn,' antwoordt ze, en door haar voorzichtige en slimme antwoord begrijp ik dat zij de advocaat is die heeft gevraagd om seponering.

Donoghue is een scherpzinnige, ervaren advocaat die geen enkele kans voorbij laat gaan om de jury te laten twijfelen aan de integriteit van welk aspect dan ook van de zaak die het Openbaar Ministerie haar voorlegt. Voor haar kan gegevensvervalsing een droom zijn die uitkomt. Maar ik heb mijn vraagtekens bij de timing. Waarom vandaag? Waarom was Benton daar? Waarom bevindt de FBI zich op Lucy's landgoed?

'Het staat allemaal met elkaar in verband,' zeg ik zachtjes, en dan hoor ik het weer.

De verhoogde C op een elektrische gitaar. Ik kijk naar het bericht dat net op mijn telefoon is verschenen en Donoghue kan aan mijn gezicht zien dat ik van streek ben.

'Alles goed?' Ze kijkt nadrukkelijk naar mijn telefoon en zegt heel zachtjes, bijna zonder haar lippen te bewegen: 'Wees heel voorzichtig. Ik ben ervan overtuigd dat ze haar netwerken zijn binnengedrongen.'

Ik sta stil. 'Een moment alsjeblieft.'

'Kan ik je ergens mee helpen?' Ze blijft haar woorden zorgvuldig kiezen.

'Lucy heeft hier een geweldig uitzicht.' Ik kijk naar het water en Donoghue weet dat ze verder geen vragen moet stellen.

Ik heb een bericht gekregen dat ze niet mag zien, en als het iets te maken blijkt te hebben met criminele activiteiten, wil ze er niet aan worden blootgesteld. Het is al erg genoeg dat ik het heb ontvangen. Ik kijk haar na als ze wegloopt en doe mijn oortje weer in. Dan ga ik met mijn gezicht naar de rivier staan en houd de telefoon dicht tegen mijn lichaam. Om elk schijntje privacy dat ik zou kunnen hebben te benutten, bedenk ik waar Lucy's camera's waarschijnlijk zullen hangen, ga er met mijn rug naartoe staan en krom mijn schouders een beetje, voorbereid op iets wat moeilijk zal zijn om naar te kijken.

Net als de andere twee berichten lijkt ook dit verzonden via Lucy's noodnummer. Er is geen tekst, alleen een link. Ik klik erop en meteen begint de video met beelden van Lucy's slaapkamer. Dan rollen de credits voorbij, langzaam omlaag druipend in bloedrode letters.

VERDORVEN HART – SCÈNE III
DOOR CARRIE GRETHEN
11 JULI 1997

19

Ze houdt op met voorlezen en haar soepele, bleke vingers vouwen snel de vellen wit, ongelinieerd papier met het script dicht.

Op het moment dat Carrie de envelop weer in de groene legerrugzak schuift, gaat op de achtergrond een deur dicht en dan pikt de camera Lucy op, die de slaapkamer in komt. Het ziet ernaar uit dat ze sinds de laatste video die ik heb gezien onder de douche is geweest en dat versterkt mijn groeiende overtuiging dat de opnamen zijn gemonteerd om een boodschap over te brengen. Ik moet goed opletten, hoe ongemakkelijk ik me er ook onder voel om zo gemanipuleerd te worden. Het is van het allergrootste belang dat ik alles wat ik hoor en zie in mijn geheugen opsla, want de video wordt waarschijnlijk automatisch vernietigd nadat hij is afgespeeld.

Lucy's haar is vochtig. Ze draagt een verbleekte spijkerbroek, een groen FBI-poloshirt en slippers. Ze heeft een armvol opgevouwen ondergoed, korte broeken, shirts en in bolletjes gerolde sokken bij zich, maar laat alles op het voeteneind van het bed vallen, onder de waakzame blik van Mister Pickles glazige, amberkleurige ogen.

'Dat van jou ligt bovenop,' zegt ze kil tegen Carrie, zonder haar aan te kijken. 'Alles wat wit is, is zo'n beetje van jou. Gek, normaal associeer je helderwit niet met de slechterik. Ik dacht dat ik je gevraagd had te vertrekken. Wat doe je hier verdomme nog?'

'Wie slecht is en wie goed is slechts een kwestie van opinie. Je wilt niet echt dat ik wegga.'

'Het is geen kwestie van opinie en jij moet maken dat je wegkomt.'

'Ik draag wit om dezelfde reden als jij het zou moeten doen. Veelvuldige blootstelling aan chemische kleurstoffen is giftig.' Carrie stopte haar witte kleren in de rugzak. 'Ik weet dat jij je niets aantrekt van zulke prozaïsche details omdat je denkt dat je niet bang hoeft te zijn om ouder te worden. Of om een neurologische aandoening of kanker te krijgen, of een ziekte die je immuunsysteem vernietigt, zodat je aangevallen wordt door je eigen lichaam. Geen prettige manier om dood te gaan.'

'Er is geen prettige manier om dood te gaan.'

'Maar wel een heleboel onprettige manieren,' zegt Carrie. 'Je kunt beter worden doodgeschoten. Of omkomen bij een vliegtuigongeluk. Je wilt niet ziek worden of je laten vergiftigen. Je wilt niet langzaam achteruitgaan. Stel je voor dat je een hersenbeschadiging oploopt. Of dat je oud wordt. Ouderdom is de grootste vijand, en ik wil die verslaan.'

'Met die stomme crèmes met koper erin, bedoel je?'

'Op een dag zul je terugdenken aan dit moment en wensen dat je alles anders had aangepakt. En als ik alles zeg, bedoel ik ook alles.' Ze kijkt Lucy strak aan, zonder met haar ogen te knipperen. 'Aardig van je om de was te doen. Was het druk?'

'Ik heb een eeuwigheid moeten wachten op een wasdroger. Het is een crime om die dingen te moeten delen.' Lucy heeft een teruggetrokken, zwaarmoedige bui en wil Carrie niet aankijken.

'Wat zijn we weer arrogant. Je zou jezelf eens moeten horen. En je bent nog wel de enige op deze verdieping die geen kamergenoot heeft en een eigen badkamer.'

'Houd je bek, Carrie.'

'Je bent nog maar negentien, Lucy.'

'Houd verdomme je bek.'

'Je bent nog maar een kind. Je hoort hier helemaal niet te zijn.'

'Ik wil die MP5K terug. Waar is hij?'

'Op een veilige plek.'

'Hij is niet van jou.'

'Ook niet van jou. Wat lijken we toch op elkaar. Weet je dat wel?'

'We lijken helemaal niet op elkaar.' Lucy legt wat kleren weg, waarbij ze laden openrukt en dichtslaat.

'We lijken precies op elkaar,' zegt Carrie. 'We zijn verschillende kanten van één ijsblokje.'

'Wat heeft dat nou weer te betekenen?'

Carrie trekt haar hemdje en sportbeha over haar hoofd en blijft halfnaakt tegenover Lucy staan. 'Ik geloof geen woord van wat je hebt gezegd. Je meende het niet. Je houdt van me. Je kunt niet zonder me. Ik weet dat je het niet meende.'

Lucy blijft haar even aanstaren en dan duwt ze nog een la dicht, terwijl Carrie haar bezwete kleren laat liggen waar ze neervielen. Ik zie geen zichtbare pigmentlijnen op haar blote huid, die geen enkele variatie in kleur vertoont. Haar borsten, buik, rug en nek zijn allemaal even melkwit.

'Uiteindelijk merkt Benton heus wel dat hij weg is,' zegt Lucy. 'Waar is dat pistool? Dit is verdomme niet meer leuk. Geef het terug en laat me met rust.'

'Ik kan niet wachten om het weer in de originele staat te brengen, er wat schietproeven mee te doen en het weer in zijn mooie koffertje te stoppen. Stel je eens voor. Dat je op een drukke stoep staat met je koffertje in de hand als de stoet voorbijrijdt.'

'Welke stoet?' Lucy kijkt naar haar.

'Opties te over.'

'Je bent nog geschifter dan ik ooit had kunnen denken.'

'Doe niet zo overdreven.' Carrie pakt het flesje St. Pauli Girl van het bureau en neemt op een paar centimeter van Lucy's gezicht een slok. 'Ik weet dat je niet meende wat je eerder zei.' Ze leunt tegen haar aan terwijl ze bier drinkt en laat een hand onder Lucy's shirt glijden.

'Laat dat.' Ze duwt Carries hand weg. 'Water heeft trouwens helemaal geen kanten, en een ijsblokje bestaat uit water, dus je kletst zoals gewoonlijk weer uit je nek.'

'O ja?' Carrie kust haar en hun gezichten zijn elkaars verontrustende spiegelbeeld.

'Laat dat,' zegt Lucy.

Ze hebben allebei scherpe trekken, felle ogen, een sterke kaaklijn en rechte, witte tanden, en ze bezitten allebei een buitengewone soepelheid en sierlijkheid. Dat is niet verrassend. Benton zegt dat Carrie de klassieke narcist is, die verliefd wordt op zichzelf en van het ene evenbeeld naar het volgende trekt. De wereld is een spiegelkamer waarin ze voortdurend weerkaatst wordt, maar in Lucy heeft ze iemand getroffen die tegen haar op kan. Benton beschrijft Carrie als Lucy's dubbelganger, haar zwarte kant.

'Niet doen, Carrie. Nee.'

Ze hebben allebei het prachtige lichaam van een Olympische atleet, ruim één meter zeventig lang met flinke borsten, smalle heupen, een sixpack en gespierde armen, dijbenen en kuiten. Ze zouden gemakkelijk voor zussen kunnen doorgaan.

'Nee!' Lucy trekt zich terug. 'Houd op!'

'Waarom zei je het?' Carrie blijft haar recht aankijken. 'Je weet dat je niet bij me weg kunt.'

'Ik ga uit eten en als ik terugkom, kun je maar beter zorgen dat je weg bent.' Lucy's stem trilt. Ze gaat op de rand van haar bureau zitten en doet sokken en zwartleren sportschoenen aan.

'Feliciteer Marino van mij.' Carrie blijft agressief dicht bij haar staan. 'Ik hoop dat jullie veel plezier hebben in de Globe and Laurel. Vertel hem in ieder geval waarom ik er niet bij ben.'

'Je bent niet uitgenodigd. Je zou nooit worden uitgenodigd en je had niet anders kunnen verwachten. Je had trouwens toch niet willen gaan.'

'Ik had het niet willen missen, maar ik begrijp het wel. In zijn favoriete kroeg hoort hij omringd te worden door zijn favoriete mensen.' Carries staalblauwe ogen zijn ijskoud. 'Ik zal je wat geld meegeven om hem een drankje aan te bieden, of een speciaal toetje met een kaarsje erop.'

'Hij wil je er niet bij hebben en je geld heeft hij niet nodig.'

'Het is anders niet erg aardig. Om me niet uit te nodigen voor het grote verjaardagsfeest,' zegt Carrie. 'Kijk maar uit. Straks krijgt hij nog een vergiftigde appel toe.'

'Je weet verdomd goed waarom je niet met ons uit eten kunt.'

'Laat me raden wiens idee het was om me links te laten liggen. Niet dat van Marino. Het was je geliefde tante Kay.'

'Ik heb inderdaad nog nooit een vriendin gehad van wie ze zo'n lage dunk had.'

'Je verveelt me.'

'Het is gewoon ziek, zo bazig en competitief als jij bent.' Lucy ijsbeert door de kamer en raakt steeds meer van streek.

'En jij bent onvolwassen en vervelend en als je zo doet, ben je enorm saai.' Carries stem klinkt doods en ze staat heel stil en volkomen rustig bij het bureau. 'Ik haat saaie mensen. Er is misschien niets waar ik zo'n hekel aan heb. Alleen wil ik niet graag mijn vrijheid kwijtraken. Wat zou jij erger vinden, Lucy Boo? De dood of de gevangenis?'

Lucy loopt de badkamer in. Aan de wastafel laat ze een glas vol water lopen en dan keert ze terug naar de slaapkamer, waar Carrie bij het bureau met het Zwitserse legermes staat te spelen.

'Waarom zei je dat? Dat heb je nooit eerder gedaan,' houdt Carrie vol met een volkomen uitdrukkingsloze stem.

Lucy schraapt haar keel en mijdt Carries blik. 'Maak het nou niet moeilijker dan het al is.'

'Je loopt te mokken.' Carrie kijkt haar aan met starende reptielenogen.

'Helemaal niet.' Lucy schraapt nogmaals haar keel en neemt een slok water.

'Wat maak je er weer een drama van,' zegt Carrie. 'Je weet heel goed dat je niet zonder me kunt. Je kunt je dreigement niet waarmaken, dat heb je nooit gekund. Kijk nou eens naar jezelf. Je staat op het punt om in tranen uit te barsten. Je stort volledig in bij de gedachte dat we niet meer samen zullen zijn. Je houdt meer van me dan je ooit van iemand hebt gehouden. Ik ben de eerste van wie je hebt gehouden. Je eerste liefde. Weet je hoe dat werkt? Nee, dat weet je niet. Vergeleken met mij ben je nog maar een kind. Maar dit moet je goed onthouden.' Carries wijsvinger tikt tegen haar slaap.

'Je vergeet nooit je eerste liefde,' zegt ze langzaam en nadrukkelijk. 'Je komt er nooit overheen, want het zal het heftigste blijven wat je ooit hebt gevoeld, het ondraaglijkste verlangen, de grootste begeerte. De enorme verliefdheid. Het blozen. Het bonzen van je hart. Het brullen van je bloed, via je nek naar je hersenen, zodat je uit je dak gaat. Je kunt niet nadenken. Je kunt niet praten. Je wilt alleen maar aanraken. Je wilt die persoon zo graag aanraken dat je er een moord voor zou doen. Bestaat er iets mooiers dan begeerte?'

'Jij neukt die schoonheidskoningin. Dus ik neem aan dat je alles weet over begeerte. Het is afgelopen tussen ons.'

'Weet je het zeker?' Carrie kijkt naar het grote, rode legermes in haar hand. 'Je kunt het maar beter zeker weten. Woorden kunnen alles veranderen. Wees dus voorzichtig met wat je wel en niet zegt.'

'Ik had het bij onze eerste ontmoeting al kunnen weten.' Lucy gaat sneller lopen en gebaart heftig. 'Toen ze me naar de ERF brachten en me aan jou toewezen, mijn meerdere, mijn mentor, mijn persoonlijke kwelgeest.'

'Dat was niet de eerste keer dat ik jou ontmoette, Lucy. Het was alleen de eerste keer dat jij mij ontmoette.' Carrie gaat met haar duim over het mes om te controleren hoe scherp het is. 'Kom hier. Je moet eens wat rustiger aan doen.'

'Liegen en bedriegen, dat doe je, frauderen en intellectueel eigendom stelen, en dat is nog het ergste, want daarmee steel je iemands ziel. CAIN is van mij, niet van jou, en dat kun je niet uitstaan. Je hebt van het begin af aan de eer opgestreken voor wat ík heb ontwikkeld. Je ontfutselt mensen alles waarvan je besluit dat je het wilt hebben.'

'O mijn god, nou krijgen we dat weer.' Carrie lacht.

'Wie zou de eer moeten krijgen voor het Criminal Artificial Intelligence Network? Als je de waarheid zou spreken?' Lucy's ogen branden bij deze directe aanval. 'Wie heeft de naam bedacht, de afkorting CAIN? Wie heeft het belangrijkste programmeerwerk gedaan? Het is gewoon niet te geloven dat ik me zo heb laten gebruiken. En je zult me waarschijnlijk nog meer pijn doen voordat het voorbij is.'

'Voordat wat voorbij is?'

'Alles.'

'Als ik van plan ben je pijn te doen, weet jij dat pas als ik dat wil,' zegt Carrie, terwijl het geluid van geweerschoten klinkt als ver vuurwerk bij een viering die bijna is afgelopen.

Ze pakt Lucy vast, kust haar fel en Lucy slaakt een geschokte kreet van pijn. Ik zie het Zwitserse legermes in Carries hand, het kleine lemmet van glanzend staal. Ik zie Lucy's groene shirt donker worden van het bloed en haar vingers worden felrood als ze naar haar onderbuik grijpt en Carrie versuft, woedend, ongelovig en ontredderd aankijkt.

'Wat doe je nou?' gilt Lucy tegen haar. 'Wat heb je verdomme gedaan, idioot die je bent!'

'Het merkteken van het beest.' Carrie pakt een handdoek, tilt Lucy's shirt op en dept het bloed weg dat uit een horizontale snee in de linkerkant van haar onderbuik stroomt. 'Voor het geval je vergeet aan wie je toebehoort.'

'Jezus christus. Godskolere! Wat heb je gedaan?' Lucy trekt de handdoek weg en dan is er niets meer.

Het schermpje van mijn telefoon wordt zwart.

20

Op de voorveranda staan teakhouten ligstoelen met heldergroene kussens en bijpassende voetenbankjes.

Het water kabbelt tegen de palen. De rivier is hier vierhonderd meter breed en aan beide kanten liggen onbewoonde bossen. Ik zie een paar zeearenden hoog boven de loofbomen en de naaldbomen zweven. Dat herinnert me eraan dat zich hier een heleboel nesten bevinden, waardoor ik me opnieuw ga ergeren aan de FBI-helikopter die donderend over dit rustige natuurpark is gevlogen en niet alleen het wild, maar alles wat je maar kunt bedenken in consternatie heeft gebracht.

Onder andere omstandigheden zou het botenhuis een volmaakte plek zijn om aan het eind van een afschuwelijke dag als deze iets te drinken, en ik vraag me af waarom Lucy niet naar buiten komt om ons te begroeten. Ze zal ons zeker hebben zien komen. Er hangen waarschijnlijk wel vijftig bewakingscamera's op haar landgoed en we zijn gefilmd terwijl we hiernaartoe liepen. Het is vreemd dat ze ons niet tegemoetkomt. Ik klop op de voordeur. Ik hoor gelach, muziek, mensen die Japans spreken. Er staat een televisie aan.

Het slot wordt opengedraaid en Lucy doet de deur open. Mijn blik gaat onwillekeurig naar haar grijze T-shirt, alsof ik verwacht bloed te zien, alsof Carrie nog maar net het kleine lemmet van een Zwitsers legermes in haar buik heeft gestoken. Ik weet nog dat Lucy het van Marino kreeg nadat hij er een gewoonte van had gemaakt haar mee te nemen naar verlaten parkeerplaatsen om haar te leren op zijn Harley te rijden en haar vertelde dat ze altijd gereedschap bij zich zou moeten hebben. Zorg dat je altijd geld in je zak en een of ander mes bij de hand hebt, adviseerde hij haar jaren geleden.

Carrie heeft dat mes uitgekozen, het mes van Marino. Ze heeft het gebruikt om Lucy een merkteken te geven, om haar pijn te doen, en ik zie de fijne, kleurige libelle voor me die Lucy aan de linkerkant van haar onderbuik heeft laten tatoeëren. De eerste keer dat ik hem zag, legde ze uit dat libellen de helikopters van de insectenwereld zijn en dat ze zich daardoor had laten inspireren. Dat was niet waar. Ze heeft zich laten inspireren door een litteken dat ze voor iedereen wilde verbergen. Ze vond het beschamend. En ze wilde vooral niet dat ik de waarheid te weten kwam.

'Hoi.' Lucy houdt de deur open.

'Zag je ons niet komen?' vraag ik.

‘Ik kijk niet wie er op mijn terrein zijn, want ik weet het toch al,’ antwoordt Lucy als Donoghue en ik naar binnen lopen. ‘Bovendien weet ik wat zij niet weten.’

‘En dat is?’ vraagt Donoghue.

‘Wat ik weet in tegenstelling tot wat zij weten? Dat is een heel lange lijst. Ik zal je zo een paar dingen vertellen die erop staan.’

‘Alleen als het veilig is om te praten,’ zegt Donoghue.

‘Daar zal ik het ook over hebben.’ Lucy doet de deur dicht.

‘Dit zaakje stinkt,’ zegt Marino, die op de bank zit. Hij past op zijn woorden. Hij zou eigenlijk willen zeggen dat de situatie klote is of een teringzooi. Maar er zit een kind van zeven naast hem.

‘Kun jij er niets aan doen?’ vraagt hij aan Donoghue. ‘Dit is belachelijk. Wat dacht je van onrechtmatige doorzoeking en inbeslagneming? Of onrechtmatige vervolging?’

‘Volgens de wet kan ik niets doen. Nog niet, in ieder geval.’

‘Welke idioot van een rechter zou zijn handtekening onder zo’n gerechtelijk bevel zetten?’ Marino pakt een mok van de salontafel en ik zie het Keurig-koffiezetapparaat in de keuken staan.

‘Waarschijnlijk iemand die Erin Loria’s man kent, de federale rechter,’ opper ik. ‘Wil iemand koffie?’

‘Nou, het is verkeerd. Waar denken ze dat we zitten? In Rusland? In Noord-Korea?’ beklaagt Marino zich.

‘Ik wil wel toegeven dat dit nogal extreem en ongehoord lijkt. Een kop koffie zou lekker zijn,’ zegt Donoghue tegen mij.

‘Nou en of. Het is volkomen geschift, en dat is het,’ beaamt Marino van zijn kant van de bank.

Midden op de bank zit Desi en daarnaast Janet, en ik hoor Jet Ranger snurken voordat ik hem onder de ontbijttafel zie liggen. Ik buk om zijn kop en zijdezachte oren te aaien en hij likt mijn hand en wiebelt met zijn staartstompje, waarna ik naar het aanrecht loop. Daar maak ik koffie en neem de omgeving in me op, te beginnen met de zestig inch flatscreen aan de muur.

In plaats van beveiligingsbeelden is er een tv-programma op te zien: een Japanse comedyserie via het Tokyo Broadcasting System. Niemand heeft er ook maar enige belangstelling voor. Dat is ook niet de reden waarom het programma aanstaat. De flatscreen is meer dan een tv of een beeldscherm, concludeer ik terwijl de koffie luidruchtig in een mok loopt. Het is eerder een soort basisstation dat gesprekken via de mobiele telefoon vervormt, zodat iemand die de gecodeerde gesprekken onderschept alleen maar ruis te horen krijgt.

Ik kijk om me heen naar de ingebouwde speakers en naar de dikke muren van cipressenhout en driedubbel glas, dat aan de buitenkant weerspiegelt zodat niemand naar binnen kan kijken. Ik ben hier eerder geweest, niet vaak, maar af en toe, en dit is de eerste keer dat me duidelijk wordt dat het niet zomaar een botenhuis is. Lucy heeft een systeem geïnstalleerd om geluiden te maskeren. Ik vraag me af of ze dat pas onlangs heeft laten aanleggen, net als de rotstuin. Ze is al een tijdje voorbereid op een bezoek van de FBI. In ieder geval sinds half juni. Sinds ik ben neergeschoten. Dat denk ik tenminste.

'Ze zijn hier nog niet geweest?' vraag ik aan Lucy terwijl ik Donoghue een mok koffie geef.

'Ze hebben snel even gekeken. Ik heb ze gezegd dat ze hier moesten beginnen en daarna weg moesten wezen omdat we een rustige plek nodig hadden voor Desi en Jet Ranger.'

'Wat aardig van ze om je tegemoet te komen,' zegt Donoghue droog.

'Ik heb geëist dat ze een rustige en veilige plek zouden krijgen.'

'Ja, wat aardig en attent van de FBI om aan je wensen te voldoen,' zeg ik nadrukkelijk, want de FBI is niet aardig of attent en wat Lucy wil, kan ze helemaal niets schelen. 'Nogal ongewoon, vind je niet?' Ik kijk naar de ingebouwde speakers en naar de plafondtegels. 'Hebben ze geen bezwaar gemaakt of erop aangedrongen dat hier een agent aanwezig zou blijven?'

'Nee.'

'Dus volgens jou maken ze zich niet druk om jouw verbouwingen.' Ik blijf me voorzichtig uitdrukken, want ik ben er nog steeds niet van overtuigd dat dit gesprek niet wordt afgeluisterd.

'Ze kunnen niets meer doen aan de manier waarop ik mijn huis en bijgebouwen heb gebouwd. Een huiszoekingsbevel geeft ze geen toestemming om iemands eigendommen te vernielen,' zegt Lucy, en ze heeft gelijk, maar alleen in theorie.

FBI-agenten mogen geen eigendommen beschadigen, de infrastructuur van een woonomgeving onklaar maken of opzettelijk een gat in de beveiliging slaan. Maar dat betekent niet dat ze het niet zullen doen. Het betekent niet dat het moeilijk is om hun daden te rechtvaardigen. Ik vraag me af of ze hebben gezien dat elk geluid hier gemaskeerd wordt en zo ja, waarom ze het botenhuis niet tot verboden gebied hebben verklaard.

Waarom hebben ze dat niet gedaan?

Wat is de eigenlijke reden waarom ze ons toestaan ons hier te verschansen en is er een manier waarop ze ons in de gaten kunnen houden, ondanks het feit dat Lucy volhoudt dat dat niet kan? Als ik ernaar vraag, zweert ze dat we hier veilig zijn. Ze zweert dat alles wat we hier bespreken onder ons blijft. Maar ik blijf twijfels houden, wat ze ook zegt. Ik vertrouw helemaal nergens meer op.

'Ik hoop dat je gelijk hebt en dat het goed zit.' Ik kijk Lucy recht aan. 'Hoe is het verder met iedereen? Gaat alles goed?' Ik richt me tot Janet en loop naar de bank. 'Gaat het een beetje met jou en Desi?'

Ik omhels haar. Janet reageert rustig en beheerst. Dat zit in haar aard, in haar persoonlijkheid. Mijn aandacht valt op haar jeugdige, aantrekkelijke gezicht.

Ze heeft geen make-up op. Haar korte, blonde haar zit in de war alsof ze haar vingers erdoorheen heeft gehaald en haar nagels zijn vies. Ze draagt operatiekleding en ik weet toevallig dat ze daarin slaapt. Maar ze hangt er niet in op de bank. Ik heb haar alleen operatiekleding zien dragen als ze op het punt staat naar bed te gaan of als ze net op is. Het loopt tegen het middaguur en ze zit er onverzorgd en in operatiekleding bij. Dat betekent iets. Ik moet er alleen nog achter zien te komen wat.

Als de FBI hier halverwege de ochtend is gearriveerd, wat waren Lucy en Janet dan voor die tijd aan het doen? Ik ben er heel zeker van dat ze niet ontspannen in het huis rondhingen. Toen ik Janet omhelsde en haar een zoen op haar wang gaf, proefde ik zout. Ik pikte de prikkelende geur op van klei, vermengd met de vage muskusgeur van zweet. Lucy was ook bezweet. Misschien hebben ze eerder vandaag in de tuin gewerkt.

Ze hebben niet in de tuin gewerkt. Ze hebben een hovenier die ook het gras maait.

Ik kijk naar de ingebouwde boekenplanken, de balken, de vloer van grijs leisteen, het keukentje met zijn gasfornuis en roestvrijstalen aanrecht en apparatuur en de rookkleurige tegels van Venetiaans glas. Het botenhuis ziet er licht en eenvoudig uit en heeft een klein zitgedeelte en een badkamer. Het is schoon, maar doet leeg aan, als een gebouw dat zelden gebruikt wordt. Misschien alleen als Lucy gesprekken onverstaanbaar moet maken. Of als ze zich opgejaagd voelt. Dat gevoel heeft ze waarschijnlijk vaker dan ik heb beseft.

'We zijn hier veilig.' Lucy ziet hoe ik alles in me opneem. 'Dit is op het moment de enige echt veilige plek op het landgoed. Ze kunnen ons niet horen, dat verzeker ik je. Ze kunnen ons niet zien. Zolang we maar binnen blijven.'

'En dat staan ze gewoon toe?' vraagt Donoghue weifelend.

Lucy lacht. 'Inderdaad, maar ze hebben geen idee wat ze toestaan. Het botenhuis is aangesloten op een veilig en draadloos netwerk. Een verborgen netwerk, moet ik daaraan toevoegen.' Opeens is ze zelfgenoegzaam en vrolijk, maar ze duikt meteen weer terug in haar somberheid.

Toch heb ik het gezien. Ze is de FBI te slim af geweest, of in ieder geval denkt ze dat. Voor Lucy is niets mooier dan dat.

'Er zijn nog wat andere eigenschappen die ervoor zorgen dat er niets mee kan gebeuren. Daar ga ik verder niet op in.' Ze kijkt naar Donoghue en weer naar mij. 'Jullie hoeven alleen maar te weten dat we hier op dit moment veilig zijn.'

'Weet je het zeker?' Ik neem een slokje van mijn koffie en besef hoe hard ik die nodig had. 'Absoluut zeker?'

'Ja.'

'Dan zal ik vrijuit praten.'

21

'Ga je gang,' zegt Lucy.

'Jij denkt dat ze het duikmasker zoeken dat ik ophad.' Het is geen vraag, maar een mededeling. 'Jij denkt dat ze je landgoed afzoeken vanwege de video die is gemaakt door de camera op mijn masker, een masker waarvan mij is verteld dat het niet meer gevonden kon worden.'

'Ik weet niet echt waarvoor ze komen. Het zou daarvoor kunnen zijn,' zegt Lucy. 'Het kan ook met meerdere dingen te maken hebben,' voegt ze eraan toe, alsof dat haar echte mening is.

'Ik heb niets gehoord over een zoekgeraakt masker of een camera.' Donoghue heeft plaatsgenomen in een stoel tegenover de bank en een geel notitieblok en een pen tevoorschijn gehaald.

'In het nieuws is er niets over gezegd,' antwoord ik.

'Toch waren er genoeg meldingen over wat er in Florida is gebeurd, over de twee vermoorde politieduikers en de bijna succesvolle poging om jou te vermoorden,' zegt Donoghue tegen me.

'Laat me raden,' zegt Lucy. 'Je kunt je niet herinneren dat je ergens de naam van Carrie Grethen bent tegengekomen.'

'Dat klopt.'

'En die zul je ook niet tegenkomen.' Nu heeft Janet het woord genomen. 'Die lui van de FBI zullen ontkennen dat ze bestaat. Dat doen ze nu en dat zullen ze blijven doen.'

'Hoe kun je daar zo zeker van zijn?' vraagt Donoghue.

'Ik ken ze.'

'Het is wel duidelijk dat je me een heleboel moet vertellen, Kay.' Donoghue schrijft de naam Carrie Grethen op in hoofdletters en trekt er een cirkel omheen.

'Dat weet ik.'

'Ze wilden niemand laten weten dat het masker zoek is,' zegt Lucy. 'Of dat ze geloven dat het zoek is. Idioot gewoon. Het heeft niets met logica te maken.'

'Met "ze" bedoel je de FBI,' neemt Donoghue aan.

'Ja,' zegt Lucy. 'Zij zijn verantwoordelijk voor wat er aan de pers is doorgegeven over de gebeurtenissen bij Fort Lauderdale.'

'Hoe weet jij dat?' vraag ik. 'Hoe weet jij wat ze met de media doen?'

'Mijn zoekmachines. Ik zie alles wat eruit gaat.'

Door computers te hacken.

'Nergens is iets gezegd over het vermiste masker, en dat is oerstom, want degene voor wie ze dat detail verborgen proberen te houden, is de persoon die jou heeft neergeschoten,' zegt ze tegen me. 'Die persoon is Carrie, en zij weet heel goed dat het masker dat jij ophad zoek is, omdat zij de oorzaak is van die vermissing.'

'En dat kun je zien op de beelden. Je kunt zien dat ze mijn masker meeneemt.' Ik hoop dat het waar is, maar ik begrijp niet goed hoe dat zou kunnen. 'Toen ik besefte dat mijn masker weg was, leek het logisch om te veronderstellen dat Carrie het in een afscheidsgebaar van mijn gezicht had gerukt. Ze zal hebben gezien dat er een camera boven het neusstuk zat. Ik kan me voorstellen dat ze de opnamen wilde hebben.'

'Ze heeft je masker niet afgerukt,' zegt Lucy. 'Maar ze zal beslist de opnamen willen hebben.'

'Hoe is mijn masker dan afgegaan? Ik heb begrepen dat ik de regulator heb uitgespuwd. Dat zegt Benton tenminste, maar hij heeft nooit gezegd dat ik ook mijn masker heb afgedaan. Hij zal het zeker niet zelf hebben gedaan.' Terwijl ik dit zeg, groeit mijn onzekerheid. 'En hij zal haar niet zo dichtbij hebben laten komen dat ze het masker van mijn gezicht kon trekken.' Ik ben met de minuut minder zeker van mijn zaak. 'Ik kan me niet voorstellen dat het zo gebeurd is.'

'Ze is niet dichterbij gekomen, tante Kay. Ze schoot je neer en daarna was ze buiten beeld.'

'Buiten beeld? Is ze niet gefilmd?' Ik krijg een koud gevoel in mijn buik, een akelige knoop in mijn maag.

'Je masker is afgeraakt toen je worstelde met het touw tussen de harpoen en de boei op het wateroppervlak, dat je heen en weer rukte,' zegt Lucy, en ik probeer positief te blijven denken, ook al voel ik dat het zwaard van Damocles op het punt staat te vallen.

'Mooi. Prima. Dat is dus vastgelegd.' Ik houd mezelf voor de gek, maar ik kan het niet helpen. 'Dan kunnen we de stukjes in elkaar gaan leggen en laten zien wat er precies gebeurd is en wie er verantwoordelijk is.' Ik vat weer moed, ook al snap ik niet hoe het in zijn werk heeft kunnen gaan.

'Was het maar zo eenvoudig.' Lucy werkt toe naar het slechte nieuws dat nu gaat volgen. 'Carrie hoeft niet uit de media te vernemen dat dit hoogst belangrijke stuk bewijs verloren is gegaan, wordt vermist of is gestolen of wat dan ook.' Ze klinkt sarcastisch en de moed zinkt me nog verder in de schoenen, terug naar de duistere plek waar hij zich al weken bevindt.

'Wat kan het in godsnaam uitmaken wat er in het nieuws bekend wordt gemaakt?' werpt Marino tussenbeide.

'De FBI denkt dat het uitmaakt,' zegt Janet zacht en ernstig. 'Niet om de juiste reden, en dat is het probleem. Dat is altijd het probleem.'

'Je brengt deze informatie naar voren alsof het om een onbetwistbaar feit gaat,' zegt Donoghue tegen Lucy. 'Eigenlijk zeg je dat vaststaat dat Carrie iets te maken heeft met Kays vermiste duikmasker. En ik blijf me maar afvragen hoe jij dat weet.'

'Ik geloof dat ze probeert te zeggen dat Carrie misschien niet mijn masker heeft afgerukt, maar dat ze het heeft gevonden en dat Lucy nu de opnamen heeft.' Ik kijk mijn nichtje recht aan om te zien of ze dit gaat ontkennen, en weet meteen dat ze dat niet gaat doen.

Lieve God. Wat heb je gedaan?

'Ik zal het uitleggen.' Lucy kijkt door het raam naar de donker wordende hemel.

'Godallemachtig. Vertel me alsjeblieft dat je een grapje maakt.' Marino's ogen lijken op het punt te staan om uit zijn hoofd te springen.

'Ik begrijp niet hoe je het haar afhandig hebt kunnen maken,' zeg ik tegen Lucy terwijl in mijn hoofd de alarmbellen afgaan.

'Godverdomme!' zegt Marino luid. 'Sorry,' verontschuldigt hij zich dan tegenover Desi.

'Ik heb niet gezegd dat ik het masker van haar heb gekregen,' antwoordt Lucy. 'Ik heb niets rechtstreeks van haar.'

'Ga niet praten zoals ik, jongen. Goed begrepen?' Marino slaat zijn arm om Desi heen, trekt hem naar zich toe en gaat stevig met zijn knokkels over zijn hoofd.

'Au!' gilt Desi giechelend.

'Weet je hoe ze dat noemen? Een wasbordje.'

'Dat doen de pestkoppen op het schoolplein,' zegt Janet.

'Ik moet van mama betalen als ik lelijke woorden gebruik. Een kwartje voor "verdomme", vijftig cent voor "shit" en een dollar als ik het k-woord zeg. Jij zit nu al minstens op één dollar en vijfentwintig cent,' laat Desi Marino weten. Hij gebruikt nog steeds de tegenwoordige tijd als hij het over zijn moeder heeft.

'Heb je contact gehad met Carrie? Heb je haar gezien?' vraag ik zo rustig als ik kan aan Lucy.

'Het is niet wat je misschien denkt,' zegt Janet.

Ik moet steeds denken aan Lucy's recente reisje naar Bermuda. Ik weet dat ze daar is geweest, maar ik wist niet dat ze zou gaan. Ze heeft er nooit iets over gezegd. Ik ben er een paar dagen geleden achter gekomen dat ze er geweest was en dat Janet en Desi niet mee zijn gegaan. Lucy lijkt geen zin te hebben wat ze er eerder over gezegd heeft nader toe te lichten. Ze heeft gedoken. Het was geen vakantie. Ze is bij een vriendin van Janet geweest. Ik heb het gevoel dat het niet zomaar een vriendin was.

'Wat moeten we hiervan denken?' vraagt Donoghue aan Lucy.

'Niets. Denk er maar helemaal niets van.'

'Je moet me alles vertellen.'

'Ik vertel nooit alles. Aan niemand.'

'Je zult mij wel alles moeten vertellen als je wilt dat ik je vertegenwoordig.'

'Ik kan bepaalde details niet onthullen, het is aan jou hoe je daarmee omgaat.' Lucy gaat de strijd met haar aan.

'Ik weet niet of ik je dan van veel nut kan zijn.'

'Ik ben niet degene die je gebeld heeft,' zegt Lucy tegen haar terwijl ze naar mij kijkt.

'Ga niet weg,' zeg ik tegen Donoghue, die haar spullen verzamelt en opstaat.

'Je kunt niet weggaan,' zeg ik tegen haar. 'Je vertegenwoordigt mij ook.'

'Ik ben bang dat dit niet gaat werken.' Donoghue pakt haar tas.

'Lucy, alsjeblieft.' Ik kijk mijn nichtje waarschuwend aan en ze haalt haar schouders op.

'Je moet blijven.' Lucy klinkt niet erg overtuigend, maar het is genoeg.

'Goed dan.' Donoghue gaat zitten.

Desi's blik is steeds heen en weer gegaan tussen de mensen die aan het woord waren. Hij is een wijze oude ziel, klein voor zijn leeftijd met zijn bos lichtbruin haar en grote, blauwe ogen. Hij lijkt niet van streek of bang, maar hij zou hier niet bij moeten zitten.

Marino kan aan me zien wat ik denk. 'Ik ga wel even een eindje met hem lopen,' biedt hij aan, terwijl hij over de muggenbeten op zijn benen krabt, die felrode plekken vormen.

'Is dat niet leuk, Desi?' Lucy haalt stoelen weg van een tafeltje bij de keuken en zet ze bij de bank.

Ik heb al die tijd gestaan, omdat ik koppig weiger als eerste te gaan zitten. Iedereen gaat er steeds van uit dat ik moet zitten vanwege mijn been, dus blijf ik langer staan dan ik zou moeten doen, ook al voel ik me nog zo ellendig.

'Ga je met Marino naar buiten?' moedigt Lucy Desi aan.

'Nee, ik wil niet.' Hij schudt zijn hoofd en Janet slaat haar arm om hem heen en trekt hem tegen zich aan.

'Ja, dat wil je wel.' Marino pakt een tube After Bite van het aanrecht.

'Vertel me meer over de camera,' zegt Donoghue tegen me. 'Geef me zo veel mogelijk details.'

Ze krijgt antwoord van Lucy. Die legt uit dat Bob Rosado, een Amerikaans congreslid, twee maanden geleden, op 14 juni, is doodgeschoten toen hij vanaf zijn jacht in Zuid-Florida aan het duiken was. Zijn zuurstoftank en een deel van zijn schedel zijn naderhand niet meer teruggevonden en omdat het een federale zaak was en ik door mijn banden met het leger federale jurisdictie heb, had ik besloten me in Fort Lauderdale bij Bentons arrestatieteam te voegen. Ik arriveerde daar de volgende dag, op 15 juni, om te helpen met de zoektocht en de eventuele berging.

'Bevestig je altijd een camera aan je duikmasker als je onder water iets moet bergen?' vraagt Donoghue.

'Zo zou ik het niet willen zeggen. De camera zit ingebouwd.' Ik ruik ammonia en tea tree-olie als Marino gel over zijn muggenbeten smeert.

'Maar je zet de camera aan en uit. Dat doe je zelf.' Ze draait langzaam haar koffiemok om op de armleuning van haar stoel, alsof ze duidelijk wil maken dat we vastzitten in een cirkelredenering.

'Ja,' antwoord ik. 'Al is het maar om te voorkomen dat ik vragen krijg over de procedures die ik gevolgd heb en over de waarheid van mijn getuigenis. Ik laat de jury graag zien waar ik bewijsmateriaal gevonden heb. Het helpt als ze zelf kunnen zien dat er op de juiste manier mee is omgegaan en dat het goed is veiliggesteld, en juist bij een duik is dat belangrijk omdat er niet bij wordt gepraat en er geen verhaal of uitleg bij is. Onder water kun je niet veel méér horen dan luchtbelletjes.'

'Dus toen je de persoon zag van wie jij gelooft dat het Carrie Grethen was, heeft de camera op je masker dat allemaal gefilmd,' zegt Donoghue tegen mij. 'En dat komt omdat jij hem had aangezet.'

'Dat klopt.'

'Dan zou Carrie op de beelden moeten staan.'

Ik wil zeggen dat dat natuurlijk zo is, maar word tegengehouden door de blik in Lucy's ogen. Er is iets mis.

'De camera nam alles op waar ik mijn gezicht naartoe draaide,' leg ik Donoghue uit terwijl ik de onzekerheid voel groeien. 'Daar komen geen aannames aan te pas. Het is niet wat ik geloof. Het is de waarheid. Ik weet wie ik heb gezien.'

'Ik twijfel er niet aan dat je dat gelooft.'

'Het gaat niet alleen om wat ik geloof.'

'Juist wel,' zegt Donoghue. 'Het is wat je gelooft, Kay, en dat is niet noodzakelijk de waarheid. Het ging snel. Uit het niets. In een oogwenk. Je was in je hoofd met Carrie Grethen bezig en toen werd je in niet bepaald optimale omstandigheden door iemand aangevallen. Je had net tot je schrik twee vermoorde duikers ontdekt...'

'Zij had ze vermoord.'

'Ik weet dat je dat gelooft. Ik ben ervan overtuigd dat je het meent. Het zicht moet behoorlijk slecht zijn geweest. Draag je contactlenzen als je duikt? Of is je masker op sterkte?'

'Ik weet wie ik heb gezien.'

'Laten we hopen dat we het kunnen bewijzen,' zegt ze, en Lucy heeft nog steeds die blik in haar ogen.

Er is iets mis.

'Denk je dat echt?' Ik word boos. 'Je denkt dat ik in shock was, dat ik het niet heb kunnen zien, dat ik in de war was en degene die daar rondzwom met een harpoen verkeerd geïdentificeerd heb?'

'We moeten het bewijzen,' herhaalt Donoghue. 'Ik maak je alleen duidelijk wat de tegenpartij zal zeggen.'

'En de tegenpartij is de FBI,' antwoord ik. 'Wat een trieste gedachte. Het lijkt erop dat ik tegenwoordig maar al te vaak met die gedachte moet leven. Toen ik pas begon, werd me verteld dat wetshandhaving een publieke dienst was. We zouden mensen moeten helpen in plaats van ze te vervolgen en te kwellen.'

'We beschouwen de FBI zeker als de tegenstander,' bevestigt Donoghue. 'Ik bereid je alleen maar voor op wat ze zullen zeggen – wat ze nu al zeggen, durf ik te wedden. We moeten bewijzen dat het beslist Carrie Grethen was, dat ze beslist niet dood is, dat ze beslist degene is die mensen en ook jou heeft neergeschoten. We moeten aantonen dat ze beslist... Hoe noemen ze die sluipschutter ook weer?'

'Koperkop.'

'Ja. Dat zij Koperkop is.'

Ik kijk naar Lucy's gezicht terwijl ze strak naar de Japanse comedyserie kijkt waar niemand belangstelling voor heeft. Dan kijkt ze terug, en ik schrik van wat ik zie. Ik voel ijswater om mijn hart. Ik hoor een fluistering van het noodlot.

Er is iets mis!

'Ik heb gezien dat Carrie een harpoen op me richtte en de trekker overhaalde.' Ik heb het gevoel dat ik me tegenover Donoghue moet verdedigen, en dat staat me niet aan. 'Ze keek me recht in de ogen van een afstand van niet meer dan zes meter, en ik zag haar op me schieten. Ik hoorde hoe de eerste speer mijn zuurstoffles raakte en toen sloeg de tweede speer in. Alleen hoorde ik die niet. Ik voelde hem. Het voelde alsof er een betonwagen tegen mijn been aanreed.'

'Het moet heel veel pijn hebben gedaan!' roept Desi uit alsof dit nieuw voor hem is.

Dat is het niet. We hebben een heleboel gesprekken gehad over het feit dat ik ben neergeschoten, wat dat betekende, of het pijn deed en of ik bang was om dood te gaan. Hij wil alles weten over de dood, omdat hij nog niet goed kan begrijpen hoe het mogelijk is dat hij zijn moeder nooit meer zal zien. Het was niet gemakkelijk voor me om zijn vragen te beantwoorden.

Ik begrijp de dood in biologisch opzicht. Het is een aantoonbaar gegeven. Een dood organisme gaat niet meer opstaan en warm worden. Het gaat niet meer bewegen of spreken of opeens een kamer binnenlopen. Maar ik ga tegen Desi niet praten over het definitieve van niet meer leven, van niet meer bestaan. Ik ga een jongetje dat net zijn moeder heeft verloren geen angst en fatalisme bijbrengen.

Het zou zelfzuchtig en hard van me zijn om niet in metaforen te praten, in analogieën die hoop en troost zouden kunnen bieden. *Doodgaan is net zoiets als een reis maken naar een plek waar geen e-mail of telefoon is. Of misschien moet je het zien als een reis door de tijd. Of naar een plek die je niet kunt aanraken, zoals de maan.* Ik ben er best goed in geworden om Desi onvolledige verklaringen te geven die ik zelf half geloof.

Marino laat de tube muggenspul op het aanrecht vallen. 'Kom op, maat.'

Janet wrijft over Desi's rug. 'Je zult het stilzitten onderhand wel zat zijn. Wat dacht je van een beetje frisse lucht voordat het gaat regenen?'

'Nee.' Hij schudt zijn hoofd.

'Marino kan heel goed vissen,' zegt Lucy. 'Hij kan het zo goed dat de vissen zijn foto in het postkantoor hebben gehangen om iedereen te waarschuwen. Grijp deze man! Kijk uit! Er is een beloning uitgeloofd!'

'Vissen hebben geen postkantoor!'

'Hoe weet jij dat nou? Dat kun je niet weten als je het niet hebt gezien.' Marino tilt Desi op en houdt hem hoog in de lucht, terwijl hij gilt van plezier. 'Wil je weten wat voor vissen hier in het water rondzwemmen? Wil je weten wat voor enorme vissen we zouden kunnen vangen als we een hengel hadden?'

Desi besluit dat hij het wil weten en Marino neemt hem mee naar buiten. Ik hoor ze nog even op de steiger. En dan niet meer.

22

'Het masker heb ik niet,' zegt Lucy. 'Maar ik heb toegang tot de opnamen.'

'Je hebt mijn masker niet zelf geborgen.' Ik moet er zeker van kunnen zijn dat ze niet in de buurt was toen ik het kwijtraakte en bijna doodging.

'Natuurlijk niet.'

'Je had het alleen kunnen bergen als je erbij was toen ik werd neergeschoten.' Ik zou er kapot van zijn als ik erachter kwam dat ze erbij was. Het zou mijn hele leven en mijn hele wereldbeeld veranderen. Het is een van de dingen die ik misschien echt niet wil weten, omdat de gevolgen rampzalig en onherstelbaar zouden zijn.

'Ik was niet in Florida. Waarom zou ik jou neerschieten?' zegt Lucy. 'Waarom zou ik jou iets aandoen? Waarom zou ik iemand toestaan jou iets aan te doen? Waarom vraag je dit? Hoe kun je ook maar een seconde denken...'

'Het is niet Kay die dat denkt,' valt Donoghue haar in de rede. 'Dit is misschien wat ze willen bewijzen. Dit kan de zaak zijn die ze aan een jury willen voorleggen.' Ze wendt zich tot mij. 'Dat Lucy in Florida was en erbij was toen jij werd neergeschoten omdat ze de medeplichtige is van Carrie Grethen. Of erger nog, dat Lucy het allemaal gedaan heeft en dat Carrie Grethen niet bestaat.'

'Misschien gaat de FBI ervan uit dat ze echt dertien jaar geleden met haar helikopter is neergestort.' De woorden komen van Janet. Het lijkt niet echt een suggestie en ze kijkt naar Lucy. 'En dat jij alles over haar hebt verzonnen.'

'Precies.' Donoghue knikt. 'Dat is het scenario waarover wij ons allemaal zorgen moeten maken. Maar wat ik me nou afvraag,' zegt ze tegen mij, 'is hoe het met Benton zit. Hij was getuige van wat er gebeurd is. Hij heeft je leven gered. Hij moet de persoon die je heeft neergeschoten hebben gezien. Hij moet heel dicht bij die persoon in de buurt zijn geweest.'

'Hij heeft haar niet gezien.' Ik heb Benton er vele malen naar gevraagd en zijn antwoord is altijd hetzelfde. 'Toen hij zag dat ik in de problemen zat, had hij nergens anders meer oog voor. Hij hield zich alleen nog maar bezig met mij en zij moet ervandoor zijn gegaan.'

'Het is waarschijnlijker dat ze zich verdekt heeft opgesteld en heeft toegekeken,' werpt Lucy tegen.

'Zo te horen zal Benton dus in een verklaring zeggen dat hij niet kan zweren dat Carrie Grethen jou en de twee politieduikers heeft neergeschoten,' concludeert Donoghue. 'Ik wil vooral vooruitlopen op wat hij tegen zijn collega's van de FBI heeft gezegd, want je kunt er zeker van zijn dat ze hem tot vervelens toe hebben ondervraagd.'

'Als Benton tegen hen hetzelfde zegt als onder vier ogen tegen mij,' antwoord ik, 'dan zal hij niets onder ede kunnen verklaren, alleen dat het is gebeurd. Hij weet wat er met mij is gebeurd. Hij weet dat Lucy er niet bij was.'

'Volgens mij wil de FBI haar overal de schuld van geven,' zegt Janet, en het is meer dan een mening.

Ze zegt wat volgens haar de waarheid is.

'Ik denk dat ze willen aantonen dat Carrie Grethen een verzinsel is, een spook dat Lucy heeft bedacht om zich achter te verschuilen,' voegt Janet eraan toe.

'Maar wat ik niet begrijp, is waarom ze dat zouden willen aantonen,' zeg ik terwijl ik nadenk over de *Verdorven hart*-video's en of die bewijs zijn dat Carrie leeft.

Dat zijn ze niet. Ik moet het voor mezelf toegeven, hoe erg ik het ook vind. Ik weet verdomd goed dat de video's niet bewijzen wat ik zou willen. De opnamen zijn zeventien jaar geleden gemaakt. Het enige wat ze aantonen, is dat Carrie toen leefde. Bovendien heb ik de video's niet eens, zelfs niet de links die me zijn toegestuurd. Ik kan helemaal niets bewijzen.

'Wraak,' zegt Lucy.

'Ik betwijfel of de FBI over de tijd en energie beschikt om een huiszoekingsbevel te regelen en dit allemaal te doen, alleen om wraak te nemen.' Donoghue tikt met de punt van haar pen op het aantekenblok.

'Het zou je verrassen hoe kleinzielig de overheid kan zijn en hoeveel tijd en geld ze kan verspillen.' Lucy's scherpe sarcasme laat iets zien van de onderhuidse vijandigheid die ze koestert.

'Wraak is misschien de kers op de taart. Een kleine kers op een heel kleine taart.' Janet is zoals altijd de redelijkheid en gematigdheid zelve. 'Het is zeker niet alles, misschien zelfs geen belangrijk deel. Veel belangrijker is dat de FBI redenen heeft om te willen dat Carrie dood is. Belangrijke redenen. Belangrijker dan jou op je nummer zetten, Lucy. Het is natuurlijk slechts mijn mening, maar het is een goed onderbouwde mening. Ik ken de FBI. Ik heb voor de FBI gewerkt.'

'Willen ze Carrie nu dood hebben? Of willen ze dat ze doodblijft?' vraag ik.

'Dat had ik ook willen vragen,' zegt Donoghue. Ik wou dat ze ophield met dat getik met haar pen.

Mijn zenuwen kunnen op dit moment niet veel hebben.

'Willen ze haar dood hebben,' stelt Donoghue, 'of willen ze niet dat iemand denkt dat ze níét dood is?'

'Ze willen dat ze doodblijft,' antwoordt Janet. 'Ze willen niet dat iemand erachter komt dat ze nooit weg is geweest.'

'Welke reden hebben ze daarvoor, behalve dat het een blamage voor de FBI is?' informeer ik.

'Dat zou ik ook wel willen weten,' antwoordt Janet. 'Maar die blamage is voor hen genoeg reden. Het zou net zoiets zijn als erachter komen dat Bin Laden nog steeds ergens rondloopt nadat onze regering ons heeft verzekerd dat hij een begrafenis op zee heeft gekregen. Net als Carrie, eigenlijk, toen haar helikopter neerstortte.'

'Ik snap waarom iedereen wil dat ze dood is,' merkt Donoghue op. 'Wat ze jou heeft aangedaan' – ze kijkt naar mij – 'laat in ieder geval zien hoe weinig een mensenleven voor haar betekent, hoe verdorven ze is. Je had dood kunnen zijn. Je had blijvend verminkt kunnen zijn. Je had op z'n minst je been kunnen kwijtraken.'

'Dat is waar,' antwoord ik. 'Dat had allemaal kunnen gebeuren.'

'Je kunt je voorstellen dat het een klap in het gezicht van de FBI is als ze nog blijkt te leven,' houdt Janet vol.

'Wat bedoel je met "als"?' zegt Lucy tegen haar.
'Ik wilde niet impliceren...' begint Janet.
'Maar dat deed je wel. Je zei "als",' verwijt Lucy haar.
'Nou, het is moeilijk,' zegt Janet; ik denk onderwijl nog steeds aan de beelden die ik even geleden heb bekeken, beelden die nu weg zijn. 'Ik heb Carrie niet gezien. Ik heb zelfs geen recente foto of video-opname van haar gezien. Ik heb absoluut niets gezien waaruit zou blijken dat ze nog leeft. Ik moet afgaan op wat jij zegt. Op wat Kay zegt dat ze gezien heeft.'
Ik kijk naar Lucy, die onderuitgezakt in een stoel zit, zodat tussen de zoom van haar shirt en de band van haar korte broek een randje van haar platte buik te zien is. Ik denk aan de libelle en wat die verhult en dan denk ik aan de FBI en wat voor motieven die zou kunnen hebben om een inval te plegen op Lucy's landgoed en haar wapens en elektronica mee te nemen.
'Laten we eens praten over motieven. Is het mogelijk dat ze eigenlijk toegang willen tot de database en alle dossiers van het CFC?' Als ik die vrees onder woorden breng, stopt Donoghue met het getik met haar pen. Ze begint weer te schrijven. 'Lucy is nu eenmaal de toegang tot elke zaak waar ik ooit aan gewerkt heb, zowel op staats- als op federaal niveau.'
'Wat zouden ze kunnen zoeken dat ze niet op minder ingewikkelde manieren te pakken kunnen krijgen?' Donoghue maakt aantekeningen met haar krullerige handschrift.
'Dat zouden heel veel dingen kunnen zijn.'
'En hoe weet je dat de FBI niet al is doorgedrongen tot de database?'
'Dat zou ik gemerkt hebben,' zegt Lucy, wat ik een nogal opvallend antwoord vind.
Zeggen dat ze het zou merken als iemand onze database had gehackt, is niet hetzelfde als zeggen dat het niet gebeurd is.
'Er is iets aan de hand met mijn e-mail. Iemand zit eraan te snuffelen,' voegt ze eraan toe.
'Snuffelen? Dat is een eufemisme,' zegt Donoghue.
'Ik weet dat het soms Carrie is.'

'En jij hebt dat toegestaan?' Donoghues stem klinkt scherp.

'Ze kan nergens komen waar ik niet wil dat ze komt. Zie het als een rat in een cyberdoolhof. Ze blijft gewoon tegen mijn firewalls aanlopen. Wat maakt het uit of ze de e-mails ziet die ik haar wil laten zien? Maar de elektronische dossiers van het CFC zijn een ander verhaal.' Ook nu geeft Lucy geen antwoord.

Ze blijft zich dubbelzinnig uitdrukken als haar wordt gevraagd of de database van het CFC in gevaar is. Ze zegt gewoon dat ze het zou weten als dat het geval was. Ze zegt niet dat het níét zo is.

'En de FBI?' Donoghue tikt met haar pen om haar woorden nadruk te geven. 'Kan die in de database komen en via de netwerken hier op jouw landgoed gevoelige dossiers inzien?'

'Ze zullen ongetwijfeld denken dat ze het kunnen.' Weer zo'n cryptische opmerking.

'Dan zou dat de echte reden kunnen zijn voor hun komst. Ze willen zich via jou toegang verschaffen.'

'Ze denken misschien dat ze dat gaan doen.'

'Maar dat kunnen ze niet?' Donoghue houdt Lucy scherp in het oog.

'Ik word nooit automatisch ingelogd en er is niets wat hun gaat helpen belangrijke zaken in te zien. Maar het zou me niet verbazen als het een van hun beweegredenen is. Ze willen mijn persoonlijke technologie, mijn persoonlijke communicatiesoftware, als portaal gebruiken.'

'Het is belangrijk om voor ogen te houden dat ze meerdere dingen willen.' Janets herhaalde opmerking maakt me nieuwsgierig.

'Waar zouden ze op uit kunnen zijn?' vraagt Donoghue weer aan mij. 'Zoeken ze iets bijzonders, of kan het van alles zijn? Wat zouden ze bijvoorbeeld willen weten dat in jouw database staat?'

'Misschien weten ze niet wat ze zoeken,' merk ik op. 'Iets waarover ze niet genoeg weten om het op een huiszoekingsbevel te kunnen zetten, bijvoorbeeld.'

'Ze zijn aan het vissen, dus.'

'Het kan best zijn dat ze een net uitgooien, op zoek naar iets waar ze geen aandacht op willen vestigen of wat buiten hun bevoegdheid valt. Of misschien weten ze niet eens hoe ze erom moeten vragen, wat ze moeten vragen en waarom. Ik kan allerlei scenario's bedenken die de FBI ertoe kan aanzetten achter Lucy aan te gaan,' leg ik uit. 'Zij is in ieder geval een pad dat naar mij leidt. Zij is in ieder geval een manier om mij te pakken te krijgen, om buitengewoon vertrouwelijke informatie in handen te krijgen die betrekking heeft op zowel de plaatselijke als de federale wetshandhaving en in sommige gevallen op het leger en andere overheidsinstanties, waaronder de inlichtingendiensten.'

'Heb jij zaken van de CIA en de NSA in je computersysteem?' Dat wekt Donoghues belangstelling.

'We beschikken over gegevens waarvoor Binnenlandse Zaken belangstelling heeft. Meer ga ik er niet over zeggen.'

'Heb je de laatste tijd nog dergelijke zaken gehad?' vraagt ze.

'Daar kan ik niets over meedelen.' Ik denk aan Joel Fagano, een forensisch accountant uit New York die vorige maand dood in een hotelkamer in Boston is aangetroffen. De deur was aan de binnenkant afgesloten en er hing een NIET STOREN-bordje aan, en wat een duidelijk geval van zelfmoord door verhanging leek, zou geen enkele argwaan bij mij hebben gewekt als er geen mensen van de federale overheid waren opgedoken om de sectie bij te wonen. De twee FBI-agenten bleken gestuurd door de CIA. Dat was niet de eerste keer dat dit gebeurde en het zal ook niet de laatste keer zijn. Spionnen komen om bij auto- en vliegtuigongelukken. Ze plegen zelfmoord of worden vermoord, net als andere mensen, maar er is een groot verschil.

Als het om een overheidsfunctionaris gaat, moet men uitgaan van een misdrijf. In Fagano's geval bleek daar echter geen sprake van te zijn. Alles wat we aantroffen, wees erop dat hij een riem om zijn nek had geslagen en de zuurstoftoevoer naar zijn hersenen had afgesneden, en ik herinner me Bentons cryptische opmerking dat Fagano het enige deed wat in zijn macht lag toen hij zelfmoord pleegde, dat er iets was geweest waarvoor hij banger was dan de dood. Het komt hard bij me binnen.

Gegevensvervalsing.

Joel Fagano arriveerde bij ons met een USB-stick in zijn zak, en op die stick stond financiële software waarmee volgens Lucy op zo grote schaal fraude kon worden gepleegd dat het hele bankensysteem van de Verenigde Staten had kunnen worden ondermijnd. Ik weet nog dat ze zei dat het erom ging de schijn te wekken dat sommen geld aanwezig en verantwoord waren, tot de bezitter op een dag wakker wordt en beseft dat hij niets meer heeft. Er wordt hem verteld dat hij het allemaal heeft uitgegeven en om dat te bewijzen, wordt hem een algemene boekhouding getoond die eveneens is gemaakt door de frauduleuze software.

Stel dat we ten oorlog trekken, de stekker eruit trekken, of beslissingen van levensbelang nemen op basis van valse gegevens?

Lucy zei dat de term een 'trending onderwerp' was op Undernet, waar de gebruikers chatten over de vraag of het nog mogelijk is zeker te weten wat echt is. Hoe weten we tegenwoordig waarop we kunnen vertrouwen? Voor mij is het geen nieuwe vraag. Ik acht iets pas betrouwbaar als ik daar empirisch bewijs voor heb. Dat ligt in mijn aard en zo ben ik ook opgeleid. De Griekse wortel van het woord autopsie is *autopsiâ*, wat betekent: zelf kijken, aanraken, horen en ruiken. Dat kan ik in cyberspace niet doen, en het is tegelijkertijd zeer gemakkelijk en buitengewoon gevaarlijk als elk detail van ons leven en ons werk wordt gedigitaliseerd.

Een tijdlang heeft de technologie alles beter gemaakt, maar nu lijkt het erop dat we weer teruggaan naar de middeleeuwen. Digitale communicatie heeft me het gevoel gegeven dat ik sneller ga dan ooit, maar tegelijkertijd de vertrouwde navigatiemiddelen verlies waarmee ik ben geboren. Mijn eigen ogen. Mijn eigen oren. Mijn eigen tastzin. Ik mis pen en papier. Ik mis gesprekken van mens tot mens. Ik ben bang dat we gigantisch in botsing gaan komen met twijfel en desillusie.

Stel dat we uiteindelijk in de positie komen dat we alles wat via computers gaat moeten wantrouwen? Dan hebben we het over medische grafieken, noodhulpdiensten, bloedgroepen, medische dossiers, bedrijfsgidsen, vingerafdrukken, DNA, het overmaken van geld, financiële informatie, achtergrondonderzoeken en zelfs persoonlijke tekstberichten en e-mails. Stel dat we helemaal nergens meer op kunnen vertrouwen?

'Waar was je op het moment dat je tante op 15 juni werd neergeschoten?' Donoghue gaat door met haar scherpe ondervraging van Lucy.

'Ik zat in mijn helikopter op weg van Morris Country in New Jersey hiernaartoe,' zegt ze.

'Hoe laat vond de aanslag plaats?' vraagt Donoghue aan mij.

'Om ongeveer kwart voor drie in de middag.'

'En jij was precies op dat moment aan het vliegen?' Dit is weer een vraag voor Lucy.

'Tegen die tijd stond de helikopter alweer in de hangar. Ik zat in mijn auto.'

'Welke auto?'

'Ik geloof dat het die dag de Ferrari FF was. Het kan zijn dat ik onderweg naar huis een paar boodschappen heb gedaan. Ik weet het niet meer van minuut tot minuut.'

'Het feit dat je het niet meer weet is een probleem,' zegt Donoghue. 'Janet? Weet jij wat Lucy op die dag aan het doen was?'

'Ik heb haar niet gezien. Het ging op dat moment niet zo goed tussen ons. Ze had me gevraagd het huis te verlaten en ik was een tijdje naar mijn zus in Virginia.' Janet kijkt naar Lucy. 'Natalie was er slecht aan toe. Ze had pijn en ze was bang, dus het was een goed moment om een tijdje bij haar in de buurt te zijn. Ze bleek niet lang meer te hebben.' Ze kijkt van ons weg met ogen die schitteren van de tranen. 'Ik was niet blij met de reden waarom ik van huis was weggegaan. Het was een moeilijke tijd.'

'Ik wilde niet dat Carrie je iets aandeed,' zegt Lucy zachtjes.

'Dat heeft ze toch gedaan,' antwoordt Janet.

'Je problemen met Janet en het feit dat ze was vertrokken, spreken ook niet in je voordeel,' zegt Donoghue tegen Lucy. 'Je hebt geen getuigen. Problemen in de huiselijke sfeer wijzen op persoonlijke instabiliteit, dat is niet goed. En met jouw vermogen had je van je helikopter rechtstreeks in een privéjet kunnen stappen en binnen tweeënhalf tot drie uur in Fort Lauderdale kunnen zijn.' Ze speelt met veel plezier advocaat van de duivel. 'Vertel jij me maar eens of dat al dan niet mogelijk was.'

'Het was zeker mogelijk geweest in een Citation-Ten. Met de wind op die dag had ik binnen twee uur in Fort Lauderdale kunnen zijn.'

'Dat is dus een zwakke plek waar ze gebruik van zullen maken,' stelt Donoghue. 'Ze zullen grote gaten schieten in de bewering dat Lucy niet in Florida was toen jij werd aangevallen.

Ze zullen zeggen dat ze er had kunnen zijn.'

'Zijn er nog andere bewijzen?' vraag ik aan Lucy. 'IP-adressen, telefoongegevens, beelden op je bewakingscamera's? Iets wat zou bewijzen dat je hier in Concord was, in je eigen huis? Ik weet dat Janet er niet was. Maar is er niets anders wat jouw aanwezigheid zou aantonen?'

'Je weet hoe goed ik erin ben om te voorkomen dat mijn gangen worden nagegaan.'

'Je bent er zo goed in dat je nooit een alibi zult hebben als je er een nodig hebt,' zegt Donoghue.

'Ik maak er geen gewoonte van om over alibi's te denken.'

'In dit geval is dat erg jammer.'

'In mijn leven heb je geen alibi's nodig.'

'Maar het is kennelijk wel nodig dat je je sporen uitwist, dat je ervoor zorgt dat niemand weet waar je bent, wanneer je er bent of waarom je er bent,' zegt Donoghue om de discussie voort te zetten.

'Wil je soms vragen of er mensen zijn die het op me gemunt hebben?'

'Dat vraag ik niet,' zegt Donoghue. 'Het is wel duidelijk dat jij dat denkt.'

'Ik weet het.'

'Wat nu van belang is, is dat jouw verregaande maatregelen om je privacy te beschermen mijn werk bemoeilijken.'

'Er zal wel niet veel aan me zijn dat je werk niet bemoeilijkt.'

'Je elektronische communicatie is nooit terug te voeren op een bestaande locatie en als je besluit ergens heen te vliegen en wilt dat niemand dat weet, maak je gebruik van een andere naam. Klopt dat?'

'Zo'n beetje.'

'Spionnen hebben bijna nooit een alibi,' zegt Donoghue tegen haar. 'Ik hoop dat je daaraan gedacht hebt toen je ervoor zorgde dat je gangen nooit kunnen worden nagegaan.'

23

'Ik ben geen spion.' Lucy begint aan de volgende ronde van de woordenstrijd.

'Je leeft als een spion,' zegt Donoghue.

'Dat heb ik lang geleden geleerd.'

'Van Carrie?'

'Ik was een stagiair, een tiener toen ik haar ontmoette. Ze heeft me veel geleerd, maar lang niet zoveel als waarop zij zich laat voorstaan. Toen ik stage ging lopen bij de ERF...'

'Wat is dat?' vraagt Donoghue.

'De speelgoedwinkel van de FBI, waar de nieuwste en mooiste technologieën worden ontwikkeld voor surveillance, biometrie en uiteraard datamanagement, waaronder het Artificial Intelligence Network dat ik eind jaren negentig heb gemaakt. CAIN. Dat was helemaal van mijn hand, en Carrie is met de eer gaan strijken. Ze heeft mijn werk gestolen.'

'Dat betekent dat jullie allebei in staat zijn de database van de FBI te hacken. Omdat jullie die samen hebben gemaakt.'

'In theorie wel,' zegt Lucy. 'Maar ondanks haar leugens heb ik er het meeste werk aan verricht.'

'Jullie zijn een tijdje goede vriendinnen geweest.' Donoghue heeft geen belangstelling voor al dan niet gestolen werk. 'Tot je uiteindelijk ging inzien wie en wat ze is.'

'Zo kun je het wel zeggen,' beaamt Lucy, en ik kijk even naar Janet.

Ik vraag me af hoe moeilijk het voor haar is om eraan herinnerd te worden dat Carrie Lucy's eerste liefde was. Wat Carrie in de video's zegt is waar, en ik weet niet of Lucy ooit nog zoveel van iemand heeft gehouden. Het is begrijpelijk. De eerste keer is altijd het heftigst en het moeilijkst, en toen Lucy stage ging lopen bij de ERF was ze in emotioneel opzicht nog heel onvolwassen. Ze leek in dat opzicht eerder twaalf, en het zal altijd haar pech blijven dat de mentor die haar werd toegewezen op de FBI-lijst van tien meest gezochte mensen is beland. Opeens komt de vraag bij me op of Carrie er inmiddels weer op staat.

'Dat zou erop wijzen dat de FBI haar bestaan serieus neemt,' leg ik uit.

'Helaas, ze staat er niet op.' Het antwoord komt van Janet. 'Ze weten al meer dan twee maanden dat ze de afgelopen tien jaar in Rusland en Oekraïne heeft gezeten en dat ze nu terug is in de VS. Toch wordt ze officieel niet gezocht. Ze is niet teruggezet op welke lijst dan ook.'

'Ze weten het?' vraagt Donoghue nadrukkelijk.

'Ze weten in ieder geval al maanden dat ze terug is in de VS.'

'Ze wéten het?'

'Ze weten dat ze in verband wordt gebracht met een reeks moorden en dat ze heeft geprobeerd doctor Scarpetta te vermoorden.' Janet blijft erop hameren en het is alsof in een verre uithoek van mijn ziel een zwak licht aangaat.

Ik bekijk Janet zorgvuldig: haar gekreukte, verbleekte operatiekleding, haar vieze nagels en haar vermoeide gezicht. Haar ogen branden fel en helder en ik moet eraan denken hoe gesloten en stoïcijns ze kan zijn. En sterk. Janet is heel sterk. Ze is gevaarlijk op de stille manier van een onderstroom als je je ergens begeeft waar je niet thuishoort of iemand bedreigt van wie ze houdt.

Ze verzwijgt iets voor ons.

'Ja, de FBI weet natuurlijk wat er verteld is,' werpt Donoghue tegen, 'maar dat wil niet zeggen dat het echt aanvaard of geloofd wordt, zoals we eerder al hebben opgemerkt. Eerlijk gezegd is het waarschijnlijker dat Carrie helemaal nergens verantwoordelijk voor wordt gehouden. Met andere woorden: ze is al jaren dood, en dat is de verklaring voor het feit dat ze niet meer op de lijst met gezochte personen staat, of op welke lijst dan ook.'

'Ik ben het met je eens,' antwoord ik. 'Daarom wordt ze niet gezocht. De FBI heeft haar niet te boek staan als voortvluchtig. Ze hebben Interpol niet gevraagd om haar status te wijzigen van zwart naar rood, van een dode voortvluchtige naar een actieve en buitengewoon gevaarlijke voortvluchtige. Ik kan het weten. Ik kijk met enige regelmaat op de website van Interpol en haar status is niet gewijzigd. Dat gebeurt ook niet tenzij de FBI dat doet.'

'Met andere woorden, de FBI gaat er nog steeds van uit dat ze dood is,' zegt Donoghue.

'Ja,' antwoord ik. 'Dat draagt bij aan de theorie dat ze weigeren te erkennen dat ze leeft, omdat dat grote gevolgen zou hebben, gevolgen waar wij misschien geen idee van hebben.'

'En de laatste keer dat jullie haar zagen, was dertien jaar geleden, toen jullie er getuige van dachten te zijn dat ze omkwam met een neerstortende helikopter.' Donoghue richt zich zowel tot Lucy als tot mij.

'Het was de laatste keer dat ik dacht dat ik haar zag.' Ik neem een slokje koffie. 'Maar eigenlijk bleek ik haar bij die gelegenheid helemaal niet gezien te hebben.'

'Wat we letterlijk zagen, was een helikopter die in de oceaan stortte,' verklaart Lucy.

'We? Jullie hebben het onafhankelijk van elkaar gezien?'

'Ja,' antwoord ik. 'Ik zat op de linker stoel. Lucy zat op de rechterstoel en vloog. We zaten in haar helikopter toen we het andere toestel, een witte Schweizer, voor de kust van North Carolina in de Atlantische Oceaan zagen storten.'

'Toen ik het uit de lucht schoot,' verbetert Lucy. 'De piloot schoot op me. Ik schoot terug en het toestel ontplofte. Tante Kay en ik dachten dat Carrie erin zat.'

'Ik wil wel van jullie aannemen dat dat niet zo was.' Donoghue kijkt strak naar Lucy en ik weet niet of ze haar of iemand van ons gelooft.

'Zoals ik al zei,' antwoord ik, 'zijn er geen stoffelijke resten geborgen die zijn geïdentificeerd als van haar of mogelijk van haar. De enige lichaamsdelen en persoonlijke bezittingen die zijn gevonden, behoorden toe aan de piloot, een voortvluchtige crimineel met de naam Newton Joyce.'

'De video-opnamen van toen jij bent geharpoeneerd. Is er enige mogelijkheid dat de FBI die heeft gezien?' Donoghue stelt de vraag aan mij, maar Lucy geeft antwoord.

'Ik zou niet weten hoe. Ze zijn nooit in het bezit geweest van de camera. Ze kunnen de video alleen hebben gezien als iemand die aan hen heeft gegeven.'

'Net zoals de opnamen aan jou zijn gegeven?' vraagt Donoghue. 'Ik moet precies weten hoe jij eraan komt, maar ik wil het niet horen waar Janet bij is. Zij is niet beschermd.'

'Ik ga wel weg,' biedt Janet aan.

'Nee, blijf maar hier,' zegt Lucy tegen haar. 'De beelden zijn niet aan mij gegeven,' zegt ze tegen Donoghue.

'Verklaar je alsjeblieft nader.'

'Het volstaat om te zeggen dat ik er toegang toe heb en dat de FBI die toegang niet kan hebben, tenzij ze in het bezit zijn van het masker. En dat is niet zo.'

'Ik zie niet hoe ze het zouden kunnen hebben,' beaam ik. 'Tegen de tijd dat de FBI ter plaatse verscheen, was het masker allang weg. Er was al gezocht door politieduikers en als ik Benton moet geloven, hebben die het niet kunnen vinden. We kunnen waarschijnlijk redelijk aannemen dat Carrie het in handen heeft gekregen. Ze zal de ingebouwde camera hebben gezien. En zo niet, dan zal ze verwacht hebben dat ik er een had.'

'Als Carrie het masker heeft,' zegt Donoghue, 'dan heeft zij de opnamen gezien.'

'Ja.' Lucy knikt. 'Daar moeten we wel van uitgaan.'

'En ze kan niet hebben geknoeid met de beelden die jij hebt?'

'Nee. Toen de camera aanstond, heeft hij de beelden rechtstreeks doorgestuurd naar een opslagapparaat. Ik ga niet vertellen wat voor apparaat of waar het zich bevond,' zegt ze, en ik denk weer aan haar plotselinge reisje naar Bermuda. 'Maar zodra tante Kay de camera aanzette, werden de beelden verzonden naar een van tevoren vastgesteld apparaat. Die link is gedeactiveerd en het apparaat is niet op te sporen; het wordt beschermd door meer firewalls dan het Pentagon. Mag ik je telefoon even zien?' vraagt ze aan Donoghue.

'Mag ik vragen waarom?'

'Alsjeblieft,' zegt Lucy, en Donoghue geeft haar de telefoon. 'Wat is je wachtwoord? Ik kan er wel achter komen, maar het gaat sneller als je het gewoon geeft.'

Donoghue doet wat ze vraagt. 'Is dit een test om te kijken of ik je wel vertrouw?'

'Ik heb geen tijd om tests te doen.' Lucy voert het wachtwoord in en begint iets te typen op het glazen schermpje. 'Ik neem aan dat je graag zou willen zien wat er op de beelden staat.' Ze kijkt naar ons. 'Ik heb het uit de e-mail gehouden en eigenlijk ook van het internet, met één uitzondering. Ik heb de gegevens doorgestuurd naar een veilig draadloos netwerk dat ze nooit op mij kunnen terugvoeren, zoals ik net al heb uitgelegd. Kort gezegd: de FBI heeft dit niet. Ik heb ervoor gezorgd dat ze dit nooit zullen hebben.'

'Dit?' vraag ik.

'Wat de camera op je masker heeft opgenomen toen Carrie je neerschoot,' zegt Janet. Zij heeft de beelden kennelijk gezien, en dat staat me helemaal niet aan.

Een kwartier geleden zei ze nog dat ze geen foto of video heeft gezien die haar ervan hadden kunnen overtuigen dat Carrie nog leeft. Wie of wat heeft Janet dan gezien op de beelden waarover Lucy het heeft? Mijn zorgen over de video worden nog tienmaal groter.

'Weet je waar Carrie is?' vraag ik Lucy rechtstreeks.

'Daar mag je geen antwoord op geven,' zegt Donoghue beslist. 'Tenzij jij en Janet getrouwd zijn.'

'We zijn niet getrouwd,' zegt Janet.

'Dan herhaal ik mijn waarschuwing van zo-even. Maar jullie luisteren niet. Jullie hebben niet het zwijgrecht van getrouwde stellen. Wat jij en Lucy bespreken of getuigen, is niet beschermd.' Donoghue zegt het nog maar eens, maar het is alsof Lucy en Janet haar niet horen of alsof het hen niet kan schelen.

'Jullie gaan nu zien hoe Carrie er altijd in slaagt om op haar pootjes terecht te komen. Jullie gaan zien waarom de FBI dit niet mag hebben.' Lucy raakt Donoghues telefoon aan, die ze inmiddels op tafel heeft gelegd. 'Het zou een fatale fout zijn om hier niet voorzichtig mee om te springen. Het zal hen alleen helpen en ons schaden.'

'Ik ga het je rechtstreeks vragen,' zegt Donoghue. 'Ben jij feitelijk in het bezit van de beelden waarop te zien is dat je tante wordt neergeschoten?'

'Nee,' zegt Lucy. 'Die zijn nooit in mijn bezit geweest. Niet volledig. Slechts voor negen tiende.'

'Ze zijn voor negen tiende in jouw bezit,' zegt Donoghue. 'Dat is jouw definitie van eigendom.'

'Je weet wat ze zeggen. Hebben is hebben en krijgen is de kunst.'

'Ik weet niet wie dat zegt, maar ik begrijp wat je bedoelt.' Donoghue is hier duidelijk niet gelukkig mee. 'Ik geloof dat we luid en duidelijk doorkrijgen waar je naartoe wilt.' Ze kijkt naar mij.

Maar ze begrijpt het niet, en ik ga haar niet helpen. Wat Lucy zegt, is dat ze de beelden heeft omdat ze ze te pakken heeft weten te krijgen. Ze zegt niet hoe en dat zal ze ook niet doen, maar voor mij kan het in ieder geval maar één ding betekenen. Lucy heeft niet het masker of het opslagapparaat in haar bezit. Die heeft ze nooit gehad en ze heeft ze ook niet nodig. Ik wil wedden dat de beelden direct naar een apparaat zijn gezonden dat zich niet in dit land bevindt, en ik moet steeds maar aan Bermuda denken. Waarom is ze daar onlangs naartoe geweest? Wie heeft ze daar ontmoet?

'Je hebt de camera ongeveer een jaar geleden op mijn masker gemonteerd,' zeg ik tegen haar. 'Ik had er nog maar twee keer mee gedoken. Toen in Fort Lauderdale was de derde keer.'

'Kun je beschrijven wat er gebeurde als Kay de camera aanzette?' vraagt Donoghue aan Lucy.

'Dan kreeg ik een e-mail dat de camera was geactiveerd. Ongeveer volgens hetzelfde principe als een verborgen camera. Alleen hebben die meestal een bewegingssensor. Dat heeft bij een duikmasker natuurlijk geen zin. Als jij het masker ophad en de camera had aangezet, wilde je uiteraard beelden maken en bleef je dat doen tot je uit het water was en je masker had afgezet. Met andere woorden,' zegt Lucy tegen mij, 'op jouw masker zat geen bewegingssensor. Je kon de camera aan en uit zetten, om het zo maar eens te zeggen. Hij nam op of hij nam niet op.'

'Toen ze precies twee maanden geleden bij het begin van de duik de camera aanzette,' vraagt Donoghue, 'kreeg jij toen een e-mail die je aanspoorde om te bekijken wat er op dat moment werd opgenomen?'

'Nee,' zegt Lucy.

'Niet?'

Lucy schudt haar hoofd.

'Waarom niet?' vraagt Donoghue.

'Omdat het bericht werd onderschept.' Lucy doet weer geheimzinnig en zwijgt verder, zodat er een lange, ongemakkelijke stilte valt.

'Als je de opnamen niet legaal hebt verkregen,' zeg ik eindelijk rustig en somber tegen haar, 'wil ik je aanraden buitengewoon voorzichtig te zijn met wat je zegt.' Ik kijk naar Janet.

'Ik geloof dat ik nu beter weg kan gaan.' Ze staat abrupt op van de bank.

'Beelden zeggen meer dan woorden.' Lucy schuift de telefoon naar me toe terwijl Janet het botenhuis verlaat. 'Onbewerkt, niet in geknipt. Ik heb alleen geprobeerd de beelden zo goed mogelijk te verscherpen.'

'Hoe is dat mogelijk als je de echte opname niet hebt?' vraagt Donoghue.

'Ik had ze niet echt in mijn bezit, nee,' antwoordt Lucy, en ik blijf denken aan haar recente trip en het verhaal over de douane die haar toestel heeft doorzocht. 'Beter dan wat je nu ziet, wordt het niet.'

'De manier waarop je dat zegt, boezemt niet echt vertrouwen in.' Ik pak de telefoon en druk op PLAY.

24

De opname begint een eindje onder het oppervlak van de Atlantische Oceaan.

Ik weet nog hoe ik met een grote stap van de achterkant van de boot ben gesprongen. Ik voel weer het opspattende water en de koude, zoute golfjes tegen mijn kin terwijl ik op het water dreef en mijn weg zocht naar de ankerlijn, terwijl ik ademde door mijn snorkel en de zon in mijn ogen scheen. Het leek een heel gewone duik. Onderwatermissies zijn niets nieuws voor mij. Ik herinner me nog heel duidelijk het gevoel dat er niets was om me zorgen over te maken.

Ik had geheel ten onrechte het gevoel veilig te zijn. Ik druk op PAUZE. Hier moet ik lang en goed over nadenken.

'Wat is er?' Donoghues adem beroert mijn haar terwijl ze meekijkt.

'Ik voelde me veilig en dat had niet gemogen. Ik probeer erachter te komen waarom.'

De avond daarvoor had ik beelden gezien van de moord op Bob Rosado, die wilde gaan duiken naar het wrak van de *Mercedes*. De vrouw van het congreslid stond achter op hun jacht een martini te drinken. Ze filmde hem en maakte grapjes met hem terwijl hij aan het oppervlak dreef. Hij wachtte tot hij kon afdalen toen er een kogel in zijn nek sloeg en een tweede zijn zuurstoffles doorboorde, zodat hij wervelend de lucht in schoot. Koperkop.

Er waren redenen te over om te vermoeden dat Carrie in de buurt was. Ze was onder een valse naam naar Fort Lauderdale gevlogen, samen met haar toenmalige handlanger, Rosado's sadistische zoon, de negentienjarige Troy, een verkrachter en pyromaan en Carries nieuwe monsterlijke speeltje. Dat wist ik, en toch maakte ik me geen zorgen.

Waarom niet?

Ik ben bepaald geen zorgeloze en onopmerkzame persoon.

Waarom voelde je je veilig?

Misschien was ik gewoon in shock. De avond voor ik naar Florida vloog, zat ik in New Jersey en had ik net van Lucy gehoord dat Carrie niet dood was, dat ze meer dan tien jaar in Rusland en Oekraïne had gewoond. Nadat de pro-Russische president Viktor Janoekovitsj was afgezet, was Carrie gevlucht en teruggekeerd naar de Verenigde Staten. Onder de naam Sasha Sarin begon ze smerige karweitjes op te knappen voor congreslid Rosado en als oppas te fungeren voor zijn getroebleerde en steeds gewelddadiger zoon Troy. Ik was verbijsterd toen ik dat hoorde en misschien wilde ik er niet aan. Misschien maakte ik me daarom geen zorgen. Ik weet het niet; ik denk eraan terug en probeer me zo veel mogelijk details te herinneren.

Ik weet nog dat ik op die zonnige middag in het helderblauwe water dobberde en wachtte op Benton. Ik zie voor me hoe hij van het duikplatform stapte, in het water plonsde, op het oppervlak bleef drijven en glimlachend het teken gaf dat alles oké was, een teken dat ik herhaalde. Ik deed de regulator in mijn mond, liet de lucht uit mijn trimvest lopen en bracht mijn hand omhoog om de camera in mijn masker aan te zetten. Ik was niet bang. Ik was niet op mijn hoede. Carrie had net Bob Rosado vermoord. Of misschien had Troy dat gedaan. Of misschien had

Carrie Troy ook vermoord, mogelijk op deze plek, net anderhalve kilometer van de kust, en toch maakte ik me geen zorgen.

Waar was je mee bezig?

Ik druk weer op PLAY en bekijk de rest van de video op het kleine schermpje, met het geluid zo hard mogelijk. Met veel lawaai schieten er belletjes langs mijn masker terwijl ik de ankerlijn aanraak, erlangs afdaal, verder en verder, en in mijn neus knijp om de druk op mijn oren te verlichten. Glimpen van mijn benen, mijn zwemvliezen en mijn in handschoenen gestoken handen. Naarmate ik dieper kom, wordt het water donkerder blauw. Benton is boven me en ik kijk niet naar hem op. Mijn aandacht is bij wat zich onder me bevindt en ik kijk recht door de belletjes heen.

De donkere diepte in. Ik weet nog dat het water kouder werd bij het afdalen. Ik voelde de kilte door mijn drie millimeter dikke wetsuit heen, ik voelde de druk van het water, en ik zie mezelf op de video voortdurend mijn linkerhand naar mijn neus brengen tegen de druk in mijn oren. Het geluid van mijn ademhaling is kunstmatig en luid. Er verschijnt een vage vorm in beeld, die even later het wrak blijkt te zijn, een verwrongen, kapot en roestend karkas.

Ik zie het liggen in de omringende duisternis. Het komt steeds dichterbij en het beeld brengt gevoelens terug, het vage gevoel van onzekerheid toen ik nergens de twee politieduikers zag die een paar minuten voor ons naar beneden waren gegaan. Ik zoek ze. Ik tuur de omgeving af en vraag me af waar ze kunnen zijn. Inmiddels zijn Benton en ik op bijna dertig meter diepte, waar het gezonken Duitse vrachtschip, de *Mercedes*, in de modder verzonken ligt. We laten de ankerlijn los en doen onze zaklampen aan, die aan een lijntje aan onze pols vastzitten.

Vissen zwemmen voorbij, vergroot door het water, en Benton blijft horizontaal een paar centimeter boven de oceaanbodem hangen, volmaakt in evenwicht. Het licht van zijn zaklamp valt op een stuk kunstaas, de stekels van een langoest die zich verschuilt tussen de rotsblokken en oude banden die de basis moeten vormen van een kunstmatig rif. Een kleine haai zwemt op zijn gemak vlak over de bodem en neust tussen de modder, en ik zwem met lichte bewegingen van mijn zwemvliezen naar de boot. Ik schijn met mijn lamp in de gapende gaten in het roestige metaal.

Vissen schieten weg, een grote zilverkleurige barracuda, en dan hang ik boven het dek en laat me zakken in de opening van wat vroeger een luik was, en terwijl ik naar de video kijk, herinner ik me levendig dat ik aanvankelijk niet begreep wat ik voor me zag. De in neopreen gestoken rug van een man. De hangende slangen. De afwezigheid van belletjes, en toen ik hem omdraaide, zag ik de speer in zijn borst. Onder hem vindt het licht het tweede lichaam, twee dode politieduikers in de romp van het vrachtschip. Ik ga er met krachtige bewegingen van mijn benen vandoor.

Ik schiet naar Benton en tik met mijn mes tegen zijn zuurstoffles. *Klang, klang*! Ik wijs met mijn lamp naar de boot en opeens kijk ik om. Ik herinner me dat ik een zwakke trilling hoorde, alsof in de verte een stuk elektrisch gereedschap aanging, en ik zie mijn zwemvliezen omhoogschoppen naar de camera als ik probeer achteruit en opzij te gaan. Ze is er. Ze richt een harpoen op me. Totale chaos. Een golf luchtbelletjes en het gekletter van iets wat mijn zuurstoffles raakt. De camera schokt als een bezetene. Een tweede speer, en de lijn die eraan vastzit leidt strak naar het wateroppervlak, waar hij vastzit aan een boei die beweegt op de sterke stroming, zodat hij aan mijn gespietste been rukt. Heftige bewegingen. Donderende luchtbellen.

Dat gaat een paar seconden zo door en ik vang een glimp op van een andere duiker, een onderlijf en armen. De flits van een dubbele witte streep om een been, een rits op de borst met een trekkoord eraan, en zwarte neopreen handschoenen bij mijn gezicht. Benton. Het moet Benton zijn, maar de gekke gedachte komt bij me op dat ik me niet kan herinneren dat zijn wetsuit een dubbele witte streep heeft. Dan is er alleen nog maar water te zien en daarna niets meer. Mijn masker is afgerukt. Ik spoel de beelden terug en bekijk ze nog een paar keer, maar mijn teleurstelling wordt steeds groter. Hier hebben we niets aan. Eigenlijk is het nog erger. Het is buitengewoon schadelijk.

Carrie zal de camera in mijn masker hebben gezien. Ze wist dat ze werd gefilmd. Ik weet zeker dat ze inmiddels weet dat ze niet herkenbaar in beeld is gekomen. Het licht is slecht en ik zie haar door de belletjes die uit mijn regulator stromen. Ik zie mijn eigen bewegingen als ik paniekerig naar de rechterkant van mijn trimvest tast en dan haal ik uit naar iemand die ik niet kan zien en maai als een gek met mijn duikmes door het lege, donkere water.

'Vertel me alsjeblieft dat dit niet alles is.' Met een ziek gevoel duw ik de telefoon weer naar Donoghue.

'Het spijt me,' zegt Lucy.

'Hoe kunnen we weten dat zij het was? We kunnen het niet zien.' Donoghue zit nu zo dicht bij me dat onze schouders elkaar raken. 'En je was er op dat moment zeker van dat zij het was?'

'Ja. Ik ben er absoluut zeker van.' Alle hoop die ik had kunnen hebben, is vervlogen. 'Wat is dit?' zeg ik tegen Lucy. 'Waar kijken we hier in godsnaam naar? Ik heb haar geraakt met het mes. Ik heb haar in het gezicht gesneden.'

'Ik weet dat je dat gelooft,' zegt ze. 'Maar op basis van deze beelden lijkt dat onwaarschijnlijk.'

'En van wie heb je die beelden?' Ik slaag er niet in de beschuldigende toon uit mijn stem te weren.

'Belangrijker is wie ze níét heeft.' Lucy's gezicht is heel strak en stil. 'En ik kan je verzekeren dat de FBI ze niet heeft. Aanvankelijk hoopte ik dat we ze met de neus op de feiten zouden kunnen drukken, maar dat gaat niet. Dit zou alles alleen maar duizend keer erger maken. Het spijt me, tante Kay.'

'Ik weet dat ik haar geraakt heb,' houd ik vol.

'Ik weet dat je dat gelooft.'

'Ben je er zeker van dat ze het er niet uit gehaald kan hebben?'

'Ik weet het zeker,' zegt Lucy. 'Maar ik ga niet uitleggen waarom.'

'Ik wil geen technische uitleg. En het feit dat het niet op beeld staat, betekent niet dat het niet gebeurd is.' Nu klink ik alsof ik ruzie zoek.

Ik klink onredelijk.

'Het is niet gebeurd.' Lucy kijkt me strak aan. De deur van het botenhuis gaat open.

Lucy kijkt niet naar Janet als die weer binnenkomt en de deur zachtjes achter zich dichtdoet.

'Is het oké?' vraagt ze aan Donoghue. 'Mag ik weer binnenkomen?'

'Waarschijnlijk niet.'

'Ik vraag het alleen uit beleefdheid. Ik blijf evengoed.' Ze gaat op de bank zitten en ik krijg weer dat gevoel.

Janet straalt een rust uit die verder gaat dan haar normale kalmte. Het is alsof ze een besluit heeft genomen en alleen voor de vorm met ons meedoet.

'Desi heeft iets nieuws geleerd,' zegt ze luchtig en met een glimlach. 'Stenen gooien. Marino leert hem om stenen over het water te laten scheren.'

'Als de FBI dit in handen krijgt, ondermijnt het alles wat je in je verklaringen tegen hen en de politie hebt gezegd.' Ik krijg een preek van Lucy. 'Dat zie je toch wel? Dat is namelijk juist mijn punt en de reden waarom ik je dit laat zien.'

'Ik ben bang dat Lucy gelijk heeft,' beaamt Donoghue. 'Het maakt niet uit hoe we de beelden in handen hebben gekregen of wie ze eerst gehad kan hebben, wat erop staat, is een probleem voor jou, Kay. Laten we ze nog eens bekijken en heel goed letten op het moment waarop je werd aangevallen. Vertel me precies wat je je herinnert.'

'Ik heb haar bloed in het water gezien.' Dat weet ik zeker. 'Nadat ik met het mes naar haar uithaalde.'

'Je hebt je eigen bloed gezien,' antwoordt Lucy. 'Toen je haar aanviel, rukte je aan de harpoen in je been en ging je heviger bloeden.'

'Het was niet mijn bloed. Ik weet wat ik heb gezien.'

'Ik ga je laten zien wat er gebeurd is,' zegt ze. 'Kijk goed.'

Een plotselinge beweging bij de romp van het wrak en een gedaante wordt een slanke persoon in een camouflageduikpak met capuchon in de roodbruine kleuren van een rif, die beweegt als een aerodynamische inktvis.

Dat is wat ik in mijn hoofd zie, maar niet wat er op de video is waar te nemen. In de beelden die ik bekijk, is Carrie Grethen niet herkenbaar. Er is met geen mogelijkheid te zeggen of de vage gestalte een man of een vrouw is en ook niet wat voor duikpak hij of zij aanheeft. Lucy drukt op PAUZE.

'Wat zie je?' vraagt ze.

Ik blijf heel lang naar het schermpje staren, raak het aan om het beeld te vergroten en verklein het dan weer omdat het met de slechte resolutie geen zin heeft. Dan leun ik achterover in mijn stoel en sluit mijn ogen, op zoek naar de kleinste aanvullende details van wat ik me herinner of dacht te herinneren.

'De beelden zijn natuurlijk van slechte kwaliteit omdat er zo weinig licht was, zo weinig dat er geen kleuren te zien zijn, behalve donkere tinten; bruin en zwart. Ik moet toegeven dat ik niet kan zeggen wie het is. Ik kan niet eens ontkennen dat het een man zou kunnen zijn.' Met nog steeds gesloten ogen draai ik mijn gezicht naar het plafond.

'Troy Rosado,' zegt Lucy tegen Donoghue. 'Ik begin maar even over hem omdat er mensen zijn die zullen opperen dat hij de persoon kan zijn die tante Kay gezien heeft. Negentien jaar oud, één meter vijfenzeventig, vierenzestig kilo. Hij is tegelijk met Carrie verdwenen, was beslist in Florida, was beslist in de buurt, was waarschijnlijk medeplichtig aan de moord op zijn eigen vader en bevond zich op het familiejacht toen die plaatsvond. Daarna zijn hij en Carrie verdwenen.'

'Hij is niet degene die op me heeft geschoten. Het was niet Troy Rosado,' werp ik tegen.

'Je bent bereid dat onder ede te verklaren,' zegt Donoghue.

'Ik ben er zeker van dat hij niet de persoon is die ik heb gezien.'

'Had je hem al eens ontmoet?' vraagt Donoghue.

'Nee. Maar ik had foto's van hem gezien. Bovendien maakt het allemaal niet uit, want ik herkende Carrie. Ik wou alleen dat mijn herinnering duidelijker was. Wat ik nu in mijn hoofd zie, is niet zo duidelijk als eerder. De beelden zijn vertroebeld door wat ik daarna heb ontdekt en door het trauma.'

'Dus je denkt dat het feit dat je bent neergeschoten en de nasleep daarvan je herinneringen aan het treffen veranderd hebben?' vraagt Janet.

'Dat weet ik niet, want ik ben nooit eerder neergeschoten,' antwoord ik.

'Ik wel,' zegt ze. 'Toen ik net bij de FBI was, nog geen jaar na de academie. Op een avond liep ik een nachtwinkel binnen om een blikje fris te kopen. Ik had de deur van de koelkast opengetrokken terwijl ik stond te bedenken wat ik wilde. Ik bukte om een Dr. Pepper light te pakken toen er een vent binnenkwam met een vuurwapen, die de winkel wilde beroven. Dat heb ik verijdeld, maar ik raakte gewond. Niet ernstig. Maar toen ik later de bewakingsbeelden zag, leek de jongen daarop helemaal niet op de man die ik zag.'

'Je wilt zeggen dat een trauma de waargenomen realiteit verandert,' zegt Donoghue.

'Bij mij wel. Ik wist dat de man die ik had gedood dezelfde was die de winkel had overvallen en die op me had geschoten, maar wat heel vreemd is, is dat wat ik me herinnerde gezien te hebben en wat ik echt had gezien niet hetzelfde was. Ik had gezworen dat zijn ogen donker waren, maar in werkelijkheid waren ze blauw. In mijn herinnering was zijn huid lichtbruin met puistjes terwijl die in feite blank was met perzikkleurige donshaartjes. Ik beschreef een tatoeage in de vorm van een traan op zijn gezicht die een moedervlekje bleek te zijn. Ik dacht dat hij in de twintig was terwijl hij later dertien bleek.'

'Dat moet moeilijk zijn geweest,' zegt Donoghue.

'Niet echt. Hij was misschien nog maar een kind, maar hij had een heel volwassen 9 millimeter Taurus in zijn hand en twee extra magazijnen in zijn zak.'

'Had je hem eruit kunnen pikken bij de confrontatie?' vraagt Donoghue.

'Dat hoefde gelukkig niet, omdat zijn lichaam in de winkel op de vloer lag.'

'Maar had je het gekund?'

'Ik zou het echt niet weten. Het hangt ervan af wie er verder in de rij zou hebben gestaan.'

'Hebben jullie misschien een foto van Carrie? Zodat ik kan zien hoe ze eruitziet? Of hoe ze er vroeger uitzag?' vraagt Donoghue.

Lucy pakt de telefoon van de tafel. Ze typt iets in en overhandigt hem dan weer aan Donoghue.

'Toen ze zou zijn omgekomen met de neerstortende helikopter, stond deze foto op het dossier, een politiefoto van een jaar eerder, toen ze was gearresteerd en opgesloten in Kirby op Wards

Island. Hij staat trouwens op Wikipedia, deze foto. Carrie Grethen heeft haar eigen pagina op Wikipedia.'

'Waarom?' vraag ik. 'Waarom heeft ze tegenwoordig een Wikipedia-pagina en wanneer is die aangemaakt?'

'Pas onlangs,' antwoordt Lucy. 'Als je naar de geschiedenis kijkt, kun je zien dat de eerste versie van de pagina zes weken geleden is gemaakt. Sinds die tijd wordt hij steeds bijgewerkt door dezelfde persoon, en ik twijfel er niet aan dat ze dat zelf is. Carrie. Ik ben ervan overtuigd dat zij degene is die haar oude politiefoto en de luchtfoto van het Kirby Psychiatric Center heeft geplaatst.'

'Dat zoals je weet op een eiland in de East River ligt. Zij is de enige patiënt in de geschiedenis die uit de extra beveiligde forensische gevangenis voor krankzinnige criminelen heeft weten te ontsnappen,' zegt Janet tegen Donoghue. 'Op de een of andere manier heeft ze contact gelegd met de buitenwereld, met de psychopaat over wie we het eerder hadden, Newton Joyce. Hij bleek een seriemoordenaar die het leuk vond om de gezichten van zijn slachtoffers af te snijden als herinnering, en hij had er een grote stapel van in zijn vriezer. Hij was piloot en had een eigen helikopter, en daarmee is hij op Wards Island geland en er met Carrie vandoor gegaan. Het verhaal liep niet zo goed af, in ieder geval niet voor hem.'

'Ze liet zich ophalen door een seriemoordenaar? Hoe heeft ze dat voor elkaar gekregen?' Donoghue is onder de indruk.

'Dat is altijd de vraag, hoe ze dingen doet,' zegt Lucy. 'Het is steeds weer een lang en ingewikkeld verhaal. Carrie is buitengewoon slim en vindingrijk. Ze is geduldig. Ze weet dat ze krijgt wat ze wil als ze de tijd neemt en niet toegeeft aan impulsen, aan woede en verlangens.'

'Dus zo zag ze er vroeger uit.' Donoghue trekt de telefoon naar ons toe.

25

Een jong, sterk en knap gezicht, maar het zijn altijd de ogen geweest die haar hebben verraden. Ze doen me denken aan kindermolentjes; ze lijken rond te draaien door de krankzinnige gedachten die erachter voorbijflitsen en die de kwaadaardigheid in haar ziel van brandstof voorzien.

Carrie Grethen is een kankergezwel. Ik weet dat het een versleten metafoor is, maar in haar geval is het de waarheid. Er is geen gezond weefsel meer over, er rest slechts de kwaadaardigheid die haar leven heeft verteerd en haar geest volledig heeft overgenomen. Ik zie haar amper nog als een mens en in zekere zin is ze dat ook niet, omdat ze de belangrijkste eigenschappen ontbeert die haar zouden kwalificeren als een lid van hetzelfde ras.

'Nou?' zegt Donoghue tegen me. 'Heb je haar gezien?'

'Ja en nee,' antwoord ik terwijl ik steeds dieper in de put raak, een put die voelt als de bodem van de zee, net zo diep en donker als de plek waar ik bijna was doodgegaan. 'Ik zou het niet onder ede kunnen verklaren. Niet op basis hiervan.'

De persoon die ik dertig meter onder water heb gezien, leek een oudere Carrie, maar ik ben niet zeker van mijn zaak en geen enkele jury zou haar veroordelen op basis van deze beelden en wat ik beweer dat er gebeurd is. Ik weet niet wat ik had verwacht, maar ik dacht dat de video een hogere resolutie, een betere kwaliteit zou hebben. Ik dacht dat ik mijn mes in de zijkant van haar gezicht zou zien snijden. Het leek allemaal zo echt.

Ik had durven zweren dat ik haar een ernstige wond had toegebracht. Destijds twijfelde niemand aan mijn woorden, zelfs Benton niet. De FBI deed navraag bij plaatselijke ziekenhuizen en dokters omdat ik er zeker van was dat Carrie een flinke jaap in haar gezicht had en een plastisch chirurg nodig zou hebben. Zelfs na een ingreep zou ze waarschijnlijk blijvend verminkt zijn, en na wat ik vandaag heb geleerd over haar ijdelheid en haar angst om oud en onaantrekkelijk te worden, zou dat een verschrikkelijk lot voor haar zijn geweest. Maar ik zie niets wat de gebeurtenissen waar ik zo zeker van was ondersteunt. Ik voel me enorm gefrustreerd en moedeloos en dat ontgaat Lucy niet.

'Het was donker daarbeneden en je richtte je lamp niet op wat je aan het filmen was,' zegt ze tegen me. 'Bovendien bewoog je veel. Dat is een groot probleem. Dat je bewoog.'

'Kunnen we de beelden nog verbeteren?' vraagt Donoghue haar.

'Waar denk je dat je naar hebt zitten kijken?' antwoordt Lucy. 'Ik heb hier een heleboel tijd aan besteed.' Ze zegt niet waar of wanneer.

'En zoals ik al zei, beter wordt het niet,' voegt ze eraan toe. 'De camera die ik in het masker heb ingebouwd, was bedoeld om het bergen van bewijsmateriaal vast te leggen, en daarbij zou tante Kay altijd het licht van haar zaklamp laten vallen op wat ze aan het doen was. Ik heb het ding niet gekozen met de achterliggende gedachte dat ze onder water aangevallen zou worden, dat er zoiets als dit zou gebeuren.'

'Denk je dat Carrie verwacht had dat Kay de duik zou opnemen en dat de aanval gefilmd zou worden?'

'Dat is het punt van de camouflage, de capuchon, de handschoenen,' zegt Lucy. 'Ze gaat op in een omgeving waarin het zicht slecht is, en om antwoord te geven op je vraag: ja, Carrie wist precies wat ze deed en zal zeker gezien hebben dat er een camera op het masker zat. Carrie zal beslist hebben verwacht dat iemand de duik zou filmen. Ze kent ons.'

'Misschien beter dan we onszelf kennen,' voegt Janet eraan toe.

'En verder?' Donoghue geeft me weer haar volle aandacht.

'Ik weet nog dat ik snel wegging van de lichamen, van de twee dode duikers in de romp.' Ik ga verder waar ik gebleven was. 'Het was wel duidelijk dat er iemand was met een harpoen en dat diegene ons allemaal wilde vermoorden. Dat was mijn eerste reactie. Benton zocht misschien vijftien meter verderop met zijn lamp de zeebodem af, en ik zwom naar hem toe en tikte met mijn mes tegen zijn zuurstoffles om zijn aandacht te trekken. Toen zag ik haar om het wrak heen komen.'

'Je zag íémand om het wrak heen komen,' corrigeert Donoghue.

'Ik zag dat ze het harpoengeweer op me richtte,' houd ik koppig vol. 'Ik draaide snel mijn rug naar haar toe en hoorde een sissend geluid en toen gekletter.'

'Omdat jij je omdraaide om jezelf te beschermen, raakte de eerste harpoen je zuurstoffles,' concludeert Donoghue.

'Nee.' Lucy neemt het over. 'De eerste harpoen raakte haar zuurstoffles omdat dat Carries bedoeling was.'

'Waarom zeg je dat?' vraag ik. 'Hoe kun jij in vredesnaam weten wat haar bedoeling was?'

'Je hebt gezien wat er gebeurde toen Rosado's fles werd geraakt terwijl hij in het water lag te wachten terwijl zijn vrouw hem vanaf de achterplecht van hun jacht filmde,' antwoordt Lucy. 'De perslucht stroomde onder druk naar buiten, zodat hij de lucht in schoot en rondtolde. Het staat allemaal op de film. Als hij niet al dood was geweest, had hij waarschijnlijk zijn nek gebroken of was hij verdronken.'

'Zijn zuurstoffles werd geraakt door een kogel, niet door een harpoen,' antwoord ik.

'Het gaat om het psychologische effect,' zegt Lucy. 'Carrie wist natuurlijk dat jij de video had gezien waarop Rosado door de lucht tolde. *Kleng*! Ze raakt je zuurstoffles en jij legt meteen het verband. Hetzelfde zou met jou kunnen gebeuren. Maar dan erger. Wat staat je te wachten als je zuurstoffles op een diepte van dertig meter geperforeerd raakt en de perslucht eruit stroomt?'

'Een harpoen kon mijn stalen fles niet doorboren.'

'Wist je dat op het moment dat het gebeurde?'

'Nee,' antwoord ik. 'Ik wist helemaal niets op het moment dat het gebeurde.'

'Wist je eigenlijk wel dat het een speer was?'

'Wat ik me herinner, is dat ik een overweldigende drang voelde om mijn trimvest uit te trekken, om het zo snel mogelijk uit te krijgen.' Dat weet ik nog heel goed. 'Misschien is dat de reden. Nadat ik de moord op Rosado op video had gezien, was ik misschien bang dat mijn fles zou exploderen, net als die van hem.'

'Daarna raakt ze je met het tweede schot in het been,' zegt Lucy. 'En dat was ook opzettelijk. Net zo opzettelijk als het feit dat de speer vastzat aan een boei. Dat heeft Carrie zo voorbereid om je door de boei te laten meetrekken met de stroming. Ze deed alsof je een geharpoeneerde vis was.'

Ik denk aan wat Benton zei nadat het was gebeurd. *Carrie vindt het heerlijk om mensen te vernederen en belachelijk te maken.* Ze speelde met me als een kat met een muis en moet er waarschijnlijk nog steeds om lachen. Hij legde uit dat ze eigenlijk zichzelf en haar eigen reactie ziet als ze naar mij kijkt. Gaat ze ervandoor? Of snijdt ze me open? Was het haar bedoeling om me eerst te verzwakken en me later de genadeklap toe te brengen?

'Ik wil dat je heel goed naar haar kijkt op het moment dat je haar de harpoen zag richten.' Lucy pakt de telefoon. 'Het is jammer dat ik dit niet op een groot scherm kan laten zien. Maar je zult zelf wel zien waar ik het over heb. Een heel belangrijk detail dat pas in de video te zien was nadat ik de beelden had bewerkt.'

Ze draait de telefoon naar ons toe en op het schermpje staat de wazige gestalte die ik om het wrak heen zag komen. Ik weet nog dat ze me recht aankeek toen ze het harpoengeweer omhoogbracht en schoot. *Sisss.* Gekletter toen ik me omdraaide en de harpoen mijn zuurstoffles raakte. Lucy kijkt over mijn schouder mee en wijst.

'Daar. Kijk eens goed naar dat harpoengeweer. Zie je wat ik zie?' vraagt ze.

'Ik weet het niet. Het lijkt een gewoon harpoengeweer.'

'Het is een heel lang harpoengeweer, minstens een meter lang, bedoeld voor grote vissen.' Ze gaat met twee vingers over het scherm om het beeld te vergroten. 'Maar kijk wat er gebeurt. Kijk hoe ze het ding richt. Je kunt het amper zien, maar kijk goed naar haar armen en haar handen als ze die naar haar borst beweegt.'

Ze laat de video een paar seconden doorlopen om het ons te laten zien. Het beeld blijft wazig en onduidelijk, maar ik zie wat ze bedoelt.

'Daar. Ze heeft twee trekbanden, maar ze gebruikt er maar één,' legt Lucy uit. 'Daardoor kan ze het geweer gemakkelijker en sneller herladen. Maar bij zo'n groot geweer krijgt de harpoen met één trekband niet genoeg snelheid, en je kunt erom wedden dat ze allebei de banden gebruikte toen ze de twee politieduikers doodschoot. Maar bij jou niet,' zegt ze tegen me.

'Ze had jou en Benton kunnen doden,' concludeert Donoghue. 'Ze was snel en gewapend en dat waren jullie niet. Maar om de een of andere reden heeft ze je laten leven. Is het mogelijk dat je ervan uitging dat ze je niet zou vermoorden, Kay? Met wat jij over haar weet? En na een reeks afschuwelijke moorden? En dat je toch het gevoel had dat het prima was om op die plek te gaan duiken?'

'Ik deed gewoon mijn werk.' Het is het enige wat ik kan zeggen, maar ik besef dat het geen eerlijk antwoord is.

Ik was niet bang en dat had ik wel moeten zijn. Ik ben nog steeds niet bang. Misschien omdat het geen zin heeft. Het heeft geen enkel nut om bang te zijn voor Carrie Grethen. Het is goed mogelijk dat ik die normale menselijke reactie vele lange jaren geleden al heb laten varen en me daar pas nu echt van bewust ben geworden.

'Het is zo frustrerend dat de gestalte die jij aanwijst niet geïdentificeerd kan worden,' zegt Donoghue. 'Ik kan niet eens zien of het een vrouw is. Maar wie het ook was, deze persoon heeft je in leven gelaten.'

'Zo zou ik het niet zeggen,' werp ik boos tegen.

'Maar het is wel zo.' Lucy zet de video stil en kijkt naar me. 'Of je het nu leuk vindt of niet, het is een feit. Carrie wilde jou en Benton niet doodmaken. Op dat moment in ieder geval niet. Het maakt geen deel uit van haar langetermijnplannen.'

'Wees voorzichtig met zulke uitspraken,' wijst Donoghue haar terecht. 'Je moet elke schijn vermijden dat je weet hoe Carrie Grethen denkt of dat je haar gedrag kunt voorspellen.'

'Maar dat kan ik wel,' zegt Lucy. 'Ik kan denken zoals zij en voorspellen wat ze gaat doen, en ik kan je verzekeren dat wat ze in beweging heeft gezet, nog maar net is begonnen. Dat is geen speculatie. Het is een feit waar je binnenkort getuige van zult worden, want het balletje is aan het rollen gebracht.'

'Denk je dat Carrie iets te maken heeft met de reden waarom de FBI op je landgoed is?' vraagt Donoghue.

'Wat denk je zelf?' Het is geen vraag. Lucy zet de video weer aan en spoelt hem dan terug.

We zien de gestalte weer om de romp van het schip heen komen en Lucy legt uit dat er een motortje op Carries zuurstoffles zit, een zwart plastic cilindertje dat bijna niet opvalt. Het stuwt haar voort zonder dat ze zich eraan vast hoeft te houden, zodat ze soepel en snel onder water kan manoeuvreren en tegelijkertijd een harpoengeweer kan hanteren. Het geluid dat ik hoorde was het zachte trillen van de met batterijen aangedreven motor, zegt Lucy, en dit is de eerste keer dat ik dat hoor. Ik heb altijd gedacht dat ik iets vreemds hoorde, maar heb nooit geweten wat het was en of ik het me misschien had verbeeld.

Het jankende geluid van elektrisch gereedschap kwam van een soort onderwaterscooter die bij de Navy SEALs in gebruik is, merkt Lucy op, en ze voegt eraan toe dat we geen partij waren voor Carrie Grethen. De twee duikers niet die ze vermoord heeft. Benton niet. Ik niet. We waren ongewapend. We hadden niet het voordeel van een scooter waarmee we ons met een snelheid van vijftig kilometer per uur konden voortbewegen. We hadden haar nooit te pakken kunnen krijgen. En we hadden ook nooit voor haar kunnen vluchten.

Het is al twaalf uur geweest als Marino terugkomt met Desi. Ik hoor hun voetstappen op de steiger. Dan komen ze binnen en doen de deur achter zich dicht.

'Ik moest doorgeven dat je je truck moet verplaatsen,' zegt Marino tegen me. 'De hondenbrigade en een andere eenheid willen weg, maar jij blokkeert de oprit. Ze staan te wachten bij het hek en ik wil je maar even waarschuwen dat ze behoorlijk nijdig zijn.'

'Ze zijn heel boos!' zegt Desi opgewonden. 'En ze hadden allemaal geweren!'

'Nee, toch! Ik ben zo bang.' Lucy tilt hem op en draait hem rond, en hij schatert het uit.

'Ik ben bang dat ik het probleem alleen heb verergerd,' zegt Donoghue tegen Marino. 'Ik heb om dezelfde reden mijn auto daar moeten parkeren. Die zal ongetwijfeld ook in de weg staan.'

'Ja,' zegt hij. 'Jij blokkeert de truck en de truck blokkeert een paar klootzakken.'

'Als je me de sleutels geeft, zet ik hem wel weg,' zegt Lucy tegen haar.

Donoghue haalt ze tevoorschijn en geeft ze aan haar. 'Geen

woord tegen de FBI, tegen de politie, tegen wie dan ook. Geen grappen. Geen opzettelijk uitdagend gedrag. Geen obscene gebaren.' Ze is heel streng tegen Lucy.

Maar het zal niet helpen. Dat zie ik nu al, ik ken mijn nichtje. Ik weet hoe je haar op stang jaagt. Ik weet dat de poppen aan het dansen zijn.

'Ik moet erop staan dat elke verdere communicatie via mij verloopt. Ga je daarmee akkoord?' vraagt Donoghue.

'Het kan mij niet schelen,' zegt Lucy.

'Iets minder onverschilligheid zou beter zijn.'

'Juist niet.'

'Het is niet nodig dat je bang voor ze bent, maar onverschilligheid moeten we niet hebben.'

'Ik ben niet bang en het kan me echt niet schelen. Ze kunnen me niet raken, al doen ze nog zo hun best.'

'Ik wil dat je je iets aantrekt van dingen die ik belangrijk vind,' zegt Donoghue, en ze geeft nog meer instructies: 'Ga pas terug naar het huis als ze weg zijn. Anders willen ze je misschien verhoren. Ik zou het niet mogen zeggen, maar misschien willen ze niet...'

'Natuurlijk moet je dat wel zeggen,' valt Lucy haar bot in de rede. 'Je zou groot gelijk hebben; we moeten ons er meer zorgen over maken dat ze me helemaal niet willen verhoren, dat ze me geen vragen willen stellen of mijn kant van wat dan ook willen horen, dat dat nooit hun bedoeling is geweest. Het kan ze niet schelen wat ik te zeggen heb. Het enige waar ze op uit zijn, is een zaak opbouwen die past in hun bekrompen politieke spelletjes.'

'Ik ga ervan uit dat ze je wel vragen willen stellen. Ik zal erop staan dat we daar een formele afspraak voor maken en dat ze dat bij mij op kantoor gaan doen.' Donoghue is geen paniekzaaier en hier wil ze niet aan.

In de wereld van Jill Donoghue wil iedereen vragen stellen. De FBI zal nooit de kans laten lopen om Lucy te ondervragen, vooral niet als de agenten denken dat ze haar een fout kunnen laten maken of op een leugen kunnen betrappen. Als ze haar niet achter de tralies kunnen krijgen voor misdaden die ze niet gepleegd heeft, kunnen ze haar misschien zo manipuleren dat ze een valse verklaring aflegt. Dat noemen zij de juridische loterij. Mijn advies is: laat ze geen muntje in je gokautomaat gooien. Geef ze nooit de kans op een gelukje.

'Wat ga je doen zonder telefoon?' vraagt Donoghue aan mijn nichtje.

'Het toestel is gereset naar de fabrieksinstellingen.' Wat Lucy wil zeggen, is dat ze ervoor gezorgd heeft dat met haar telefoon niets meer te beginnen valt sinds Erin Loria hem haar heeft afgenomen. 'Het is alsof hij gloednieuw uit de verpakking komt,' voegt ze eraan toe. 'Aan het eind van de dag heb ik een ander nummer waarop je me veilig kunt bellen zonder dat iemand meeluistert.'

'En ze zullen niet weten wat je gedaan hebt? Dat je een ander toestel hebt aangeschaft? Een andere telefoon?'

'Het is niet tegen de wet om een andere telefoon te kopen. Ik kan er honderd kopen zonder dat zij er iets wijzer van worden.' Lucy kijkt haar uitdagend aan. 'Ik blijf ze gewoon een stap voor. Dit is oorlog. Ze zijn mijn landgoed en mijn leven binnengevallen en daar ga ik niet mee akkoord. Ze willen me bespioneren? Ze willen de strijd met me aangaan? Ze denken dat ze me weerloos op mijn landgoed kunnen achterlaten terwijl Carrie Grethen vrij rondloopt? Echt? Dat zullen we nog wel eens zien.'

'Wees voorzichtig. Ze kunnen je arresteren.' Donoghue zegt het maar recht voor z'n raap. 'Ze hebben de macht van het gerechtelijke systeem achter zich en jij hebt niets anders dan je eigengereidheid en je woede.'

'Eigengereidheid en woede. Een goede omschrijving. Je zou zelf ook voorzichtig moeten zijn, vooral met het bagatelliseren van dingen die je niet helemaal begrijpt.'

'Ik wil alles leren begrijpen. Maar je moet doen wat ik zeg.'

'Ach, dat is nou net het enige waar ik niet zo goed in ben.' Lucy raakt even mijn arm aan. 'Kom op,' zegt ze tegen me. 'Laten we de oprit vrij gaan maken.'

26

Het is drukkend warm op de steiger. Ik voel de elektrische lading. Ik ruik de regen. Bliksemflitsen schieten langs een zwarte hemel die ons straks allemaal gaat overspoelen.

Ik weet dat ons een enorme storm te wachten staat; het wordt noodweer. Ik hoop maar dat het niet gaat hagelen. We hebben deze zomer herhaaldelijk heftig onweer gehad in de namiddag en hagelstenen zo groot als knikkers hebben mijn tuin geteisterd. Ze hebben verscheidene leien pannen van het dak gerukt en deuken gemaakt in de nieuwe regenpijpen die ik onlangs heb laten installeren.

'We krijgen er flink van langs.' Ik kijk omhoog. Het valt me op hoe stil het is geworden, en ik herinner me dat de helikopter is verdwenen. 'Dat akelige weer heeft tenminste één positief gevolg. Luister. Je kunt de vredige geluiden van het platteland weer horen.'

Dat is niet echt zo; ik doe gewoon een beetje sarcastisch. Ik hoor de wind in de bomen, onze voetstappen op de houten steiger en het opspattende rivierwater tegen de palen. Maar ik kan zeggen wat ik wil, want Lucy en ik hebben op dit moment geen eerlijk gesprek meer. We zijn de boel aan het manipuleren. Maar niet op dezelfde manier. Bij lange na niet.

Lucy is boos en agressief bezig stennis te schoppen, terwijl elk woord dat uit mijn mond komt zorgvuldig overdacht is in het licht van een zeer duidelijke overtuiging die bij mij heeft postgevat. Ik stel me voor dat Erin Loria meekijkt en meeluistert. Van mij zal ze niets nuttigs te horen krijgen. Ik ben in wezen van plan haar een hele lading dood hout te geven, zoals ik dat noem, te licht om iets van te bouwen en te groen om te kunnen opstoken.

'Ze zijn gewoon aan het vissen.' Lucy loopt langzaam, zodat ik haar kan bijhouden.

'Desi vindt het vast fantastisch om een keer met Marino te gaan vissen.' Ik probeer af te wenden wat Lucy zeker gaat doen.

Ze gaat de FBI eens fijn lopen uitdagen. Haar idee van lol. Ze is spinnijdig, en dan doet ze dat. Met spottend getreiter. Met gekmakend gejen. Roekeloos en zonder aan de gevolgen te denken. Zo is mijn nichtje. Eigenlijk zal ze nooit volwassen worden.

'Ze willen me pakken op wat ik volgens hun totaal verkeerde berekeningen zou kunnen gaan doen,' zegt ze luid. 'Op wat ik volgens hun dwaze hoop in mijn schild heb gevoerd terwijl niemand keek, zoiets als... Eens even kijken. O, ik weet het al. Een tunnel graven naar China. Dat moet het zijn. Vandaar die helikopter. Dat ding zit vast tjokvol apparatuur en heeft zeker ook een bodemradar. Ze zullen vast hebben gehoopt dat ze ondergrondse bunkers, geheime kamers of wormgaten zouden vinden.'

Luid en vijandig herhaalt ze de exacte bewoordingen van het huiszoekingsbevel: '"Geheime deuren en uitgangen, inclusief gebouwen, verblijven, liften of gangen die zich gedeeltelijk of geheel onder de grond bevinden, al dan niet verbonden met het woonhuis."'

'Ja, dat noem ik de totaalaanpak. Je vraagt gewoon overal om.'

'Precedenten,' verkondigt Lucy als we de oprit naderen. 'Je moet niet vergeten hoe hun starre hersenen werken. Ze denken in precedenten die geen enkel raakvlak hebben met relevantie of waarheid. Ze houden zich bezig met wat eerder is gedaan, niet met wat kan of moet worden gedaan. De houding van mensen die altijd bezig zijn zichzelf in te dekken. Als je nooit een originele gedachte hebt, kun je ook niet in de problemen komen, toch? Als je maar netjes in de pas blijft lopen, krijg je misschien wel promotie.'

We lopen langs de bewakingscamera's aan lantaarnpalen en bomen. Ze trekt zich er helemaal niets van aan, terwijl ze dat wel zou moeten doen. Ze kijkt er zelfs recht in.

'Als er in een ander geval een verborgen kamer is gevonden, komt die op de lijst, hoe belachelijk het ook is.' Lucy praat veel te openlijk en te hatelijk en geen enkel signaal dat ik haar geef, kan daar iets tegen doen. 'Een paar jaar geleden was er een drugszaak in Florida die in hoger beroep helemaal de mist in ging, wat breed werd uitgemeten in het nieuws. De FBI voerde een routinematige doorzoeking uit en vond een tunnel en andere verborgen verrassingen waarnaar niet gezocht werd en die niet op het doorzoekingsbevel waren gezet. Pas nog was er een zaak met een geheim luik. De meest gezochte dingen zijn tegenwoordig geheime kamers en tunnels. Vooral in de drugswereld. Je zult je misschien ook die tunnel herinneren van San Diego naar Mexico. Daar lagen zelfs spoorrails in.'

'De drugswereld?' Ik hijg een beetje door de inspanning en de vochtigheidsgraad moet zo'n beetje tegen verzadiging aan zitten. Het lijkt hierbuiten wel een sauna. 'Wat heeft die er opeens mee te maken?' vraag ik. 'Wie denkt dat?'

'Ze denken niet. Wat ze doen, is mensen lastigvallen en intimideren,' Lucy schreeuwt bijna en ik stel me voor dat Erin Loria zit te kijken en flink boos wordt. 'Ze zijn op zoek naar iets waardoor ik vlak voor hun neus zou kunnen verdwijnen. Poef! We weten immers allemaal dat ik net zo'n spiegel heb als Alice. En een Batcave als Bruce Wayne, en een telefooncel als Clark Kent. Die idioten van de FBI zoeken aanwijzingen dat ik stiekem zou kunnen verdwijnen of iets voor ze zou kunnen verbergen.'

We lopen heuvelafwaarts, en ook dat is niet zo gemakkelijk voor me. Ik let goed op wat ik doe, op mijn lichaamstaal en wat ik zeg, en ik wou dat Lucy dat ook deed. Ze dendert door als een bommenwerper en ik kan haar niet tegenhouden. Lucy heeft iets duidelijk te maken. Of misschien is het meer een dreigement.

'Je zou Benton eens moeten bellen,' zegt ze. 'Ik ben benieuwd of je hem te pakken kunt krijgen.'

Ik wou dat ze hiermee ophield, maar ze kent me natuurlijk veel te goed. Ze weet dat ik aan hem denk, dat ik me afvraag wat hij aan het doen is terwijl zijn werkgever korte metten maakt met de privacy van zijn familieleden en ervandoor gaat met hun bezittingen. Terwijl de FBI het leven van zijn geliefden op zijn kop zet. Terwijl wij hier in de ellende zitten en op het punt staan heel erg nat te worden. Maar ik ga niet zeggen hoe gekwetst ik ben. Ik ben op dit moment niet bepaald blij met hem. Ik voel me in de steek gelaten en mogelijk verraden. Als ik hem aan de telefoon zou krijgen, zou ik wellicht tegen hem schreeuwen. Een harde windvlaag blaast stuifmeel, modder en bladeren over het asfalt.

'Huil je?' Lucy kijkt naar me.

'Dat komt door al die troep die hier rond wervelt,' leg ik uit terwijl ik met mijn mouw langs mijn ogen ga.

'Kom op, bel hem,' spoort ze me aan, maar ik reageer niet. 'Echt. Ga je gang. Een halfuur geleden had je hem misschien niet te pakken gekregen, maar ik wed dat het nu wel lukt.'

'Alsof jij dat kunt weten.'

'Ga je gang. Ik wed om twintig dollar dat hij opneemt.'

Ik bel Bentons mobiele telefoon en krijg hem meteen aan de lijn.

Ik zeg geen gedag. Ik vertel hem dat ik bij Lucy ben, al anderhalf uur, en dat ik zo meteen terugga naar Cambridge.

'Ik weet waar je bent, Kay.' Bentons milde bariton is rustig en vriendelijk, maar ik weet meteen dat hij niet alleen is. 'Ik weet precies wat je aan het doen bent. Gaat het allemaal een beetje?'

'Waar zit jij?'

'We zijn net geland op Hanscom. Met dit weer moesten we wel. Het wordt heel snel slechter. Jij zou ook niet buiten moeten lopen.'

Benton zat in de helikopter, en om een of andere reden vermoedde of wist Lucy dat. Het verklaart haar cryptische opmerkingen over de vraag of hij de telefoon zou kunnen opnemen, wat hij even eerder misschien niet kon doen. Hij is in het gezelschap van zijn FBI-collega's, dezelfde agenten die Marino en mij van Chanel Gilberts huis in Cambridge hiernaartoe zijn gevolgd.

'Ja, ik weet van de helikopter,' zeg ik, maar daar krijg ik geen reactie op. 'Kun je dat misschien uitleggen?' vraag ik.

Hij zegt niets.

Als Benton zo doet, heeft het geen zin verder te vragen, want hij gaat toch niets nuttigs zeggen, niet via de telefoon, niet in het bijzijn van andere agenten. Ik neem in zo'n geval meestal mijn toevlucht tot stellige uitspraken. Af en toe reageert hij daar dan op, en mijn hersenen gaan in een hogere versnelling en ik concentreer me beter. Ik moet oppassen met wat we zeggen, want er luisteren mensen mee.

'Je gaat me niet vertellen wat er aan de hand is,' opper ik.

'Nee.'

'Je bent niet alleen.'

'Nee, inderdaad.'

'Is er belangstelling voor mijn zaak in Cambridge van vanmorgen? Want tenzij ik de verkeerde helikopter voor me heb, was jij in de buurt toen wij daar bezig waren.' Zoveel wil ik wel zeggen, maar ik voel meteen aan dat hij geen antwoord zal geven, en dat doet hij ook niet.

'Het spijt me. Je valt weg,' zegt Benton in plaats daarvan.

Dat is waarschijnlijk niet waar. Ik vat de informatie in andere bewoordingen samen. 'Jullie hebben belangstelling voor mijn zaak in Cambridge, in het huis in Brattle Street.' Ik noem met opzet de vermoedelijke naam van de dode vrouw niet en geef ook geen andere details.

'Ik moet toegeven dat het interessant is.'

'Ik was me er niet van bewust dat het een federale zaak is.'

'Het is logisch dat je je daar niet van bewust was,' zegt hij heel vriendelijk.

'Ik heb nog geen antwoorden. Een heleboel vragen, maar nog geen antwoorden,' vertel ik.

'Aha. Bijvoorbeeld?'

'Er zijn een aantal kwesties, meer zeg ik er niet over, want ik maak me zorgen over de vertrouwelijkheid, Benton.' Ik bedoel te zeggen dat ik niet alleen ben.

Hij vraagt niet verder.

Ik ga er toch op door, maar houd het oppervlakkig. 'Ik heb nog geen sectie gedaan en ik moet nog nader onderzoek doen op de plaats delict zodra ik hier klaar ben. De eerste keer werd ik gestoord.'

'Ik begrijp het.'

Maar hij kan het niet echt begrijpen, en dan komt die gedachte weer bij me op. Weet hij van de *Verdorven hart*-video's? Ik blijf me afvragen of Carrie Grethen ze ook naar iemand anders heeft gestuurd, de FBI bijvoorbeeld.

'Zie ik je vanavond nog?' vraag ik.

'Ik bel je later nog wel,' zegt hij, en dan is hij weg. Ik kijk op naar de woeste hemel, die er ontzagwekkend uitziet.

Lucy en ik zijn bij het openstaande hek aangekomen. Daarvoor staan twee witte SUV's met draaiende motoren ons op te wachten. Ik zie dat de agent met wie ik eerder woorden had een van de bestuurders is, maar weerhoud me ervan te glimlachen of te knikken. Er zitten zweetvlekken in zijn poloshirt, zijn boze gezicht glimt. Onder zijn felle blik maak ik mijn truck open en stap in.

Ik start de motor en als die luidruchtig aanslaat, bel ik Anne, mijn forensisch radioloog. Ik wil weten of er iets ongewoons te zien is op de CT-scan van Chanel Gilbert, want mijn argwaan is gewekt. De FBI heeft belangstelling voor haar, en ik wil weten waarom. In mijn truck, met de ramen dicht en de motor aan, kan ik niet worden afgeluisterd. Ik kan vrijuit praten.

'Ik moet het kort houden,' zeg ik tegen Anne terwijl ik in mijn spiegels kijk. 'Over een paar minuten ga ik terug naar het huis van Gilbert. Is er iets wat ik zou moeten weten?'

'Het is niet aan mij om te bepalen hoe ze om het leven is gekomen,' zegt ze. 'Maar ik ga voor moord.'

'Vertel me waarom.' Ik rijd achteruit om de wagen opzij te zetten en ruimte te maken, zodat er auto's door het hek naar binnen en naar buiten kunnen.

'Ik zie niet hoe ze dit letsel heeft opgelopen door van een ladder te vallen, doctor Scarpetta. Tenzij ze dat drie of vier keer heeft gedaan. Ze heeft meerdere verbrijzelde schedelbreuken die doorlopen tot de bijholten en de structuur van het middenoor, met onderliggende bloeduitstortingen.'

'Hoe gaat het met de identificatie?'

'De gebitsfoto's zijn onderweg. Het moet Chanel Gilbert zijn. Ik bedoel, wie kan het anders zijn?'

'Laten we het eerst bevestigen.'

'Ik laat het weten zodra dat gelukt is.'

'Is Luke al met de sectie begonnen?'

'Hij zit er middenin.'

Ik klap het scherm open van de laptop die is ingebouwd in de console tussen de twee voorstoelen en even later ben ik ingelogd in het gesloten cameracircuit van het CFC, een netwerk van camera's met visooglens in het plafond van elke opname- en onderzoeksruimte. Het stelt me in staat op elk gewenst moment mee te kijken met wat mijn dokters en forensisch onderzoekers aan het doen zijn. Ik typ mijn wachtwoord in en het scherm wordt verdeeld in kwadranten waarop de werkplekken in snijkamer A te zien zijn, de ruimte waar Luke en ik werken.

Ik hoor het gejank van een Stryker-zaag in de grote ruimte met felle plafondlampen, glazen observatiegalerijen en roestvrijstalen uitrusting. Luke staat bij zijn werkplek in een blauwgroene operatiejas, een schort, een gezichtsscherm en een hoofdkapje. Onze twee artsen in opleiding staan aan de andere kant van de tafel en Harold zaagt de schedel van Chanel Gilbert open. Het oscillerende zaagblad knarst zich een weg door het dikke bot.

'Met doctor Scarpetta. Ik heb jullie op het scherm,' zeg ik alsof ik praat tegen mensen in de truck.

'Hallo.' Luke kijkt op naar de camera in het hoge plafond, maar door de gloed van de lampen in het gezichtsscherm kan ik zijn knappe gezicht en helblauwe ogen maar moeilijk onderscheiden.

Het lichaam is van de sleutelbeenderen tot het schaambeen opengesneden, de organen liggen op een snijplank en Luke is bezig met een chirurgische schaar de maag open te knippen. Hij giet de inhoud in een kartonnen bak met plastic voering. Ik vertel dat ik wil weten hoe het gaat, leg uit dat ik binnen afzienbare tijd zal terugkeren naar de plaats delict en vraag of er iets is wat ik moet weten. Of ik naar iets bijzonders moet uitkijken.

'Je moet beslist kijken waar ze allemaal haar hoofd tegen gestoten kan hebben.' Zijn stem met het zware Duitse accent komt van de laptop in de truck. 'Ik neem aan dat je de beelden van de CT-scan hebt gezien?'

'Anne heeft me een kort overzicht gegeven.' Het gerommel van de dieselmotor dringt door tot in mijn botten terwijl ik tegen de laptop praat. 'Maar ik heb de scans zelf nog niet gezien. Ze gelooft niet dat het een ongeluk is.'

'Het slachtoffer heeft bloeduitstortingen en schaafwonden aan het hoofd, je kunt ze duidelijk zien waar ik het haar heb afgeschoren.' Hij zet zijn handen met de bebloede handschoenen tegen de rand van de tafel terwijl hij tegen me praat. 'Op het achterhoofd en bij de slapen. Ik heb natuurlijk nog niet naar de hersenen gekeken, maar op de CT zijn subgaleale hematomen te zien bij de pariëtale en temporale kwabben aan de linkerzijde en de occipitale kwabben aan de rechterzijde, een kneuzing en een subarachnoïdale bloeding. Het zijn complexe fracturen, die wijzen op veel kracht, een hoge snelheid en meerdere plaatsen van impact.'

'Dat zou er dus op kunnen wijzen dat iemand meermaals haar hoofd tegen een marmeren vloer heeft geslagen.'

'Ja. En wat ik hier zie, kan ons verder helpen.' Hij houdt de doos met de maaginhoud omhoog.

'Ik zoom in.' Het is alsof ik er maar een paar centimeter vanaf zit, en ik zie ongeveer 200 milliliter van een substantie die eruitziet als klonterige groentesoep.

'Zo te zien zijn het schaal- of schelpdieren, mogelijk garnalen, groene paprika, uien en een beetje rijst.' Hij roert erdoor met een scalpel. 'Iets wat ze niet lang voor haar dood moet hebben gegeten. De vertering is amper begonnen.'

'Is er sprake van alcohol?'

'Niet echt. Nul komma drie. Misschien heeft ze een glas wijn gehad bij het eten. Maar het kan ook van de ontbinding komen.'

'Ze was dus niet onder invloed, niet van alcohol, tenminste. Ik zal kijken wat er in haar koelkast staat. Ik ga weer naar haar huis.' Ik log uit, zet de motor af en stap uit de truck.

Lucy heeft de grote Mercedes van Donoghue opzijgezet en komt op een drafje naar me toe.

'Kom mee,' zegt ze. 'Ik wil je iets laten zien.'

27

We lopen om de zuidelijke vleugel van het huis heen en komen bij een smalle grasstrook met daarachter dichte bebossing.

Er staat een drie meter hoge afrastering, omhuld met donkergroen pvc en verankerd door zware, diep in de grond gedreven stalen palen. Lucy maakt een deur in het hek open terwijl er weer een SUV over de oprit verdwijnt. Nu staan er nog maar twee FBI-auto's voor het huis. Een daarvan moet van Erin Loria zijn. Ik kijk steeds of ik haar zie. Ze is er beslist nog. Hier wil ze geen seconde van missen.

'Voorzichtig,' zegt Lucy. 'Je kunt hier gemakkelijk struikelen. De hoveniers komen hier nooit, dus het is nogal overwoekerd.'

Ik loop achter haar aan het hek door en dan bevinden we ons in het bos. Er is geen geleidelijke overgang. Haar tuin houdt op bij het hek en aan de andere kant daarvan is het terrein dichtbegroeid met rododendrons, kalmia's en oude bomen. Lang geleden gebaande paden zijn grotendeels weer overwoekerd. Ik loop langzaam en voorzichtig langs een pad als een vaag litteken, waarover Lucy me voorgaat langs de varens, berken en kornoeljes. Na een tijdje blijft ze staan.

'Daar.' Ze wijst naar een hulstboom en een weymouthden waaraan camera's met bewegingssensoren en lampen zijn bevestigd. 'Die lampen zijn al een paar keer aangegaan omdat er iets bewoog, maar er is nooit iets te zien. De camera's pikken niets op.'

'Ik vraag het nog maar eens,' zeg ik, en ik besef waarom ze me heeft meegenomen naar deze plek. 'Kan het geen dier zijn geweest?'

'Ik heb de sensoren zo ingesteld dat ze pas reageren als iets minstens een meter hoog is, zoals een hert, een beer of een lynx,' zegt ze. Ik blijf heel stil staan, met mijn gewicht op mijn linkerbeen. 'Iets van dat formaat zou worden opgepikt door mijn camera's. Maar daarop was niets te zien.'

Lucy voert een toneelstukje op. Als klapper wil ze nog even duidelijk haar middelvinger naar de FBI opsteken, en het vuurwerk kan elk moment beginnen. Ze heeft met opzet FBI-kleren aangetrokken, en alsof dat nog niet genoeg was, wil ze nog een stapje verder gaan. Maar dat verklaart niet het vreemde voorwerp dat ik zo dicht bij haar voet zie liggen dat ze er bijna op staat. Op het eerste gezicht zou het een regendruppeltje op de bruine bladeren onder een kalmia kunnen zijn. Maar het regent nog niet.

'Verroer je niet,' zeg ik zachtjes.

Ik kijk haar recht in de ogen om me ervan te vergewissen dat ze me begrepen heeft, en dat heeft ze. Ik zoek steun bij een bosje sassafrasbomen en houd me vast aan een van de gladde stammen. Lichtgroene bladeren in de vorm van wanten strijken langs mijn lichaam en ik merk terloops op dat ze over een maand geel, koraalrood en oranje zullen kleuren. Lucy's landgoed zal schitteren van de herfstkleuren, zeg ik vriendelijk ten behoeve van mensen die meeluisteren, en daarna zal de sneeuw komen en kunnen er geen onzichtbare indringers meer zijn, omdat ze sporen zullen achterlaten.

'In tegenstelling tot de persoon die hier is geweest,' zeg ik, niet alleen tegen Lucy, maar ook tegen de FBI. 'En ik weet dat er iemand geweest is,' ga ik verder terwijl ik een paar schone handschoenen uit de zak van mijn cargobroek haal.

Ik trek ze aan, zorg dat ik stevig sta en buk, waarbij ik me zo weinig mogelijk beweeg om het kreupelhout en de bladeren niet te beroeren en datgene wat ik wil veiligstellen niet kwijt te raken. Het korreltje, dat eruitziet als kwarts, blijft aan mijn wijsvinger kleven. Ik maak er met mijn andere hand een kommetje omheen om te zorgen dat het niet valt of wegwaait. Ik vind het zonder meer wonderlijk dat iets wat niet groter is dan een korrel rijst zo duidelijk zichtbaar was, en ik vermoed dat het er niet lang gelegen heeft.

'Tenzij dit van jou komt,' zeg ik tegen Lucy, 'is er iemand op deze plek geweest. Waarschijnlijk heel kortgeleden.'

Het platte, zeshoekige brokje ziet er dof en ondoorzichtig uit, en ik leg het in mijn handpalm om het aan Lucy te laten zien. Het is niet gepolijst en ziet eruit als iets wat in de industrie wordt gebruikt. Ik moet denken aan een mineraal of andere stof die nodig is voor fabricage of in de techniek.

'Heb jij enig idee?' vraag ik.

'Het is me niet opgevallen toen ik hier eerder rondkeek.' Ze staart ernaar alsof het vergif is. 'Ik zag het pas toen jij me erop wees. Het verbaast me om het hier aan te treffen.' Dat lijkt een enigszins vreemde uitspraak. 'Misschien was dat ook de bedoeling. Dat is het eerste wat bij me opkomt. Dat het de bedoeling was dat wij het zouden vinden.' Ze zegt het langzaam en hardop om ervoor te zorgen dat de FBI er geen woord van mist.

'Het kan niet afkomstig zijn van iets wat in jouw bezit is.' Ik verschuif het een beetje zodat ze het beter kan zien. 'Weet je zeker dat het niet van jou komt of van iets wat jij geïnstalleerd hebt? Van je bewakingssysteem bijvoorbeeld? Het lag heel dicht bij een paar camera's.'

'Dit komt niet van mijn spullen. Het is zeker niet van mij, want ik zou niet zo slordig of stom zijn om het hier te laten liggen.' Ze zorgt ervoor het niet aan te raken of er te dicht bij in de buurt te komen.

Maar verder is ze helemaal niet voorzichtig. Lucy kijkt om naar de camera's in de bomen. Ze is opgewekt en uitbundig alsof we een mooie wandeling door de natuur maken of aan het picknicken zijn.

'Het lijkt niet van normale kleren te komen.' Ik blijf bij het onderwerp. 'En ook niet van iets decoratiefs.'

'Het is iets wat in een micromachine deze vorm en omvang heeft gekregen, en er zit een heel klein gaatje in. Misschien heeft daar een soort draad doorheen gezeten. Ze is hier geweest.'

'Je bedoelt Carrie Grethen,' bevestig ik, en Lucy knikt.

'Dit komt van haar. Ik weet niet precies wat het is, maar ik heb wel een idee,' zegt Lucy. 'Carrie heeft altijd onzichtbaar willen zijn.'

Lucy vermoedt dat mijn vondst een metamateriaal is dat mogelijk wordt gebruikt bij de fabricage van objecten die lichtstralen afbuigen en verspreiden.

'Het lab moet zich er maar eens over buigen, maar ik vermoed dat het een soort calciet is, een hoge kwaliteit kwarts,' zegt Lucy.

'Dus je hebt al eens zoiets gezien.'

'Ik weet heel goed wat er te koop is. Ze is altijd geobsedeerd geweest door manieren om iets onzichtbaar te maken, voor *augmented reality* en optische camouflage.' Lucy kijkt om zich heen alsof ze tegen de bomen praat. 'Die idioten zijn er zo op gebrand om mij te pakken dat ze het echte gevaar niet zien. Het kan best zijn dat Carrie een manier heeft gevonden om zich onzichtbaar te maken, zodat ze iedereen kan doden die ze maar wil. En dan bedoel ik ook iedereen. Ze is verdomme een terrorist, daar zou die klote-FBI zich eens mee bezig moeten houden.' Lucy doet geen enkele moeite om ook maar een beetje discreet te blijven.

Eigenlijk praat ze helemaal niet meer met mij. Ze heeft het tegen de FBI. Ze heeft het tegen Erin Loria.

'Dit is de plek waar de bewegingssensoren afgingen, gisteren om een uur of vier in de morgen en vanmorgen om dezelfde tijd.' Ze verheft haar stem, die is doordrenkt van spot en onderliggende woede. 'Toen de zon op was, heb ik eens rondgelopen. Alles zag er normaal uit.'

'Kan ze op deze plek zijn geweest zonder dat je haar hebt gezien?'

'Het is mogelijk. Vooral als ze iets Harry Potter-achtigs heeft gefabriceerd. Maar dit is geen fantasie. Ze vinden tegenwoordig allerlei materialen uit waarmee de wereld zoals wij die kennen veranderd kan worden.'

'Ik denk dat de wereld al is veranderd.' Ik heb mijn sporenkoffertje niet bij me, dus ik moet improviseren. 'Waarschijnlijk voorgoed.'

Ik haal nog een schone handschoen voor de dag, laat het metamateriaal erin vallen en schud het in een van de vingers. Dan rol ik het paarse nitril strak in elkaar en doe het in mijn zak, met een schuin oog op de ramen van Lucy's slaapkamer, meteen aan de andere kant van het hek. Als hier iemand rondliep met een nachtkijker, zou dat een probleem kunnen zijn.

'Is dat altijd zo?' Ik wijs naar haar slaapkamer. Wat ik bedoel is of ze altijd de jaloezieën dicht heeft.

'Dat maakt niet uit. Met een kijker met ultrasone sensoren kun je zo'n beetje door de muren kijken,' antwoordt ze, nog steeds met die toneelstem. 'Het doel van zo'n systeem is dat je een doelwit in het oog kunt blijven houden nadat het dekking heeft gezocht...'

'Wie zou zo'n ding kunnen hebben?' Ik voel een golf van irritatie als ik haar in de rede val.

Ik kom in de verleiding om tegen haar te zeggen dat ze zachter moet praten, maar dat doe ik niet. Het is niet verstandig om te laten merken dat ik vermoed dat de FBI meekijkt en meeluistert. Ik weet heel goed dat ik me niet moet gedragen alsof ik me schuldig voel en iets te verbergen heb, dus ik blijf bedachtzaam, maar schijnbaar open en op mijn gemak praten. In werkelijkheid ben ik echter voorzichtig en berekenend, en dat is Lucy niet. Zij weet niet van vluchten, alleen van vechten. Daar ben ik nu getuige van, en het is zinloos om dat tegen te gaan.

'Ze is hier geweest. Dat kan ik je verzekeren.' Ze zegt het heel beslist en uitdagend en ik zie de agressie in haar felgroene ogen. 'Ze is op deze plek geweest en heeft om een heel specifieke reden een of andere geavanceerde techniek gebruikt. Misschien om me te bespioneren. Dat weet ik niet, maar het was niet de FBI. Die is niet zo slim. Het is Carrie. Ze zou op dit moment hier ergens rond kunnen hangen, maar dat zullen ze nooit geloven. Misschien gelooft niemand dat zij het is, want waarom zou je dat willen geloven? Zelfs mijn eigen partner is er niet zeker van.'

Ik begrijp hoe pijnlijk dit voor Janet moet zijn, maar ik zeg niets. Ik hoef Lucy niet te herinneren aan haar voorgeschiedenis met Carrie, aan al die jaren dat wij ons veilig hebben gewaand omdat we er zeker van waren dat ze geen gevaar voor ons of voor wie dan ook meer vormde.

'We moeten gaan.' Lucy kijkt op naar de wolken die als een inktzwarte lijkwade over ons heen zijn getrokken en met naar beneden reikende rafels laag boven ons hangen. Het is nu helemaal donker. 'Oké, we gaan,' zegt ze luid, niet tegen mij, maar tegen wie er meeluistert.

We lopen voorzichtig terug, zonder te praten. De wind trekt aan en de geur van regen is zo sterk dat ik hem kan proeven. Intussen denk ik aan alles wat ik moet doen. Ik zal het metamateriaal later op de dag in het lab afgeven. Daar zullen ze op z'n minst kunnen vaststellen wat het is, maar er zijn nu al problemen mee. Ik heb het bewijs niet volgens mijn eigen strenge protocollen veiliggesteld. Het is mogelijk dat mijn DNA of dat van Lucy op het materiaal te vinden is. Een competente advocaat zal zeker kunnen beweren dat het besmet is omdat het niet op de juiste manier is behandeld. De jury zal noch mij, noch het materiaal vertrouwen.

De eerste regendruppels slaan tegen de bomen als we het gras weer op lopen. In de verte flitst de bliksem en de hele omgeving licht paarszwart op, alsof er kortsluiting is, alsof er iets gewond is geraakt. Ik ruik het ozon en voel de zwaarte van de afnemende luchtdruk, en dan schrik ik van iets wat ik aanvankelijk niet begrijp. Uit de microfoons over het hele landgoed klinkt plotseling luide muziek. Door het bos, over het water en om het huis schalt 'Take Me to Church' van Hozier, met het lawaai van een luchtaanval.

Ik kijk naar Lucy en ze glimlacht alsof we een plezierig wandelingetje maken. Ze heeft haar telefoon niet. Ze heeft de regie niet meer in handen. Dit moet Janet hebben gedaan. Ik ga sneller lopen terwijl de muziek over twintig hectare beschermd natuurgebied dendert. De pijn scheurt door mijn been en ik weet dat ik doornat ga worden. Ik zeg tegen Lucy dat ze vooruit moet rennen, maar ze houdt mijn tempo aan.

Ze blijft bij me en een paar seconden later lijkt de bodem uit de hemel te vallen met een explosie van donderslagen, die klinken als geweervuur. De regen klettert naar beneden, voortgejaagd door de wind. De temperatuur is minstens tien graden gedaald en Hozier galmt om ons heen alsof God geniet van een concert ten koste van de FBI.

We were born sick, you heard them say it...

'Ik ben niet de enige over wie ze zich zorgen moeten maken.' Lucy verheft haar stem om boven de muziek uit te komen, die door de regen bonkt. 'Wij laten ons niet naaien!' schreeuwt ze naar de ziedende wolken, en ik denk aan de FBI-agenten in haar huis, waar de muziek oorverdovend moet zijn.

I was born sick, but I love it...

Dan wordt opeens alles donker in Lucy's houten paleis. Ik zie geen enkel licht. Haar hele huis wordt bestuurd met computers. Er zitten geen schakelaars aan de wanden. De FBI bedient het geluidssysteem niet. En ook niet de verlichting. Dat doet Janet. Daar twijfel ik geen seconde aan. Terwijl de regen en de muziek op ons in beuken, lacht Lucy alsof dit de grappigste dag van haar leven is.

Amen. Amen. Amen. Amen...

'Zeg tegen Marino dat hij naar de truck moet komen.' Ik loop naar de oprit. Mijn natte shirt plakt kil tegen mijn rug. 'Je kunt hier niet blijven. Er zijn een heleboel redenen waarom jij, Janet en Desi absoluut niet hier kunnen blijven.' Ik maak me verstaanbaar over het spetterende water en Hozier, die aanbidt *like a dog at the shrine of your lies*, heen. 'Je moet een tijdje bij ons intrekken,' schreeuw ik tegen Lucy. 'Geen discussie mogelijk.'

28

De regen roffelt op het metalen dak alsof een dolgedraaide drummer zich erop uitleeft. Het is donker, ook al is het pas vroeg in de middag. Het lijkt wel avond of heel vroeg in de morgen. Het lijkt alsof de wereld op het punt staat te vergaan.

Ik ben enorm gespannen. Er glijdt of rolt iets door de laadruimte van mijn grote, witte truck terwijl ik door de zondvloed rijd. Een hard en metalig voorwerp. Het beweegt een stukje, raakt iets, stopt en begint weer te rollen, afhankelijk van welke kant ik op draai en of ik rem of gas geef. Ik hoor het duidelijk door het scherm dat de cabine scheidt van het hoekige laadruim. Voordat ik vanmorgen bij Lucy's hek stopte, was dat geluid er nog niet. Het is een paar minuten geleden begonnen, toen we langzaam een haarspeldbocht namen.

KLANG KLANG KLANG.

'We moeten kijken wat dat in godsnaam kan zijn.' Marino heeft het al een paar keer gezegd, maar ik kan niets doen.

Eerder was er geen plek waar ik even kon stoppen en nu rijden we in de stortbui en de vrijdagspits over Route 2. Het zicht is belabberd. Iedereen heeft zijn lampen aan alsof het nacht is en ik kan niet van de weg af, al zou ik het willen. Er is niets dan de snelweg, met aan mijn rechterkant een gapende bouwput en aan mijn linkerkant drie rijbanen vol auto's en vrachtwagens. Ik ben me ervan bewust dat de dag verglijdt. Het ziet ernaar uit dat ik nergens meer controle over heb, ook niet over mijn tijd.

'Ik kan hier niet stoppen.' Ik zeg hetzelfde als toen hij het voor het eerst voorstelde.

'Het klinkt alsof er een wapeningsstaaf door het laadruim rolt.'

'Dat kan niet.'

'Misschien een stuk gereedschap, een schroevendraaier of zoiets, dat een eindje rolt, ergens tegenaan komt en daarna weer gaat rollen.'

'Ik zou niet weten hoe dat kan,' antwoord ik, en opeens houdt het geluid weer op.

'Nou, het bezorgt me een akelig gevoel en werkt me op de zenuwen.'

Hij doet zijn raampje op een kiertje om te roken, om zijn akelige gevoel en zijn zenuwen te bedwingen, en het water spettert op de binnenkant van het portier en het dashboard. Ik zeg dat ik het niet erg vind dat hij rookt, maar dat ik niet wil dat de ramen beslaan. Ik zet de blower harder en dat helpt een beetje, maar er is een grens aan de koude lucht die ik kan verdragen. Marino klaagt er ook over. Hij zit te zweten en ik wil zelf ook niet te veel afkoelen. Ik houd de temperatuur net boven lauw en stel de boel voortdurend bij tussen de ruit schoonhouden en het koud krijgen en opwarmen en niets kunnen zien.

Door deze gestreste en oncomfortabele situatie is het bijna onmogelijk om niet geprikkeld en paniekerig te worden. Mijn kleren zijn nat. Ik voel me plakkerig en verlept. Mijn been doet ellendig veel pijn. Ik heb een ziek gevoel over Lucy en over de geheimen die ik bewaar, en in mijn hoofd woedt voortdurend de tweestrijd. Moet ik Marino vertellen over de *Verdorven hart*-video's? Ik weet echt niet wat ik moet doen, en terwijl we verder van Concord verwijderd raken en langs onder water gelopen wegwerkzaamheden en doornatte en in mist gehulde bossen rijden, dwing ik mezelf me te concentreren op mijn nieuwe stelregel:

Let goed op, ook als je denkt dat je dat al doet.

Het is een nieuwe regel, of eigenlijk een oude, maar ik ben laks geworden. Ik heb me in slaap laten sussen door een vals gevoel van veiligheid en als ik terugkijk op wat ik gedaan heb, zie ik een patroon. Ik zie het heel duidelijk. Aan de ene kant begrijp ik het wel, maar aan de andere kant vind ik het onvergeeflijk. Niemand kan elke minuut van elke dag op zijn hoede zijn. De tijd verstrijkt en sommige dingen worden moeilijker. Ik ben altijd alert op vijanden, maar die uit het verleden zijn het verraderlijkst. We weten te veel van ze. We herscheppen ze volgens het beeld dat we van ze hebben en schrijven ze eigenschappen en motivaties toe die ze niet bezitten. We bouwen een relatie met ze op. We gaan onterecht denken dat ze ons niet willen vermoorden.

Er is één gedachte die steeds aan me blijft knagen. Als ik er niet van uit was gegaan dat Carrie Grethen dood was, zou ik er dan alsnog mee zijn opgehouden om naar haar uit te kijken? Ik ben bang dat ik dat zou hebben gedaan. Het is de weg van de minste weerstand om afschuwelijke mensen weg te stoppen in een uithoek van je gedachten, zo ver weg dat je niet meer aan ze denkt. Je verwacht niets van hen. Je bent niet bang, bent nergens op voorbereid, maakt je geen zorgen en houdt je niet bezig met onheilspellende vooruitzichten. Ik heb Carrie lang geleden uit mijn hoofd gezet. Dat heb ik niet alleen gedaan omdat ik ervan overtuigd was dat ze was omgekomen toen haar helikopter neerstortte. Ik kon het niet meer verdragen om met haar te leven.

Jarenlang had ze mijn gedachten beziggehouden. Ze was de schaduw van iets wat ik niet kon zien, een onverklaarbare luchtstroom, een geluid dat ik niet thuis kon brengen. Ik leefde in de voortdurende verwachting dat mijn telefoon zou overgaan en ik slecht nieuws zou krijgen. Ik wachtte erop dat ze weer iemand zou martelen en vermoorden, dat ze een nieuwe verknipte partner zou zoeken en aan de volgende reeks misdaden zou beginnen. Ik was constant op zoek naar haar als ik in het gezelschap van Lucy was en ook als ik dat niet was. Tot ik ermee ophield.

'Wil je ook een trekje?' Marino biedt me zijn sigaret aan. 'Je ziet eruit alsof je het kunt gebruiken, doc.'

'Nee, dank je.'

'Ik vraag me af of de muziek nog aanstaat en wat de FBI eraan gaat doen, want je kunt erop rekenen dat ze het niet leuk vinden.' Hij zuigt zijn longen vol rook en blaast die uit zijn mondhoek weer uit.

'Lucy en Janet hebben de muziek alleen keihard aangezet en het licht uitgedaan om zichzelf te amuseren,' antwoord ik.

Aan weerszijden liggen uitgestrekte meren en bossen als we langs het stadje Lexington rijden.

'Weet je zeker dat zij het hebben gedaan?' vraagt Marino.

'Nou, het was niet Desi.'

'Het zou je verbazen wat kleine kinderen kunnen met computers. Nog niet zo lang geleden heeft er een de database van de FBI gehackt. Ik geloof dat dat kind vier was of zo.'

'Desi heeft niets te maken met wat we daarnet hebben meegemaakt. Het was waarschijnlijk een idee van Lucy. Net iets voor haar om dat grappig te vinden.' Terwijl ik dat zeg, denk ik aan de video's die ik zogenaamd via haar noodnummer heb ontvangen.

Ik ben ervan overtuigd dat Carrie zich meester heeft gemaakt van Lucy's telefoon. Het is niet te zeggen wat ze nog meer kan hebben gekaapt, gehackt en zich eigengemaakt, zodat ze vrijelijk ons leven kan manipuleren, overhoopgooien en verwoesten. Ik moet eraan denken hoe goed ze erin is alles te laten instorten en onderlinge strijd, problemen en rampen te veroorzaken. Wat zou voor haar mooier zijn dan ons zover te brengen dat we onszelf vernietigen?

Ze probeert ons gedrag te beïnvloeden, daar begint het mee.

'Ik zal nooit begrijpen dat ze haar in dienst hebben genomen.' Marino praat over Carrie zonder enige aansporing van mijn kant. 'Als je er goed over nadenkt, heeft de FBI Carrie geschapen, als een soort Frankenstein,' voegt hij eraan toe, en in zekere zin heeft hij gelijk.

In sommige opzichten is ze door onze eigen overheid verwekt, gevoed en veranderd in een amoreel monster. Toen besloot ze zich te keren tegen de hand die haar voedde en de gerechtigheid en veiligheid die ze in deze wereld had moeten beschermen teniet te doen. Ze kiest naar believen en wanneer het haar schikt partij omdat ze geen enkele trouw of liefde voelt, behalve voor zichzelf.

'Een computerdeskundige van het ministerie van Justitie,' zegt Marino, 'gedetacheerd naar Quantico. En de FBI had geen idee dat een verdomde psychopaat de leiding had gekregen over de herstructurering van de computers en het casemanagement.'

'En dat werd een onherstelbare ramp,' voeg ik eraan toe.

Het Criminal Artificial Intelligence Network oftewel CAIN ging over in het Trilogy-programma, een grootschalige poging van de FBI om de achterhaalde informatietechnologie te moderniseren.

Het project is een jaar of tien geleden na de verspilling van honderden miljoenen aan belastingdollars afgeblazen, en ik vraag me onwillekeurig af in hoeverre dat Carries fout was.

'Of eigenlijk,' zeg ik tegen Marino, 'vraag ik me af in hoeverre zij er de hand in heeft gehad, want niets zou haar beter uitkomen dan een tegenstander die het moet doen met ontoereikende software en onvolledig datamanagement, die zij zelf in het beginstadium kan hebben gemanipuleerd en gesaboteerd.'

'Je hebt volkomen gelijk, en dat is precies mijn punt. Een geniale gek als zij,' zegt Marino. 'Denk je echt dat die niet overal waar ze wil een totale puinhoop kan veroorzaken? Vooral als het te maken heeft met communicatietechnologie of computers.'

'Datzelfde geldt voor Lucy,' merk ik op. 'Dat is een ongelukkige waarheid die ik blijf benadrukken. Zij heeft CAIN gemaakt en ze kan zo'n beetje alles wat Carrie kan. Zo denkt de FBI erover. Dat is de rechtvaardiging om achter Lucy aan te gaan. Ze kunnen haar de schuld geven en haar naar believen middelen en motieven toedichten omdat ze ertoe in staat is. Het is geloofwaardig. En laten we eerlijk zijn, het komt ze goed uit.'

'Dan heeft Carrie misschien de muziek aangezet, om ze eens lekker op stang te jagen en Lucy in de problemen te brengen. Twee vliegen in één klap,' zegt Marino. 'Knoeien met het geluidssysteem is net zoiets als met een rode vlag zwaaien voor de neus van een stier. Het is niet tegen de wet, maar het is stom. We weten niet of Carrie het misschien gedaan heeft om zich te amuseren.'

'Ik zeg niet dat ze er niet toe in staat is,' antwoord ik. 'Maar ik wil wedden dat Janet en Lucy hadden besloten Erin Loria en co op een concert te trakteren.'

'Zulke stomme dingen moeten ze niet doen. Ze spelen Carrie ermee in de kaart.'

'We kunnen niet door anderen laten bepalen wat we doen. Dat is waar. En het is zeker waar dat Carrie ons wil overheersen en veranderen. Dat heeft ze altijd gewild.'

'En ik maar denken dat ze ons allemaal dood wilde hebben.'

'Dat zal uiteindelijk hoe dan ook het plan zijn,' antwoord ik.

'Lucy moet ermee oppassen om mensen boos te maken. Misschien kun jij eens met haar praten als de gemoederen een beetje bedaard zijn. Ze moet de dingen niet erger maken dan ze al zijn.'

'Hoe kunnen ze erger worden, Marino? De FBI stond bij haar op de stoep met een huiszoekingsbevel. Agenten zijn het huis uit gelopen met haar spullen en hebben haar hele bestaan geweld aangedaan.' Ik zet de ruitenwissers op de snelste stand en ze klinken als een metronoom met een driftbui.

'Het zou erger zijn als ze haar arresteren en haar zonder borgtocht opsluiten.' Marino rookt de sigaret tot aan de filter op. 'En denk niet dat ze dat niet kunnen doen. Ze heeft een helikopter en een privéjet. Ze is piloot. Ze heeft bakken met geld. Ze zullen beweren dat het vluchtrisico te groot is, en de rechter zal het met ze eens zijn. Vooral als er een rechter met een verborgen agenda achter de schermen meespeelt, een federaal rechter als de man van Erin Loria. Het eerste waar we naar moeten vragen is de timing van deze operatie. Waarom slaan ze nu toe?'

De datum schiet me weer door het hoofd. 15 augustus. Precies twee maanden nadat Carrie me heeft neergeschoten.

Maar ik zeg: 'Je hebt gelijk. Waarom vandaag? Of maakt de datum niet uit?'

'Ik weet niet of het niet uitmaakt, maar ik kan ook niets belangrijks bedenken.'

'Het is precies twee maanden geleden dat Carrie me heeft aangevallen.' Het zou niet nodig moeten zijn dat ik hem eraan herinner.

'Maar waarom zou dat belangrijk zijn voor de FBI? Waarom zouden ze juist die datum kiezen? Ik zie niet dat het ertoe doet.'

'Het is waarschijnlijker dat het er voor Carrie toe doet.'

'Nou, we kunnen er zeker van zijn dat ze iets zoeken waarvan ze Lucy kunnen beschuldigen. Ik weet niet wat, maar ik denk dat we wel kunnen raden op wie het betrekking zal hebben,' zegt Marino. 'Lucy zou kapotgaan in de gevangenis. Ze zou het nooit te boven komen, en dat zou Carrie prachtig vinden...'

'Laten we niet al te fatalistisch gaan denken.' Ik wil zijn voorspellingen van hel en verdoemenis niet horen en ik kan me er amper van weerhouden hem de waarheid op te biechten.

Ik wil hem vertellen over de video's, ook al zit ik nog steeds met dezelfde verontrustende vragen. Stel dat de FBI ze gezien heeft? Stel dat de FBI ze gestuurd heeft om me in de val te lokken, samen met iedereen die ik erbij ga betrekken? Ik weet niet wie ik kan vertrouwen, zelfs niet mijn eigen advocaat, Jill Donoghue, nu ik er goed over nadenk, en als ik zo onzeker ben, word ik heel voorzichtig. Heel berekenend en doelgericht.

‘Het probleem is dat je geen schijn van kans hebt een onderzoek stop te zetten als het eenmaal is opgestart.’ Marino gaat verder met zijn angstaanjagende scenario’s. ‘De FBI laat een zaak alleen schieten als het echt moet, als de jury zegt dat er geen zaak is, en dat gebeurt bijna nooit. Zodra de zaak op touw is gezet, kan Lucy het verder wel vergeten. Geen enkele jury zal ook maar een greintje medeleven hebben met een ontslagen federaal agent die stinkend rijk is en die overkomt zoals zij...’

‘Ik stel voor dat we onze aandacht bepalen tot wat we aan het doen zijn.’ Ik kan zijn sombere voorspellingen over haar niet aanhoren. Hij hoeft mij niet te vertellen dat ze geen empathie opwekt of zelfs maar het voordeel van de twijfel zal krijgen.

‘Ik zeg alleen maar waar het op staat, doc.’ Hij drukt de sigaret uit, laat hem in een leeg waterflesje vallen, steekt er nog een op en biedt hem mij aan. ‘Hier. Dit kun je wel gebruiken.’

Wat kan het mij ook verdommen. Ik neem de Marlboro van hem aan. Er zijn een paar dingen die ik nooit heb verleerd, en roken is er een van. Ik inhaleer langzaam en diep en mijn emotionele lift gaat naar een verdieping die ik vergeten was. Het is er fijn, met veel licht en een mooi uitzicht, en even laten de zwaartekracht en ik elkaar los.

Ik houd Marino de sigaret voor om hem terug te geven en onze vingers raken elkaar. Het verbaast me iedere keer weer dat zijn verweerde huid met het dikke, koperkleurige haar zo zijdezacht aanvoelt. Ik vang een zweem op van zijn aftershave, kruidig onder een patina van zweet en tabaksrook. Ik ruik het natte katoen van zijn cargobroek en poloshirt.

‘Heb je ooit wiet geprobeerd in je jonge dagen?’ Hij neemt nog een trekje en houdt de sigaret vast alsof het een joint is.

‘In mijn jongere dagen, bedoel je?’

‘Echt, ik wed dat je het gedaan hebt toen je rechten studeerde. Al die lui op de chique universiteiten deden niets anders dan wiet roken en praten over interpretaties en precedenten en wie er in het studentenblad zou komen, dat geef ik je op een briefje.’

‘Zo heb ik het in Georgetown niet ervaren. Maar misschien had dat wel gemoeten.’ Ik klink somber en afwezig en blijf steeds in mijn spiegels kijken.

Ik staar tussen de zwiepende wissers door naar de mistige weg vol verkeer en naar het water dat voor en links van ons opspat van de banden. Ik houd me strikt aan de maximumsnelheid. Voortdurend kijk ik in de spiegels of ik Carrie zie. We razen om het Fresh Pond-reservoir heen; het door de regen geteisterde water heeft de kleur van lood. Het geluid van metaal dat achterin heen en weer rolt begint en stopt weer. Ik kan Carrie niet uit mijn hoofd krijgen.

KLANG KLANG KLANG.

'Krijg nou wat,' zegt Marino door een rookwolk. 'Dat is toch verdomd raar.'

'Alles zit in containers en kastjes.' Ik ga alles na wat het geluid zou kunnen veroorzaken. 'De opgevouwen stretchers zijn vastgesnoerd. Er hoort niets los te liggen.'

'Misschien is een van je sporenkoffers opengegaan. Het zou een flesje of een zaklamp of zoiets kunnen zijn.'

'Dat betwijfel ik ten sterkste.'

Ik zie Carrie voor me. Ik zie haar gezicht. De grote, krankzinnige ogen en de lust die erin smeulde toen ze Lucy sneed met het Zwitserse zakmes. Zo keek Carrie ook naar mij toen ze het harpoengeweer afvuurde. Het gekletter en gebonk achter in de truck houdt aan. Marino stelt vast dat het geluid er eerder niet was.

'En er is niemand in de wagen geweest,' zegt hij. 'Ik bedoel, er kan toch niemand in zijn gekomen toen we bij Lucy waren? Dat weet je zeker? Je kunt me garanderen dat de truck op slot was toen je de auto van die FBI-sukkel klemzette? Is een van hen in de truck geweest? Op zoek naar een extra sleutel, misschien, zodat ze hem konden verplaatsen? Heeft iemand geprobeerd een portier open te breken en iets kapotgemaakt, en horen we dat soms rollen?'

'Ik weet zeker dat hij op slot was.' Dat denk ik tenminste, maar nu hij erover begint, kan ik het niet zweren.

Ik word overvallen door onzekerheid. Toen ik halverwege de ochtend mijn spullen inpakte, had ik net de eerste *Verdorven hart*-video gezien. Misschien was ik afgeleid toen ik de grote plastic kisten achter in de truck zette. Misschien ben ik vergeten de achterdeuren op slot te doen. Het is iets wat ik automatisch doe met een sleutel die ook het alarm in- en uitschakelt.

Er zijn genoeg redenen om de laadruimte, de cabine en de andere toegangspanelen nooit open te laten. Advocaten, bijvoorbeeld. Ze zouden me er flink van langs geven als ik moest getuigen. Ze zouden de jury laten twijfelen aan elk bewijsmateriaal dat ik heb veiliggesteld, inclusief het lijk zelf.

'Jezus,' mompelt Marino als het voorwerp weer een eindje rolt en met een bons tot stilstand komt.

'We zijn er bijna,' antwoord ik. 'Dan zal ik wel even kijken.'

29

In Cambridge is niet veel verkeer op de weg. De auto's rijden langzaam en met de lichten aan als we langs de campus van Harvard rijden om terug te gaan naar Brattle Street, een van de meest prestigieuze straten in de Verenigde Staten.

Onder de voormalige bewoners bevinden zich George Washington en Longfellow, en het mooie, twee verdiepingen hoge vakwerkhuis waarin Chanel Gilbert is gestorven, is gebouwd aan het eind van de zeventiende eeuw. De matblauw geschilderde woning heeft een symmetrische indeling met zwarte luiken, een dak met grijze leistenen en een centrale schoorsteen. In de loop der eeuwen is het grootste deel van het oorspronkelijke landgoed verdeeld en verkocht en nu is het huis alleen nog bereikbaar via een gedeelde oprit van oude bakstenen, gelegd in visgraatpatroon.

Ik hots er voorzichtig overheen in mijn grote truck, parkeer voor het huis en hoor hoe de regen het dak ranselt. Als ik om me heen kijk, overvalt me een gevoel van onbehagen. Meer dan één, eigenlijk. Het zijn eerder een soort golven. De bomen schudden en wiegen in de wind en de regen en als ik de ruitenwissers en de lampen uitzet, kan ik meteen bijna niets meer zien. Onze wagen is de enige op de oprit, en dat klopt niet.

'Waar is iedereen?' vraag ik. Het lijkt wel of de auto in een wasstraat staat. 'Waar is de back-up?'

'Verdomd goede vraag.' Marino is uiterst waakzaam als hij

de lange, smalle oprit, de voorkant van het huis en de oude bomen bekijkt, die staan te schudden en hun blad verliezen in de beukende wind.

'Ik dacht dat jij opdracht had gegeven het pand te verzegelen.'

'Dat heb ik ook gedaan.'

'Er is geen politieauto te zien. En waar is de rode Range Rover?'

'Echt, dit is helemaal fout.' Marino trekt de zwartleren holster op zijn heup open. De donder rommelt en knalt.

'Heb je Vogel, Lapin of misschien Hyde gezegd dat hij hem naar het lab moest laten verslepen?'

'Daar was geen reden voor. We dachten nog niet echt dat er opzet in het spel was. Misschien heeft Bryce zelf het initiatief genomen om hem te laten wegslepen nadat jij met Anne en Luke had gesproken en tot de conclusie was gekomen dat het om moord gaat.' Marino scrolt door de lijst met nummers op zijn telefoon, maar hij kijkt voortdurend op om de omgeving in zich op te nemen.

'Ik heb ze nog geen halfuur geleden gesproken,' merk ik op. 'Er is niet genoeg tijd geweest om de Range Rover te laten weghalen. Ik heb er zeker niet om gevraagd, en Bryce zou het nooit op eigen houtje hebben laten doen.'

'Ik heb ook niemand gezegd hem weg te laten slepen.' Hij veegt de condens van het zijraampje, kijkt naar buiten en controleert het lege stuk verregende oprit achter ons via de zijspiegel. 'De sleutel van de Range Rover lag op het aanrecht en Hyde heeft er even in gekeken. Hij zei dat hij niets belangwekkends had gezien. Er lag überhaupt niet veel in, en hij had de indruk dat er al een tijdje niet mee gereden was. Dat zei hij tenminste. Verder hebben we er niets mee gedaan, omdat we ervan uitgingen dat er geen sprake was van een misdaad, dat het gewoon een ongeluk was. Op dat moment leek het nog geen zin te hebben om haar auto te onderzoeken.'

'Wat is er daarna met de sleutel gebeurd?'

'Die heb ik, en ook de huissleutel.'

'Er moet een reservesleutel zijn, tenzij de Range Rover zonder sleutel is gestart of op een andere manier hier is weggehaald.' Ik kijk om me heen om te zien of er nog iets anders weg of veranderd is sinds we hier halverwege de ochtend voor het laatst waren.

Het eeuwenoude huis is omhuld door een grijze mist die omhoogkomt van de natgeregende aarde, en mijn blik valt op een enkel stuk politielint dat de bakstenen trap barricadeert. Het dunne, gele plastic trilt in de wind en de regen. Het was vanochtend nog niet aanwezig. Belangrijker nog is dat ik verder nergens politielint zie. Het zit niet voor de keukendeur die we vanmorgen hebben gebruikt. Het is niet om bomen of over de oprit gespannen.

Dan valt mijn blik op een dikke rol heldergeel lint in een bloembed naast de houten luiken die naar ik vermoed toegang geven tot de kelder. Kennelijk is iemand begonnen de boel af te zetten en is hij daarmee gestopt, met achterlating van de rol waar ik hem nu zie liggen, in een bed van door de regen neergeslagen en vertrapte paarse asters en rudbeckia's. Ik denk terug aan het moment dat ik alleen in de hal stond en dacht dat iedereen weg was, behalve Marino en ik.

Ik hoorde een onverklaarbaar geluid, alsof er een zware deur dichtsloeg. De deur van de kelder naar de achtertuin bleek opeens open, ook al beweerde agent Vogel dat hij hem op slot had gedaan. Vervolgens was het keukenafval weg en de tafel gedekt met een decoratief bord dat van de muur was gehaald. Nu is de Range Rover verdwenen. Ik kijk naar het oude huis met zijn donkere ramen van golvend glas. Misschien waart daar iets rond, maar geen spook. Er is iemand op het terrein geweest sinds wij zijn vertrokken.

'Heb ik jou niet horen zeggen dat ze een grote, gele strik om het huis moesten binden?' vraag ik aan Marino. 'Het enige lint dat ik zie, zit daar.' Ik wijs naar de voorkant van het huis. 'Eén stuk aan de trapleuning is echt niet genoeg om de mensen uit het huis of van het terrein te houden. Weet je wie dat gedaan heeft en waarom de rol politielint daar ligt? Het is net alsof die persoon is gestoord, besloot om het huis heen te lopen en de rol in het bloembed heeft achtergelaten voordat hij wegreed. Ik kan van hier af zien dat veel planten bij die luiken zijn vertrapt.'

‘Hyde of Lapin moet zijn teruggekomen nadat jij en ik naar Lucy waren gegaan.’

‘En toen?’

‘Joost mag het weten.’ Marino kijkt naar zijn telefoon. ‘Ik heb Hyde een sms gestuurd toen we hiernaartoe gingen en hij heeft nog niet gereageerd. Van Lapin heb ik ook niets vernomen.’

‘Wanneer heb je voor het laatst iets van hen gehoord?’

‘Ik heb Hyde gesproken toen ik hem belde over het keukenafval, een uur of drie geleden. Ik probeer hem nu weer te bellen.’ Hij blaast van frustratie luid uit als hij meteen de voicemail krijgt. ‘Verdomme!’

‘Ze zijn niet meer komen opdagen en je hebt ook niets van ze gehoord. Maak je je zorgen?’

‘Zo ver wil ik nog niet gaan. Als ik naar hen ga laten zoeken, zou dat helemaal verkeerd kunnen uitpakken. Als je wilt dat mensen in de problemen komen en een bloedhekel aan je krijgen, moet je het zo doen.’

‘En de staatspolitie?’ Ik denk weer aan agent Vogel. ‘Is het mogelijk dat die hier geweest is? Kunnen zij de Range Rover hebben weggesleept?’

‘Zeker niet.’

‘De FBI dan?’

‘Als ze dat maar uit hun botte kop hebben gelaten. Wee hun gebeente als ze iets hebben aangeraakt of weggesleept zonder mij op de hoogte te stellen.’

‘Maar is het mogelijk? Kan de FBI buiten ons medeweten het onderzoek hebben overgenomen? Ze lijken er in ieder geval belangstelling voor te hebben.’

‘Stel dat dit hun onderzoek was. Dan zouden ze hier intussen overal krioelen, net als op het landgoed van Lucy. Dan stonden we hier niet helemaal alleen. We zouden waarschijnlijk niet eens de oprit op kunnen komen, laat staan het huis in.’

‘Ze vlogen eerder op de dag in die helikopter rond...’

‘Met Benton.’ Marino kan het niet laten me daaraan te herinneren. ‘Hij vloog recht boven ons toen we hier waren en is ons min of meer naar Lucy gevolgd. Wie houden ze dan eigenlijk in de gaten? Wie houdt hij in de gaten?’

‘Het is waarschijnlijk een goed idee om ervan uit te gaan dat de FBI ons allemaal in de gaten houdt.' Ik zet de motor uit, en de noordooster doet de truck schudden terwijl de regen over de voorruit stroomt. 'Laten we gewoon aannemen dat de FBI denkt dat Lucy iets te maken heeft met wat er is gebeurd en dat ik met haar samenspan. En jij misschien ook wel. Het kan goed zijn dat ze ons allemaal op de radar hebben.'

'Met andere woorden: Lucy is een seriemoordenaar? Of zij en Carrie zijn allebei seriemoordenaars en wij weten het, maar houden hen de hand boven het hoofd? En Lucy heeft jou in het been geschoten en is weggezwommen met je duikmasker? Of misschien heb je jezelf in het been geschoten? Of anders Benton? Het kan ook de schuld zijn van Moby-Dick of een vis genaamd Wanda. Wat een gelul. Hoe kun je in godsnaam getrouwd zijn met iemand die je bespioneert en je behandelt als een voortvluchtige?'

'Benton bespioneert mij net zomin als ik hem. We moeten allebei ons werk doen.' Meer ga ik er niet over zeggen, en ik staar door de stortregen naar het eeuwenoude huis.

Het huis oogt doods en eenzaam, en ik voel hetzelfde als toen we hier eerder waren. Het is moeilijk te omschrijven. Iets kouds in mijn middenrif waardoor ik oppervlakkig en heel stilletjes ga ademen. Mijn maag lijkt wel een gebalde vuist. Mijn mond is droog en mijn hart slaat snel.

Ik twijfel aan mezelf. Niet dat ik dat vroeger nooit deed, maar de laatste tijd lijk ik het voortdurend te doen. Voel ik echt dat er gevaar dreigt? Of speelt mijn verbeelding me parten omdat ik getraumatiseerd ben? Hoe ik mezelf ook analyseer of ondervraag, ik kan mijn onbehagen niet verdringen. Het wordt met de seconde heviger. Ik voel dat er iets kwaadaardigs aanwezig is. Het lijkt alsof we in de gaten worden gehouden. Ik denk aan het pistool in mijn schoudertas terwijl ik om me heen blijf kijken en Marino door de nummers scrolt die hij het laatst gebruikt heeft.

Hij drukt op BELLEN en zegt: 'Bij Lapin krijg ik ook meteen de voicemail.' Hij spreekt een bericht in dat Lapin meteen terug moet bellen en zegt dan tegen mij: 'Het lijkt verdomme wel of ze opgestraald zijn door buitenaardse wezens.'

'Als ze in dit weer buiten zijn, hebben ze hun telefoon misschien weggestopt zodat hij niet nat wordt. Misschien horen ze niet dat hij overgaat. Het gebeurt ook wel dat het mobiele netwerk plat ligt bij een storm als deze.' Ik kijk naar de grote esdoorns, die door de wind heen en weer worden geschud, zodat de onderkanten van de bladeren lichtgroen opflitsen. 'Moeten we ons geen zorgen maken, Marino? Ik wil ze niet in de problemen brengen, maar het idee dat het niet goed met ze is, staat me nog veel minder aan.'

'Zo gaat het nou altijd,' zegt hij. 'Je kunt het nooit goed doen. Je kunt een agent niet te pakken krijgen en uiteindelijk laat je hem zoeken en dan blijkt dat hij ergens tv zit te kijken en een Big Mac zit te eten. Of hij heeft te veel gedronken bij de lunch en ligt zijn vriendin te naaien.'

'We kunnen alleen maar hopen dat het dat is.' Ik kijk naar de regen en naar de rol geel politielint in het bloembed.

'Mee eens.' Marino's kaakspieren maken een trekkende beweging.

'Misschien was een van hen bezig de boel af te zetten toen de hemelsluizen opengingen, is het daarom dat er alleen lint voor de trap zit en de rol daar is achtergelaten. Misschien is die persoon hier haastig weggegaan. Het is een heel zware storm.'

'Ja, dat is waar. Maar toch klopt er iets niet.' Marino drukt zich hiermee wel heel gematigd uit. 'Eerst denken we dat het een ongeluk is. Nu is het moord, kunnen we haar Range Rover niet vinden en weet ik niet waar mijn back-up in godsnaam kan zijn gebleven. Er zouden hier twee patrouillewagens moeten staan om de boel in de gaten te houden. Wacht even.'

Hij belt een ander nummer.

'Hé, daar ben ik weer, op hetzelfde adres,' zegt hij tegen degene die opneemt, een vrouw, als ik moet afgaan op zijn flirterige toontje. 'Zijn er wagens naar het huis hier in Brattle Street gestuurd sinds ik rond halfelf ben weggegaan? Met name tweedrie-zeven en honderdtien? Iets van hen gehoord?'

Ik neem aan dat 237 en 110 Hyde en Lapin zijn. Marino kijkt me aan en schudt zijn hoofd.

'Echt niet? Helemaal geen contact gehad? Ze hebben al bijna drie uur niet op radio-oproepen gereageerd? En ze hebben zich ook niet afgemeld of zoiets? Dat is echt klote. Ze gingen even donuts halen en zouden hier terugkomen om de omgeving af te zetten en een oogje in het zeil te houden... Nou, het punt is dat ik ze moet spreken; ik moet weten wie er allemaal in het huis zijn geweest sinds ik ben vertrokken. Oké? Bel me zo snel mogelijk terug.'

Ik kijk naar het water dat tegen de bakstenen slaat. De regen komt bijna horizontaal uit de lucht.

'Je zou hun telefoons kunnen laten opsporen,' opper ik.

'Daar heb ik een gerechtelijk bevel voor nodig.'

'Ik heb het je vaak genoeg zonder zien doen.'

'Eerst maar eens zien wat Helen te weten kan komen.'

'Ik weet niet wie dat is.'

'De vrouw van de meldkamer met wie ik net telefoneerde. Ik ben een paar keer met haar uit geweest.'

'Ik ben blij dat je hulpvaardige vrienden hebt. We moeten zeker weten dat alles goed is met Hyde en Lapin.'

'Ik wil ze ook niet in de problemen brengen, doc. En dat zou heel goed kunnen. Grote problemen, als ze naar huis zijn gegaan zonder iets tegen iemand te zeggen, en we hun telefoons opsporen en achterhalen dat waar ze zitten niets te maken heeft met hun werk.'

'Ik wil zeker weten dat ze niet in gevaar zijn,' herhaal ik.

'Ik niet, denk je?'

'Neem geen enkel risico, Marino. Niet met haar in de buurt.' Ik hoef Carrie Grethens naam niet te noemen. Hij weet wie ik bedoel.

'Dat snap ik, en die gedachte is heus ook wel bij mij opgekomen. Maar het is niet niks om alarm te slaan en elke agent in het noordoosten van Massachusetts naar iemand te laten zoeken. Zover ben ik nog niet,' zegt hij. 'Er is nog niet genoeg reden voor. Sommige politiemensen zijn slordig met hun portofoon, nemen niet altijd hun telefoon op en bellen je niet meteen terug, en daar kunnen een heleboel redenen voor zijn. Je laat pas naar ze zoeken als je zeker weet dat het nodig is. En dat weet ik niet. Er kan best een heel goede verklaring voor zijn.'

'Een verklaring, zeker. Maar ga er niet van uit dat het een goede is. Hebben we reden om te denken dat iemand anders de

Range Rover kan gebruiken?' vraag ik. 'Wat dacht je van de huishoudster? Elsa Mulligan, zo zei je toch dat ze heet? Is het mogelijk dat zij hem om een of andere reden heeft verzet?'

'Als ze dat maar uit haar hoofd heeft gelaten.'

'Had je de indruk dat ze zoiets zou kunnen doen? Gebaseerd op wat jou verteld is?'

'Hyde heeft maar een paar minuten met haar gesproken en ik heb maar heel even met hem gepraat toen jij en ik hier aankwamen. Maar ik weet dat hij meteen zei dat ze behoorlijk overstuur was, dat hij haar had gezegd naar huis te gaan en dat we later wel met haar zouden praten. Hij had medelijden met haar. Waarschijnlijk omdat ze er goed uitziet.'

Ik weet nog dat Marino met Hyde in de keuken was toen we vanmorgen vroeg hier aankwamen. Ik kon niet horen wat ze zeiden. Ik was in de hal bij het lijk. Ik had het druk.

'Zei hij dat ze er goed uitzag?'

'Goed lijf. Knap gezicht met piekerig, kort, zwart haar en een grote, donkere bril. Hij zei dat ze zó uit Hollywood had kunnen komen.'

'Ik dacht dat je zei dat ze uit New Jersey kwam.'

'Hyde vond dat ze een Hollywooduitstraling had. Dat zei hij.'

'Heeft ze begrepen dat ze niets mocht aanraken of verschuiven en hier niet mocht terugkomen voordat jij had gezegd dat het in orde was?' vraag ik dan.

'Wat denk je nou? Dat ik vergeten ben hoe ik mijn werk moet doen?' Hij kijkt recht voor zich uit terwijl de regen tegen de ruit slaat.

'Je weet dat ik dat niet denk.'

'Ik heb haar duidelijk gemaakt dat ze niets mocht aanraken en geen voet in het huis mocht zetten zonder mijn toestemming.' Hij is weer druk met zijn telefoon en typt snel iets met zijn duimen.

'Dat betekent niet dat ze zich daaraan gehouden heeft,' antwoord ik. 'Misschien waren er spullen in het huis die ze wilde ophalen of ergens uit het zicht wilde leggen. Of misschien was ze bang dat ze niet meer binnen zou kunnen komen als de moeder eenmaal hier was. Mensen doen allerlei schijnbaar irrationele of onverstandige dingen na een plotseling sterfgeval.

Meestal is het helemaal niet hun bedoeling om ons werk te bemoeilijken. Ze willen geen problemen veroorzaken.'

'Waarom heb ik nu het idee dat je een preek tegen me afsteekt?'

'Dat komt door de frustratie. Je voelt je machteloos en dat maakt je boos en ongeduldig. Begrijpelijk.'

'Het is niet begrijpelijk, want zo voel ik me helemaal niet. In ieder geval niet machteloos. Ik heb laatst in de sportschool driehonderdvijftig kilo gelift. Dat is niet echt machteloos.'

'Daar heb ik het natuurlijk niet over.' Ik reageer niet op zijn grove en dwaze grootspraak. 'Ik twijfel niet aan je lichamelijke kracht. Het gaat er nu niet om hoeveel je kunt tillen.'

Ik doe mijn portier open en het geluid van spetterend water klinkt meteen veel luider.

30

De koude regen striemt mijn gezicht en doorweekt mijn haar en kleren als ik uit de truck stap.

Mijn aandacht gaat weer naar het bloembed en de rol felgeel lint. Ik ga er automatisch naartoe, alsof het een magneet is. De wind fluit met een onaards en onheilspellend geluid door de bladeren.

Ik ga op mijn hurken bij de houten luiken zitten, die in dezelfde matblauwe tint zijn geschilderd als het huis, schuin rechtop zijn gemonteerd en worden omgeven door oude bakstenen. De regen slaat koud op mijn kruin en rug. Het lijkt wel of er emmers water over mijn doorweekte zwarte nylon schoenen worden gegooid terwijl ik naar de gebroken paarse asters en de gehavende en geplette rudbeckia's kijk. Mijn conclusie blijft dezelfde.

Iemand is begonnen met het afzetten van het terrein, kwam tot aan de trapleuning en is er toen weer mee gestopt. Om een of andere reden heeft die persoon het lint in het bloembed naast de luiken laten liggen. De luiken zijn stevig dicht, maar ik kan niet zien of ze op slot zijn. Terwijl de wind in een lager register om me heen huilt, denk ik na over mijn volgende stap.

Ik wil de luiken niet aanraken met mijn schoenen of blote handen, dus ik pak een tak die door de wind is afgerukt. Die houd ik bij het gebroken uiteinde, waarna ik de punt door de stalen grepen duw. Ik probeer ze op te tillen. De luiken geven niet mee. Dat geef ik door aan Marino als hij door de stortbui naar me toe komt.

'Een gewoon slot in plaats van een hangslot,' roep ik om boven het geluid van de regen uit te komen. 'Mogelijk heeft iemand deze luiken gebruikt om in de kelder te komen. De bloemen zijn geplet alsof iemand erop getrapt heeft. Heb je, toen je eerder in de kelder was, gezien of deze luiken onlangs nog gebruikt zijn?'

'Er was daar niet veel te zien en mij is niets opgevallen.' Hij staat naast me met zijn handen op zijn heupen. Het water stroomt over zijn geschoren hoofd en sopt in zijn schoenen. 'Als Hyde is teruggekomen met het lint, waarom is hij dan hierheen gelopen en heeft hij al die bloemen platgetrapt?'

'Het ziet ernaar uit dat iemand dat gedaan heeft. Zoveel kunnen we wel zeggen.' Ik ga naar de achterkant van de truck. Op de diepere gedeelten van het grasveld en het pad staat al een paar centimeter water.

'En toen is hij gestoord?' Marino loopt soppend en spetterend achter me aan. 'En nu kan niemand hem of zijn patrouillewagen vinden.'

'Zoals ik al zei, zou je kunnen nagaan waar zijn telefoon zich bevindt.' Ik trek aan de achterdeuren.

Ze zijn op slot, zoals ik dacht. Met natte en gladde vingers kies ik de juiste sleutel. Ik doe de deuren open. Het licht gaat automatisch aan en ik vang de verse citrusgeur op van het ontsmettingsmiddel en het bleekwater waarmee we onze voertuigen schoonmaken. Ik sta erop dat ze worden geschrobd en ontsmet tot ze schoon genoeg zijn om in te eten, hoewel ik dat niet letterlijk bedoel. Zoekend kijk ik om me heen of ik de bron van het mysterieuze gekletter kan vinden.

Ik zie niets wat het geluid veroorzaakt kan hebben. De vloer van staalplaten is leeg en smetteloos en glanst als een spiegel. De sporenkoffers, opslagkisten en kasten zijn dicht en vastgezet, precies zoals ik ze heb achtergelaten. Brandblussers, kastjes met chemicaliën en grote stukken gereedschap zoals harken, schoppen, een bijl en draadscharen zitten in klemmen aan de zijkanten. Niets staat los. Niet de laptops, niet de camera en de forensische lichtbronnen, niet de afstandsbedieningen voor de vele flatscreens die samen mijn mobiele kantoor vormen. Ik heb hier alles wat ik nodig heb, inclusief communicatietechnologie die me in staat stelt te werken terwijl ik het grootste deel van de dag niet op het CFC ben, zoals nu.

Ik klim langzaam en onhandig naar binnen omdat ik mijn been wil ontzien, en het water druipt van me af als ik met een hol, bonzend geluid over de stalen vloer loop. Ik doorzoek het achterste gedeelte, waar het geluid vandaan leek te komen terwijl ik reed, en mijn aandacht valt op een ingebouwde werkplek met een draaistoel, die aan de vloer is vastgemaakt. Op het bureau staan een computertoren en platte beeldschermen onder zware hoezen van polyurethaan en beschermend afdekkingsmateriaal. Aan beide zijden bevinden zich waterdichte roestbestendige opslagkasten.

Ik open de kast aan de rechterkant. Niets ongewoons, alleen een printer op een uitschuifbaar blad en daaronder pakken papier. Ik sta even stil als Marino's telefoon gaat. Het is de meldkamer, de vrouw die Helen heet.

'Oké. Zoals we al dachten. Dat is dan jammer. Nee. Ik ook. Ik wacht er nog steeds op,' zegt Marino tegen haar. 'Als ik niet snel iets hoor, laat ik het je weten. Nogmaals bedankt.'

Zijn telefoon zit in een waterbestendig hoesje dat hij aan de band van zijn doornatte cargoshort hangt.

'Niets,' zegt hij tegen me. 'Geen radioverkeer over eenheden die hiernaartoe zijn gegaan nadat jij en ik halverwege de morgen zijn vertrokken. En niets over de Range Rover. Als we niet snel enig idee krijgen van waar Lapin en Hyde uithangen, doen we een oproep.'

'Ze probeert via de radio met ze in contact te komen en ze reageren geen van beiden,' vat ik kort samen terwijl ik in het linker kastje vind wat ik zoek.

'Als ik over een paar minuten nog niets van ze gehoord heb, laten we de bijl vallen.'

'Dat kun je misschien beter meteen doen,' zeg ik.

De staaf van gepolijst koper is ongeveer een meter lang en zo dik als een potlood.

Hij leunt tegen stapels blauwe handdoeken en in mijn achterhoofd gaat een alarm af. Aan het ene uiteinde zie ik een stijve, gelige franje en aan het andere een soort klauw van verbogen scheermesjes. Ik buk om het beter te kunnen zien en vang de zure, doordringende stank op van ontbindend vlees. Dan trek ik laden open tot ik een doos met handschoenen heb gevonden.

'Wat is dat?' Marino kijkt van buitenaf toe, geteisterd door de regen en de wind. 'Wat heb je gevonden?'

'Eén minuutje.' Ik trek handschoenen aan en doe een gelaatsscherm voor. 'Ik heb hier iets wat er zeker niet hoort te zijn.'

'Ik kom eraan.'

'Nee. Het is beter als je blijft waar je bent.'

Ik print een etiket voor de witte plastic meetlat die ik zal gebruiken voor de schaal en neem foto's zonder iets aan te raken of te verschuiven. Dan steek ik mijn hand in de kast en haal de pijl eruit. Ik heb nog nooit zo'n exemplaar gezien. Hij is niet bruikbaar. Ik kan me niet voorstellen hoe hij dat zou kunnen zijn. Welke boog zou een massief koperen pijl van wel een halve kilo kunnen afschieten? En al was het mogelijk, waarom zou iemand dat willen?

Ik houd hem in mijn handen en inspecteer de roodbruine vlekken op de beschadigde drievoudige punt en de uitvoerig gegraveerde, gepolijste schacht, waarbij ik de pijl met mijn vingertoppen omdraai. De stank komt van de bevedering, die niet van veren is gemaakt.

'Wat is dat in godsnaam?' Marino staat op het punt toch in het laadruim te klimmen en ik verbied het hem nogmaals.

'Het laadruim van deze truck is vanaf nu een plaats delict,' zeg ik tegen hem. 'We zullen hem in ieder geval zo moeten behandelen.'

'Hoe bedoel je, een plaats delict?' Hij heeft een felle blik in zijn ogen. 'Jezus christus.'

'Dat weet ik nog niet,' antwoord ik. Ik zie hoe het besef tot hem doordringt, hoe het ene leidt tot het andere en de situatie van akelig overgaat in ondenkbaar.

'Koperkop.' Hij herhaalt de bijnaam die in de media wordt

gebruikt, de bijnaam van een monster dat wij kennen onder de naam Carrie. 'Koperen kogels. En nu een koperen pijl.'

Het gekletter en voortdurende geratel op het metalen dak zijn zo luid dat ik moet schreeuwen als ik uitleg dat de pijlpunt een mechanisme heeft waardoor hij bij contact uitklapt, zo'n beetje als een dumdumkogel. Het doel is om dodelijke wonden toe te brengen, om de prooi snel en genadig af te maken.

'Alleen zijn jachtpijlen normaal gemaakt van heel lichte koolstofvezel, zoals je weet,' voeg ik eraan toe. 'De bevedering die bedoeld is om de pijl tijdens de vlucht te stabiliseren, bestaat normaal uit echte en af en toe uit synthetische veren. Niet uit dit borstelige materiaal, wat het ook mag zijn.'

Het is ongeveer tweeënhalve centimeter lang, lichtblond en zo stevig als de haren van een tandenborstel, alsof ze gelakt zijn. Ik pak een loep en een zaklamp om ze beter te kunnen bekijken. Het zouden stukjes vacht kunnen zijn. Niet van een dier, maar van een mens, en in het felle licht en onder de loep zie ik aarde, vezels en ander vuil, waaronder korrels die eruitzien als een soort zwarte suiker.

Ik zie restanten van lijm op de plek waar drie dunne strookjes leerachtig materiaal zijn vastgemaakt in inkepingen die machinaal in de schacht zijn aangebracht. Ik denk aan gemummificeerde menselijke hoofdhuid, en ik heb een sterk vermoeden wat dit is op het moment dat ik een werkblad bedek met blauwe handdoeken. Ik leg de pijl erop. De vlijmscherpe punt is uitgeklapt. De roodbevlekte bladen zijn naar achteren gebogen alsof de pijl een doelwit heeft doorboord en er met geweld weer uit is getrokken. Carrie heeft nog iemand anders verwond of vermoord. Dat kan ik niet met zekerheid weten. Toch twijfel ik er geen moment aan en het is niet toevallig dat ik geen eenvoudige en snelle test op hemoglobine kan uitvoeren. Dat is een onmogelijke opgave bij koper, en Carrie laat maar heel weinig aan het toeval over.

Ik weet nog hoe kil en berekenend ze naar me keek als we elkaar in Quantico tegenkwamen. Wat ik ook zei over wetenschap, geneeskunde, rechten of welk onderwerp dan ook, ze deed altijd alsof ze beter op de hoogte was. Ik had het gevoel dat ze me beoordeelde, dat ze altijd op zoek was naar manieren om haar superioriteit te bewijzen. Ze was heel competitief. Ze was jaloers en tegendraads. Ze wist ontzettend veel, kon heel charmant zijn als ze dat wilde en was een van de slimste mensen die ik ooit heb ontmoet. Ik weet hoe ze in elkaar zit. Dat weet ik net zo goed als zij dat van mij weet.

Ze zet dingen in beweging en saboteert vervolgens al mijn pogingen om daarop te reageren, en koper past in haar plan. Ik zag in de video's dat ze gelooft dat koper helende, zo niet magische eigenschappen heeft. Ze zal ook weten dat het voor chaos zorgt op plaatsen delict. Als aan het reagens fenolftaleïne een paar druppels waterstofperoxide worden toegevoegd, zal dat mengsel een wattenstaafje met bloedsporen meteen felroze kleuren, wat voor chemicaliën of materialen er verder ook aanwezig zijn. Maar voor deze bloedtest staat koper boven aan de lijst met stoffen die een vals positieve uitslag geven.

Met andere woorden, zo'n bloedtest zal zeker een positief resultaat opleveren. Dat resultaat zou juist kunnen zijn, maar het kan ook fout zijn, en dat is Carries unieke gave. Ze zorgt voor verwarring, valse hoop, verkeerde wendingen en schijnbare onmogelijkheden, en ze is er buitengewoon goed in elke deductieve vaardigheid in de kiem te smoren, om de wetenschap en vaste procedures te slim af te zijn. Ze vindt het geweldig om onze routine en onze training waardeloos te maken, en ik heb bijna het gevoel dat ze hier bij me in de truck is. Ik weet zonder empirisch bewijs dat wat ik denk snel genoeg bewaarheid zal worden. Het heeft geen zin te ontkennen dat alle rampzalige gebeurtenissen van deze dag uit dezelfde hoek komen.

Carrie is hier geweest. Voor zover wij weten, zou ze op dit moment hier kunnen zijn, en dat zeg ik tegen Marino terwijl hij stoïcijns in de stortregen staat te wachten omdat hij nergens anders heen kan, tenzij hij in de cabine gaat zitten. Dat doet hij niet. Hij wacht. Ik voel zijn blik terwijl ik zwaar wit papier snijd en vouw. Hij kan er niet zo zeker van zijn als ik, want hij heeft de video's niet gezien en weet er niets van. Maar ik kan me voorstellen wat hij denkt als ik het pakje verzegel met rood tape, waarop ik mijn initialen en de datum zet. Hij blijft zwijgend naar me staan staren, zijn hoofd gebogen tegen de neervallende regen. Zijn sombere stemming is bijna tastbaar.

'Weet je zeker dat hij er niet al een tijdje gestaan kan hebben?' vraagt hij eindelijk. 'Misschien is hij van een andere zaak en is hij op de een of andere manier vergeten. Of anders is het een grap. Iemand heeft een zieke grap uitgehaald.'

'Dat kun je niet menen.'

'En of ik het meen.'

'Hij is niet van een andere zaak en het is zeker geen grap. Geen normaal mens zou dit een grap vinden.' Ik zoek in mijn broekzak naar het met nitril omwikkelde metamateriaal dat ik op Lucy's landgoed heb gevonden.

'Ik grijp elke strohalm aan omdat ik het niet wil geloven,' zegt hij.

'Ik wil het ook niet geloven,' stem ik in.

'Hoe is die pijl in godsnaam in de truck beland?'

'Dat weet ik niet, maar hij was er wel.'

'En jij denkt dat zij hiervoor verantwoordelijk is.'

'Wat denk jij dan, Marino?'

'Jezus. Hoe is ze verdomme in de truck gekomen? Laten we daarmee beginnen. Eén ding tegelijk.'

'Iemand heeft de pijl in het kastje aan de linkerkant van het bureau gezet. Dat is een feit. Hij is er niet uit zichzelf naartoe gewandeld. Dat kan ik je met zekerheid zeggen.' Ik plak een etiket met de tijd en de locatie van de vondst van de kwartsachtige hexagoon die ik in de vinger van een handschoen heb gestopt op een plastic zakje.

'Waar moeten we dan aan denken? Een soort Houdini of zo?' Marino is boos en ruw omdat hij de zenuwen heeft. Zijn blik zwerft voortdurend rond en zijn rechterhand hangt bij de holster met de .40 kaliber Glock op zijn heup.

'Mijn grootste angst is dat er nog iemand dood is.' Ik heb mijn handschoenen uitgetrokken en het gelaatsscherm afgedaan, leg de pakjes in een stalen kist voor bewijsmateriaal, doe hem dicht en scan mijn duim om het biometrische slot te activeren. 'Als de vlekken en de bevedering zijn wat ik denk dat ze zijn, hebben we nog een probleem. Waar komt dat biologische materiaal vandaan? Van wie of van wat?'

'Kan het van haar zijn?' Hij bedoelt Chanel Gilbert.

'Ze mist geen stukjes van haar hoofdhuid en haar haar is niet kort en lichtblond geverfd. Als ik hier mensenbloed en -weefsel gezien heb, is het niet van haar.'

Daar ben ik zeker van, en ik vertel hem ook nog dat ik het gevoel heb dat iemand dit in mijn schoenen wil schuiven. Ik duw twee zwarte plastic sporenkoffers naar hem toe, ze schrapen over de staalplaten van de vloer. Ik leg uit dat het moeilijk zou zijn om te bewijzen dat ik de pijl daar niet zelf heb neergezet.

'Ik heb gezien dat je hem vond. Ik weet dat je hem er niet in hebt gezet.' Marino tilt de koffers op en zet ze op de onder water gelopen oprit.

'Dat kun je niet zeker weten. Hij bevond zich in mijn truck,' herhaal ik. Ik zal hem over de video's moeten vertellen, want de situatie is nu drastisch veranderd.

Carrie heeft haar aanwezigheid kenbaar gemaakt. Dat verandert alles meteen en totaal.

'Maar ik heb hier geen koperen pijl achtergelaten. Ik heb hem nooit eerder gezien. Dat kan ik je verzekeren,' zeg ik tegen Marino.

'Ik ben er getuige van geweest dat je er foto's van hebt genomen en ze hebben een aantekening van de datum en de tijd. Je hebt bewijs dat die pijl zich al in de truck bevond. Dat je hem hebt gevonden omdat hij lawaai maakte.'

'Je kunt zeggen wat je wilt. Of ik nu bewijs heb of niet, ik word erin geluisd. Dit is opzettelijk zo gedaan,' herhaal ik terwijl hij de sleutels van de truck van me overneemt. 'Lucy heeft het idee dat ze erin wordt geluisd, en ik nu ook,' voeg ik eraan toe. Ik zal hem de waarheid moeten vertellen, de hele waarheid. 'We worden er allemaal ingeluisd en we kunnen maar beter lang en diep nadenken over alles wat we doen. Vanaf dit moment.'

Hij begint langzaam om de truck heen te lopen terwijl ik achterin wacht en bedenk hoe hij zal reageren op wat ik te bekennen heb. Hij zal zeggen dat ik het hem uren geleden had moeten vertellen. Hij zal zeggen dat ik de video's alleen samen met hem had mogen bekijken. Ik hoor hem elk portier controleren door ze stuk voor stuk open te maken en weer dicht te slaan.

Ik houd mezelf voor dat het niet uitmaakt hoe hij zich zal voelen en hoe hij zal reageren, want in het licht van wat er gebeurt zou het onverantwoordelijk zijn om het hem niet te vertellen, dus wacht ik tot hij weer terug is bij de open achterkant. Als hij tevoorschijn komt, verkondigt hij dat elk paneel en elk opslagcompartiment op slot zit en dat er geen enkel teken is dat ermee is geknoeid. Dan begin ik aan mijn verhaal. 'Marino, je moet even heel goed luisteren. Ik ga je iets vertellen en je gaat het niet leuk vinden.'

'Wat dan?' Hij wordt steeds humeuriger, maar ik kan niet meer terug, ook al is het misschien een vergissing om hem op de hoogte te stellen.

Ik weet echt niet wat ik anders moet doen; we worden meegesleurd in een maalstroom waar Carrie ons in heeft doen belanden en waar ze wil dat we blijven. Onze vaste gewoonten, protocollen en procedures voor de kleinste bezigheden worden binnenstebuiten gekeerd en op de kop gezet, worden tenietgedaan en meegezogen naar een andere dimensie. Ze heeft het eerder gedaan en nu doet ze het weer. Ik moet denken aan wat mijn baas generaal John Briggs, het hoofd van de lijkschouwers van het leger, vaak zegt.

Als een terrorist iets vindt wat werkt, blijft hij dat doen. Heel voorspelbaar.

Carrie Grethen is een terrorist. Ze weet dat wat ze doet werkt. Chaos en verwarring scheppen. Tot we elk gevoel voor richting en ons beoordelingsvermogen kwijt zijn. Tot we onszelf en elkaar kwetsen.

Denk na!

'We zullen moeten improviseren,' zeg ik tegen Marino.

'Ik heb geen flauw benul waar je het over hebt.'

Bedenk wat je volgens haar zult gaan doen.

'De normale manier waarop we dingen doen, is wellicht niet meer relevant en bruikbaar, en we zullen flexibel en buitengewoon opmerkzaam moeten zijn, alsof we helemaal opnieuw beginnen, alsof we het wiel weer moeten uitvinden. Want dat moeten we in zekere zin ook. Ze kent onze werkwijze, Marino. Ze kent ons protocol. Ze kent elk instructieboek dat we ooit hebben gelezen voor alles wat we doen. We moeten openstaan voor verandering en voortdurend denken aan de aannames die zij zal doen, gebaseerd op hoe goed ze ons kent.'

Ze gaat ervan uit dat je het aan niemand zult vertellen.

'Ik was niet van plan je dit te vertellen, maar ik ben van gedachten veranderd omdat ik denk dat ze verwacht dat ik het geheim zal houden. Ik heb vandaag drie video's ontvangen.' Ik praat luid en langzaam, met een kalmte die in tegenstrijd is met mijn kolkende emoties. 'Opnamen die kennelijk zijn gemaakt door Carrie. Het ziet ernaar uit dat ze ze in het geniep heeft gemaakt in Lucy's kamer toen die in 1997 in Quantico verbleef.'

'Carrie heeft je zeventien jaar oude video's gestuurd?' vraagt Marino ongelovig en boos. 'Weet je zeker dat ze echt zijn?'

'Ja, ze waren echt.'

'Hoe bedoel je, ze wáren echt?'

'Ik gebruik met opzet de verleden tijd.'

'Laat eens zien.'

'Dat gaat niet. Dat bedoel ik met de verleden tijd. Zodra ik ze had bekeken, waren ze weg en werkten de links niet meer. Vervolgens verdwenen de berichten zelf alsof ik ze nooit had gehad.'

'Je hebt ze via de e-mail gekregen?' Marino's natte gezicht is bleek en strak en zijn ogen zijn bloeddoorlopen.

'Per sms. Zogenaamd van Lucy's noodnummer.'

'Dat zul je net zien. Wat een klotestreek. De FBI heeft haar telefoon. Ze zullen zien wat ze gestuurd heeft. Ze zullen denken dat zij je die video's heeft gestuurd. Het is weer het oude liedje: zij krijgt de schuld voor wat Carrie doet.'

'Laten we hopen dat er niets op haar telefoon te zien is. Er zou niets te zien moeten zijn, want ik ben er vrij zeker van dat Carrie het nummer heeft gehackt. De sms'jes komen niet echt van Lucy en zijn niet verzonden van een van haar toestellen.'

'Je moet me je telefoon geven.' Marino steekt zijn hand uit. 'Ik moet de simkaart eruit halen en ook de batterij als je ooit wilt bewijzen dat je gekregen hebt wat je zegt dat je hebt gekregen. We moeten kunnen aantonen dat Lucy er niets mee te maken heeft.'

'Nee.'

'Je simkaart is misschien het enige bewijs dat je hebt...'

'Nee.'

'Hoe langer je wacht...'

'Ik zet mijn telefoon niet uit,' val ik hem in de rede. 'Als ik dat doe, kan ik niet zien wat ze me verder nog besluit te sturen.'

'Hoor je wel wat je zegt?'

'De videolinks zijn de echte reden waarom ik hier vanmorgen zo haastig ben vertrokken. Ik was bang dat Carrie Lucy's telefoon had en wat dat zou betekenen. Ik moet mijn telefoon aan laten staan.'

Marino bukt om iets te bekijken wat zich onder me aan de achterkant van de truck bevindt. Zijn aandacht is getrokken door het achterlicht.

'Als ik je meer vertel over de video's, zul je begrijpen waarom ik zo bezorgd ben,' ga ik verder. 'En Lucy nam haar telefoon niet op toen ik haar probeerde te bellen. Janet ook niet. Nu weten we dat dat kwam omdat de FBI hen lastigviel en hun spullen in beslag nam. Wat is er? Wat zie je daar?'

Marino heeft belangstelling opgevat voor een van de felle ledlampen van de truck.

'Verdomme.' Zijn stem klinkt onheilspellend. 'Dit is niet te geloven.'

'Wat nu weer?'

'Vlak onder onze neus. Echt in het volle zicht.' Hij staat gebogen over het linker achterlicht, met zijn handen op zijn rug, zoals hij doet als hij er zeker van wil zijn dat hij niet per ongeluk iets aanraakt. 'Kun je me een paar schone handschoenen geven?'

Ik gris er een paar voor hem uit de doos. Dan steek ik mijn hoofd naar buiten om te zien wat hij heeft gevonden en word meteen belaagd door de zware regenval. Het water loopt over mijn gezicht en mijn nek terwijl ik de schroeven tel die zijn verdwenen uit de chromen rand om het linker achterlicht. Er zijn er vijf weg. Op de schroeven die er nog zijn, zitten krassen en groeven.

31

Een zware donderklap. Het water sist en spettert om zijn grote zwartleren sportschoenen.

Marino telefoneert met Al Jacks of Ajax, zoals hij ook wel wordt genoemd. Ik kan zo'n beetje uit zijn antwoorden afleiden wat de voormalige Navy SEAL vraagt over het huis zelf. Hij wil weten waarom Marino denkt dat er iemand binnen zou kunnen zijn. Is er een mogelijkheid dat Hyde zich binnen bevindt? Misschien is hij gewond of gegijzeld? Ik kijk toe vanuit de achterkant van de truck terwijl Marino formeel de hulp inroept van een arrestatieteam, waarbij zijn oortje blauw oplicht in het onweersgeweld. Ik ben me heel goed bewust van het risico dat hij neemt.

De inzet van een speciaal team bij dit voorname huis zal buitengewoon gênant en moeilijk te verdedigen zijn als blijkt dat het niet nodig was. Een dergelijk spektakel zal bovendien het zoveelste zijn dat moeilijk uit te leggen is aan Chanel Gilberts rijke moeder uit Hollywood. Met haar moeten we toch al terdege rekening houden, daar ben ik zeker van.

'De behuizing van het achterlicht zit vast met roestvrijstalen kruiskopschroeven, maar zo te zien heeft iemand een gewone schroevendraaier of de verkeerde maat schroevendraaier gebruikt.' Marino beschrijft via de telefoon wat hij aan het beschadigde linker achterlicht ziet. 'Het kan ook een mes zijn geweest of god mag weten wat. Er is namelijk één schroef over en daarvan is de kop helemaal vernacheld, alsof iemand het verkeerde gereedschap had.'

Ik denk aan Carrie Grethen. Zou zij het verkeerde gereedschap gebruiken? Dat is eigenlijk niets voor haar, maar wie zou er anders zo'n gruwelijk geschenk voor me achterlaten, en wat is de rest van het verhaal?

'Ik besef dat het niet waarschijnlijk is, maar ik denk toch dat we rekening moeten houden met de mogelijkheid dat hij binnen is.' Marino heeft het weer over Hyde en staart naar het donkere, stille huis. 'Maar hoe is hij in zijn eentje binnengekomen? Ik heb geen sleutel bij hem achtergelaten. En als hij bijvoorbeeld gewond binnen ligt, wat is er dan met zijn auto gebeurd? Ja, ja. Precies. Meer vraag ik niet. We controleren het huis, maar we doen het stilletjes. Ik wil heel voorzichtig zijn met wat er via de radio wordt gezegd. Ik heb geen behoefte aan een hele kermis bij een huis van een paar miljoen in de buurt van de campus van Harvard.'

Marino zegt dat ze verscheidene sets droge kleren mee moeten nemen; voor mij geeft hij de mannenmaat medium op voordat ik hem duidelijk kan maken dat dat gelijkstaat aan maatje tent. Hij beëindigt het gesprek en belt iemand anders. Ik hoor dat hij praat met zijn contactpersoon bij het telefoonbedrijf, waarschijnlijk dezelfde technicus die hij altijd belt als hij een bevelschrift nodig heeft en geen zin heeft erop te wachten. Marino geeft twee telefoonnummers door en ik neem aan dat het die van Hyde en Lapin zijn. Hij wil hun locatie vaststellen. Daarna wachten we.

'Het zal een minuut of vijftien tot twintig duren voor we iets horen, doc.' Marino trekt met enige moeite handschoenen over zijn natte handen. 'En ik voel me nu al beroerd. Ik hoop maar dat ik niet een grote vergissing maak. Het is net alsof we op dit moment niets goed kunnen doen. Het is verkeerd om weg te gaan. Het is verkeerd om hier op de oprit te blijven staan. Het is verkeerd om het huis in te gaan. Het is verkeerd om hulp in te roepen. Het is verkeerd om het niet te doen. We kunnen helemaal niets zinnigs doen, alleen wachten tot Ajax en zijn mannen arriveren.'

Hij verwijdert de behuizing van het achterlicht en zet hem op de bumper, en ik voel hoe alleen en kwetsbaar we zijn. Als iemand ons wilde neerschieten, was het al gebeurd. Als Carrie ons op dit moment zou willen vermoorden, zou ze dat zo kunnen doen. Ik heb nooit echt gedacht dat we haar tegen konden houden. Toen we jaren geleden dachten dat ze dood was, voelden we ons niet verantwoordelijk en zagen we het ook niet als een verdienste. We vonden gewoon dat we geluk hadden gehad. Alsof we gezegend waren.

'Godsamme,' zegt Marino. 'De lamp is weg. En achter de fitting zit een behoorlijk gat voor het snoer. Ik denk dat de pijl daardoorheen is geschoven. Zo zou hij precies belanden waar jij hem hebt gevonden, in het kastje naast het bureau.'

'Dus ik heb rondgereden met maar één achterlicht? Nou, dat bevestigt dat het nog niet lang zo kan zijn.'

'Precies. De vraag is wanneer de schade is toegebracht. Want die schroeven en de lamp kunnen niet zijn verwijderd toen de truck bij Lucy op de oprit stond. Tenzij de FBI het heeft gedaan.'

'Valse bewijzen achterlaten en overheidseigendommen beschadigen? Laten we hopen dat de FBI niet zo onethisch en zo stom is.' Ik ga op mijn hurken bij het open kastje zitten waarin ik de pijl heb gevonden en denk aan Lucy's woorden over Carries obsessie voor onzichtbaarheidstechnologie.

Ik kijk om me heen alsof ze overal kan zijn, alsof ze doorzichtig is als de lucht. De wind slaat tegen de truck en de regen komt er met steeds variërende intensiteit op neer, gutsend en trommelend en ruisend. Marino zit er middenin, terwijl ik er even voor gespaard blijf. Ik schijn met de zaklamp in het kastje en laat de felle lichtbundel op het gaatje voor de bedrading vallen, op de stapels goedkope blauwe handdoeken met een touwtje erom en op de stalen vloer, die fel oplicht. Dan zie ik iets anders.

Het is een stofvlok. Ongeveer zo groot als een olijf en pluizig als het stof uit een wasdroger.

Met schone handschoenen aan stel ik met de klevende achterkant van een post-it het vlokje veilig. Ik weet zeker dat het een ware schatkamer zal blijken, een microscopische afvalberg. Vezels, haren, stukjes van insecten en alle denkbare deeltjes. Maar ik ben er zeker van dat dit vlokje niet uit een van mijn CFC-trucks komt. Niet uit de labs of van het parkeerterrein, dat omringd wordt door een hoog, zwart hek waar niemand overheen zou moeten kunnen klimmen. Vervolgens doe ik de stofvlok in een plastic zak, die ik verzegel en in dezelfde kist leg waarin ik de pijl en het metamateriaal heb opgeborgen. Daarna bel ik mijn bedrijfsleider.

Een hele minuut voeren Bryce en ik een zinloos gesprek over de behandeling van bewijsmateriaal. Ik heb geen geduld met zijn onophoudelijke kletspraat en blijf hem in de rede vallen. Het CFC is hier nog geen tien minuten vandaan en ik wil dat de truck onmiddellijk wordt verruild voor een SUV. Laat Harold of Rusty daar meteen voor zorgen. Ik verontschuldig me voor het ongemak, maar deze truck moet hier weg. Het bewijsmateriaal moet worden veiliggesteld. Niet alleen het materiaal dat erin ligt, ook de truck zelf.

'Ik snap gewoon niet waar dat voor nodig is.' Dat heeft Bryce al een paar keer gezegd. 'Je zegt zelf net dat je maar tien minuten hiervandaan bent. Kunnen jij en Marino hem niet zelf hier brengen als je klaar bent, doctor Scarpetta? Ik wil maar zeggen, je komt hier toch naartoe. Ik wil niet moeilijk doen, maar we zitten zo'n beetje tot onze nek in het werk. We hebben vanmorgen onze handen vol en jij bent er niet. Luke begint net met zijn derde zaak en Harold en Rusty maken werkplekken schoon en naaien lijken dicht voor de andere dokters. Bovendien hebben twee van hen besloten die doos uit de bottenkast te trekken, weet je wel? Dat geval dat we laatst hadden...'

'Bryce...'

'Dat stoffelijk overschot dat is aangespoeld op Revere Beach. De antropologen hebben net de resultaten van de DNA-test gekregen en het is beslist het meisje dat vorig jaar uit haar woonboot bij het aquarium is verdwenen. Ze hebben de botten allemaal uitgespreid als een legpuzzel en...'

'Bryce, houd alsjeblieft je mond en luister. Het lijkt erop dat de truck vernield is. Ik wil dat hij direct wordt onderzocht, en ik heb verder nog sporenmateriaal dat zo snel mogelijk naar het lab moet.'

Ik geef hem een lijst van dingen waar de wetenschappers allereerst naar moeten kijken.

'Er lijkt biologisch materiaal te zijn, zoals bloed en weefsel, en ik wil zo snel mogelijk een DNA-profiel hebben,' voeg ik eraan toe terwijl ik in de truck sta en Marino zijn hoofd buigt in de meedogenloze regen, zoals Iejoor in een boekje van Winnie de Poeh. 'Het bewijsmateriaal moet ook naar het sporenlab, want ik zie aarde, vezels en een onbekend materiaal dat wel wat op kwarts lijkt. Plus sporen van gereedschap op een schroef.'

'Kwarts en een schroef? O mijn god, dat klinkt opwindend.'

'Laat Ernie er meteen aan beginnen.'

Ernie Koppel is mijn beste sporenanalist. Hij is uitmuntend met de microscoop, een van de beste.

'Ik sms hem nu meteen,' zegt Bryce in mijn oortje. 'Wat is trouwens dat lawaai op de achtergrond? Het lijkt wel of iemand met een stok tegen een olievat slaat.'

'Heb je al eens naar buiten gekeken?'

Ik zwijg en stel me voor dat hij kijkt, en dan hoor ik zijn verbaasde stem. 'Wel heb je ooit! De akoestiek in dit gebouw is echt verbluffend. Ik zou hier nog geen aardbeving horen. Ik had de jaloezieën dicht omdat het er buiten zo deprimerend uitziet en toen ben ik helemaal vergeten dat we een zondvloed hebben. Oeps! Ik stuur een berichtje naar Jen over het ruilen van de truck, als je dat goedvindt.'

Eigenlijk niet. Jen Garate is de forensisch onderzoeker die ik vorig jaar heb aangenomen nadat Marino zijn baan bij het CFC had opgezegd en voor de politie van Cambridge was gaan werken. Ze kan niet aan hem tippen en zal dat nooit kunnen. Met haar strakke kleren, blingbling en niet te verzadigen behoefte aan aandacht was ze geen erg goede keus. Ik heb een enorme hekel aan haar geflirt en haar ongepaste opmerkingen. Eigenlijk was ik van plan het proces in te zetten om haar te ontslaan, maar de zomer was voorbij voor ik er erg in had.

'Goed dan,' geef ik toe. 'Zeg tegen haar dat er op dit moment een speciaal politieteam op weg is hiernaartoe en dat ze zich nergens mee moet bemoeien en uit de buurt van hun auto moet blijven.'

'Bedoel je een arrestatieteam?'

'Luister nou maar gewoon, Bryce. Ik zet mijn truck zo ver mogelijk opzij, zodat zij eromheen kan en de SUV ervoor kan zetten. Daarna kan ze eruit en ik ook. Ze mag niet het huis in gaan. Ze moet me bellen zodra ze er is, dan kom ik naar de keukendeur om de sleutels te ruilen.'

'Begrepen. Ik heb haar net verteld dat ze naar jou toe moet in een van die amfibieboten die ze gebruiken voor de Duck Tours. Grapje.' Hij lijkt nooit adem te hoeven halen als hij zo doorratelt. 'Maar het is erg vervelend. Ik heb net alles laten wassen. Ons hele wagenpark was spic en span, en nu krijgen we dit.'

'Je houdt onze auto's inderdaad superschoon, en daarom ben ik er vrij zeker van dat het stofvlokje dat ik heb gevonden ergens anders vandaan komt en de truck binnen is gebracht. Het is belangrijk om dat aan Ernie door te geven.'

'Ik ben dol op stofvlokken.' Bryce zegt het alsof hij het over een geliefd huisdier heeft. 'Nou ja, zolang ik ze niet in mijn huis tegenkom, tenminste. Maar dat gebeurt niet. Zeker niet bij iemand die weet wat voor verhalen die stofvlokjes kunnen vertellen. Haar, bont, huidcellen, vezels en allerlei vieze troep die mensen overal naar binnen en naar buiten sjouwen.'

Ik vraag hem aan Ernie uit te leggen dat er ook een ongebruikelijk projectiel, een pijl in de truck is achtergelaten en dat ik onder een loep aarde, vuil en lijm kan zien.

'Het zit op de pijl en mogelijk in de stofvlok, en als dat zo is, zouden ze van dezelfde bron kunnen komen,' voeg ik eraan toe. 'Ze zouden zich op een gegeven moment op dezelfde plek bevonden kunnen hebben. Dat zouden we met de microscoop kunnen vaststellen, en door röntgenspectroscopie zouden we ook chemische gegevens kunnen krijgen.'

'Oké. Ik zal het woord voor woord aan Ernie doorgeven. Ik weet dat Anne hem ook al iets gestuurd heeft. Nou ja, niet echt gestuurd. Nu we het toch over de juiste behandeling van bewijsmateriaal hebben: ze heeft het op de geëigende manier gedaan, is ermee naar hem toe gelopen en heeft er een reçu voor ontvangen en zo, dus niemand kan haar iets maken bij de rechter. Ik wil maar zeggen dat wij goed op de handel passen.'

Mijn compulsief pratende bedrijfsleider staat bekend om zijn verhaspelde uitdrukkingen. Ik heb een diplomatieke manier ontwikkeld om hem te corrigeren, maar daar merkt hij nooit iets van. Ik herhaal gewoon wat hij zegt en vul hier en daar het juiste woord in.

'Ik waardeer het zeer dat jullie op de winkel passen,' zeg ik tegen hem. 'Als je toch bezig bent, zou ik graag willen dat de bewakingsbeelden worden gecontroleerd om te kijken of iemand op het parkeerterrein met de truck of met iets anders geknoeid kan hebben.'

'Maar hoe moeten ze over het hek of door de poort zijn gekomen?'

'Goede vraag, maar waar kan het anders gebeurd zijn? Op welke dag zei je dat de voertuigen vanbinnen en vanbuiten zijn schoongemaakt?'

'Eens even denken. Vandaag is het vrijdag. Eergisteren dus. Woensdag.'

'Ik geloof dat we er veilig van uit kunnen gaan dat de schade is toegebracht tijdens of nadat de truck is gewassen. Anders zou een behuizing die nog maar met één schroef vastzat zeker zijn opgevallen. Wat heeft Anne aan Ernie gegeven? Heeft ze iets belangrijks gevonden?'

'Ik kan niet wachten om naar zijn lab te rennen en het te vragen.'

Ik beëindig het gesprek en zeg tegen Marino: 'In onze trucks zitten geen stofvlokken.' Ik stap uit, en het is alsof ik een waterval in loop. 'Je weet beter dan wie ook hoe zorgvuldig we ze vanbinnen en vanbuiten wassen en ontsmetten. Het is onmogelijk dat zich binnen een van onze voertuigen stofvlokken, stofnesten, spinnenwebben of gelijksoortige dingen vormen.'

'Waar heb je het in godsnaam over?' vraagt hij. De verchroomde rand om het achterlicht, de behuizing, de pakking, het glas en de schuimrubber afdichting zijn losgehaald, maar zitten nog steeds vast aan de bedrading.

'Heb je gehoord wat ik net tegen Bryce heb gezegd?'

'Ik kan hier helemaal niets horen. Het lijkt wel of ik in een wasmachine zit. Hier is beslist mee geknoeid, overduidelijk om iets in de truck te krijgen. De dader moet over technische kennis beschikken en bekend zijn met trucks zoals deze.'

'Of specifiek met deze.' Het is alsof ik onder de douche sta.

'Dat dacht ik ook. Als je een groot transportvoertuig wilt hebben dat je ook kunt gebruiken als mobiel kantoor en commandopost, neem je altijd de vierenveertig-tien.' Hij verwijst naar de laatste vier getallen van het kenteken. 'Ervan uitgaand dat hij beschikbaar is, in goede staat en volgetankt. Iedereen die je een beetje kent, weet dat de vierenveertig-tien je eerste keuze is als je naar een gecompliceerde plaats delict moet rijden.'

'En ik heb vanmorgen specifiek om deze truck gevraagd omdat ik wist dat we een hele tijd bezig zouden zijn met Chanel Gilbert. Zelfs al was het een ongeluk geweest, dan nog hadden we te maken met een plaats delict met veel bloed en veel onduidelijkheden. Een slachtoffer uit de jetset in een chique buurt van Cambridge. Met mogelijk politieke complicaties.'

'De dader kon er veilig van uitgaan dat dit het voertuig was waarmee gerotzooid moest worden,' zegt Marino.

Ik doe een stap in zijn richting. Ik sta tot aan mijn veters in een plas als ik de rechthoekige omtrek bestudeer op het witmetalen chassis, waar de lampbehuizing was bevestigd. Ik kijk naar het gat en de met plastic omhulde draden die erdoorheen steken. Hij heeft gelijk. De pijl past er gemakkelijk doorheen.

'Als hij hierdoor naar binnen is gestoken, en dat geloof ik wel,' zeg ik beslist, 'dan is dat belangrijk, want het wijst erop dat de verantwoordelijke...'

'We weten wie het is,' zegt Marino abrupt. 'Laten we er gewoon van uitgaan dat zij het is. Wie zou het anders kunnen zijn?'

'Ik probeer objectief te blijven.'

'Doe geen moeite.'

'Wat ik wilde zeggen, is dat ze niet in de truck hoefde te zijn. Ze had dus ook geen sleutel nodig.'

'Precies. Ze heeft gewoon het glas en de hele behuizing verwijderd, zodat het gat waar de draden doorheen lopen bloot kwam te liggen,' legt hij uit. 'Dan heb je een opening, een manier om iets in de truck te krijgen zonder hem open te doen. Toen het moment gekomen was om de pijl erin te steken, was het een makkie. Ze hoefde alleen maar de behuizing opzij te draaien tot het gat bloot kwam te liggen, de pijl erin te steken en het geheel weer terug te draaien.' Hij laat het zien. 'Dat zou in drie seconden gepiept zijn.'

'En dat is gedaan terwijl we bij Lucy op de oprit stonden.'

'Ik denk dat het achterlicht al eerder gesaboteerd is, misschien toen de truck op de parkeerplaats van het CFC stond. Maar ik denk niet dat de pijl er toen ook al in is gestopt, want dan hadden we hem horen rollen. We rijden al in dat vervloekte ding sinds we elkaar vanmorgen vroeg bij het lab hebben getroffen. En we hebben pas iets horen rammelen toen we even geleden weer op weg waren hiernaartoe.'

'Wil je dit nu verpakken?' vraag ik.

Marino zegt van wel. Er zullen sporen van gereedschap op zitten. We kunnen die door Ernie laten vergelijken met de sporen die we op andere voorwerpen hebben gevonden die van Carrie afkomstig zijn. Koperen kogels. Hulzen. Muntjes die ze in een polijsttrommel heeft gedaan en op 12 juni, mijn verjaardag, in mijn tuin heeft achtergelaten. De speren waarmee ze drie dagen later de politieduikers en mij heeft neergeschoten. Ik klim weer in de truck en doe schone handschoenen aan. Marino overhandigt me de onderdelen van het achterlicht. Druipend scheur ik nog wat stukken wit papier van de rol op een werkblad.

'Je zou waarschijnlijk niet zien dat er nog maar één schroef in zat tenzij je er gericht naar keek.' Hij praat luid terwijl ik de onderdelen inpak. 'Maar de behuizing zou snel genoeg los zijn gekomen als je over een flinke bobbel of een gat in de weg was gereden. Jezus!' Hij kijkt op naar de ziedende, donkere hemel en de regenvlagen die in zijn gezicht slaan. 'Dit is het soort weer waarin kippen verdrinken.'

32

Ik sla de dubbele deuren dicht en doe ze op slot. Terwijl ik door de stortregen naar de cabine van de truck loop, gaat mijn blik over de verregende omgeving.

In de verte rijden auto's langzaam door Brattle Street. Het licht van de koplampen doorboort de mist. Ik kijk uit naar het arrestatieteam. Het kan elk moment komen. Maar terwijl de regen op de stenen klettert, lijkt alles eindeloos te duren. De wind huilt en joelt om het huis en door de bomen alsof we een geestenwereld hebben verstoord, en Marino en ik gaan weer in de cabine van de truck zitten. We zijn allebei zo nat dat het niet meer uitmaakt en het feit dat er back-up onderweg is, stelt me niet gerust. Ik voel me niet veilig.

Het kan me niet schelen wie of wat er onderweg is, patrouillewagens of een arrestatieteam. Niets kan me nu nog geruststellen, want we lijken de controle te hebben verloren. Wij zijn niet degenen die hier de beslissingen nemen. Zelfs als we denken dat iets ons eigen idee is, kunnen we tot de ontdekking komen dat dat wellicht niet het geval is. Iemand is ons te slim af. Marino heeft precies hetzelfde gevoel. Sinds ik hem over de video's heb verteld, heeft hij geaccepteerd dat we vanmorgen bij het opstaan niet wisten dat dit de dag van Carrie Grethen zou worden. Maar het is wel zo, en ze zal wel helemaal high zijn van haar duivelse toneelstukje.

'We zijn mooi in de aap gelogeerd,' zegt Marino als we de

portieren dichtslaan en de regen op het metalen dak horen roffelen. 'We kunnen nergens heen, ook niet het huis in. We kunnen niet op de oprit wachten tenzij we willen verdrinken of een makkelijk doelwit willen vormen. Dus zitten we vast aan die verdomde truck van jou. We zitten de hele dag al in dit kloteding. Ik heb het gevoel dat we er nooit meer uit zullen komen.'

'Ze moet de pijl erin hebben gestoken voordat de storm losbrak. Terwijl de FBI erbij stond.' Ik heb geen zin om zijn geklaag aan te horen.

Ik wil weten hoe wat ik net gezegd heb mogelijk is. Hoe heeft ze het gedaan? Is ze onzichtbaar? Is wat Lucy opperde waar en heeft Carrie nieuwe trucjes geleerd sinds ze me bijna heeft vermoord in Florida?

'Precies. Waar die sukkels van de FBI bij stonden.' Marino steekt een sigaret op en ik maak contact zodat hij het raampje een eindje open kan doen. 'Maar op Lucy's terrein kan niemand dat doen zonder te worden gefilmd door de camera's.'

'Ik weet niet zeker of dat wel waar is, als iemand precies wist waar de camera's hangen en wat hun bereik is. Of als die iemand het systeem kan hacken en ermee kan knoeien. Of anders is er misschien een andere verklaring.' Ik denk weer aan het metamateriaal.

'Nou, ik denk dat je de truck zo had neergezet dat de achterkant niet goed te zien was omdat de SUV van die klootzak van een agent in de weg stond,' zegt Marino. 'Maar we zullen het aan Lucy moeten vragen en kijken of zij ons kan helpen. Of aan Janet.'

'Gisteren en vandaag hebben de bewegingssensoren iets opgepikt, maar de camera's niet,' vertel ik. 'Lucy zegt dat dat beide ochtenden om een uur of vier was.'

'Misschien een eekhoorn of een konijn, zoiets kleins.'

'Daar zouden de bewegingssensoren niet op gereageerd hebben. Er was iets, maar ook weer niet. Ze zegt dat ze het niet snapt.'

'Ik geloof er nooit een woord van als Lucy zegt dat ze iets niet snapt. Als er iets is opgepikt door de camera's, zou Erin Loria het moeten weten.'

'Ik weet zeker dat ze heel wat weet.' Ik voel een enorme vijandigheid en besef hoeveel wrok ik jegens haar koester.

'Reken maar dat ze de beeldschermen in het oog heeft gehouden en naar de opnamen heeft gekeken,' zegt hij terwijl ik de blower en de ruitenwissers aanzet om de ruit schoon te houden. 'Misschien heeft ze iets gezien waar wij iets aan hebben.'

'Ik ga haar helemaal niets vragen.' Ik vraag me af hoeveel hij zich herinnert van de tijd dat Lucy op de FBI-academie zat en begin een beetje te vissen. 'Ze was op een gegeven moment een van de nieuwe agenten in Lucy's gebouw,' merk ik op. 'Ze zaten op dezelfde verdieping.'

'Ze kwam me niet bekend voor toen ik haar vanmorgen zag, en ik weet ook niet goed waarom ik haar in die tijd zou zijn tegengekomen,' zegt hij. 'Ik kwam eigenlijk alleen naar Quantico als we bezig waren aan een zaak of als ik met jou had afgesproken. Hoe zou ik Erin Loria dan moeten kennen?'

'Je hoeft haar ook niet echt te kennen. Maar als ik afga op die video's, had ze misschien een relatie met Carrie.' Ik vertel hem ook nog dat Carrie en Lucy een fikse ruzie hadden en wellicht uit elkaar zijn gegaan vanwege de voormalige schoonheidskoningin uit Tennessee die net een inval heeft gedaan op Lucy's landgoed en tegenwoordig getrouwd is met een federaal rechter.

'Overal agenten en een helikopter in de lucht.' Marino is druk bezig aarde en stukjes nat gras en bladeren van zijn blote, natte onderbenen te plukken. 'En wij liepen ook nog rond. En dan verstopt zij een mogelijk moordwapen in je truck?' Hij heeft het niet meer over Erin Loria. Hij heeft het over Carrie. 'Waarom? Om ons te helpen? Om ons van dienst te zijn bij een andere plaats delict waarvan we nog niet eens iets weten?'

'Stel dat ze erachter was waarin ik vandaag zou rijden, dan moeten we ons ook nog afvragen over welke plaats delict ze van tevoren heeft geweten.' Ik zet de truck in de achteruit en kijk in mijn spiegels. 'Ik houd het op deze.'

Ik ga achteruit en dan weer vooruit om de wagen zo ver mogelijk van de oprit te krijgen zonder over struiken te walsen of bomen te raken. Ik opper dat we er rekening mee moeten houden dat ze alles wat we nu meemaken van tevoren heeft gepland en georganiseerd, inclusief deze plaats delict. Ze wist dat ik er persoonlijk naartoe zou gaan en welk voertuig ik zou kiezen.

'Ik ben in de stad,' ga ik verder. 'Iedereen die me in de gaten houdt, weet dat ik niet op reis ben. Ik ben hier. Ik ben weer gewoon aan het werk, en dat was een paar weken geleden nog niet zo.'

'Dat zou ze allemaal weten als ze de computer van het CFC heeft gehackt.'

'Lucy zegt dat dat niet zo is.'

'Het kan me niet schelen wat Lucy zegt. Het kan evengoed waar zijn. Zeker als je bedenkt over wie we het hebben.'

'Als de database van het CFC is gehackt en als Carrie de hacker is, heb je gelijk. Dan weet ze precies waar ik ben en waarom en wanneer.'

'Je hele rooster staat in de computer.'

'Dat klopt. Maar Lucy zegt dat de database veilig is.' Ik kijk in de spiegel en schrik even van de donkere Suburban met het donkergetinte glas.

De onheilspellende SUV lijkt wel uit het niets te zijn gekomen en staat achter ons met de verlichting en de sirene uit. Het lawaai van de motor wordt overstemd door de storm en het gerommel van de diesel van mijn truck.

'Ik moet ze in het huis laten en jij moet hier blijven,' zegt Marino tegen me als de portieren van de Suburban allemaal tegelijk opengaan.

Hij doet zijn portier open en houdt zijn sigaret in de regen om hem te doven. De natte peuk laat hij in een waterflesje vallen.

'Ik blijf hier niet zitten.' Ik open mijn portier ook. 'Ik blijf hier niet alleen terwijl jij binnen bent.'

'Als je maar niet in je eentje rond gaat lopen,' zegt Marino.

Hij stapt uit en begroet de vier volledig uitgeruste agenten van het arrestatieteam. De nachtkijkers op de helmen zijn omhooggeklapt. Voor hun borst hangt een M-4 aanvalsgeweer met een groene laser die alleen zichtbaar is in het infraroodspectrum van het licht.

'Zorg dat je de hele tijd bij me blijft,' zegt Marino over zijn schouder tegen mij.

De leider van het team, Ajax, is jong en massief gebouwd. Hij is op een angstaanjagende manier aantrekkelijk, met een hoekige kaaklijn, koele, grijze ogen en kort, donker haar. Ik herken de ronde plek op zijn linkerwang, een genezen wond, mogelijk van een kogel of een scherf. Hij kijkt amper naar me als hij Marino een zwarte afvalzak geeft waarin iets diks zit. De gebruikelijke grappen en het gewone geplaag blijven achterwege.

De gezichten staan strak. Het plan is heel eenvoudig. Zijn team zal het huis doorzoeken en zich ervan vergewissen dat het veilig is, terwijl wij afwachten. Dat zou een kwartiertje kunnen duren, afhankelijk van wat ze tegenkomen. We lopen achter hen aan naar de deur en stappen over het gele politielint, en op de veranda haalt Marino een sleutel uit zijn zak die met een etiket als bewijsmateriaal is aangemerkt. Het bewakingssysteem begint te piepen zodra hij de deur opendoet.

'Dat is in ieder geval een goed teken,' merkt hij op als de smerige geur ons weer in het gezicht slaat. 'Het ziet ernaar uit dat er niemand in het huis is geweest sinds wij hier waren, tenzij iemand de code heeft.'

Hij doet de voordeur achter ons dicht en de dreun weergalmt in de koele stilte, die wordt verstoord door het getik van klokken. Twee aan twee lopen de agenten soepel en licht op hun in laarzen gestoken voeten de hal door en de trap op, met hun wapens dicht tegen zich aan en in de aanslag, zodat Marino en ik alleen achterblijven. Hij zet onze sporenkoffers neer en maakt de zwarte afvalzak open. Dan haalt hij er opgevouwen kleren uit die hij op een stapel op de vloer legt.

Het water druipt langzaam van ons af. Er begint zich een plasje te vormen rond mijn doornatte schoenen terwijl ik bij de dichte deur blijf staan. Toen we hier vanmorgen waren, heb ik de klokken niet gehoord.

TIK TAK TIK TAK.

Ik kijk naar de trap en naar het donker opgedroogde bloed dat we hebben gemarkeerd met oranje vlaggetjes, die licht bewegen in de koude lucht die door de ventilatieopeningen komt. Ik luister naar het doffe tikken van de regen op het leistenen dak, maar ben me scherp bewust van de klokken.

TIK TAK TIK TAK.

Het luide getik brengt me uit mijn doen. Ik kijk naar de glasscherven van de gloeilampen en van de antieke kristallen kroonluchter die Chanel Gilbert kapot zou hebben laten vallen toen ze haar evenwicht verloor en viel. Dat moeten we tenminste geloven. Of niet? Was het de bedoeling ons om de tuin te leiden? Is het de bedoeling dat we merken dat we om de tuin worden geleid? Allebei, waarschijnlijk. Alles en niets. Ik kijk naar de zilveren onderkant van de kroonluchter met zijn twee lege fittingen. Ik moet denken aan de vermiste lamp van het achterlicht van de truck. Ik moet denken aan Carrie. Het is alsof ik door haar besmet ben. Alsof ze mijn leven heeft overgenomen. Mijn hartslag gaat nog wat omhoog. Ik luister naar de klokken.

TIK TAK TIK TAK TIK TAK.

De glassplinters glinsteren en de spookachtig blauwe gloed van het reagens dat ik vanmorgen op de vloer heb gespoten, is helemaal weg. Het stuk wit marmer ziet er weer uit alsof er niets op zit. Marino heeft de airconditioning aangezet toen we vanmorgen weggingen en ik heb het zo koud dat ik huiver in mijn doornatte kleren. Ik begin te ijsberen en herken mezelf bijna niet in de barokke spiegel die rechts van de voordeur hangt. Ik kijk naar de vrouw die me staat aan te kijken in het verweerde glas van de spiegel binnen de gehavende vergulde lijst met acanthusbladeren.

Ik staar naar mijn spiegelbeeld alsof daar iemand staat die ik niet ken. Mijn korte blonde haar druipt en ligt plat op mijn hoofd, zodat mijn sterke trekken geprononceerder en dominanter zijn dan ik dacht. Mijn ogen zijn dieper blauw, een gekwetste tint die iets laat zien van mijn duistere, heftige stemming, en ik zie de spanning in de spieren van mijn voorhoofd en rond mijn stevig dichtgeknepen mond. Mijn marineblauwe werkkleren met het geborduurde wapen van het CFC zijn doornat en plakken aan mijn lijf. Ik lijk wel een zwerver of een spookverschijning. Ik loop snel verder.

Mijn aandacht gaat naar de woonkamer aan de andere kant van de trap en ik zie wat Marino bedoelde toen hij zei dat Chanel Gilbert of iemand anders in huis ongebruikelijke hobby's had. Aan beide zijden van een diepe stenen haard staan antieke spinnewielen met drie poten en houten zittingen, en ik zie er nog een naast de bank staan. Mijn blik gaat over de zandlopers en de dikke kaarsen op de schoorsteenmantel en de tafels, en ik tel de klokken. Het zijn er minstens zes; wandklokken, grote staande klokken, mantelklokken. Vanaf de deur kan ik zien dat de lichte wijzerplaten en de versierde wijzers allemaal dezelfde tijd laten zien, twintig over een.

'Heb jij vanmorgen die klokken gezien?' vraag ik aan Marino terwijl ik let op andere geluiden in het huis.

Ik hoor niets van het arrestatieteam. De mannen bewegen zo stil dat ze er net zo goed niet zouden kunnen zijn. Ik hoor niets anders dan de wind en de klokken.

TIK TAK TIK TAK.

'Heb je ze gezien?' dring ik aan. 'Ik namelijk niet, en ze zouden me niet zijn ontgaan.'

'Ik weet het niet meer. Er gebeurde zoveel tegelijkertijd.' Marino is tussen de trap en de deur daaronder gaan staan, die toegang geeft tot de kelder.

'Ik weet zeker dat ze me zouden zijn opgevallen. Het verbaast me dat jij ze niet gezien hebt.'

Marino zegt niets, maar kijkt met een schuin hoofd naar het plafond en blijft met zijn rechterhand bij zijn pistool staan luisteren. Ik weet dat hij hetzelfde denkt als ik. Ajax en zijn team zijn stil. Veel te stil. Als er iets is gebeurd, zijn wij nu aan de beurt. Ik voel een zekere gelatenheid, een gevoel dat ik ergens diep vanbinnen heb opgeslagen en dat ik niet vaak voor de dag haal. Maar het is er. Een vertrouwd gevoel. Niet een uitgesproken triest of onaangenaam gevoel, maar meer aanvaarding, een stilzwijgend erkennen dat ik het lot als een schedel in mijn handen kan houden en het zonder te knipperen in de ogen kan kijken.

Je kunt me niet kapotmaken als het me niet kan schelen.

Dit zou onze laatste dag kunnen zijn, en als het zo moet zijn, dan is het maar zo. Als ik kan, zal ik voorkomen dat er slechte dingen gebeuren. Dat is mijn missie. Maar ik kan ook aanvaarden wat onontkoombaar is, me overgeven aan wat ik niet kan veranderen. Ik wil niet dood, maar ik weiger er bang voor te zijn. Ik wacht er zonder angst op, want het heeft geen zin om te leven met een tragedie die nog niet is voorgevallen.

'Eerlijk gezegd,' zegt Marino terwijl ik sta te luisteren, 'kan ik me niet herinneren dat ik de klokken gehoord heb, maar ik heb ze wel gezien toen ik door het huis liep. Ik weet vrij zeker dat ze allemaal een andere tijd aangaven,' legt hij uit, en het gevoel van naderend onheil wordt heviger terwijl ik wacht op wat er gaat gebeuren.

Er gaat iets gebeuren. Of er is al iets gebeurd.

'Dat heb ik wel gezien toen ik in de woonkamer was,' gaat Marino verder. 'Ik stond versteld van al die rare troep daarbinnen, de spinnewielen, de kruisjes van ijzeren spijkers en rood draad, de zandlopers. Maar hoe meer ik erover nadenk, hoe meer ik betwijfel of die klokken liepen, doc.'

'Dat doen ze nu in ieder geval wel, en antieke klokken moeten met de hand worden opgewonden. Ze zouden voortdurend moeten worden bijgesteld om gelijk te lopen.' Ik luister naar wat er om ons heen gebeurt en hoor de wind en de klokken.

'Er is iemand binnen geweest,' zegt Marino.

'Dat wil ik maar zeggen.'

'Iemand met een sleutel en de code van het alarm.'

'Mogelijk.'

'Niet mogelijk. Zeker, tenzij je het hebt over een spook dat door muren kan zweven.' Hij is zenuwachtig en op zijn hoede als hij naar zijn telefoon kijkt om een nummer op te zoeken.

33

We moeten hier weg. Ik blijf in de buurt van de voordeur en spits mijn oren. Ik hoor geen stemmen of deuren die open- of dichtgaan, nog niet eens een krakende vloerplank. Alleen de wind, de regen en de klokken. Ik kijk op mijn horloge. Het arrestatieteam is precies zes minuten bezig met het doorzoeken van het huis. Het is alsof de mannen in rook zijn opgegaan.

TIK TAK TIK TAK...

Marino en ik hoeven alleen maar naar buiten te gaan en de storm weer in te lopen. Daar is het veiliger dan hierbinnen, dat gevoel heb ik tenminste terwijl ik naar zijn brede rug kijk. Hij heeft een van zijn contactpersonen aan de lijn, weer een vrouw, merk ik, en ik besef dat hij het bewakingsbedrijf van Chanel Gilbert heeft gebeld.

'Ik ga dit herhalen,' zegt Marino, 'en we gaan het opschrijven.'

Hij bedoelt dat ik dat ga doen, en ik pak een notitieblok en een pen uit mijn schoudertas, waarbij ik aan mijn pistool word herinnerd. Ik haal het eruit en leg het boven op een sporenkoffer.

'Het is vanmorgen om tien uur achtentwintig aangezet,' zegt hij tegen de contactpersoon, die hij 'schat' noemt, 'en er is niets gebeurd tot vanmiddag vijfentwintig minuten over één, toen ik het heb uitgezet.'

Ik luister nog even mee en dan beëindigt hij het gesprek en zegt tegen me: 'Hoe moeten we dat nou verklaren? Ik heb het alarm aangezet toen we om achtentwintig minuten over tien zijn vertrokken en ik heb het nu uitgezet. Met andere woorden, ik ben de enige die de afgelopen drie uur aan het alarmsysteem is geweest. Hoe kan het dan dat er iemand is binnengekomen en de klokken heeft opgewonden? Het is maar goed dat jij de hele tijd bij me was, anders zouden ze nog zeggen dat ik het heb gedaan.'

'Belachelijk, dat kan helemaal niet,' antwoord ik.

'Weet je zeker dat er geen andere verklaring is voor het feit dat we de klokken nu wel horen, maar vanmorgen niet?'

'Welke andere verklaring zou er kunnen zijn?'

'Maar het alarmsysteem zou dan toch uit- en aangezet moeten zijn. En dat is niet gebeurd. Hoe zijn de klokken dan opgewonden?'

'Ik kan je alleen vertellen dat ze opgewonden zijn sinds we hier voor het laatst waren.'

'Misschien is er een andere manier om binnen te komen, zonder dat het alarmsysteem reageert.' Marino blijft rusteloos staan kijken en luisteren en ik denk aan de twee dichte luiken aan de buitenkant van het huis, in het bloembed.

Ik word herinnerd aan de roestende romp van de *Mercedes* op de bodem van de zee. Er is een gelijkenis tussen het kapotte scheepswrak en de luiken. Het zijn portalen naar een slechte plek. Portalen naar vernietiging en dood. Portalen naar onze uiteindelijke bestemming. Ik vraag me af of de luiken aangesloten zijn op het alarmsysteem. Zo niet, dan kan iemand op die manier het huis zijn binnengekomen. Die iemand zou geen code nodig hebben gehad en er zou niet zijn vastgelegd dat hij naar binnen en naar buiten was gegaan.

'Als je de sleutel hebt, kun je door de luiken naar binnen en in ieder geval in de kelder komen, neem ik aan,' zeg ik tegen Marino.

'Maar als je verdomme de sleutel hebt, heb je toch ook de alarmcode? Dan hoef je het huis toch niet via die luiken in te komen?'

'Niet noodzakelijk.'

Hij maakt de holster van zijn Glock los van de band van zijn doorweekte korte broek en zegt: 'Ik vraag me af of de huishoudster kan zijn teruggekomen om rond te snuffelen. Misschien weet zij een manier om dat te doen zonder het alarmsysteem in en uit te schakelen. Dan kon ze naar binnen sluipen en meteen de klokken opwinden.'

'Waarom zou ze die moeite doen?'

'Gewoonte. Mensen doen rare dingen als ze van streek zijn. Of anders is ze misschien gek.' Zijn ogen zijn heel groot en de holster met het pistool wijst langs zijn zij naar beneden. 'Als je al die troep overal ziet, ga je vanzelf denken dat hier iemand flink gestoord is of aan voodoo doet.'

Niets ervan heeft mijn aandacht getrokken toen ik hier vanmorgen was. Ik ben te abrupt vertrokken en ik moet steeds denken aan de *Verdorven hart*-video's, aan het gevoel dat ze me gaven en de invloed die ze hadden op mijn handelen. Ik voelde me verdoofd, bedreigd, boos, verdrietig. Maar ik werd vooral overvallen door het idee dat ik dringend actie moest ondernemen. Ik ben hier te snel weggerend.

Als ik even om me heen had kunnen kijken, had ik me afgevraagd of Chanel Gilbert psychiatrische problemen had of zich bezighield met heidense religies. In beide gevallen was ze kwetsbaar geweest voor een roofdier als Carrie. Ik probeer iets te horen van het arrestatieteam dat het huis veiligstelt. Niets. Dan gaat Marino's telefoon, een vogelgeluidje dat ons allebei in verwarring brengt.

'Wat is er verdomme aan de hand, Lapin?' steekt hij boos van wal zodra hij beseft wie hem belt. 'Ja, nou, het spijt me echt om dat te horen, maar het kan me geen donder schelen of je ziek bent of niet. Klink ik alsof ik in een graftombe sta? Nou, raad eens waarom. Omdat het klopt. Ik sta weer in de hal waar vanmorgen een vrouw dood is aangetroffen, weet je nog? De doc en ik zijn net terug om het onderzoek af te maken op de plek waar een moord blijkt te zijn gepleegd, en raad eens wat we zagen? De boel was niet afgezet en mijn back-up was nergens te bekennen. En raad nog eens wat? De Range Rover van Chanel Gilbert staat niet meer bij het huis. Ja, dat hoor je goed. Nee, ik maak geen grapjes. Hij staat niet op de oprit, zoals drie uur geleden. Het lijkt erop dat er iemand in het huis is geweest terwijl wij weg waren. Misschien dezelfde persoon die haar auto heeft meegenomen... Nee, dat kan Hyde niet zijn geweest. Hij kan er niet in.'

Marino kijkt naar mij terwijl hij luistert. Het gesprek is niet lekker begonnen en gaat van kwaad tot erger. Ik zie hoeveel moeite hij hiermee heeft. Ik zie het aan zijn ogen, aan zijn strakke kaken, en ik ben ervan overtuigd dat Carrie ons voor de gek houdt. Ik stel me voor hoe leuk ze dit zal vinden, hoe zelfvoldaan ze zal lachen. We zitten midden in een nachtmerrie die zij voor ons bedacht heeft, want dat doet ze terwijl fatsoenlijke mensen proberen hun leven te leiden en hun werk te doen. We zijn hier volgens plan. Niet ons plan. Haar plan.

'En jij hebt geen idee,' zegt Marino door de telefoon tegen Lapin. 'Je hebt hem niet gesproken en toen je hem voor het laatst zag, heeft hij je geen reden gegeven om te denken dat hij iets te doen had of ergens heen moest? Kun jij een reden bedenken waarom hij niet reageert op zijn radio of telefoon? Ja, net als jij. En jij bent thuis? Nou, daar heb je verdomme geluk mee, want ik kan elk moment de precieze GPS-coördinaten van je telefoon binnenkrijgen. Ja, dat heb je goed gehoord. Sorry, maat, maar dat gebeurt nou eenmaal als je van de radar verdwijnt.'

Dat is niet echt zo. Marino overdrijft. Iemands precieze locatie bepalen met behulp van zendmasten voor mobiele telefonie levert niet altijd een goed resultaat op. Je kunt er wel dertig kilometer naast zitten, afhankelijk van de software, de topografie, het weer en hoeveel signalen er op een gegeven moment worden doorgegeven door de regionale schakelcentra. Maar dat weerhoudt Marino er niet van het te proberen. Het opsporen van een telefoon kan in ieder geval gebruikt worden om met een beetje bluf een verdachte zo bang te maken dat hij bekent.

'Dit is wat we weten.' Marino heeft het tegen mij terwijl hij bukt om zijn natte schoenen uit te trekken. 'Lapin beweert dat hij en Hyde allebei in hun eigen auto zijn vertrokken terwijl wij nog in het huis waren. Dat moet ongeveer om kwart over tien zijn geweest.' In zijn witte enkels staat het patroon van de sokken die hij uittrekt. 'Ik heb ze weg zien gaan.'

Ik heb het zo koud dat ik begin te rillen.

'Zij tweeën en agent Vogel. Een kwartiertje of zo voordat jij en ik zijn vertrokken.'

Ik luister naar hem, maar ook naar geluiden van het arrestatieteam. Hoe kunnen grote mannen met al die uitrusting zich zo verdomd geluidloos bewegen? De alarmbellen in mijn hoofd klinken steeds luider. We moeten niet in dit huis blijven. Maar we zijn nu eenmaal naar binnen gelopen. We zijn veilig. Ik blijf mezelf voorhouden dat we nergens veiliger zouden zijn. Er loopt hier een arrestatieteam rond, maar ik blijf me afvragen hoe het kan dat het geen enkel geluid maakt. Ze zijn zo stil als katten. Ik hoor helemaal niets, geen voetstappen en geen stemmen, en mijn hart gaat steeds sneller slaan.

Er is iets gebeurd. Opeens zie ik het levendige en gruwelijke beeld voor me van de twee politieduikers die met hun gezicht naar beneden in de romp van het gezonken schip drijven.

Ze heetten Rick en Sam en ik zie hun jonge, dode gezichten, de bungelende slangen, het haar dat omhoogdrijft in het bruine water en hun starende ogen achter de maskers. Er waren geen belletjes. Hun regulators zaten niet in hun mond.

Ik denk aan mijn ongeloof, de opzwepende explosie van adrenaline toen ik besefte dat ik speren uit hun in zwart neopreen gehulde lichamen zag steken. Slechts een paar minuten eerder leefden die mannen nog, controleerden ze opgewekt elkaars duikuitrusting, stapten ze van de boot en verdwenen ze onder water. Benton en ik zeiden nog voor de grap tegen elkaar dat ze onder water hun penning zouden laten zien om ervoor te zorgen dat niemand ons lastigviel en zich bemoeide met onze missie. We hadden een onderwaterescorte. We hadden onderwaterbeveiliging.

En toen lagen ze opeens dood op de zeebodem, vanuit een hinderlaag beschoten, in de val gelokt, en ik zal nooit weten wat hen ertoe heeft gebracht door het luik de donkere romp in te zwemmen. Waarom deden ze dat? Carrie moet ze op de een of andere manier hebben gelokt. Misschien heeft ze ze daarbinnen opgewacht met het harpoengeweer, gecamoufleerd tegen het roestige metaal toen ze uit de diepte toesloeg. Ik hoop zoals altijd dat ze niet geleden hebben. Dat ze niets hebben gemerkt van de inwendige bloedingen en de verdrinking. Ik sta in tweestrijd. Twee gedachten strijden steeds luider en dringender om mijn aandacht, in het ritme van de klokken.

GA! BLIJF! GA! BLIJF! GA! BLIJF! GA! BLIJF!

'Lapin voelde zich blijkbaar niet lekker. Hoofdpijn en een kriebel in zijn keel,' zegt Marino, en ik dwing mezelf te luisteren.

Let op!

'Hij is even naar huis gegaan om medicijnen te halen en heeft niet de moeite genomen dat te melden. Dat beweert hij tenminste. Een paar minuten geleden heeft hij zich eindelijk ziek gemeld.'

Mijn intuïtie zegt dat we hier weg moeten, maar ik kan niet weggaan. Ik moet afmaken waarmee ik begonnen ben. Mooi niet dat ik Carrie Grethen laat bepalen hoe ik mijn onderzoek doe op een plaats delict.

GA! BLIJF! GA! BLIJF! GA! BLIJF! GA! BLIJF!

'Wat was volgens Lapin precies de bedoeling toen hij en Hyde hier vanmorgen weggingen?' vraag ik.

'Dat Hyde koffie zou halen en meteen even gebruik zou maken van het toilet, en dat hij daarna weer hiernaartoe zou gaan om de boel af te zetten met politielint, zoals ik hem gezegd had. Hij zou haast hebben gehad omdat hij ermee klaar wilde zijn voor het ging regenen.'

'En dat heeft hij kennelijk ook gedaan, tenzij iemand anders het lint voor de trap heeft gespannen. Hij is begonnen en toen is hij opeens weggegaan. Kijk alsjeblieft even de andere kant uit,' zeg ik tegen Marino, en natuurlijk kijkt hij recht naar mij. 'Draai je om. Niet kijken.' Ik begin de knoopjes van mijn shirt los te maken.

Ik trek het uit, en dan volgen mijn doorweekte schoenen, sokken en cargobroek. De kleren laat ik op de vloer liggen, op een veilige afstand van het bloed en de glasscherven. De werkbroek die het arrestatieteam heeft meegenomen, is zo groot dat ik hem kan aantrekken zonder de rits open te doen, en ik sla de band dubbel om hem wat strakker te maken. Ik doe het zwarte shirt aan, dat enorm groot is in de schouders en de taille, en worstel met de knoopjes omdat het katoen nog zo nieuw en stijf is. Ik heb in ieder geval genoeg zakken voor pistoolmagazijnen, pennen, lampen, messen, wat ik ook maar nodig kan hebben, denk ik ironisch. Ik kijk naar mezelf in de spiegel en zie iemand in te grote, geleende kleren.

Ik ben niet bepaald een dreigende gestalte zonder kogelwerend vest, helm, nachtkijker of behoorlijk wapen, al is het maar een klein kaliber aanvalsgeweer of een pistool met meer dan zes kogels erin. Als de verkeerde persoon me in het oog krijgt, kan ik slechts hopen dat hij me niet neerschiet omdat hij ervan uitgaat dat ik gevaarlijk ben, en ik bén gevaarlijk. Maar niet op de manier die ik op dit moment zou willen.

'Nou, het is aan jou te danken dat Lapin opeens ziek is.' Marino staat met zijn rug naar me toe op zijn telefoon te kijken.

'Wat heb ik daarmee te maken?' Ik ga op het koele marmer zitten en doe mijn natte schoenen weer aan mijn blote voeten, met daaroverheen wegwerphoesjes die zullen voorkomen dat ik overal in het huis natte sporen achterlaat.

'Jij zei iets in de trant van dat Vogel niet was ingeënt tegen tetanus en dat hij misschien wel kinkhoest had. Dat heeft Lapin gehoord, en dat noem ik de macht van de suggestie. Opeens voelt hij zich niet goed.' Marino doet zijn natte schoenen aan als zijn telefoon weer overgaat.

Uit zijn antwoord maak ik op dat het zijn contactpersoon bij de telefoonmaatschappij is. Marino blijft even staan luisteren.

Hij zegt heel weinig. Ik kan niet beoordelen of hij iets heeft aan wat hij hoort. Misschien ziet hij niet wat hij eraan heeft en of de informatie wel geloofwaardig is.

'Dit is idioot!' roept hij uit als hij het gesprek heeft beëindigd. 'We hebben zijn telefoon opgespoord...'

'De telefoon van Hyde.'

'Ja, om Lapin maken we ons niet druk. We weten waar hij is, die sukkel zit thuis te spijbelen. Hyde heeft vanmorgen om negen uur negenenveertig voor het laatst gebeld, toen hij nog in dit huis was,' zegt Marino. 'Volgens de gegevens werd het telefoontje doorgestuurd door een zendmast met precies dezelfde GPS-coördinaten als dit huis.'

'Dat begrijp ik niet,' begin ik.

'Nee, dat begrijp je niet, omdat er uiteraard geen zendmast is op deze plek. Hij bestaat niet.' Marino verheft gefrustreerd zijn stem. 'Met andere woorden, Hydes telefoontje is doorgestuurd door een valse zendmast, zo'n IMSI-catcher. Die zijn tegenwoordig zo compact dat je ze mee kunt nemen in je auto of in een koffertje. Het kan ook zijn dat er in dit huis eentje verstopt is.'

'Zulke apparatuur wordt gebruikt door slechte mensen.' Ik denk aan Lucy en hoe graag ik even met haar zou willen praten. Zij zou alles weten over dergelijke apparatuur. Ze zou me waarschijnlijk precies kunnen vertellen wat er in dit huis is gebeurd, wie er berichten afluistert of onderschept en waarom.

'Maar de politie gebruikt ze ook,' zeg ik tegen Marino. 'Er is een hele discussie over het feit dat de politie zulke apparatuur gebruikt om gesprekken af te luisteren, mensen te traceren of in sommige gevallen radiosignalen te blokkeren.'

'Dat klopt. Het werkt van beide kanten. Spionage en contraspionage,' zegt Marino. 'Je kunt iemand traceren en zijn berichten onderscheppen, maar hetzelfde apparaat ook gebruiken om te voorkomen dat je getraceerd wordt. Benton zal weten of de FBI dit huis in de gaten heeft gehouden.'

'Als jij het zegt.'

'Maar ik denk niet dat hij het je gaat vertellen.'

'Waarschijnlijk niet.' Ik geef Marino een droog stel kleren, maat XL. 'Kleed je om.' Ik gooi hem ook een paar blauwe schoenhoezen toe.

34

Ik wend beleefd mijn blik af als hij zijn doorweekte kleren in een hoopje op de vloer laat vallen, vlak bij de mijne, en ik word er weer aan herinnerd hoe ongastvrij een plaats delict is. We kunnen ons niet even terugtrekken, geen slokje water nemen en geen gebruikmaken van een toilet. Ik kan niet even een wasdroger of een badhanddoek lenen of zelfs maar in een stoel gaan zitten.

'We kunnen net zo goed beginnen terwijl we wachten.' Marino ritst zijn geleende zwarte broek dicht en die past hem prima.

'Ik geloof niet dat dat verstandig is.' Ik rol mijn broekspijpen op om er niet over te struikelen. 'Onverhoeds tegen een arrestatieteam aan lopen is een goede manier om te worden neergeschoten. Ik stel voor dat we hier blijven tot zij zeggen dat we mogen beginnen.'

'Er gebeurt niets zolang we ons beperken tot de kamers die zij al hebben gecontroleerd. We gaan nog niet naar boven of naar de kelder.' Marino hinkt op de ene voet en dan op de andere terwijl hij de blauwe hoezen over zijn natte schoenen trekt. 'Pas nadat zij er zijn geweest.'

Hij klemt de holster met de Glock aan zijn broeksband en schuift zijn portofoon in de ene achterzak en zijn telefoon in de andere. Dan pakt hij een sporenkoffer. We lopen langs de trap naar de woonkamer, die vol staat met indrukwekkend antiek. Op de vloer van grenenhout uit het hart van de boom liggen zijden kleden met levendige patronen. Er siddert iets met seismische kracht door me heen.

Mijn aandacht valt op de zes witte votiefkaarsen in eenvoudige glazen kandelaars op de salontafel met rood lakwerk. Ze zijn nog nooit aangestoken. Ze zijn niet stoffig en zien er nieuw uit. Ik buig me eroverheen en vang de bekende geuren op van jasmijn, tuberoos en sandelhout. Ik herken muskus en vanille, de diepe, erotische geur van Amorvero, Italiaans voor ware liefde, het huisparfum van Hotel Hassler boven aan de Spaanse Trappen in Rome, waar Benton me acht jaar geleden ten huwelijk heeft gevraagd.

Ik heb thuis het parfum, de badolie en de bodylotion van Amorvero. Hij koopt ze altijd voor mijn verjaardag, en nu ruik ik het in dit huis. Ik snuffel aan mijn polsen om er zeker van te kunnen zijn dat ik mezelf niet ruik, maar ik weet dat dat niet kan. Ik heb het vanmorgen niet opgedaan.

'Wat ruik je hier?' vraag ik aan Marino.

Hij snuift en haalt zijn schouders op. 'Een oud huis, bloemen misschien. Maar mijn neus zit dicht doordat het hier zo stoffig is. Het huis ziet eruit alsof het lang leeg heeft gestaan. Heb je dat gezien?'

'Herken je iets aan de geur?'

'Wat dan?'

'Wat je beschreef als een bloemengeur. Komt die je bekend voor?'

'Ja, nu je het zegt. Het ruikt een beetje naar wat jij altijd op hebt.' Hij komt dichter naar me toe en snuift nog een paar keer.

'Dat komt omdat het dezelfde geur is, maar ik heb het nu niet op. Het is niet bepaald een bekende geur en ik kom hem zelden tegen. Benton laat hem speciaal uit Italië komen.'

'Je wilt zeggen dat het jouw speciale geurtje is.' Er verschijnen zweetdruppels op Marino's geschoren hoofd. 'En mensen uit je omgeving zouden dat weten.'

'Dat wil ik maar zeggen,' antwoord ik, en hij denkt hetzelfde als ik.

'Het is net zoiets als de klokken,' zegt Marino. 'Ik ben vanmorgen door deze kamer gelopen en ik weet dat de klokken toen niet liepen. Ik heb ze niet gehoord. Ik kan me ook niet herinneren dat ik die witte kaarsjes heb gezien of dat ik hier iets anders heb geroken dan stof.'

'De kaarsen zijn nooit gebruikt.' Ik wijs naar een exemplaar op een tafeltje. 'En als ik ze oppak' – ik doe het terwijl ik het zeg – 'zit er ook geen ronde uitsparing in het stof op de tafel. Zo te zien zijn de kaarsen hier pas onlangs neergezet en is de kamer al een tijdje niet schoongemaakt.'

Marino's blik schiet door de kamer terwijl de klokken de tijd wegtikken en de regen harder, zachter en dan met een luide roffel op het dak slaat. De wind jankt om het huis en ik probeer iets te horen van het arrestatieteam. Ik knip albasten wandlampen en een kroonluchter aan en ze gloeien zwak. De eeuwenoude landschappen en de strenge portretten tegen de met eikenhout betimmerde muren zijn allemaal even donker, even somber als de rest van de kamer.

Een gedetailleerd geborduurd kamerscherm onttrekt de diepe bakstenen open haard aan het oog, die zo te zien nooit wordt gebruikt. Ik vang niets op van de scherpe geur van verbrand hout en roet. Ik zie geen zaagsel, brandhout of briketten. Wat een mistroostige kamer. Dat zou het zelfs op een zonnige dag zijn. Er is geen televisie, ik zie nergens een geluidssysteem of speakers en nergens liggen tijdschriften of kranten. Niet dat ik me kan voorstellen dat iemand hier zou zitten lezen of vrienden zou ontvangen.

Het is een enorme, onbewoonde kamer en terwijl ik stilletjes om me heen sta te kijken, vang ik een vaag scala aan andere geuren op. Muffe bekleding. Mottenballen. Op elk oppervlak ligt stof en het danst in het licht van de kroonluchter. Mijn twijfels over de huishoudster van Chanel Gilbert worden steeds groter.

De woonkamer is al een hele tijd niet gebruikt of schoongemaakt, zeg ik tegen Marino terwijl ik naar een tafeltje loop met een verzameling antieke zilveren dierfiguurtjes.

Een paard, een korhoen, een bizon, een vis met glazige ogen, allemaal heel fijn bewerkt, maar vlekkerig en koud. Ik kan geen enkele luchtige noot bespeuren. De aankleding is prachtig, maar statisch en onpersoonlijk, met uitzondering van de voorwerpen die ik beschouw als talismannen, symbolen en waarzeggersattributen, en de klokken. Verscheidene daarvan zijn zo oud als het huis, waaronder een lantaarnklok en een gotische klok uit Zwitserland.

'Ik kan me niet voorstellen dat de huishoudster dit huis behoorlijk onderhoudt,' merk ik op, terwijl ik scherp let op het arrestatieteam en wat het aan het doen is.

'De grote slaapkamer is helemaal achter in de gang.' Marino loopt naar een raam en schuift een van de dieprode gordijnen in Frans jacquardweefsel opzij. 'Het is een heel eind naar de voordeur als je in bed ligt en er wordt aangebeld.' Hij kijkt naar de donkere, regenachtige middag en ik hoor de stortregen en de wind, maar verder niets.

'Ik weet niet wat ze Elsa Mulligan betalen en hoeveel uur ze hier werkt, maar ze krijgen geen waar voor hun geld.' Ik blijf erop hameren, want Marino toont geen belangstelling voor mijn huishoudelijke inzicht, en dat zou hij wel moeten doen.

Ik probeer me Elsa Mulligan voor de geest te halen, gebaseerd op de beschrijving die ik van haar heb gekregen, en stel me haar grote bril en piekerige, zwarte haar voor. Hyde zei dat hij eerst dacht dat ze een vriendin van de familie uit Los Angeles was. Ze lijkt een vreemde keus als huidhoudster. Ze was in ieder geval niet erg grondig of vlijtig als het om schoonmaken ging. Als ze elke morgen om acht uur arriveerde, wat deed ze dan in de uren dat ze hier was? Wat ze Hyde allemaal heeft verteld, lijkt me het zoveelste verhaal dat we geacht worden te geloven, maar dat geen hout snijdt.

'Als we aannemen dat Chanel zich achter in het huis bevond en alleen een kimono aanhad, moeten we ons toch afvragen hoe haar lichaam bij de voordeur is beland,' zegt Marino terwijl mijn gedachten verschillende sporen volgen en ik mijn oren spits voor krakende vloeren, dichtgaande deuren, stemmen. 'Is het niet mogelijk dat de huishoudster het lichaam daarheen heeft gesleept?'

'Chanel is niet ergens anders vermoord en vervolgens naar de hal gesleept of gedragen, als je dat bedoelt.'

'Maar dat weggeveegde bloed dat we zagen toen jij het marmer had bespoten,' zegt Marino bedachtzaam. 'Misschien zijn er nog andere schoongemaakte oppervlakken waarop bloed heeft gezeten.'

'Ik vermoed dat het bloed in de hal is weggeveegd om ons de indruk te geven dat het om een ongeluk ging. Als je van een ladder valt, laat je niet overal bloedspatten achter.' Ik kijk om me heen en luister of ik het arrestatieteam hoor. 'Als je mensen vanaf het begin op een verkeerd spoor wilt zetten, kun je beter al het bloed en alle andere sporen weghalen die niet passen bij de schijn die je wilt wekken,' voeg ik eraan toe terwijl we wachten op enig teken dat er nog vier grote mannen in het huis zijn.

Ik luister naar de regen en de klokken. Windvlagen laten de ruiten rammelen. Verder hoor ik niets.

'En de dader wist dat je zou zien dat er bloed was weggeveegd en er uiteindelijk achter zou komen hoe de vork in de steel zit.' Marino komt dichter bij wat volgens mij de onvermijdelijke en ongelukkige waarheid is. 'Er bestaat geen twijfel aan dat Chanel is vermoord op de plek waar ze is aangetroffen. Dat is duidelijk, toch?'

'Als we op de bloedsporen afgaan wel,' antwoord ik. 'Ze heeft de dodelijke verwondingen opgelopen terwijl ze op de marmeren vloer lag. Dat betekent niet dat het handgemeen daar begonnen is.'

'Iemand kan haar dus zonder veel tegenstand naar de vloer hebben gewerkt en toen haar hoofd tegen die vloer hebben geslagen.'

'Daar ziet het naar uit, afgaand op mijn eerste onderzoek, de CT-scan en wat Luke me heeft verteld.'

'We hebben dit eerder gezien, doc.' Marino bedoelt dat niet in het algemeen. Hij verwijst naar diverse mensen die het afgelopen jaar aan een stomp trauma zijn overleden, naar Patty Marsico, een makelaar die in Nantucket is doodgeslagen, en de jonge Gracie Smithers, die op eenzelfde manier om het leven is gekomen op een rotsachtige kust in Marblehead.

'Carrie Grethen maakt er een gewoonte van om mensen op die manier de schedel in te slaan.' Hij zit haar op de hielen zonder nog ergens anders naar te kijken.

'Bij verschillende moorden waarvan wij weten, in ieder geval.'

'Die in Nantucket met Thanksgiving.' Hij gaat recht op zijn doel af. 'En daarna die moord in Marblehead in juni. Ze bedient zich van verschillende methoden. Slaan, steken, neerschieten met een gespecialiseerd geweer of een harpoen. Binnen, buiten, op het land, op een boot, onder water. Waar ze maar zin in heeft.'

Hij buigt zich over de met de hand gemaakte zilveren vis op het tafeltje en duwt met zijn in paarse nitril gestoken knokkel tegen de scharnierende staart. 'Vreemd ding. Het is eigenlijk een doosje.' De woede maakt zijn stem harder terwijl hij de vis voorzichtig oppakt. De staart beweegt en de oogjes staren me aan. 'Best zwaar, vast massief zilver. Alleen kan het niet open, want het zit dichtgelijmd. Ik kan de lijm ruiken, dus die is er niet zo lang geleden op gesmeerd. Misschien terwijl wij weg waren. Misschien toen de klokken zijn opgewonden. Ik hoor niets rammelen.' Hij schudt er een beetje mee. 'Dat is dus wat ik wil zeggen, doc. Wat er met Chanel Gilbert is gebeurd, is persoonlijk. Seksueel. Het gaat niet om een inbraak of een andere misdaad die uit de hand is gelopen en in moord is geëindigd. We hebben te maken met iemand die ziek is, krankzinnig. Er wordt met ons gespeeld en we weten door wie. Dat is natuurlijk alleen maar mijn mening. Ik ben geen deskundige op dat gebied. Ik ben Benton niet.'

Ik ben bij de grote open haard blijven staan om naar de klokken te kijken en naar de boekenkasten vol in leer gebonden boeken aan weerszijden daarvan. 'Het gaat allemaal om macht,' zeg ik tegen hem terwijl hij op zijn hurken bij de sporenkoffer gaat zitten en laden begint open te trekken. 'Bij haar gaat het altijd om macht. Daar houdt ze van. Ze wordt erdoor gedreven en raakt er opgewonden van. Je hoeft geen profiler te zijn om dat uit te vogelen.'

Marino pakt een plastic flesje met het woord ACETON erop en loopt terug naar het tafeltje naast de kersenhouten bank met de zwartleren kussens. Hij pakt de zilveren vis weer op.

'Hopen dat het geen bom is.' Hij maakt er bijna een grapje van. 'Als het er wel een is, kan ik het wel schudden.' Hij pakt een camera.

'En ik ook.'

'Iemand heeft het deksel vastgelijmd, volgens mij niet heel lang geleden. Ik wil weten waarom.' Hij begint foto's van het doosje te maken. 'Het andere alternatief is om de explosievenopsporingsdienst erbij te halen. Misschien zou Amanda Gilbert dat graag willen zien. Eens kijken wat we nog meer kunnen doen om haar op het oorlogspad te brengen.'

Hij zoekt in de sporenkoffers naar poeder en borstels om vingerafdrukken zichtbaar te maken. Ik bekijk de oude boeken terwijl hij de zilveren doos controleert op latente afdrukken en nog geen vlekje kan ontdekken. Hij neemt DNA-monsters en wordt steeds bozer en agressiever. Hij voelt zich gemanipuleerd en bespot. Ik merk dat de spanning oploopt bij Marino, en de uitbarsting zal niet lang meer op zich laten wachten.

'Ik bedoel dat jij denkt dat zij het is.' Boos scheurt hij een pakje wattenstaafjes open. 'Je hebt inmiddels geen twijfels meer.' Het is geen vraag. Hij vertelt het me als een feit. En dat is het ook. Dat weten we allebei.

'Ja,' antwoord ik.

'Dat denk je al de hele dag.'

'Ik heb er rekening mee gehouden sinds ik die video's kreeg.' Ik trek boeken van de planken en sla ze open, op zoek naar enige indicatie dat ze iets voor iemand betekenen. 'Volgens mij staat wel vast met wie we te maken hebben.'

'Normaal gesproken zou je Benton bellen.' Marino steekt een wattenstaafje in het aceton. 'Maar behalve toen we bij Lucy weggingen, heb je helemaal geen contact met hem gehad. Zelfs niet voordat je wist dat hij in die helikopter zat. Je hebt hem overal buiten gehouden.'

Hij krijgt geen antwoord of verklaring. Ik ga met hem niet over Benton praten. Ik blijf de muf ruikende boeken bekijken, die de meest uiteenlopende onderwerpen behandelen. Vliegvissen. Jachthonden. Tuinieren. Metselwerk in het negentiende-eeuwse Engeland. Ik ben vergelijkbare verzamelingen tegengekomen in huizen die zijn ingericht door binnenhuisarchitecten, die antieke boeken per meter opkopen.

'Bijna alles wat je hier ziet, is onpersoonlijk,' merk ik op, maar Marino luistert niet echt. 'Met uitzondering van de zandlopers, de spinnewielen, de kaarsen, de ijzeren kruisjes en de klokken,' voeg ik eraan toe, maar hij let niet op mij. 'Die maken geen deel uit van de inrichting. Ze lijken om een bepaalde reden te zijn verzameld, mogelijk een symbolische reden.' Verder zeg ik niets.

Marino heeft het zilveren doosje open gekregen en komt naar me toe. Zijn gezicht is rood van woede. Hij houdt beide helften van het zilveren doosje in één hand, met de vissenkop van ons af. Hij legt zijn vinger tegen zijn lippen en op hetzelfde moment hoor ik beweging in de gang.

'Zo te zien las ze allerlei vreemde dingen.' Met zijn nietszeggende opmerking waarschuwt Marino me dat we een probleem hebben.

We hebben in dit huis gepraat, en dat hadden we niet moeten doen. We hebben gesproken over deze zaak en over Carrie, en iemand heeft meegeluisterd. Ik kan me goed voorstellen wie dat is.

'Ik geloof niet dat deze boeken door iemand gelezen werden,' zet ik ons alledaagse gesprekje voort terwijl het zwarte apparaatje in het doosje alles blijft opnemen.

De ogen zijn eigenlijk gaatjes voor de lens en de microfoon van de minirecorder, en ik word herinnerd aan de elektrische puntenslijper in Lucy's kamer in Quantico. Ik moet denken aan de draak in haar rotstuin en de vuurrode ogen die me leken te volgen. Ik voel dat de haren op mijn armen en in mijn nek overeind gaan staan, ook al doe ik alsof er niets aan de hand is.

'Ik betwijfel of die boeken zijn verzameld omdat iemand ze wilde lezen,' zeg ik tegen Marino terwijl hij met het zilveren doosje en de verstopte opnameapparatuur naar de andere kant van de kamer loopt. 'Ik vermoed dat dit een voorbeeld is van de invloed van Los Angeles. Het is net alsof een groot deel van het huis is ingericht als filmset, met een ruime sortering antiek, kleden en oude schilderijen van mensen en plaatsen die waarschijnlijk geen enkele betekenis hebben voor wie dan ook.'

'En wat zegt dat jou, behalve dat Chanel Gilbert een moeder heeft die goudgeld heeft verdiend in Hollywood?' Hij schudt een papieren zakje open terwijl we blijven praten alsof er niets vreemds aan de hand is.

'Het zegt me dat ze hier wel eens verbleef, maar dat ze ergens anders woonde. Mogelijk figuurlijk.' Ik voel dat we niet meer alleen zijn en draai me om.

De vier agenten in hun zwarte uitrusting staan in de deuropening.

35

Marino vouwt de bovenkant van de bruinpapieren zak dicht en verzegelt hem met rode tape.

'Hij werkt draadloos, op een batterij, en is waarschijnlijk niet heel lang geleden geïnstalleerd.' Hij heeft het tegen Ajax, die voorstelt een speciaal team op te roepen om het huis te controleren op verborgen camera's en microfoons.

'Dat zouden we zo snel mogelijk moeten doen,' voegt hij eraan toe.

'Niet tot wij klaar en 'm gesmeerd zijn. Wat we niet moeten hebben, zijn nog meer agenten die door het huis sjouwen.' Marino haalt een stift uit de sporenkoffer.

'Je wordt bedankt.'

'Ik had het niet over jou. Ik bedoel de nerds. Als die straks toch bezig zijn, moeten ze ook uitkijken naar apparatuur waarmee je radiosignalen kunt blokkeren en mobiel telefoonverkeer kunt omleiden.' Met zijn tanden trekt Marino de dop van de viltstift.

'Er zou iemand mee kunnen luisteren. Waar één camera verstopt is, zijn er waarschijnlijk meer,' waarschuwt Ajax. 'Ik ga er tegenwoordig van uit dat er overal camera's zijn.'

'Laat ze maar luisteren. Ze kunnen de pot op, al is het de FBI. Hallo, FBI,' zegt Marino luid en grof. 'Leuk dat jullie ook meedoen.'

'Mij is niets opgevallen toen we rondkeken, maar dat betekent niet dat je hier enige privacy hebt. Zoals ik al zei: ik ga er nooit van uit dat ik privacy heb, behalve hopelijk in mijn eigen huis.' Ajax praat tegen ons allebei. 'En zelfs daar hebben we camera's. Maar in dat geval weet ik tenminste waar die zich bevinden.'

'Misschien had Chanel Gilbert ook geen privacy. Misschien werd ze bespioneerd.' Marino praat gewoon door. 'Of misschien blokkeerde ze elke poging om haar te bespioneren. Maakt niet uit hoe het precies zit, we moeten nog steeds dezelfde vraag stellen: wie was ze in godsnaam en waar was ze bij betrokken?'

'Het hele huis is veilig,' laat Ajax ons weten, maar zijn blik is nu op mij gevestigd.

Ik weet wat hij denkt. Hij hoeft het niet te zeggen en uit respect voor mij zal hij dat ook niet doen. Maar zijn twijfel ligt er duimendik op, en het staat wel vast wat zijn advies zou zijn als hem daarnaar gevraagd werd. Hij zou opmerken dat de situatie vraagt om een speciaal doorzoekingsteam en dat ik in dat geval niet hier zou moeten zijn.

Voor mannen die betrokken zijn bij de actieve oorlogsvoering van het leger en de politie ben ik niet-essentieel personeel. Als doden of gedood worden aan de orde van de dag is, staan gerechtigheid en hoe iets in de rechtszaal kan uitpakken laag op de lijst. Misschien komen ze wel helemaal niet op de lijst voor. De Ajaxen van de wereld zijn niet de gravers, de wetenschappers die moeten interpreteren en ontcijferen wat ze ontdekken. De speciale teams schieten de cobra's dood. Het is aan mij om erachter te komen of dat terecht was. Dat is mijn werk. Eerder vandaag ben ik weggelopen. Dat doe ik niet weer.

'Niemand te bekennen, boven noch beneden,' vervolgt Ajax zijn verslag. 'Als je het mij vraagt, ziet het grootste deel van het huis eruit alsof er al een tijd niet in gewoond is. Behalve de grote slaapkamer beneden aan de achterkant. Die wordt beslist gebruikt. Of werd.'

Hij wacht bij de deuropening. De drie andere mannen staan achter hem in de gang, met hun onderarmen op de matzwarte kolf van de geweren voor hun borst, lopen naar beneden, nachtkijkers omhooggeslagen op hun helm. Als ze hun gewicht verplaatsen of bewegen, doen ze dat heel subtiel en stil. Ze zijn behendig en rustig. Ze zijn gedisciplineerd en stoïcijns en bezitten de mengeling van onzelfzuchtigheid en narcisme die in mijn ogen het perfecte materiaal is voor een held. Je moet van jezelf houden om dapper en glorieus te vechten, om ten koste van alles in leven te blijven terwijl je een persoon of een volk met je eigen leven beschermt. Het is een tegenstrijdigheid. Het lijkt onlogisch. Het is geen cliché of stereotiep beeld als ik zeg dat zulke mannen anders zijn dan andere mensen.

'Als er verder dus niets is?' vraagt Ajax aan Marino.

'Op dit moment niet, behalve wat er in godsnaam met Hyde kan zijn gebeurd.' Hij is klaar met het etiket en doet de dop weer op de stift, waarna hij hem in de bovenste la van de open sporenkoffer gooit. 'Ik heb van Lapin gehoord, maar nog steeds niet van Hyde. We weten dat hij hiervandaan gebeld heeft voordat hij vanmorgen wegging, en dat is weer zoiets idioots. We traceren zijn telefoon en het resultaat is een niet-bestaande zendmast op deze locatie. Dat klinkt mij in de oren alsof iemand de boel zit te flessen en radiosignalen zit te blokkeren om van deze locatie een dode zone te maken.'

'Als hij zijn telefoon niet meer gebruikt, krijgen we verder ook niets.' Ajax gaat bij zijn team in de gang staan. 'Als je niets verstuurt, is er geen signaal en kunnen we je niet vinden. Het is vreemd dat hij zijn telefoon al drie uur niet gebruikt heeft. Als je niet ziek bent, voor pampus ligt of je op een plek bevindt waar je hem uit moet zetten, ga je je telefoon geheid ergens voor gebruiken.'

'Je meent het,' zegt Marino.

'Weet je zeker dat zijn telefoon niet hier ergens ligt?' vraagt een van de andere mannen. 'Is het mogelijk dat hij hem heeft laten vallen of ergens heeft neergelegd en hem niet bij zich heeft? Ik bedoel, we hebben hem niet gezien. Maar dat betekent niet dat hij er niet is. Wat gebeurt er als je hem belt?'

'Dan krijg ik meteen de voicemail, alsof zijn telefoon uitstaat of de batterij leeg is.' Marino toetst nog eens het nummer van Hyde in. 'Meteen de voicemail, net als eerder.'

'Er is doorgegeven dat we hem en zijn auto zoeken,' zegt Ajax. 'Iedereen van hier tot Timboektoe kijkt naar hem uit. Ik zet een paar mannen bij het huis zodat jullie je niet eenzaam hoeven voelen.'

'We blijven niet lang meer.' Marino schuift de telefoon weer in zijn zak. 'De doc wil nog even door de belangrijke gedeelten van het huis lopen en dan zijn we weg. De back-upeenheden moeten ter plaatse blijven tot we Hyde hebben gevonden en erachter zijn wat er gebeurd is met de Range Rover van het slachtoffer. Geen ongeautoriseerde mensen op het terrein of in het huis, tenzij ik toestemming heb gegeven.'

'Oké,' zegt Ajax. 'Je weet waar je me kunt vinden.'

Marino en ik kijken ze na als ze door de gang en langs de trap de hal in lopen. Ik hoor de voordeur dichtgaan en dan heel zacht het geluid van hun startende SUV. Ik ben me er scherp van bewust dat we weer alleen zijn en voel de leegte en stilte als Marino terugloopt naar de hal. Hij zet de dichtgeplakte papieren zak en het andere bewijsmateriaal bij de deur.

'Je hebt gehoord wat hij zei,' zeg ik als hij terugkomt. 'Als er één verborgen apparaatje is, kunnen er meer zijn.'

'Daar zou ik maar op rekenen. Klaar?' Hij klikt de sporenkoffer dicht en tilt hem op.

Terug naar de gang. De volgende kamer rechts is de eetkamer, een kleine ruimte met een laag plafond en een tafel die is gemaakt van een oude schuurdeur, omringd door acht rustieke, bruinleren stoelen. Boven de tafel hangt een Tiffany-kroonluchter en ik bekijk de donkere olieverfschilderijen met landelijke taferelen onder de schilderijlampen. Op de doeken staan koeien en golvende heuvels, weiden en bergen van Engelse en Nederlandse kunstenaars uit de zeventiende en de achttiende eeuw. Het serviesgoed in de achttiende-eeuwse Engelse kast is van heel oud Chinees porselein en ik bespeur weer de hand van de binnenhuisarchitect.

Voor de glazen schuifdeuren hangen damasten gordijnen in een lichte gouden tint en ik trek de zware, satijnachtige stof opzij en kijk uit over een smalle zijtuin, begrensd door een smeedijzeren hek. De regen spettert in diepe plassen, zo groot als kleine vijvers, en het gras ligt bezaaid met rozenblaadjes, als pastelkleurige confetti. Het hek eindigt bij een hoge, dichte buxushaag aan de achterkant van het terrein. Ik zie losse bakstenen en grote keien, overblijfselen van een vervallen gebouw, misschien een van de bijgebouwen uit een eerdere en meer verfijnde tijd, en ik moet denken aan de mensen in New England. Ze bouwen op het verleden en werken eromheen. Maar ze ruimen het nooit uit de weg.

Dan hoor ik het weer. Een gedempte bons. Alsof iemand onder ons in de kelder een deur heeft dichtgeslagen.

'Wat was dat in godsnaam?' Marino's hand gaat naar zijn wapen. 'Blijf hier,' commandeert hij, alsof ik dat ooit zou overwegen.

'Ik blijf niet alleen in dit huis.' Ik loop achter hem aan langs de trap. Hij opent een deur die ik hem vanmorgen nog heb zien gebruiken en doet het licht aan.

'Ik ga kijken,' zegt hij.

'Ik volg je op de voet.'

De houten trap naar beneden is heel oud en gehavend en de muren zijn van steen. Ik heb het gevoel dat ik afdaal in de krochten van een oud Engels kasteel terwijl ik langzaam en steeds pauzerend de steile treden afdaal en mijn been zo veel mogelijk ontzie. Het is hier koel. Ik ruik stof. Ik zie veranderingen in licht en schaduw, alsof er wolken voor de zon langs trekken. Maar er zijn hier geen wolken. Er is geen zon. De kelder bevindt zich onder de grond en er zijn geen ramen.

'Wat beweegt er?' vraag ik aan Marino. 'Er beweegt heel zwak een soort licht op de muur.'

'Ik weet het niet.' Hij loopt voor me, met getrokken pistool.

Tien treden en een bordesje, dan nog vier treden en we staan in een lege ruimte van steen en gepleisterde muren zonder ramen. Ik kijk naar de bogen met stenen pilaren en naar de ruwe stenenvloer, bedekt met rieten matten. Aan gevlochten koorden hangen keramische lampen aan het hoge plafond en de lamp die het dichtst bij de luiken hangt, zwaait licht heen en weer.

We kijken er zwijgend naar, en dan naar de luiken. Aan deze kant is het hout grijs en vele malen geschilderd, en ik zie vlekken van opgedroogd water. De luiken zijn opengemaakt terwijl het regende. Ze zitten op een hoogte van ongeveer een meter twintig in de muur en je kunt erbij komen via een stenen helling die kurkdroog is en heel schoon. Ik zie dat er een modern slot op zit en dat de sleutel erin steekt. Niets wijst erop dat er een alarm op de deuren zit, en Marino duwt ertegen met zijn schoen. Ze wijken niet. Hij kijkt op naar de lamp, die nu bijna onmerkbaar beweegt, alsof hij is aangeraakt door een geest of een tochtvlaag.

'Wat we net hoorden, was niet het dichtslaan van deze luiken,' zegt hij beslist. 'Als iemand hierlangs naar buiten was gegaan, zaten ze niet op slot. De sleutel zit er namelijk nog in. En het zou ingeregend hebben. Er zou water en aarde op de vloer zijn gekomen van het bloembed hierboven.'

Niet als iemand het naderhand had schoongemaakt.

Marino houdt zijn Glock in zijn rechterhand, met de loop naar beneden, als hij naar een andere deur loopt, dit keer in de tegenovergelegen muur, een normale, witgeschilderde deur. Hij beklimt de vier stenen treden die naar de deur leiden.

'Op slot.' Zijn met tyvek omhulde voeten maken een glibberig geluid op de stenen als hij weer naar me toe komt. 'Ik weet niet waarom die lamp bewoog, tenzij er iets tegenaan is gelopen of gevlogen. Er zullen hier wel vleermuizen zitten.'

'We hebben beslist iets gehoord wat leek op het dichtslaan van een deur, en dat was niet de eerste keer vandaag. Wil je soms zeggen dat dat ook van de vleermuizen komt?' zeg ik. Dan gaat mijn telefoon. Het verbaast me dat ik hierbeneden ontvangst heb.

Ik kijk naar het schermpje. Het is Jen Garate. Ze staat op de oprit en ik zeg dat ze naar de trap bij de afvalcontainers aan de oostkant van het huis moet komen.

'Waarom ligt er een rol politielint in het bloembed bij die grote houten luiken?' vraagt ze. 'Ik neem aan dat je dat gezien hebt?'

'Blijf uit de buurt van de voorkant van het huis,' zeg ik tegen haar. 'Kom naar de plek die ik net heb genoemd en raak niets aan.'

Ik houd een tyvek laborantenjas boven mijn hoofd als paraplu als ik naar buiten stap. Het regent nog steeds gestaag, maar niet meer zo hard, en in het zuiden wordt de hemel lichter.

Ik blokkeer de open deur. Als we buiten blijven, worden we misschien niet afgeluisterd door microfoontjes die in het huis verborgen kunnen zijn. Verder kan ik niets doen, en het is niet de eerste keer dat ik me zorgen maak over geheime camera's en andere beveiligingsapparatuur, die steeds vaker gebruikt worden en steeds makkelijker te bedienen en te installeren zijn. Als ik tegenwoordig een plaats delict onderzoek, houd ik altijd in mijn achterhoofd dat wat we doen en zeggen niet onder ons blijft.

Jen Garate stapt uit de SUV die ze voor mijn truck heeft gezet. Ze draaft in regenkleding naar me toe en haar rubberlaarzen spetteren door het water alsof ze enorme lol heeft. Luidruchtig komt ze de houten trap op. Ze is opgewonden als we de sleutels omwisselen en haar natte vingers zijn onhandig en opdringerig.

'Blijf uit het laadruim van de truck, behalve om het ingepakte bewijs eruit te halen,' commandeer ik niet erg vriendelijk. Ik ben niet van plan haar in het huis te laten.

Dat wil ze. Het is maar al te duidelijk dat ze niets liever wil dan binnenkomen.

'Ze zitten in de eerste kast.' Ik blijf volkomen zakelijk in mijn uitleg. 'Nadat je de truck in de onderzoeksruimte hebt gezet, breng je de pakjes naar Ernie. Hij neemt het verder wel over.'

'Ik moet precies weten wat ermee gebeurd is.' Haar lange, donkere haar zit in een paardenstaart en haar ogen zijn intens blauw onder het honkbalpetje als ze over mijn schouder de keuken in staart.

'Ik heb je alle informatie gegeven die je op dit moment nodig hebt.'

'Ik wil met alle liefde komen helpen,' zegt ze. 'Het moet een ingewikkelde zaak zijn, anders zou je na je eerdere onderzoek niet zijn teruggekomen. Is Marino bij je?'

'Denk je?' Dat is mijn manier om haar eraan te herinneren dat ik me niet door haar laat ondervragen.

'Hé, geen geintjes, hoor. Ik weet dat hij bij je is.' Ze probeert het met een verleidelijk plagerijtje en praat zo snel alsof ze speed heeft gebruikt. 'Ik heb zijn radioberichten gehoord. Die agent die hij zoekt. Hoe heet hij ook weer? Hyde, zoals die van dokter Jekyll? Je moet weten dat op Twitter staat dat de politie van Cambridge hem zoekt en dat er een opsporingsbevel is uitgevaardigd omdat hij kennelijk van de radar is verdwenen en ze zijn patrouillewagen niet kunnen vinden. Weet jij wat er gebeurd is?'

'Ik ben niet degene die naar de radioberichten luistert. Zeg jij het maar.' Ik geef geen antwoord op haar vragen, en de manier waarop ze langs me heen kijkt en steeds dichter naar de open deur schuift, staat me helemaal niet aan.

'Ik kan het hier wel afmaken met Marino, zodat jij terug kunt.' Ze biedt het niet aan, maar zegt het alsof het een bevel is, en ik voel een groeiende afkeer voor haar.

Jen Garate is knap, maar een beetje ordinair. Ze is halverwege de dertig en heeft een olijfkleurige huid en een vol figuur waarmee ze graag pronkt. Toen ze solliciteerde naar de baan, heb ik niet veel aandacht geschonken aan haar tatoeages, gotische sieraden en strakke, weinig verhullende kleding, en die zijn ook niet echt mijn probleem met haar. Waar ik bezwaar tegen heb en aanstoot aan neem, zijn haar opdringerigheid en haar aanstellerij. Bij alles wat ze doet, wordt ze gedreven door haar eigen vorm van exhibitionisme. Ze kan van een skelet opgraven of een lijk uit een rivier halen op de een of andere manier een sexy spektakel maken.

'Breng alsjeblieft de truck terug, zoals afgesproken,' zeg ik tegen haar. 'Dan zie ik jullie hopelijk binnen niet al te lange tijd.'

Ze blijft nog even op de bovenste tree staan terwijl de regen tegen haar regenpak slaat, donkerblauw met op de rug in geel de woorden FORENSISCHE DIENST. Er trekt een sluwe glimlach, een grijns bijna, over haar gezicht.

'Het spijt me van Lucy,' zegt ze.

Ik reageer niet. Ik houd me van den domme terwijl Marino's zware voetstappen de keuken binnenkomen.

'Hoe bedoel je dat het je spijt van Lucy?' vraag ik dan rustig, alsof er voor mij geen vuiltje aan de lucht is.

'Nou, ik heb gehoord dat de helikopter die vanmorgen boven haar huis cirkelde, niet van haar was.'

'En waar kun je zoiets gehoord hebben?' vraag ik.

Marino staat inmiddels achter me. Ik doe een stap naar binnen en ga naast hem staan, zodat we allebei droog staan terwijl zij in de regen achterblijft.

'Zit Lucy in de problemen?' Jen kijkt hem recht aan. 'Ik heb enig recht om dat te weten. Ik bedoel, zelfs jij hebt het recht om dat te weten, Pete. Het maakt niet uit dat je niet meer bij het CFC werkt. Jij en Lucy hebben een heel hechte band. Dus als zij problemen heeft met de FBI, denk je dan niet dat jij dat moet weten? Dat iedereen in haar omgeving het moet weten?'

'Hoe kom je erbij dat ze in de problemen zit?' vraagt hij.

'BAPERN.'

Het Boston Area Police Emergency Radio Network omvat meer dan honderd plaatselijke bureaus en bovendien de staatspolitie en de FBI. Ik kan me niet voorstellen waarom er iets over Lucy of over haar landgoed via BAPERN is bekendgemaakt.

'Ik weet dat de FBI een helikopter in de lucht had, en het was vrij duidelijk waar,' legt Jen uit. 'Boven Lucy's enorme terrein in Concord.'

'O ja? En waarom zou de FBI via BAPERN meldingen doen over een van hun helikopters?' Marino kijkt haar boos aan. 'Het antwoord is: dat zouden ze nooit doen. Ze zouden communiceren op de frequentie van de luchtverkeersleiding.'

'Het was niet de FBI die erover praatte. Het was de politie van Concord. Er werd ook geklaagd over die grote truck van jou.' Dit is tegen mij gericht. 'Heb jij een FBI-auto vastgezet of zo? Kennelijk is een patrouillewagen van de politie in Concord gaan kijken waarom de helikopter boven Lucy's huis cirkelde, en er werd over gepraat dat onze truck een FBI-wagen blokkeerde.'

'Je meent het,' zegt Marino hatelijk. 'Raad eens? Het is niet onze taak om jouw vragen te beantwoorden. Je moet gaan.'

'Ik stel geen vragen. Ik vertel jullie dingen die jullie kennelijk niet weten.'

'We hebben jouw hulp niet nodig.'

'Misschien zijn jullie niet slim genoeg om erom te vragen.' Ze kijkt hem uitdagend aan. Het is niet te geloven.

Hij slaat de deur voor haar neus dicht. Het laatste wat ik zie, is dat Jens mond opengaat om te protesteren. Ik loop naar het raam boven het aanrecht. Daar blijf ik naar buiten staan kijken terwijl zij het trappetje af gaat. Ze loopt over het pad en rijdt weg in de grote, witte truck, en ik zie tot mijn tevredenheid dat de banden van de bakstenen glijden en door de modder hobbelen. Ze corrigeert te sterk en de achterkant slipt een beetje heen en weer. Ik rijd beter met dat verdomde ding dan zij.

36

Het oude gezegde dat je bent wat je eet heeft morbide implicaties voor iemand als ik. Aan de hand van wat ik in hun kastjes en hun afval aantref, kan ik veel vertellen over mensen.

Marino en ik doorzoeken de keuken en intussen waarschuw ik hem voor Jen. Dat is niet de eerste keer en zal waarschijnlijk ook niet de laatste zijn. De lege afvalemmer staat er nog precies bij zoals wij hem hebben achtergelaten, zonder zak erin en met de plastic binnenbak zo ver omhoog dat het deksel open blijft staan.

'Doe dat in godsnaam niet,' zeg ik.

'Je kent me. Ik ben altijd eerlijk.' Hij doet een la met ovenwanten en theedoeken dicht.

'Geef haar alsjeblieft geen reden om een rechtszaak aan te spannen tegen het CFC en het bijvoorbeeld een vijandige werkplek te noemen omdat mensen als jij deuren voor haar neus dichtslaan. Eerlijk of niet, dat kan me niet schelen.'

'Ik mag haar niet, en dat is niet omdat ze mijn oude baan heeft.'

In de koelkast zie ik planken met flesjes water en sap, witte wijn, rollen boter en specerijen. Ik denk aan Chanels maaginhoud. Het lijkt erop dat ze kort voordat ze werd vermoord een gerecht met schaaldieren heeft gegeten, mogelijk een Creoolse gumbo, stoofpot of soep. Maar ik zie geen verse groenten als paprika's of uien of iets anders wat erop wijst dat ze een dergelijk gerecht heeft klaargemaakt, en er is ook geen verpakking van een afhaalmaaltijd. Ik vraag me af wat er bij het verdwenen afval zat. Daar maak ik een bedekte opmerking over tegen Marino, wetend dat elk woord kan worden afgeluisterd.

Ik laat hem weten dat ik niets zie wat erop wijst dat iemand hier de laatste tijd heeft gegeten of eten heeft klaargemaakt. De enige uitzondering is het versgeperste sap. Er zijn vijf glazen flesjes met dieprode brouwsels. Ik doe er een open en ruik gember, cayennepeper, kool en bieten. Ik betwijfel ten zeerste of dit soort drankjes verkrijgbaar zijn in Cambridge, in ieder geval niet in de winkels waar ik ooit geweest ben, en ik word er weer aan herinnerd dat dit huis nog geen drie kilometer van dat van mij staat. Het bevindt zich nog geen tien minuten van mijn kantoor. Het is mogelijk dat Chanel Gilbert en ik in dezelfde winkels boodschappen deden en aan dezelfde pomp onze auto volgooiden.

'Veel leveranciers van vers sap bezorgen aan huis,' zeg ik tegen Marino. 'En dit is een merk dat ik nog nooit in een winkel heb gezien.'

Hij pakt een flesje van het donkerrode sap, draait het om in zijn hand en leest het etiket. De naam van het bedrijf is *1-Octen*. De gedachte komt bij me op dat het wel wat lijkt op de flesjes die ik in een zak achter in de rode Range Rover heb gezien.

'Geen adres van het bedrijf, geen houdbaarheidsdatum. Het etiket lijkt wel met een computer te zijn gemaakt, alsof iemand zelf heeft zitten knutselen.' Hij zet de fles weer op de plank, doet zijn handschoenen uit en haalt zijn telefoon uit zijn zak. 'En nu zoek ik even op Google, zonder resultaat. Dat bedrijf bestaat niet. Rare naam. Misschien moet het lijken op "octaan". Een soort superbrandstof of levensmiddel met een hoog octaangehalte of zo?'

'Of als in 1-octen-3-one,' stel ik voor. 'De moleculaire samenstelling voor de geurstof die er in combinatie met andere dingen voor zorgt dat bloed naar metaal ruikt.'

'Bloed?'

'Het is duidelijk dat in dit sap heel veel biet zit, vandaar de dieprode kleur. Net bloed, de essentie of vloeistof van het leven. In bieten zit veel ijzer en we ruiken ijzer als bloed onze huid raakt. *One-Octen* is een vreemde, zo niet onsmakelijke naam voor een voedingsmiddel.'

'Misschien heeft Chanel Gilbert het zelf gemaakt. Ik zei al dat het etiket op huisvlijt lijkt.'

'Dan moeten we op zoek naar een sapcentrifuge of keukenmachine. En zoiets heb ik in deze keuken niet gezien.'

'Ach, misschien hield ze zich naast al die occulte troep die hier staat ook nog bezig met vampiers,' zegt hij sarcastisch.

'Het lijkt erop dat zij of iemand in dit huis een veganistisch en glutenvrij dieet volgt.' Ik sta inmiddels in de voorraadkast te kijken. 'Niets met tarwe. Geen kaas, vis of vlees in de koelkast of vriezer. Een heleboel kruidenthee en voedingssupplementen. Ook hier niets wat beperkt houdbaar is, behalve het sap.'

Ik vertel hem niet over Chanel Gilberts maaginhoud. Een veganist zou geen garnalen of andere schaaldieren eten, en toch was dat kennelijk het laatste wat ze had gegeten voordat ze vermoord werd. Is ze gisteravond in een restaurant geweest? Is het eten bezorgd of gebracht door iemand die ze kende? Zaten er overblijfselen van haar laatste maaltijd bij het vermiste afval? Was ze echt veganist? Ik houd de vragen voor me, omdat ik niet wil dat iemand die ons afluistert op de hoogte raakt van details van de sectie.

Ik haal een zakje uit de sporenkoffer, want ik heb besloten een fles van het rode sap mee te nemen, omdat het niet klopt met de rest. Het sap is vers. Verder niets. Het is alsof hier een tijdje niemand gewoond heeft, en toch is er iemand geweest. Ik zie dingen die elkaar tegenspreken. Ik vang tegenstrijdige signalen op. Opeens beginnen alle klokken tegelijk te slaan. Het is drie uur. Daarna komt er een salvo van geluiden uit de portofoon.

Marino draait het volume hoger, stelt het geluid bij en dan horen we een verslag van een vechtpartij op een parkeerplaats aan North Point Boulevard.

'Twee blanke mannen, mogelijk tieners, in een rode SUV, nieuw model. Een met een honkbalpet, de ander met een capuchontrui, kennelijk onder invloed. Ze staan bij de auto te ruziën...' zegt de meldkamer. Een patrouillewagen antwoordt dat hij in de buurt is, en daarna nog een.

Marino doet de portofoon weer in zijn zak. 'Kom op, doc,' zegt hij met een diepe zucht. 'Laten we dit afronden.'

We lopen door een gang met een vloer van brede, grenenhouten planken die naar ik vermoed even oud is als het huis.

De muren zijn gestuukt en behangen met nog meer oude, donkere Engelse kunst. Een deur leidt naar een met eikenhout betimmerde bibliotheek die een galerie vormt voor onderwaterfoto's, verlicht door oude muurkandelaars met spiegels, die van elektrische lampen zijn voorzien. De boekenkasten staan vol met nog meer antieke, in leer gebonden boekwerken, waarschijnlijk gekocht ter decoratie, en ik blijf even in de deuropening staan voor mijn gebruikelijke alerte verkenning, zoals Lucy het noemt.

Ik kijk naar de donkere houten balken in het witgepleisterde plafond, de houtkachel in de diepe stenen open haard. De vloer van brede planken is bedekt met rieten matten, net als in de kelder, en tussen de twee ramen, waarvoor de gordijnen zijn dichtgetrokken, staat een schrijfbureau met ingelegd mahonie en satijnhout. De computer die erop stond, is naar het lab gebracht, vertelt Marino.

Ik loop om de bibliotheektafel heen. Die is minstens drie meter lang en heeft een blad met inlegwerk en een uitvoerig met de hand besneden onderstel. In het midden staan een lege kristallen karaf, een paar kleine glazen en de zoveelste tikkende klok, dit keer een exemplaar van schildpad, verguldsel en kleurrijk email, mogelijk laat-achttiende-eeuws en met een muziekwerk. Ik kijk op mijn horloge. Het is precies vier minuten over drie. De klok is gelijkgezet met de andere.

'Wijst iets erop dat Chanel Gilbert hier gewerkt heeft? Wat stond er nog meer op het bureau?' Ik bekijk de ingelijste foto's van zeeschildpadden, adelaarsroggen en barracuda's.

Er zijn papegaaivissen, beerkreeften, een roze vleugelhoorn en een Itajara bij schimmige wrakken van gezonken schepen. Het water vertoont levendige tinten groen en blauw en het zonlicht dringt door vanaf het oppervlak.

'Hier hebben we de computer weggehaald, zo'n Mac Prodesktop.' Marino kijkt toe terwijl ik de duiktaferelen bestudeer, die levendig worden weerspiegeld in de muurkandelaars. 'En we hebben haar telefoon. Ze heeft hier ook een router, maar het had geen zin die, de tv en andere elektronica mee te nemen. Op dat moment tenminste niet.'

'En een laptop, een iPad of zoiets?'

Hij schudt zijn hoofd, en ik vraag me af wie er tegenwoordig geen laptop of iPad heeft. Maar we praten er verder niet over. Ik neem de tijd om de zeewezens en gezonken vaartuigen te bekijken en intussen borrelt er een ander onheilspellend gevoel op uit de donkerste diepte van mijn geest. Het wordt me langzaam duidelijk dat wat ik hier zie me heel bekend voorkomt.

Ik kijk nog beter en herken de verspreide overblijfselen van het Griekse stoomschip *Pelinaion*, dat gezonken is in de Tweede Wereldoorlog. Ik ken de *Hermes*, de *Constellation* en vele andere scheepswrakken in de Bermudadriehoek. Ik heb er vele malen gedoken. En op 15 juni ben ik daar neergeschoten. Op de dag af twee maanden geleden.

'Hier heb je niets over gezegd.' Ik wijs naar de foto's, en hoewel het niet mijn bedoeling is beschuldigend te klinken, kan ik het niet helpen.

Daar ben ik neergeschoten.

'Schilderijen van koeien, foto's van vissen.' Marino haalt zijn schouders op en kijkt om zich heen. 'Wat zou dat?'

Daar ben ik neergeschoten!

'Die duiker hier. Hier. En hier...' Ik loop wijzend rond en mijn rechterbeen klopt. 'Dat is steeds dezelfde persoon. Is zij dit niet? Is dit niet Chanel Gilbert?'

De vrouw ziet er jong en fit uit in haar drie millimeter dikke, zwarte wetsuit met een dubbele witte streep om het rechterbovenbeen. Haar zwemvliezen en masker zijn zwart en haar haar is bruin, en dan zie ik de rits. Verrast blijf ik staan. Ik zoek in mijn geheugen naar de beelden in de video die door mijn duikmasker is gemaakt. Ik herinner me de dubbele witte streep op het been van het wetsuit dat Benton droeg toen hij probeerde de regulator weer in mijn mond te doen, en dan stokt mijn gedachtegang opeens.

Hoe kan ik er zeker van zijn dat het Benton was? Hij heeft altijd gezegd dat hij me naar het oppervlak heeft geholpen nadat ik was neergeschoten. Ik heb nooit reden gehad daaraan te twijfelen, tot vandaag, tot deze minuut, en ik zie de beelden voor me die Lucy me in het botenhuis heeft laten zien. Ik zou de duiker in de video echt niet kunnen identificeren. Ik zou niet kunnen zweren dat het Benton was. En ik heb ook niet op de rits van het wetsuit gelet. Maar op de foto's die ik nu sta te bekijken, ziet het wetsuit er hetzelfde uit als het exemplaar dat ik eerder vandaag heb gezien, met de rits aan de voorkant. Meestal zit de rits op de rug, met een heel lang lint eraan zodat je hem met je arm over je schouder dicht kunt trekken.

Ritsen aan de voorkant zijn relatief nieuw. Sommige mensen geven er de voorkeur aan omdat het neopreen meer meegeeft als er geen rits over de hele rug loopt. Ik associeer ritsen aan de voorkant met politieduikers en duikers van het leger, en Benton en ik hebben geen van beiden een wetsuit met zo'n rits. Het was Benton niet in die video. Het was niet mijn echtgenoot van de FBI. Ik weet niet wie het was, waarom die persoon daar was en of de duiker die ik nu op de foto's in Chanel Gilberts bibliotheek zie mijn leven heeft gered en nu dood is.

Ik loop rond om elke foto te bestuderen. Ik schat dat de vrouw op die foto's van gemiddelde lengte is en ongeveer zestig kilo weegt. Ze kijkt recht in de camera, en ik blijf dat beeld over de beelden van eerder vandaag leggen. Ik ben er bijna zeker van dat het dezelfde persoon is, maar toen ik vanmorgen de dode vrouw onderzocht, zat er zoveel bloed in het haar dat de kleur moeilijk te bepalen was.

De neus was gebroken, de ogen zaten bijna dicht. De foto op het rijbewijs van Chanel was niet erg recent en haar gezicht was er voller op, haar haar lichter en langer. Maar ik geloof dat zij en de duiker dezelfde persoon zijn. Dit kan geen toeval zijn. Het maakt deel uit van het plan. Niet mijn plan. Niet Marino's plan. Carries plan.

De Bermudadriehoek. Waar ik ben neergeschoten.

Ik zeg het tegen Marino en hij wijst het meteen van de hand. 'Je bent neergeschoten voor de kust van Zuid-Florida. Niet in de Bermudadriehoek.' Hij kijkt om zich heen, op zoek naar camera's die we niet zullen zien.

'Je trekt een lijn van Miami naar San Juan op Puerto Rico en van daar naar Bermuda, dan heb je de Bermudadriehoek,' zeg ik, hoewel het niet echt om de geografie gaat.

Heeft Lucy haar gekend?

Zij is vorige week op Bermuda geweest. Toen ze landde op Logan, is haar privéjet doorzocht door de douane. Daar wil ik Marino naar vragen, maar ik ga het niet hardop zeggen. Hij kijkt naar mij en dan naar de foto's aan de muur, en ik hoor het radioverkeer via de portofoon die hij in de achterzak van zijn geleende zwarte broek heeft gestoken. De melding van de ruzie op North Point Boulevard was vals alarm. De politie heeft de parkeerplaats weer verlaten.

'Het is wel duidelijk dat Chanel naar wrakken bij Bermuda dook.' Ik wijs naar een foto van een duiker die dicht bij een verpleegsterhaai zwemt. 'Hoe meer ik kijk, hoe zekerder ik ervan ben dat zij dat is, tenzij ze een eeneiige tweelingzus heeft.'

'Of ze duikt, daar weet ik niets van,' zegt Marino. 'Ik weet alleen dat ze van onderwaterfotografie moet hebben gehouden, of anders haar moeder of de binnenhuisarchitect.'

'Daar is gemakkelijk genoeg achter te komen.'

Er moeten certificaten zijn van de Professional Association of Diving Instructors (PADI) of van de National Association of Underwater Instructors (NAUI). Ze moet cursussen hebben gevolgd. Ze moet certificaten hebben en haar naam moet op de ledenlijsten staan. Ze moet duikspullen in huis hebben, tenzij ze die ergens anders bewaarde, dus begin ik daar weer over.

'Heeft ze nog andere huizen?' vraag ik. De kalmte die ik zo koppig bewaar, heeft een knauw gekregen.

'Goede vraag.'

Wat ik eigenlijk wil weten, is of zij en Lucy onlangs samen op

Bermuda zijn geweest. Lucy zegt dat ze ernaartoe is gegaan om te duiken, maar dat zou ze nooit alleen doen. Lucy zou nooit zonder buddy duiken, en misschien was haar buddy Chanel Gilbert, de persoon die Lucy beschreef als een vriendin van Janet. Dat moeten we te weten zien te komen. De elektronische apparatuur die hier is verzameld, is naar Lucy's lab gebracht of zal voor de dag om is daarnaartoe gebracht worden.

Ik kan haar niet Chanels computers, telefoon, USB-sticks en bewakingsapparatuur laten onderzoeken als die twee een persoonlijke relatie hebben. Maar terwijl ik dat allemaal denk, weet iets in mij beter. Lucy keert misschien niet terug naar het lab. Nooit meer. Ik weet niet wat er op dit moment allemaal met haar aan de hand is. Ik heb geen idee wat er gaat gebeuren en hoe ver de FBI zou kunnen gaan om haar leven te verwoesten.

Maar dat zeg ik allemaal niet tegen Marino, want als ik dat doe, zeg ik het ook tegen wie er misschien meeluistert. Ik zou het tegen Carrie kunnen zeggen. Ik zou het tegen de FBI kunnen zeggen. Dan valt me in dat Lucy misschien niet weet dat Chanel dood is. Ervan uitgaand dat ze haar kende. We hebben haar identiteit nog niet vrijgegeven, en ik besluit dat ik er beter voor kan zorgen dat er niets op het internet te lezen is. Ik bel Bryce nog eens. De verbinding is slecht. Ik vraag hem waar hij is.

37

'De ontvangst is hier nooit erg goed,' zegt hij. 'Vanwege het magnetische veld, weet je? Stel je voor dat een zwerm spreeuwen in één keer opstijgt uit de bomen. Zo'n grote, zwarte wolk duivelse vogels; zo is het ook met al die elektronen die hier rondvliegen en je telefoonverbinding verzieken. Ik kan je met een vaste lijn bellen, als je dat liever hebt.'

'Dat gaat niet werken,' antwoord ik.

'Je komt niet meer zo goed door, dus ik zal snel zijn.'

'Ik heb jou gebeld, Bryce.'

'Hallo? Doctor Scarpetta, hallo? Kun je me horen? Het is hier net Fort Knox.'

'Ik heb maar een minuutje.'

'Sorry. Nou, ik ben ergens anders gaan staan. Hoor je me nu beter? Jeetje, ik voel me best een beetje duizelig. Zuurstofgebrek, denk ik. Volgens mij is het erger nadat hij met het vacuümapparaat bezig is geweest, misschien verandert dat het zuurstofgehalte in het lab. Dat moet toch ook wel? Ik ben even gaan zitten en nu besef ik pas dat ik vandaag nog helemaal niets gegeten heb. Nou ja, groentechips die al te lang in mijn la lagen.'

Mijn praatgrage bureaumanager is bij Ernie in het sporenlab met zijn dikke, met staal versterkte betonnen muren, plafond en vloer. Daarom is de ontvangst daar nooit goed voor mobiele telefoons. Dat heeft niets te maken met de Scanning Electron Microscope (SEM), de Foerier Transform Infrared spectroscoop (FTIR) of enig ander geavanceerd apparaat dat we daar gebruiken voor het identificeren van onbekende materialen. Daar kan Bryce met geen mogelijkheid duizelig van worden. Maar hij heeft geen bijzondere omstandigheden, plekken of apparaten nodig om zich zodanig op te winden dat hij duizelig wordt.

'Begin jij maar.' Ik denk eraan dat een eventueel verborgen microfoontje in het huis alleen mijn kant van het gesprek kan opvangen. Wat Bryce zegt, kan niet worden afgeluisterd. Tenzij mijn mobiele telefoon is afgetapt. Tenzij Carrie hem heeft gehackt, of de FBI. Ik dwing mezelf rustig en kalm te blijven, me te concentreren op wat ik aan het doen ben en waarom. Maar het wordt steeds moeilijker, bijna onmogelijk zelfs. Chanel Gilbert heeft gedoken in de Bermudadriehoek. Lucy is net op Bermuda geweest. Nu is Chanel vermoord en heeft de FBI een inval gedaan in Lucy's landgoed. Er wordt een politieagent vermist en Marino en ik zijn weer alleen in dit huis, waar op geheimzinnige wijze klokken worden opgewonden, de tafel wordt gedekt en deuren schijnbaar uit zichzelf open- en dichtgaan. Het is alsof we hier niet kunnen ontsnappen aan de zwaartekracht. Het lijkt wel of het huis een zwart gat is.

'Nou, het eerste wereldnieuws is die enorm coole ontdekking van Anne,' begint Bryce uit te leggen waarom hij in het sporenlab is.

'Ik hoop dat je niet letterlijk bedoelt dat dat overal op de wereld bekend is.'

'Nee! Maar het is zo opwindend dat het wereldnieuws zou moeten zijn, en ik weet zeker dat er in de hele wereld over gesproken zal worden als het uiteindelijk bekend wordt gemaakt.'

'Niet nu. Niet tot ik het zeg.'

'Je praat als iemand die een pistool tegen zijn hoofd heeft of als een slechte animatie in een slechte Lego-film. Dat zal wel betekenen dat Big Brother je in de gaten houdt; niet dat er nog zoiets bestaat als privacy. Dus zal ik maar praten. Anne heeft een vreemd stukje glas gevonden dat in het bloed vastzat en ik denk: goeie god, wat kan er gebeurd zijn? Hoe is dat op het lichaam van Chanel Gilbert terechtgekomen? Ik bedoel, ze woont natuurlijk wel in een huis dat stamt uit de tijd dat ze nog heksen ophingen. Maar als je geen andere spullen zoals dat in haar...'

'Andere spullen?'

'De minerale vingerafdruk die de SEM tevoorschijn heeft getoverd.'

'Kun je wat preciezer zijn? Ik neem aan dat Ernie bij je is?'

'Oké, wacht even.'

Op de achtergrond hoor ik Ernies stem en dan is Bryce terug met het antwoord. 'In het bijzonder kwartszand, natriumcarbonaat en kalksteen. Met andere woorden: glas. Met sporen van zilver en goud.' Hij herhaalt wat Ernie hem voorzegt. 'Bijna onvindbare sporen. Maar dat kan natuurlijk uit de viezigheid komen.'

'Welke viezigheid?'

'Nou, dat stukje van een kraal heeft ergens gelegen waar de zon al honderden jaren niet schijnt. Het kan zijn dat er goud en zilver in de viezigheid zat en dat ze dus niet echt deel uitmaken van het glas, maar het is ook zeker mogelijk dat ze dat wel doen. Je kunt het met het blote oog niet zien. Hij noemt het "een fluistering van kostbare metalen". Zo'n poëtische manier om het te zeggen. Er zit ook nog lood bij.'

'Heeft hij iets aangetroffen wat ons zou kunnen vertellen waar dat bijzondere voorwerp zich eerder heeft bevonden, voordat het op die plek terechtkwam?' Ik pas nauwlettend op mijn woorden, maar ben in de verleiding dat niet te doen.

Ze wil macht over je hebben.

'Een heel klein stukje van de vleugel van een kakkerlak, en daarom had ik het over viezigheid, de smerige troep die je vindt in akelige kieren en spleten waar zich allerlei beestjes verzamelen,' zegt Bryce. 'O mijn god, misschien komt het uit het huis zelf? Gadverdamme. Heb je daar insecten gezien? Is het erg smerig? Ik hoop niet dat bekend wordt dat de dochter van Amanda Gilbert net zo was als die verzamelaars die je op tv ziet, met overal troep en dode huisdieren en ongedierte...'

'Zeg tegen Ernie dat ik hem meteen bel.'

'Wacht even. Hij zegt iets. Wat...'

Ik hoor Ernies stem weer op de achtergrond en vang het woord *millefiore* op, Italiaans voor 'duizend bloemen'. Hij heeft het over een kraalsoort die eeuwen geleden in Venetië werd gemaakt en die gebruikt werd als betaalmiddel.

Ik beëindig het gesprek met Bryce en toets het nummer in van Ernies lab. En dan hoor ik mijn favoriete microscopist in mijn oortje, en het geluid van zijn vertrouwde stem is een troost en een opluchting.

'Het behoeft geen betoog dat ik zoiets niet vaak tegenkom, Kay, maar het is me ook niet vreemd,' legt hij uit. 'Ik ben geen archeoloog, bij lange na niet, maar ik heb er in de loop der jaren wel het een en ander over geleerd bij mijn speurwerk in het afval van de maatschappij. Als je aan genoeg zaken hebt gewerkt, is er niet veel wat je niet gezien hebt, ook als het om overblijfselen uit het verleden gaat. Minié- en musketkogels bijvoorbeeld, die per vergissing in het lab terechtkomen, of knopen en botten die nog uit de Amerikaanse Revolutie blijken te stammen.'

'En daar denk je dat dit vandaan komt. Uit het verleden.'

'Ik heb wel eens eerder dergelijke artefacten gezien. Je weet dat ik het altijd heerlijk heb gevonden om dingen op te graven, zowel met de microscoop als anderszins, en je zult je misschien herinneren dat ik een paar jaar geleden met mijn gezin naar Jamestown ben geweest om daar de opgraving te bezoeken. We hebben toen een persoonlijke rondleiding gekregen en ook het lab en alle gevonden voorwerpen gezien. Dat is een van de redenen waarom het stukje glas van jouw plaats delict in Brattle

Street me bekend voorkomt. Het doet me denken aan kralen die de vroege kolonisten gebruikten om de indianen te paaien. Vooral met kralen die een hemelsblauwe kleur hadden. Ik neem aan dat ze beweerden dat die geluk brachten of magische krachten bezaten.'

'Je hebt het over het eind van de vijftiende en het begin van de zestiende eeuw,' antwoord ik.

'Zo oud zou jouw kapotte kraal ook kunnen zijn.'

'Kun je me meer details geven, Ernie?'

'Wat we hier hebben, is een stukje van redelijke afmetingen met vele facetten, gemaakt van drie lagen glas, waarschijnlijk vormgegeven met behulp van de hitte van een olielamp, in tegenstelling tot getrokken of geblazen glas, waarvoor een behoorlijke werkruimte en uitrusting nodig is, zoals een oven. Vroeger werden kralen door mensen thuis gemaakt, zoals ze ook hun eigen munten sloegen, en meestal werden stukjes gekleurd glas of dunne draadjes goud, koper of zilver toegevoegd om echt een opvallend sieraadje te krijgen.'

'Hoe groot?' Ik blijf me vaag uitdrukken, maar de spanning loopt op en verwarmt me van binnenuit.

'Vijf bij drie millimeter van een kraal die naar mijn schatting ongeveer zo groot was als een kleine parel. Waarschijnlijk een millimeter of negen, tien, de omvang van wat ze handels- of slavenkralen noemden. Christoffel Columbus zou ze hebben geruild voor voorraden en toestemming om door vijandige wateren te varen. Je hoeft niet onder de indruk te zijn, ik heb dat net opgezocht op het internet. Kralen zoals deze waren ook het belangrijkste betaalmiddel bij de slavenhandel in West-Afrika. Je weet wel, je overhandigt wat mooie snuisterijen en vaart weg met een schip vol goud, ivoor en ontvoerde mensen.'

'Je had het over kleuren.' Het staat wel vast dat wat hij beschrijft in de verste verte niet lijkt op het kwartsachtige metamateriaal dat ik op het landgoed van Lucy heb gevonden.

'Diverse tinten blauw met een klein beetje groen,' zegt Ernie, en ik denk aan de vleugel van de kakkerlak.

Ik heb hier in huis geen insecten gezien, levend of dood, behalve vliegen. Ik moet denken aan de stofvlok in mijn brandschone truck. Ik denk aan het vuil aan de bevedering van de pijl die als een bloederige verrassing voor me was achtergelaten. Sporenmateriaal dat afkomstig was van een andere locatie, en misschien geldt dat ook voor het stukje glas. Ik heb tot dusver niets gezien wat me reden geeft te denken dat de kapotte kraal uit dit huis afkomstig is, in ieder geval niet uit de kamers die wij hebben doorzocht.

'Bel me zodra je iets nieuws hebt,' zeg ik tegen Ernie. 'Jen zal zo wel bij je zijn...'

'Ze is meteen gekomen nadat ze de truck in de onderzoeksruimte had gezet, daar moet ik straks ook mee aan de slag. Heb je nog bijzondere instructies, behalve wat Bryce heeft doorgegeven?'

'Werk zo snel je kunt.'

'Ik sta op dit moment een van je pakjes open te snijden.'

'Ik ben benieuwd naar een mogelijke gezamenlijke bron.' Ik druk me zo cryptisch uit dat het bijna niet meer te begrijpen is, en dat maakt me boos. 'Begrijp je wat ik bedoel?' Ik ben net een motor die te veel toeren moet draaien.

'Luid en duidelijk. Je wilt weten of sommige of alle bewijsstukken van dezelfde locatie komen.'

'En wat voor een. Zo gedetailleerd en zo snel mogelijk.'

'Als ik het exacte adres voor je heb, geef ik het door.' Hij plaagt me en toch weer niet.

Ernie zal hier onmiddellijk mee aan de slag gaan, want hij kent me. We werken al jaren samen. Hij is geduldig en hij luistert. Het is jammer dat ik dat niet van Bryce kan zeggen. Ik krijg hem weer aan de telefoon.

Kordaat zeg ik tegen hem: 'Ik heb tien seconden. Toen ik hier vanmorgen was, heb ik niets gezien wat lijkt op wat jij en Ernie beschrijven.'

'Je zou het waarschijnlijk ook niet gezien hebben.'

'Waar bevond het zich?' Ik mijd zorgvuldig de woorden 'glas' of 'kraal'. 'Waar precies op het lichaam?' Ik sta op het punt om driftig te worden.

Gun haar het plezier niet.

'Zoals ik al zei, in het bloed. In haar bebloede haar,' zegt Bryce.

'Oké. Harold dacht al dat hij iets zag, maar kon het daarna niet meer vinden.'

'Nou, Anne zag het op de CT-scan. Het lichtte op als Times Square, maar heel klein, als een spliterwt. Het is geweldig om het vijfhonderd keer vergroot te zien op de SEM. Je kunt zien waar de kraal werd vastgehouden terwijl het glas werd gesmolten,' zegt hij opgewekt, alsof we een vrolijk gesprek voeren.

'Bryce, ik moet er zeker van zijn dat Chanel Gilberts naam en andere informatie over haar en de zaak niet openbaar zijn geworden.'

'In ieder geval niet door ons toedoen. Je weet natuurlijk dat het op Twitter staat.'

'Dat wist ik niet.'

Lucy moet weten dat ze dood is.

'Nou, het is zo. Het is er kortgeleden op gezet. Maar het verbaast me niet. Niets is meer geheim,' zegt Bryce nogmaals.

'Wat schrijven ze?'

'Alleen dat de dochter van de befaamde filmproducent Amanda Gilbert vanmorgen dood is aangetroffen in Cambridge. Ik weet niet wie het heeft getweet. Een heleboel mensen, denk ik.'

Ik verbreek de verbinding en staar naar een foto van een hamerhaai. Een grote, met dode ogen en ontblote tanden. De duiker zwemt vlak boven hem. Ze is niet bang. Misschien glimlacht ze zelfs.

Laat haar je angst niet zien. Geef haar niet wat ze wil.

Op een andere foto haalt dezelfde duiker een kluwen vissnoer met een haak uit de bek van een tijgerhaai. Chanel Gilbert. Dapper en avontuurlijk. Lief voor dieren, zo te zien. Onbevreesd. Zeker van zichzelf. Misschien een beetje te zeker. Misschien was ze nergens bang voor tot ze op haar marmeren vloer dood werd geslagen. Ik zie een plotselinge, snelle aanval. Ze heeft het niet zien aankomen.

Ze bevond zich in de hal met amper iets aan en voelde zich niet bedreigd. Ik heb geen verdedigingswonden gezien die erop zouden kunnen wijzen dat ze heeft geprobeerd zich te verzetten. Opeens lag ze op de vloer en werd ze buiten westen geslagen. Om de een of andere reden was ze er niet op verdacht. Ze was niet op haar hoede en dacht dat ze niets te vrezen had, anders zou ze niet bijna naakt in de hal zijn geweest. Het is onwaarschijnlijk dat ze in het bijzijn van een vreemde zo schaars gekleed en kwetsbaar zou hebben rondgelopen.

Ze kende de moordenaar.

De bloedsporen op het marmer tonen aan dat ze is vermoord op de plek waar ze is aangetroffen. Maar dat betekent niet dat haar lichaam daar niet een tijdje gelegen heeft. Dat zou verklaren waarom het tijdstip van overlijden zo onlogisch lijkt. Er komt een ander beeld bij me op. Carrie die terugkeert naar de hal en nageniet. Ze kan wel uren of dagen in het huis hebben gewoond terwijl er een lijk lag.

Ze hadden een seksuele relatie. In ieder geval in haar ogen.

'Zie je dit?' Ik wijs naar de foto's.

'Ja, ik denk dat je gelijk hebt.' Marino kijkt over mijn schouder mee. 'Het is Chanel Gilbert. Ze was duidelijk een enthousiast duiker.'

'En klaarblijkelijk niet snel bang.'

'Of anders was ze stom. Als je het mij vraagt, is iedereen die probeert een haak uit de bek van een haai te verwijderen stom.'

'Ik betwijfel of ze stom was, en we moeten ons ernstig afvragen wie ze eigenlijk was.' Ik kijk op mijn horloge. Het is al bijna vier uur.

'Haar gebitsfoto's...' begint hij.

'Ja, die lijken te bevestigen dat het Chanel Gilbert is, maar ik denk dat het net zo is als met alles wat we zien, Marino: niets is wat het lijkt. Ook zij niet.'

Ik loop de bibliotheek uit voordat hij antwoord kan geven. Ik wacht niet tot hij zijn sporenkoffer heeft ingepakt.

'Hé! Wacht even!' roept hij, maar ik wacht niet meer, op hem niet, op niemand.

Hij haast zich achter me aan met de sporenkoffer in zijn handen, en door de schoenhoezen bonzen en glijden zijn voeten over de houten vloer van de gang. Die loopt dood bij de grote slaapkamer, een aanbouw met eiken vloeren en betimmering die anders zijn dan wat we in de andere kamers hebben gezien. De stilistische elementen doen denken aan neogotiek, waarschijnlijk van halverwege de negentiende eeuw, en de deuropening vormt een puntige boog. Daarachter zien we zuilenbundels en decoratief lijstwerk. De gordijnen zijn dicht.

Als ik het licht heb aangedaan, wurm ik mijn vingers in een

paar zwarte nitrilhandschoenen. Ik ben een geest, een stille, wraakzuchtige aanwezigheid. Vanuit de deuropening kijk ik naar binnen, naar het slordig opgemaakte antieke bed, rijk versierd met dieren, die als waterspuwers over de kamer waken.

38

Het beddengoed is naar achteren geslagen alsof Chanel Gilbert net is opgestaan en elk moment kan terugkomen. Aangenomen dat zij degene is die hier heeft geslapen. Aangenomen dat ze alleen sliep.

Zij – of iemand anders – heeft niet de moeite gedaan het bed op te maken of het beddengoed zelfs maar recht te trekken. Ze heeft zich niet aangekleed. Wat is er gebeurd? Stond er een onverwachte bezoeker voor de deur? Was haar moordenaar al in het huis? De vragen komen snel, de een na de ander, en ik vraag me af of Chanel altijd naakt sliep. Is ze opgestaan en heeft ze de zwartzijden kimono omgeslagen waarin ze is gevonden? Was ze om een andere reden naakt?

Ik ruik de stank van ontbindend vlees, maar het is een geurfenomeen, net zoiets als fantoompijn. Het is een herinnering. Verbeelding. De geur is vervlogen en ik kan hem eigenlijk niet meer ruiken in dit afgelegen deel van het huis. Toch is de gedachte eraan een herinnering aan een onomstotelijk feit dat de hele dag al aan me knaagt. De vergevorderde staat van ontbinding wijst erop dat Chanel Gilbert niet gisteravond laat en zeker niet vanmorgen is gestorven. Postmortale verschijnselen liegen niet, zelfs niet tijdens een hittegolf en als de airconditioning is uitgezet.

Maar dergelijke morbide fenomenen kunnen wel verkeerd worden geïnterpreteerd als we verkeerde informatie krijgen, en ik denk dat we die gekregen hebben. Die gedachte brengt me terug naar haar maaginhoud. De garnalen, rijst, uien en paprika waren nog bijna niet verteerd. Een gumbo of stoofpot is een ongebruikelijke keuze voor het ontbijt, maar dat betekent niet veel.

Mensen eten allerlei dingen op elk tijdstip dat hen schikt. Wat ik met zekerheid kan zeggen, is dat ze een lunch of diner of tussendoortje heeft gegeten en mogelijk een glas bier of wijn heeft gedronken, en dat er heel snel daarna iets is gebeurd. Ze is gestorven. Het kan ook zijn dat ze zo getraumatiseerd en in paniek was dat haar lichaam als reactie bloed naar haar ledematen heeft gepompt, de vluchten-of-vechten-reactie. In beide gevallen is het verteringsproces helemaal stopgezet.

Dit zou erop kunnen wijzen dat ze samen met haar moordenaar heeft gegeten, mogelijk in dit huis, mogelijk aan de keukentafel die nu is gedekt met een verzamelobject, een bord dat van de muur is gehaald. Chanel is na de maaltijd mogelijk opgestaan en seconden later doodgeslagen. Als ze ergens anders had gegeten en na haar terugkeer in het huis was aangevallen, zou de vertering verder gevorderd zijn. Vervolgens moet ik denken aan de vermiste zak met keukenafval. Ik overweeg het scenario dat iemand een afhaalmaaltijd heeft meegebracht. Dat zou Chanel kunnen zijn. Het kan ook haar moordenaar zijn geweest – misschien Carrie Grethen.

Ik stel me voor dat Chanel heeft gegeten en dat ze binnen een paar minuten daarna is aangevallen of dood was, en ik vind het vreemd dat de restanten van haar laatste maaltijd niet bij het keukenafval zitten. Ze zitten niet in de containers opzij van het huis. Er is ook nergens een bonnetje van een restaurant te vinden. Maar ik heb eigenlijk geen bewijzen nodig, hoe nuttig ze ook zouden zijn. Chanels maaginhoud vertelt me wat ze voor haar dood heeft binnengekregen. Ik weet niet of de moordenaar correct heeft voorspeld wat we bij de sectie zouden aantreffen. Misschien is zelfs Carrie niet heel goed op de hoogte van de nuances van de spijsvertering.

Los van wat de huishoudster beweert, zou ik ervan uitgaan dat de moord op Chanel Gilbert meer dan vierentwintig uur eerder is gepleegd dan men ons wil doen geloven. Niet vanmorgen of gisteren, maar mogelijk de middag of de nacht daarvoor. Met andere woorden: het zou zelfs woensdag geweest kunnen zijn. De dag waarop Bryce onze voertuigen heeft laten wassen en schoonmaken. Mogelijk de dag waarop het achterlicht van de truck is losgeschroefd.

De huishoudster vergist zich, of ze liegt.

'Wat is hier echt gebeurd?' mompel ik in de lege kamer.

Midden op de vloer van brede planken ligt een Oosters tapijt en de kamer heeft een balkenplafond. De ivoorkleurige zijden gordijnen zijn dicht en daarachter zijn de verduisteringsgordijnen naar beneden getrokken.

'O jee.' Marino staat achter me. 'Als jij tegen dode mensen begint te praten, wordt het tijd om naar huis te gaan.'

Ik loop naar binnen en ruik bloemen en kruiden. Ik volg mijn intuïtie en mijn neus. De geur leidt me naar een ladekast.

'Ik wil deze graag openmaken,' zeg ik tegen Marino.

'Ga je gang.'

'Heb je erin gekeken toen we hier vanmorgen waren?'

'Ik had geen reden om haar persoonlijke spullen te doorzoeken, niet dat ik er tijd voor heb gehad. Het was een ongeluk. En toen moesten we overhaast naar Lucy toe.'

'Nou, we zijn terug.'

'Je meent het.'

Ik voel zijn starende blik, zijn sombere stemming, zijn nervositeit terwijl ik in de eerste lade die ik opentrek vind wat ik zoek.

Hij is leeg op een keramische pomander na. Ik pak hem op en herken de geuren van lavendel, kamille, citroenverbena en nog iets wat ik niet verwacht en niet kan thuisbrengen. Het is een subtiel prikkelende geur, en dat is vreemd voor een gewone geurmelange voor in huis.

'Ze kunnen iets met elkaar gehad hebben.' Marino wendt zijn blik niet van me af. 'En ik denk dat je weet wat ik wil zeggen, doc. Verder wil ik er niet op ingaan.'

Ik weet inderdaad wat hij wil zeggen en hij hoeft er niet verder op in te gaan. De betekenis is duidelijk, niet door zijn woorden, maar door de manier waarop hij het zegt. Marino oppert dat Chanel en Carrie elkaar misschien kenden. Meer dan dat, wellicht. Hij is op eigen houtje tot die conclusie gekomen.

'De pomander is antiek, maar de potpourri heeft er beslist niet erg lang in gezeten. Die is vers.' Ik beaam dat het erop lijkt dat er naast Chanel nog iemand anders van dit huis gebruik heeft gemaakt.

Dat opent zacht gezegd de weg naar meer onaangenaamheden. Als Carrie Chanel kende en Chanel Lucy, is er een verband tussen die drie. Chanel is vermoord. We kunnen niet bewijzen dat Carrie leeft. Dan blijft Lucy over als gemakkelijke prooi voor de FBI. Ik ben bang dat dat de achterliggende reden is voor het hele gebeuren, maar ik begrijp niet waarom.

'Een pom-wat?' Marino zet de sporenkoffer neer.

'Een reukbal om potpourri of andere geurstoffen in te doen.' Ik trek nog een paar laden open. 'Deze pomander is oud. Het is geen reproductie en hij lijkt ongeveer uit dezelfde tijd als deze aanbouw, rond de Burgeroorlog, mogelijk eerder of een beetje later. Dat kan ik niet met zekerheid zeggen. Maar zeker niet uit de zeventiende eeuw. En zeker niet hedendaags.'

Ik ga met mijn vingers langs de netjes opgevouwen sportkleren, een stuk of zes hemdjes en joggingbroeken. Maat S. In sommige zitten nog prijskaartjes. Er zitten geen goedkope dingen bij.

'Halverwege tot eind achttienhonderd, denk ik zo.' Ik blijf Marino vertellen wat ik zie en denk. 'Het belangrijke aspect is dat de gedroogde kruiden, bloemen of oliën die erin zitten vers zijn, anders zouden ze niet zo sterk ruiken.'

'Wil je hem meenemen naar het lab?' Hij trekt de klemmen van de sporenkoffer weer omhoog.

'Ja...' Mijn gedachtegang wordt onderbroken door het plotselinge gevoel dat ik in een pub ben.

Ik blijf even staan en concentreer me. Dan valt het me in.

'Ik ruik hop,' zeg ik tegen Marino en wie er ook mag meeluisteren.

'Als in bier?'

'Als in het brouwen van bier.' Mijn stem is krachtig en goed verstaanbaar, en ik besef dat ik agressief klink.

Misschien kan ik het spelletje meespelen.

'Dat klinkt als de wens die de vader is van de gedachte. Ik zou wel een paar biertjes kunnen gebruiken,' zegt Marino.

'Hop wordt ook voor andere dingen gebruikt, op medisch gebied bijvoorbeeld,' leg ik nonchalant uit, alsof ik er volkomen zakelijk in sta.

Hij snuift de lucht in mijn nabijheid op. 'Ik ruik het niet, maar dat is niets nieuws als ik bij jou ben. Ik denk dat jij in een vorig leven een bloedhond bent geweest. Het zal interessant zijn om te kijken of er iets mis was met Chanel. Of ze ziek was.'

'Dat denk ik niet. Bij het eerste onderzoek heb ik er tenminste niets van gemerkt. We zullen zien wat er bij histologie wordt geconstateerd, maar Luke zou het gemeld hebben als hij tekenen had aangetroffen die erop wezen dat ze een ziekte of een ander ernstig probleem had.'

'Nou, ik ben natuurlijk geen deskundige,' zegt Marino, 'maar veel van de spullen die ik in dit huis zie, associeer ik met mensen die zich zorgen maken over ongeluk, een slechte gezondheid of de dood.'

Carrie heeft een pact gesloten met God dat een dergelijk lot haar bespaard zou blijven.

Ik hoor haar praten in de video en haar levensverhaal vertellen alsof ik medeleven zou kunnen voelen om wat ze heeft doorgemaakt. Maar dat is niet zo. Menselijkheid en begrip zijn een gepasseerd station. Het kan me niet schelen. Ik zie haar bleke huid en korte, platinablonde haar voor me als ze het script voorleest en een flesje van haar speciale beschermende crème omhooghoudt, die haar jong zou moeten houden.

'Wat we hier zien, wijst op gezondheidsproblemen of een handicap, mogelijk iets wat ongemak met zich meebrengt, pijn of iets gênants als een tic, een zenuwtrek of een misvorming,' leg ik Marino verder uit, maar het is tegen haar gericht. 'We zouden eruit kunnen opmaken dat die persoon een andersoortig geloofssysteem heeft – waanbeelden, met andere woorden – over de genezende kracht van planten en andere natuurlijke stoffen, zoals metalen.'

Koper.

'Hop is een neefje van cannabis en wordt wel gebruikt om tumoren te laten slinken en als slaapmiddel.' Ik leg de pomander boven op de ladekast. 'Ik vermoed dat Chanel of iemand anders die hier woonde leed aan slapeloosheid, angststoornissen, depressie of een andere vorm van geestelijke labiliteit.' Ik stel me Carries reactie voor als ze meeluistert.

Ze kan er niet goed tegen als haar ego wordt gekrenkt. Ze reageert er niet goed op. Meestal met moord.

'Maar medicinale marihuana past niet in dat beeld. Dat is

geen bijgeloof. Geen kwakzalverij,' voeg ik eraan toe. 'Werd het daar bewaard? Niet bepaald een goede plek om het te verstoppen.'

Marino heeft de kleine kast opengetrokken en ik zie dat er maar heel weinig in hangt, alleen een paar shirts en jasjes en stukjes cederhout tegen de motten. Hij tilt een mahoniehouten apothekerskist op bij de gevlekte zilveren handgrepen. Hij zet hem op het kleed en doet het deksel open, dat een voering heeft van verbleekt rood fluweel. De kist is niet op slot. Zo te zien werd er niet gevreesd dat iemand Chanels medicatie zou stelen, aangenomen dat die van haar was.

De houten bakjes en piepkleine laatjes zitten vol met oogdruppelbuisjes met cannabistinctuur, cannabistoffees en plastic bakjes vol bloemtoppen. Indica. Sativa. Verschillende mengsels met cannabidiol (CBD). Ik pak er een flesje uit. De naam van de producent is Cannachoice. Er staat niets op het etiket wat ons zou kunnen vertellen waar het is geproduceerd, maar ik ben het eens met Marino's eerdere oordeel.

'Dit komt niet hier uit de buurt.' Ik doe het flesje terug in het laatje. 'Ik ben er vrij zeker van dat er in Massachusetts geen apotheken zijn die zoiets verkopen, en zorgverleners kunnen nooit aan tincturen van zulke hoge kwaliteit komen. Ik twijfel er oprecht aan of je dit ergens aan de Oostkust zou kunnen vinden. In de toekomst misschien, maar nu niet.'

'Ik denk dat het uit Californië komt.' Marino gaat er gemakshalve maar weer van uit dat de rijke moeder met de goede connecties de bron is.

'Daarvandaan, of uit Colorado. Misschien de staat Washington.' Ik pak nog een flesje, een mengsel van vijftien delen CBD op een deel THC. De plastic verzegeling om de hals is verbroken.

Ik schroef de dop eraf en trek het druppelbuisje eruit. De tinctuur in het flesje is dik en goudkleurig. Hij ruikt zoet en kruidig en lijkt in niets op de zelfgemaakte extracten die ik ooit gezien heb, zwarte, teerachtige pasta's die te bitter zijn om onder je tong te houden of door het eten of drinken te doen, en ik denk met een schok terug aan de reden voor mijn onderzoek. Ik word overvallen door trieste en krachtige herinneringen.

Nog niet zo lang geleden heb ik meer geleerd over medicinale marihuana dan ik ooit had gedacht te moeten weten. Ik heb met deskundigen gesproken, het internet afgezocht en waar ik kon legale producten gekocht toen ik hoorde dat bij Janets zus vergevorderde alvleesklierkanker was vastgesteld. Ik heb met artsen gesproken die zich hadden gespecialiseerd in alternatieve geneesmiddelen. Ik heb elk artikel gelezen dat ik kon vinden. Niets wat ik op legale wijze kon verkrijgen, was van enig nut voor Natalie, en dat vond ik afschuwelijk. Ik voel me nog steeds rot als ik denk aan de nachtelijke discussies, de oneerlijkheid, het verdriet en Lucy's strijdlustige taal toen ik zei dat we alles hadden gedaan wat we konden. Alles wat wettelijk was toegestaan, tenminste.

Ze kunnen naar de hel lopen. Wacht maar, was haar antwoord. Ik weet nog dat zij en Janet op de ronde bank om de grote magnoliaboom in mijn achtertuin zaten. De zon ging onder en we dronken een zeer zorgvuldig samengestelde bourbon, en het gesprek ging over chemotherapie. Natalie kon niets eten. Ze kon amper water binnenhouden. Ze had pijn, was bang en depressief en wat ze nodig had, was medicinale marihuana. Die is in Virginia niet wettelijk verkrijgbaar. Hier in Massachusetts wel, maar er is geen geschikt product in de handel. Alleen bloemknoppen, die volgens Lucy gevaarlijker zijn dan illegaal gestookte drank.

Wiet is moeilijker te verbergen voor drugshonden en veroordelende mensen, merkte ze op.

We aten bij mij thuis toen ze dit zei; het gesprek had inmiddels een nare wending genomen. Lucy uitte dreigementen en daar wil ik niet onder ede naar gevraagd worden. Ik kan me voorstellen hoe iemand als Jill Donoghue me in flarden zou scheuren.

Doctor Scarpetta, heeft uw nicht ooit in uw bijzijn uitspraken gedaan die getuigden van minachting voor de wet?

Alleen als het domme wetten zijn.

Is dat een ja?

Gedeeltelijk.

Wat heeft ze precies gezegd?

Ze zei dat ze zich niet houdt aan domme wetten die zijn ontworpen door domme en corrupte mensen. Dat was niet heel lang geleden.

En toen gingen er bij u geen alarmbellen rinkelen?

Niet letterlijk.

Lucy laat zich niet tegenhouden door logistieke en juridische bijkomstigheden als ze haar besluit heeft genomen, en in haar gedachtewereld heiligt het doel de middelen. Altijd. Zonder mankeren. Het maakt niet uit hoe ze dat doel kan bereiken, en ik kan me voorstellen wat ze de laatste paar maanden heeft gedaan, toen Natalie op sterven lag. Lucy heeft het me nooit verteld. Ik heb er nooit naar gevraagd. Ze vloog met haar privéjet naar Colorado. Ze vloog met de jet en haar helikopter Virginia in en uit, maar ze zei er niets over en ik vroeg er niet naar, terwijl ik haar normaal gesproken kon bellen en we over alles konden praten.

Ik zou haar willen vragen naar Cannachoice en of zij weet waar het vandaan kwam. Ze zou het namelijk kunnen weten, en het is belangrijke informatie, omdat er flesjes van op een plaats delict staan die mogelijk is geënsceneerd door Carrie Grethen. Normaal gesproken zou ik nu Lucy bellen en haar een heleboel vragen stellen. Maar de situatie is niet bepaald normaal, en als er een val is gezet, ben ik van plan te voorkomen dat Lucy erin verstrikt raakt. Ik weet niet of de FBI nog op haar landgoed is. Ik weet niet of Erin Loria haar daar probeert te ondervragen of haar op haar rechten wijst of god mag weten wat. Ik wil de situatie niet erger maken.

Bovendien zullen we binnenkort, als ze bij mij logeert, de luxe genieten dat we alle tijd hebben om te praten. Lucy, Janet, Desi en Jet Ranger zullen bij mij en Benton verblijven en we zullen Sock, onze windhond uit het asiel, er ook bij hebben. We zullen allemaal een behoorlijke tijd samenwonen en ik word getroost door die gedachte, hoewel ik geen enkel bewijs heb dat het ook zal gebeuren.

Ik ben niet traag van begrip. Ik ben niet naïef. Maar het is alsof ik van grote hoogte neerkijk op de afschuwelijke, donkere gedaante van iets waar ik niet dichtbij durf te komen en wat ik niet durf te identificeren, en ik weet dat ik mezelf voor de gek houd. Ik wil niet zien wat er gebeurt met de mensen die me lief zijn, en dat zijn Lucy en Benton. Het is Marino. Het is iedereen om wie ik geef.

'Laten we dit allemaal maar meenemen naar het lab.' Ik beslis over de inhoud van de antieke apothekerskist. 'We zullen het analyseren en precies kijken wat erin zit.'

Ik loop naar het bed en ruik dezelfde kruidige bloemengeur, maar met een nieuwe nuance.

Pepermunt.

39

Beide kussens zien eruit alsof erop geslapen is. Onder het linker kussen, het dichtst bij de badkamer, ligt een zwartsatijnen zakje met een koordsluiting.

Het lijkt zelfgemaakt, net als zoveel andere dingen. Ik moet denken aan de sapjes, de kaarsen in de woonkamer en de opgewonden klokken. Iemand is ijverig in de weer geweest met vers fruit, groenten, kruiden en homeopathische middeltjes, maar niets wijst erop dat ze hier in huis zijn klaargemaakt. Niet in de ruimten die we tot dusver hebben bekeken, tenminste.

Het is een middeltje voor de regeneratie van je huid... Neem er toch een beetje van, zodat je je mooie, tere huid niet volledig verwoest, zei Carrie op de film.

Ze is obsessief bezig met haar gezondheid, haar jeugd en vooral haar macht, en ze is er heel goed in om vrijuit rond te lopen zonder sporen achter te laten. Tenzij het een spoor is dat specifiek voor ons is bedoeld. Zoals de opnameapparatuur in de zilveren doos. Zoals latente bloedsporen die zichtbaar worden als er een reagens wordt gebruikt. En ze weet dat ik ernaar zou zoeken. Ze weet hoe ik denk en hoe ik werk, en ik voel alleen maar argwaan als ik erbij stilsta wat dat allemaal betekent en hoe gevaarlijk het kan zijn om in dit huis te blijven.

Ze wil je hier hebben.

Daar kan geen twijfel over bestaan.

Je moet meteen weg.

Ik trek het beddengoed verder naar achteren en kijk van dichtbij naar de gebroken witte lakens van satijn en naar het lichtgrijze dekbed. Als ik het beddengoed helemaal wegtrek, vind ik een binnenstebuiten gekeerd, zwartzijden pyjamajasje. Chanel was naakt omdat ze haar pyjama had uitgedaan. Of iemand anders had dat gedaan. En waar is de pyjamabroek? Hij zat niet in een van de laden en lag ook niet bij het lichaam. Ik vraag Marino nog eens te herhalen wat Elsa Mulligan, de huishoudster, heeft gezegd. Ze beweerde dat Chanel hier gisteren rond halfvier of vier uur was aangekomen. Ik weet nog dat Marino me dat heeft verteld en hij bevestigt het. Hij zegt dat hij dat van Hyde heeft gehoord toen we de eerste keer bij het huis aankwamen, vanmorgen rond halfnegen.

'Zoals ik je al verteld heb, heeft Hyde een paar minuten met de huishoudster gepraat,' zegt Marino. 'Dat was alles.'

'En toen wij hier aankwamen, was ze al weg.' Dat detail lijkt steeds belangrijker. 'Wat gebeurt er als je probeert haar te bellen? Weten we of je haar echt kunt bereiken?'

'Ik heb het nog niet geprobeerd. We hebben het een beetje druk gehad. Ze zou gezegd hebben dat Chanel gisteravond thuisbleef om te werken.' Hij herhaalt hetzelfde verhaal. 'Niets zou erop hebben gewezen dat ze iemand verwachtte, en ze zou afgelopen voorjaar de relatie met een vriend hebben verbroken. Zij en Chanel zouden elkaar een paar jaar geleden in New Jersey hebben ontmoet.'

'Dat zijn een hoop veronderstellingen.'

'Ja, dat zijn het zeker. Je hebt helemaal gelijk. Op dit moment geloof ik helemaal niets meer.'

'Heeft iemand die veronderstelde ex-vriend gesproken? Weten we zeker dat er een ex-vriend is?'

'Carrie Grethen was twee maanden geleden in New Jersey, vlak voor ze naar Florida ging,' zegt hij ten overvloede.

'En dat was mijn volgende vraag: heeft Hyde de huishoudster gevraagd hoe zij en Chanel elkaar hebben ontmoet? Of kwam ze zelf met die informatie?'

We weten dat Carrie twee maanden geleden nog in New Jersey was. We weten dat ze daar een vrouw heeft doodgeschoten terwijl die bij de Edgewater Ferry uit haar auto stapte. Ik vraag me onwillekeurig af of het feit dat die zogenaamde huishoudster het over New Jersey had, ook bedoeld was om ons te bespotten. Het is een emotioneel onderwerp voor mij. Ik was in Morristown toen ik hoorde dat Carrie Grethen nog leefde en dat ze om haar eigen zieke redenen mensen vermoordde. Toen Lucy het me vertelde, zaten we in de bar waar Carrie was geweest.

'Ik weet het niet, omdat ik niet bij dat gesprek was.' Marino legt nog eens uit dat hij de vrouw die Elsa Mulligan beweerde te zijn niet zelf heeft ondervraagd. 'Ik zat met jou in die verdomde truck.'

'En wat zou er gebeuren als je Elsa Mulligan nu belde?' Ik heb het gevoel dat ik het antwoord weet.

Er gebeurt niets. Je krijgt haar niet te pakken.

'Dat doe ik pas als we hier klaar zijn,' zegt hij. 'Maar ik weet waar je naartoe wilt. Er is iets raars aan haar.'

'Dat klopt. Er is zeker iets raars aan haar.' Mijn blik gaat langzaam door de kamer, zoekend naar enig spoor van verborgen camera's.

Ik zal ze niet vinden, tenzij Carrie wil dat ik ze vind, en ik voel dat er een verandering over me gekomen is. Dat komt zelden voor en het gebeurt altijd op dezelfde manier. Ik herken de verandering pas als hij al heeft plaatsgevonden, onomkeerbaar, definitief. Als een vliegtuigmotor die afslaat. Gevolgd door een angstaanjagende stilte. Een gevoel alsof ik zweef. Een volmaakte rust. Dan flitsen de alarmlichten en loeien de sirenes als teken dat ik op het punt sta neer te storten. Maar wat ik hoor, is Marino's portofoon. Hij heeft hem in zijn hand en stelt de knoppen bij.

'Iets in River Basin,' meldt hij geïrriteerd en verveeld. 'Dezelfde rode SUV met dezelfde dronken idioten, zo te horen. Alleen heeft een van hen nu misschien een vuurwapen.'

'Wat voor rode SUV?' Ik hoor het mezelf vragen voordat de gedachte bij me is opgekomen.

'Nieuw model, mogelijk een duur exemplaar. Meer zegt de radio er niet over.'

'Er is al verscheidene malen melding gemaakt van dezelfde tieners en dezelfde rode SUV zonder dat er meer details bekend zijn? Wat voor SUV?' herhaal ik.

'Geen verdere informatie,' zegt Marino. 'Normaal gesproken wordt er wel een kenteken, een merk en een model doorgegeven of zoiets.'

Ik denk aan de vermiste rode Range Rover en zeg dat tegen hem. Ik zal de eerste zijn om toe te geven dat het onwaarschijnlijk is dat tieners hem in de stortregen van de oprit hebben meegenomen nadat hier het grootste deel van de ochtend politie aanwezig is geweest, en ik ben maar al te bereid te geloven dat de telefoontjes naar het noodnummer over een dure, nieuwe rode SUV en oproerige tieners misschien helemaal niets met ons te maken hebben.

'Maar stel dat het wel met ons te maken heeft en dat het valse meldingen zijn?' vraag ik. 'Stel dat dit een spelletje is?'

We weten wie een dergelijk spelletje zou kunnen spelen en waarom, en River Basin is hier in de buurt. Het is maar een paar minuten van dit huis.

'Ik veronderstel dat we steeds van het ergste moeten uitgaan,' zegt Marino en hij neemt met zijn portofoon contact op met de meldkamer, dit keer zonder te flirten. 'Is er iets meer bekend over de rode SUV en de inzittenden? Hebben we een kenteken, een merk en een model?'

'Nee. Er is verder niets bekend.' De vrouw in de meldkamer – Helen, neem ik aan – klinkt ook somber, alsof iemand heeft gemeld dat alles verkeerd gaat op de wereld.

'Hebben we het telefoonnummer van de beller?' Marino's kaken verstrakken.

Ze noemt een nummer dat ik niet kan thuisbrengen. Maar het is niet plaatselijk. Marino belt het en de telefoon blijft maar overgaan.

'Geen voicemail ingesteld,' zegt hij. 'Waarschijnlijk een wegwerpding. Het zullen wel tieners zijn die het geweldig vinden om de politie voor de gek te houden.'

'Dat hoop je in ieder geval.'

'Nou, het is beter dan het alternatief, dat iemand aan het joyriden is in de rode Range Rover van een vermoorde vrouw.'

'Of dat de moordenaar van Chanel degene is die het alarmnummer belt. Of haar zogenaamde huishoudster.'

'Denk je dat die twee een en dezelfde persoon zijn?' Hij kijkt me recht aan, en we weten dat we allebei rekening houden met die mogelijkheid.

Een schokkende gedachte. Het zou betekenen dat Carrie Chanel Gilbert heeft vermoord en op het moment dat het haar uitkwam het alarmnummer heeft gebeld. Vervolgens heeft ze de deur opengedaan toen agent Hyde op de melding afkwam. Ze bleef net lang genoeg om een paar vragen te beantwoorden, maar was allang weg toen Marino en ik arriveerden. Ik had met één blik in Elsa Mulligans ogen geweten dat ze Carrie was. Marino misschien niet, maar ik heb haar twee maanden geleden nog gezien, toen ze me neerschoot.

'We moesten het maar eens afmaken. Laten we de forensische lichtbron pakken voor het bed. Misschien lag ze er niet alleen in voordat ze doodging,' stel ik voor.

Hij opent een zware gereedschapskist van taai zwart plastic en haalt de lichtbron eruit, een set kleine, zwarte zaklampen met verschillende golflengtes.

'Waar wil je mee beginnen?' Hij zet een doos handschoenen op de vloer en pakt een schoon paar.

'Uv.'

Lichaamsvloeistoffen kunnen oplichten in de lange golflengte van een 'blacklight', en Marino kiest die lamp voor me. Hij geeft me een amberkleurige veiligheidsbril en ik zet hem op. De lens vertoont een violette gloed en ik schijn met het onzichtbare licht over het bed, beginnend bij het hoofdeinde. Het kussen aan de linkerkant, waaronder het zakje lag, wordt donker als een zwart gat.

'Wauw,' zegt Marino. 'Dat heb ik nog nooit gezien. Waarom ziet het zo zwart? Dat doen het andere kussen en de lakens niet. Wat kan er zwart worden in uv-licht?'

'Bloed is het eerste wat bij me opkomt,' antwoord ik. 'Maar er zit geen bloed op de kussensloop.'

'Zeker niet. Als de lamp uit is, lijkt hij helemaal schoon. Alleen een beetje gekreukt, alsof er iemand op geslapen heeft.'

'Laten we foto's maken, en daarna moet al dat linnengoed naar het lab.' Terwijl ik dit zeg, hoor ik weer diezelfde bons, alsof een zware deur dichtslaat in een afgelegen deel van het huis, mogelijk de kelder.

'Jezus, hier krijg ik de kriebels van,' roept Marino uit.

Dan horen we het nogmaals. Hetzelfde geluid. Eigenlijk is het precies hetzelfde.

'Ik vraag me af of de wind een open luik dichtslaat of zoiets.' Marino's blik schiet door de slaapkamer, er ligt wat zweet op zijn kruin.

'Het klinkt niet als een luik.'

'Ik ga nu niet kijken. Ik laat je niet alleen.'

'Blij dat te horen.' Ik richt het uv-licht op andere delen van het bed terwijl hij zijn camera pakt.

Hij pakt de dikke plastic filters, amber, geel en rood, die voor de lens geschoven moeten worden als we de oplichtende delen op de foto willen vastleggen.

'Het goede nieuws,' zegt hij, 'is dat Ajax en zijn mannen niet zouden zijn weggegaan als er ook maar enige kans was dat er nog iemand in het huis is. Als ze iets hadden gezien wat daarop wees, zouden ze nu het huis steen voor steen afbreken.'

Ik probeer een hogere golflengte. 'En Hyde? Is er al nieuws over hem?'

'Helemaal niets.'

'Ook niet over zijn auto?'

'Ook niet.'

'En zijn vrouw heeft geen idee? Niemand uit zijn nabije omgeving heeft iets van hem gehoord?'

'Geen kik,' zegt Marino terwijl kleine vlekken melkwit oplichten.

'Opgedroogd zweet, speeksel, sperma, vaginale afscheiding misschien...' zeg ik als ik word onderbroken door het waarschuwingssignaal op mijn telefoon.

De cis die ik vandaag al drie keer gehoord heb.

'Wacht even.' Marino haalt een gele filter van de cameralens. 'Hoe kan dat?'

'Het kan niet.' Ik doe een handschoen uit en haal mijn telefoon voor de dag.

We moeten nu geloven dat het Lucy's noodlijn is, maar dat kan niet. Ze heeft haar telefoon niet. Die heeft de FBI. Als ze al een andere telefoon had aangeschaft, zal die niet hetzelfde nummer hebben.

'Hij is gehackt, zoals ik al zei,' benadruk ik. 'Dit is vandaag al drie keer gebeurd, de eerste keer toen ik vanmorgen vroeg in dit huis was. Dit is precies zoals het er toen uitzag.' Ik laat hem zien wat er op mijn schermpje staat.

Het bericht heeft geen tekst, alleen een link. Ik doe een stap achteruit om wat privacy te krijgen en ga met mijn rug naar hem toe staan voordat ik op de link klik, en wat als eerste opvalt, is dat er dit keer geen *Verdorven hart* als titel verschijnt voor de film begint. Dan zie ik waarom. Deze video is niet van tevoren geproduceerd. Hij is niet van tevoren bedacht of geredigeerd. Het is geen oude opname. De beelden zijn live, en Carrie komt er niet in voor.

Janet wel. Ik zie haar op het kleine schermpje. Ze is ergens mee bezig, klemt haar telefoon aan de broekband van de verbleekte operatiekleding die ze eerder vandaag aanhad en loopt naar Lucy. Ze zijn in de kelder, die wij de schuilkelder noemen. Dat klinkt een beetje onheilspellend, maar we bedoelen het eigenlijk als een liefkozende en nostalgische verwijzing naar een verleden waar ik niet aan moet denken nu ik kijk naar wat er op dit moment gebeurt. Alsof ik erbij ben.

Beheers je gedachten.

Toen ik Benton ontmoette, werkte hij voor de eenheid gedragswetenschappen, een elitaire groep psychologische profilers die gehuisvest was in Hoovers voormalige schuilkelder. Ik daalde vaak af in de diepten van de FBI-academie om zaken te bespreken en voelde me niet te goed om een smoes te verzinnen. Als ik agent Benton Wesley wilde zien, deinsde ik nergens voor terug, en vaak was Lucy bij me. Ze wist wat er speelde. Ze was er al jaren van op de hoogte dat Benton en ik meer waren dan collega's. Ze begreep wat dat betekende.

Hij was getrouwd en had kinderen. Ook op het werk was het een probleem dat de hoofdlijkschouwer en het hoofd van de FBI-profilers het met elkaar deden. Alles wat we deden was verkeerd. Iedereen zou het onethisch en schandelijk hebben gevonden, maar we lieten ons nergens door tegenhouden, en de onverwachte herinnering aan die tijd is heel krachtig. Ik word overweldigd door een gevoel dat ik niet had verwacht en besef hoe gekwetst ik ben. Ik heb zoveel doorgemaakt, en de dag is nog lang niet om, en waar is hij? Benton is bij zijn maatjes. Dat zijn de mensen van de FBI. Niet zijn familie. Niet ik. Twee maanden geleden ben ik bijna vermoord en hij is bij hen. Hoe kan hij de FBI nog trouw blijven na wat er is gebeurd? Hoe kan hij akkoord gaan met wat ze Lucy aandoen?

Concentreer je!

Als ik in die begintijd voor zaken naar Quantico moest en afdaalde in die bedompte, ellendige grot, was het de mooiste plek op aarde. In de tijd dat ik met heel mijn hart naar hem verlangde. Toen ik alleen maar aan hem kon denken, zoals Lucy nu aan Janet en Janet aan Lucy. Die twee houden van elkaar. Dat hebben ze altijd gedaan, zelfs al die jaren dat ze niet bij elkaar waren. Het kan ze niet schelen als ze regels overtreden, net zomin als het Benton en mij iets kon schelen, en we deden het voortdurend. Dat gebeurt er als mensen een verhouding hebben, en terwijl ik kijk naar wat er op mijn telefoon gebeurt, weet ik dat er een reden is waarom ik dit te zien krijg.

Ik zet me schrap voor wat die reden zou kunnen zijn terwijl ik bedenk dat de beveiligingscamera's die Lucy heeft geïnstalleerd extra batterijen hebben en ingebouwde harddrives. Ze kunnen zonder verbinding met de server en zonder externe energievoorziening blijven lopen en opnemen. De FBI heeft Lucy's netwerk niet platgelegd, ook al denkt ze dat. De federale agenten bedienen het niet, ook al denken ze van wel. Ze zullen haar nooit te slim af zijn, maar iemand anders is dat wel.

Haar beveiligingssysteem en communicatienetwerk zijn gekaapt. Ze worden gebruikt om uit te zenden wat ze in haar privéomgeving doet. Dat beseft Lucy niet. Ze kan het met geen mogelijkheid weten. Ze zou zoiets nooit toestaan, blijf ik mezelf voorhouden. Ze wordt bespioneerd, net als in 1997, en ze heeft er geen idee van, net zomin als toen. Toch lijkt het ongelooflijk dat mijn scherpzinnige, koppige, briljante nichtje voor de gek kan worden gehouden.

Vooral meer dan eens.

De twijfel groeit zienderogen als ik zie hoe Lucy en Janet op hun hurken op de grijze vloer gaan zitten en de grote tegels bekijken alsof er iets mis mee is. Ik herken de enorme ruimte waarin ze zich bevinden, die Lucy 'de werkplaats van de stoute Kerstman' noemt en die professioneel is ingericht met alle apparatuur en werktuigen die iemand nodig zou kunnen hebben om wapens te maken, aan voertuigen te werken en munitie te vervaardigen.

Ik hoor Marino's ademhaling en voel zijn warmte. Hij is dichterbij gekomen en kijkt over mijn schouder mee. Ik loop bij hem weg en zeg dat hij dat absoluut niet moet doen. Hij mag dit onder geen beding zien. Het is al erg genoeg dat ik het zie. Hij hoeft hier niet bij betrokken te raken.

'Jezus christus. In hun eigen huis?' Hij kan zijn blik er niet van afwenden. 'Wie ziet dit allemaal?'

'Dat weet ik niet, maar jij niet.' Ik bedek de telefoon met mijn hand. 'Voor jou is hier niets te zien. Blijf daar en kijk niet mee.'

40

Er zijn geen ramen in de werkplaats en de lampen zijn net zo fel als in een operatiekamer. Ik kan Lucy en Janet heel scherp onderscheiden. Ik zie de uitdrukkingen op hun gezicht en elk gebaar dat ze maken terwijl ze met z'n tweeën bij een stuk vloer zitten, fel beschenen door het harde, meedogenloze licht. Zo voelt het leven nu ook.

Weerloos, onveilig en vol misleiding en regelrechte leugens nu ik mijn nichtje en haar partner zie in hun eigen huis. Ze bespreken iets, kort en bondig en vrij cryptisch, te midden van werkbanken vol klemmen en grote rode gereedschapskisten op wielen, een CNC-draaibank en -frees en een zaagtafel, een slijpmachine, een vormenmachine, een kolomboormachine en lasapparaten.

Ik weet niet precies wat ze aan het doen zijn, maar ik kan wel een gokje wagen. Ze hebben daar iets verborgen. Lucy heeft daar waarschijnlijk iets verborgen. Drugs, vuurwapens of misschien allebei, en terwijl ik naar mijn nichtje kijk en luister, besef ik dat de sportkleding uit haar FBI-tijd me nog steeds een ironisch gebaar lijkt, maar niet in dezelfde zin als eerder.

Het FBI-logo op haar kleren is niet de uitdagende borstklopperij die ik erin zag toen ze over de oprit op me af kwam draven. De sportkleren vol zweetvlekken zien er verlept en verbleekt uit en het zachte, grijze katoen lijkt vermoeid, slap en verslagen, als een verbleekte oude strijdvlag op een windstille dag. Eigenlijk ziet Lucy er nogal zielig uit, en haar gezicht staat nu heel anders. Ze praat snel en agressief, als iemand die op springen staat, en ik weet wat dat betekent. Zo doet ze als ze wanhopig is. En dat is ze bijna nooit.

'Heb ik je niet verteld dat niemand het ooit zou merken? Ze zijn hier de hele dag in en uit gelopen en ze hadden geen idee. Ik zei toch dat we ons nergens zorgen over hoefden te maken.' Lucy is een en al bravoure, maar ik trap er niet in.

Ze is bang.

'We moeten ons juist heel veel zorgen maken.' Janet is rustig en beheerst, maar ik pik nog iets anders op. 'Ze hebben voorspeld dat je dit zou doen.'

'Dat heb je al vijftig keer gezegd.'

'Dan zeg ik het nu voor de eenenvijftigste keer, Lucy. Ze kunnen met vrij grote zekerheid voorspellen wat je gedrag zal zijn na een misdrijf.'

'Ik heb geen misdrijf gepleegd. Dat hebben zij gedaan.'

'Moet ik nu als een advocaat gaan praten?'

'Nee, doe maar niet.'

'Ik doe het toch. Erin Loria weet hoe je in elkaar zit. Ze weet heel goed dat jij nooit zal toestaan dat we in de positie blijven waarin zij ons nu gebracht hebben, namelijk een positie waarin we ons niet kunnen verdedigen. Ze weet dat jij niet werkeloos gaat toezien tot we gewond raken of gedood worden.'

'Waarom gaat het om mijn gedrag en niet om dat van ons allebei? Sinds wanneer blijf jij werkeloos toekijken?'

'Ze hebben mijn wapens ook meegenomen,' zegt Janet, alsof dat een antwoord is op de vraag.

Dat is het niet. Het werpt alleen nieuwe juridische vragen op. Welk recht had de FBI om iets in beslag te nemen wat aan Janet toebehoorde? Ze werd bij mijn weten niet in het bevelschrift genoemd. Als ze haar vuurwapens hebben meegenomen, zullen ze natuurlijk gewoon zeggen dat ze er tests mee moesten doen. Stel dat Lucy ze heeft gebruikt om een misdaad te plegen? Of Janet, als we het daar toch over hebben. Dat agenten de deur uit zijn gelopen met Janets spullen, is niet anders dan dat ze zich mijn computer in beslag hebben genomen en andere spullen uit de logeerkamer hebben meegenomen. Als mensen samenwonen of onder hetzelfde dak verblijven, kunnen ze al hun spullen meenemen, zullen ze beweren. De FBI kan immers niet weten wat van mij, wat van Janet en wat van Lucy is als het zich allemaal op dezelfde locatie bevindt.

Het verbaast me helemaal niet dat de FBI heeft besloten Janets vuurwapens naar het lab te sturen. Maar haar opmerking erover tegen Lucy maakt op mij de indruk van een strategische zijstap, een non sequitur, advocatenpraat die veel opzettelijker is dan je zou denken. Janet kiest haar woorden met precisie en zorg, en misschien doet ze dat gewoon van nature als ze gestrest is. Maar ik krijg toch het idee dat ze iets vastlegt, alsof iemand meeluistert, en dat is ook zo. Ik luister mee. Maar wie nog meer?

En dan gebruikt ze het woord 'misdadig'. Ze zegt dat wat er gebeurt misdadig is, maar ze maakt niet duidelijk wat ze bedoelt. Heeft ze het over Lucy of over de FBI? En Lucy's antwoord is dat de rechten van de mens alleen worden erkend nadat ze zijn geschonden.

'We hebben niets aan gerechtigheid als we dood zijn,' zegt ze, 'en ze zullen er heus wel voor zorgen dat de waarheid nooit naar buiten komt. Als we worden vermoord, is dat door onze eigen overheid gesanctioneerd. En óf dat verdomme misdadig is. Ze hebben ons in feite tot schietschijf gebombardeerd.'

'Strikt genomen en in juridische termen zal dat zeker niet het geval zijn,' antwoordt Janet. 'Ik kan je verzekeren dat ze Carrie geen opdracht hebben gegeven, dat ze geen contract met haar hebben afgesloten om in juni Kay aan te vallen of ons te vermoorden. Wat ze hebben gedaan, is veel slimmer en veel doortrapter. Het is een uitnodiging om een gewelddaad te plegen. Inderdaad, opzettelijke nalatigheid. We hebben hier te maken met een volkomen onverschilligheid ten opzichte van mensenlevens, de absolute definitie van gewetenloosheid.' Ik kan mijn oren niet geloven. 'Het is eigenlijk een misdrijf. Maar we hebben te maken met de FBI, Lucy. Die kan nergens verantwoordelijk voor worden gehouden, tenzij er politieke obstructie wordt gepleegd en de president bijvoorbeeld in verlegenheid wordt gebracht.'

De president van de Verenigde Staten kan alleen in verlegenheid worden gebracht door iets wat openbaar is. Als het niet publiekelijk bekend is, is er ook geen verlegenheid. Ik probeer te bedenken wat voor politieke obstructie Janet voor ogen heeft, en er komt meteen iets naar boven. De wapenwet is een zeer controversiële kwestie in dit land, waar de meerderheid van de Amerikanen letterlijk de wapens opneemt bij het vooruitzicht om hun burgerrecht volgens het Tweede Amendement kwijt te raken.

Als ooit zou uitkomen dat onze overheid burgers heeft ontwapend die vervolgens vermoord werden, zou dat ernstige consequenties hebben. Een dergelijk verhaal zou de strijd tegen het aan banden leggen van wapenbezit van nieuwe munitie voorzien. De conservatieve kiezers zouden massaal te hoop lopen. Het zou een van de belangrijkste punten worden bij de komende presidentsverkiezing.

'Dit is echt klote. Wat de waarheid ook is over Pakistan, over vermiste wapens, over wat dan ook, niets kan dit rechtvaardigen,' gaat Lucy verhit verder. 'Er zijn betere manieren om dit af te handelen. Dit is een persoonlijke en vernietigende vendetta. In dit huis wonen een kind en een hond. Waaraan hebben die dit verdiend? Het is gewoon verkeerd en niet eens nodig.'

'Dat hangt ervan af aan wie je het vraagt,' zegt Janet. 'Ik weet zeker dat iemand het nodig vindt.'

'Erin.'

'Zeker, in de ogen van Erin Loria is dit nodig. Maar het komt van hogerhand. Hoger dan Benton. Als je het hebt over een doofpot van deze omvang, praat je over regeringsniveau. Het zijn de directeuren van de agentschappen die betrokken raken bij kwalijke leugens en samenzweringen: Watergate en de rampzalige gebeurtenissen in Benghazi, om het nog maar niet te hebben over afspraken met terroristen en de uitwisseling van gevangenen in Guantánamo voor een deserteur. De Verenigde Staten kunnen er geen vernederingen, schandalen, verknoeide missies, overtredingen van de grondwet en gesneuvelden meer bij hebben, en als jij, ik, Desi of wij allemaal het slachtoffer moeten worden om zoiets te voorkomen, is dat voor het ministerie van Justitie, voor het ministerie van Defensie en zelfs voor het Witte Huis een lage prijs zolang het niet in de openbaarheid komt. Zolang het nooit bekend wordt.'

Waar zij en Lucy op doelen, is zo monsterlijk dat het elk verstand te boven gaat, maar toch twijfel ik er niet aan dat het zou kunnen gebeuren. Lucy lijkt te denken dat Carrie Grethen een opdracht heeft gekregen. Of misschien kan ik beter een uitnodiging zeggen, als ze is ingehuurd om Lucy te vermoorden en wellicht ook alle mensen om haar heen. *Laten we het haar niet al te moeilijk maken. We laten ze achter op een geïsoleerd terrein van twintig hectare, zonder wapens. Op een afgelegen landgoed dat de FBI wijd open heeft gezet voor een aanval die zal worden gezien als de willekeurige bliksemactie van een gewelddadige psychopaat.*

Maar geen bliksemactie van Carrie Grethen. Ik heb het sterke vermoeden dat de FBI niet van plan is te erkennen dat ze leeft. Uit alles blijkt het tegendeel. Ze staat niet officieel te boek als voortvluchtige. Ze komt niet voor op de lijst met gezochte personen. Bij Interpol is haar dossier gesloten. Op hun website staat Carrie al dertien jaar te boek als afgedaan. In internationale politiekringen is ze vandaag nog net zo dood als op de dag dat werd aangenomen dat ze in een neergestorte helikopter had gezeten.

'Ze zullen het een woningoverval noemen;' zegt Lucy tegen Janet. Ik voel een strakke band om mijn borstkas. 'Een ongelukkige zaak die te maken heeft met het feit dat ik geld heb. De aandacht van het publiek zal niet van lange duur zijn. Niemand zal zich lang herinneren wat er met ons is gebeurd. Het kan niemand iets schelen.'

Mijn hart bonst hier in de slaapkamer van een dode vrouw, vijfentwintig kilometer van Concord, wat net zo goed een miljoen kilometer van Lucy's huis zou kunnen zijn. Als Carrie op de een of andere manier toegang heeft weten te krijgen, als ze binnen heeft weten te komen en op dit moment naar hen kijkt, net als ik, kan ik er met geen mogelijkheid snel genoeg bij zijn. Ze stalkt haar prooi en staat op het punt onder mijn ogen toe te slaan. Hier heeft ze naartoe gewerkt, de grote finale.

Ze wil dat ik zie wat ze met ze doet.

'Marino?' Ik draai me niet om en laat in niets merken wat er in me omgaat. 'Pak je telefoon.'

Mijn stem slaat over alsof ik een beetje hees ben. Maar ik heb mezelf helemaal in de hand. Ik klink niet paniekerig.

'Wat is er?' Hij doet een stap naar me toe.

'Bel Janet. Als je haar niet te pakken krijgt, bel je Benton, de FBI, de staatspolitie...'

'Wat is er verdomme aan de hand? Iets met Carrie?'

'Ja, dat is precies wie ik bedoel. Ik ben bang dat ze zich in het huis van Lucy en Janet bevindt of op het punt staat zich toegang te verschaffen.'

'Verdomme! Waarom zou je...'

'Nu meteen, Marino.'

'Ik doe iets nog beters. Ik stuur er meteen een paar auto's van de politie van Concord naartoe. Die kunnen er binnen twee minuten zijn. En ik bel Janet...'

'Als ze de telefoon niet opneemt, moeten ze het hek en de voordeur openbreken. Als ze maar binnenkomen. Alles is nog goed met Janet en Lucy, maar ik weet niet of dat nog lang zo blijft.'

'Ik ben ermee bezig. Waar zijn ze?'

'Beneden.'

'In de schuilkelder?'

'Ja. Maar Desi niet. Die zie ik niet.'

'Ze maken zich vast geen zorgen als hij niet bij hen is,' zegt Marino, en hij heeft gelijk.

Waarom hebben ze Desi alleen gelaten?

Hij is niet bij hen, en toch heb ik Lucy nooit zo bezorgd gezien als nu. Daar klopt niets van. Zij en Janet zijn dol op die jongen. Eigenlijk zijn ze al te beschermend. Waarom is hij dan niet bij hen? Ze willen niet dat hij ziet wat ze doen. Dat is het voor de hand liggende antwoord, maar het is niet goed genoeg, en ik hoor Marino in zijn telefoon praten terwijl ik naar Lucy kijk, die gek wordt van paniek en woede, als een slang bij de eerste aanraking van de metalen schop. Dat is wat er bij me opkomt terwijl ik sta te spioneren. Er gaat nog een seconde voorbij. Twee. Het worden er tien terwijl ze op verschillende tegels stapt, alsof ze los zouden kunnen liggen. Ze springt er lichtjes op.

De FBI is een obsessie voor haar. Ze is erop gebrand de federale agenten te slim af te zijn, en dat is niet verstandig. Lucy zou beter moeten weten. En Janet ook.

‘Zelfs als ze dit hadden gevonden, en ik wist dat dat niet zou gebeuren, zouden ze nog onder een onzichtbaar gedeelte van de metalen vloer moeten zien te komen en een meter moeten graven om de kist met wapens te vinden,’ zegt Lucy. ‘Het is een lullige opmerking, maar ik heb het wel gezegd.’

‘Ik ben het met je eens dat ze ons niet in deze positie hadden mogen brengen.’ Een enigszins vreemde uitspraak van Janet.

Het is alsof ze afstand neemt van wat zij en Lucy eerder hebben gedaan en waardoor ze zich nu in dit deel van het huis bevinden. Janet maakt steeds van die stijve en onnatuurlijke opmerkingen, alsof ze weet dat er iemand meeluistert.

‘Maar je hoeft dit niet te doen,’ zegt ze, en mijn onbehagen groeit om hoe ze doet en klinkt. ‘Laten we naar boven gaan, onze spullen pakken en naar Kay vertrekken.’

Het is subtiel, maar ik zie het. Janet speelt een rol. Het is alsof ze tegen haar zin op het toneel staat. Als een hert in het licht van de schijnwerpers, valt me in, en ik vraag me af of Erin Loria onder vier ogen met haar gesproken heeft. Ik vraag me af wat de FBI tegen Janet gezegd kan hebben toen het huis werd doorzocht. Misschien hebben ze wel een afspraak met haar gemaakt. Zo ja, dan kan dat voor Lucy geen goede afloop hebben. Ik ken zulke afspraken. Je krijgt immuniteit als je je moeder onder de bus duwt. Mijn waakzaamheid wordt nog wat opgekrikt.

‘Kom, we gaan naar boven.’ Janet spoort Lucy aan, maar niet al te hard. ‘Ik wil niet dat je nog meer problemen krijgt.’

Lucy kijkt ongelovig naar haar. ‘Wat heb jij? We kunnen ons verdomme op geen enkele manier verdedigen. Dat laat ik niet gebeuren. We waren het er vanmorgen over eens dat we niet zouden toestaan dat ze ons zo achterlieten. Wat mankeert je? Juist jij moet weten hoe ze is.’

‘Ik heb haar nooit echt gekend,’ zegt Janet tot mijn verbijstering.

Natuurlijk kende ze Carrie. Janet wist toentertijd van hun relatie. Er zijn sinds die tijd eindeloze gesprekken over gevoerd.

‘Wat is er met je?’ Lucy heeft haar handen op haar heupen gezet. ‘Je hebt haar toen toch ontmoet. Weet je nog die keer dat we zaten te lunchen en dat ze aan ons tafeltje kwam zitten en geen woord tegen je zei, je zelfs niet één keer aankeek?’ Ze is boos en klinkt beschuldigend. 'En die keer dat jij en ik in mijn kamer zaten te praten en ze zonder te kloppen binnen kwam lopen alsof ze hoopte ons te betrappen. Hoe bedoel je, je hebt haar nooit echt gekend? Waar heb je het over?' Lucy raakt steeds meer van streek.

'Ik ken haar van de ERF, van de kantine, van het hardlopen. Zijdelings, dus.' Janets stem klink vlak en afstandelijk. 'Ik weet niet of ik haar wel zou herkennen.'

'Je hebt de foto's gezien. Ik heb je met behulp van verouderingssoftware laten zien hoe ze er vandaag zou uitzien. En je herinnert je haar. Je zou haar herkennen. En of je haar zou herkennen.'

'Ik herken haar gedrag. Maar ik zou haar niet van gezicht kennen.'

'Ben je nou grappig aan het doen?'

'Ik spreek als jurist. Ik vertel je welk antwoord ik me gedwongen zou voelen te geven op de vraag of ik haar gezien heb.'

'Dit is namelijk geen spelletje,' zegt Lucy, en ik verbeeld me dat ik het kan ruiken. 'Ze liegen en zeggen dat er geen bewijs is dat ze leeft, en dan ga jij ze helpen door te zeggen dat je haar niet hebt gezien?'

'Ik heb haar niet gezien sinds eind jaren negentig. Dat is de absolute waarheid,' zegt Janet, en ik weet zeker dat ik het kan ruiken.

Ik herinner me de aardeachtige, muskusachtige geur. Nog meer bedrog van de neus, want ik ruik het nu natuurlijk niet echt, maar het was niet alleen Lucy. Janet rook er ook naar. Toen ik ze omhelsde, kwam de gedachte bij me op dat ze in de tuin hadden gewerkt. Tot ik bedacht dat ze nooit in de tuin werken. Ze roken alsof ze in de aarde hadden gegraven.

Allebei.

Niet alleen Lucy. Ook Janet, die haar operatiekleren aanhad, en ik verbaasde me over haar slordige haar, haar smerige nagels en het feit dat ze in de kleren liep waarin ze slaapt. Ze heeft vanmorgen niet de moeite gedaan zich aan te kleden. Ze is uit bed gestapt en meteen hard aan het werk gegaan. Ze is bezweet en vies geworden. Ze heeft zich niet gewassen voordat Erin Loria aan de voordeur verscheen, en dat deed ze met opzet. Janet wilde eruitzien alsof ze werd verrast. Ze wilde eruitzien alsof ze haar hadden overvallen. Ze moest er betrapt en ontmoedigd uitzien. Maar dat was ze niet echt. En Lucy ook niet.

Ze wisten dat de FBI eraan kwam.

'Ik krijg Janet niet te pakken,' zegt Marino achter me. 'Ik krijg meteen haar voicemail.'

Janets telefoon gaat niet over. Ik zie hem aan haar broek hangen en het schermpje licht niet op, zoals het zou doen als iemand haar belde. Ik hoor hem ook niet.

Marino belt haar, maar de telefoon blijft zwijgen. Ze kijkt er niet naar. Ik vraag me af of hij eerder wel werkte. Aan het begin van de video klemde Janet haar telefoon aan de band van haar broek. Wat heeft ze ermee gedaan voordat ik begon te kijken en waarom lijkt hij nu niet te werken?

'Oké. Ik probeer het nog eens. Ik denk dat Janet haar telefoon misschien heeft uitgezet. Of anders heeft de FBI hem in beslag genomen.' Marino heeft geen idee wat ik zie.

Hij ziet de livebeelden niet en kan niet weten dat ik Janet en haar telefoon zie op het moment dat hij probeert haar te bellen.

'Misschien heeft ze het geluid uitgezet of is de batterij leeg, maar de FBI heeft hem niet,' zeg ik tegen Marino, want ik sta ernaar te kijken. 'Is de politie onderweg?'

'Wee hun gebeente als het niet zo is. Ik controleer het even.'

'Neem geen afstand van me,' zegt Janet tegen Lucy. 'Doe niet alsof ik de vijand ben. Dat is wat ze willen. En vooral wat Erin wil. Kom mee. Laten we weer naar boven gaan.' Ze wil Lucy aan haar hand meetrekken, maar die verroert zich niet. 'We pakken wat spullen en gaan naar Kay. Kom op. Bij haar kunnen we wat drinken en lekker eten en dan gaat alles beter,' zegt Lucy's partner, haar minnares, haar zielsverwant, haar collega en haar beste vriendin.

Ze zijn sinds het begin van hun carrière bij de FBI, toen ze elkaar ontmoetten in Quantico, nu eens wel en dan weer niet elkaars wederhelft geweest. Een paar jaar hebben ze samengewoond en ik heb altijd gedacht dat Janet de beste, ideale en misschien volmaakte partner voor Lucy was. Ze hebben veel gemeen, zijn even gemotiveerd en hebben dezelfde training gehad. Maar Janet is flexibeler en gemakkelijker. Ze is zo geduldig en weloverwogen als een sfinx, zegt ze zelf altijd, en ze is opgewekt en staat met beide benen op de grond. Ze is geen impulsieve of boze vrouw en kennelijk hoeft ze niet veel te bewijzen.

Ik was er kapot van toen ze uit elkaar gingen. Maar de tijd heelt alle wonden, ook deze, na een jaar of tien. Toen kwam Janet terug. Ik weet niet hoe het precies gebeurd is, alleen wat me verteld is, en het leek een wonder. Dat lijkt het eigenlijk nog steeds. Ik denk terug aan niet heel lang geleden, toen Lucy haar het huis uit zette. Het was ergens in het voorjaar. Wat moet dat wreed zijn geweest.

Het was ongeveer in de tijd dat Janet hoorde dat haar zus dood zou gaan, en het moet hebben geleken of ze in één klap alles kwijt was. Moeilijk om zoiets te vergeven. Ik begrijp dat Lucy bang was dat Carrie Janet en Desi iets zou aandoen. Maar ik geloof ook dat Lucy's oplossing kwetsend en oneerlijk was. Janet heeft het over haar kant laten gaan, zoals zoveel dingen. Soms vraag ik me af of ze een heilige is.

'Ik heb je gezegd niet mee naar beneden te gaan.' Lucy loopt naar een werkbank. 'Het zal er niet beter op worden, maar het zal ook niet zo slecht worden als het zou kunnen zijn. Ga naar boven.' Ze trekt een la open. 'Ik wed dat Desi wel zin heeft in popcorn en een film. Waarom zet je *Frozen* niet nog eens op? Ik kom zo boven met een paar vrienden en dan gaan we,' voegt ze eraan toe. 'Vrienden' is een eufemisme voor 'wapens'.

Lucy heeft wapens verborgen voor de FBI.

Ze vecht voor haar leven, voor ieders leven, zoals zij het ziet, terwijl Janet juist aarzelt en een beetje afstandelijk is. Ik voel iets achter haar vlakke kalmte, achter haar onvoorwaardelijke liefde en trouw. Heel even voel ik mijn vertrouwen in haar wankelen. Het gevoel is net zo snel weer weg. Janet voelt zich niet op haar gemak. Begrijpelijk, houd ik mezelf voor. Ze doet afstandelijk en een beetje vlak en onwillig om tegenwicht te bieden aan Lucy, die op dat moment in emotioneel opzicht haar tegenpool is. Lucy's handen zijn losjes gebald. Haar hele lichaam is gespannen terwijl ze vloekt en tiert tegen de federale overheid.

Ik zie dat ze nog meer laden opentrekt in een werkbank die een hele muur beslaat. Op de achtergrond zie ik een hydraulische brug met een auto erop, haar donkerblauwe Ferrari FF. Het is de auto met vierwielaandrijving waarin ze twee maanden geleden reed toen ik werd neergeschoten. Ze had het er eerder vandaag over met Jill Donoghue toen ze bespraken of Lucy kon aantonen waar ze zich bevond terwijl ik bijna doodging.

'Je kunt je gedrag niet door hen laten bepalen. Wat ze ook gedaan hebben.' Janet is vastberaden en kalm, maar ook nog iets anders. 'Laten we naar boven gaan voordat het te laat is. Je hoeft dit niet te doen.'

'Ik word liever door twaalf mensen veroordeeld dan door zes mensen gedragen.' Lucy bedoelt dat ze liever terechtstaat dan dood is. 'Je weet precies wat er gaat gebeuren als we ons niet kunnen beschermen. Dit is verkeerd, Janet. Het is te walgelijk voor woorden. De FBI wil dat we vermoord worden.'

'Ik besef dat Erin het zo heeft gepland. Geef haar niet wat ze wil.'

'Lekker makkelijk. Als we dood zijn, is Erin het grootste probleem in haar leven kwijt.'

'Dat denkt ze in ieder geval. Weet je wat we doen? We gaan naar het huis van je tante. Laten we er met Benton over gaan praten,' zegt Janet, en dan komt het hard bij me binnen.

Ik zie ineens heel helder wat ik al die tijd heb opgepikt. Janet vermijdt het om naar de bewakingscamera's te kijken. Lucy kijkt echter vrij rond. Naar camera's en weg van camera's. Voor mij is duidelijk dat ze er niet van uitgaat dat de FBI hen bespioneert. Lucy denkt kennelijk niet dat ze wordt gefilmd door haar eigen bewakingssysteem, maar Janet is voorzichtig en op haar hoede. Ze kijkt niet één keer in de richting van de camera's en toch praat ze zonder terughoudendheid, en dat brengt me in verwarring. Waarom zou ze Erin Loria bij naam noemen? Waarom zou ze beginnen over de president, over Benghazi en over doofpotten?

'We moeten hier niet emotioneel op reageren.' Janet blijft naar Lucy kijken.

'Ik reageer zoals ik wil,' zegt Lucy. 'Wacht maar af. Ze kunnen naar de hel lopen als ze denken dat ik hier zonder wapens blijf zitten. Geen pistool. Nog geen steakmes, verdomme. Ze heeft ons zo achtergelaten dat we ons niet meer kunnen verdedigen, zelfs Desi of Jet Ranger niet, tegen de gevaarlijkste gek die er bestaat. En ze kennen haar. Ze kennen haar maar al te goed, want zij hebben haar geschapen.'

De FBI heeft Carrie Grethen geschapen als Frankenstein. Dat zei Marino eerder, en hij citeerde Lucy.

Ze loopt naar het stuk vloer waar ze een paar minuten eerder op stond te springen. Metaal rinkelt op de stenen als ze een koevoet en een schop op de tegels legt. Ze trekt haar grijze T-shirt over haar hoofd, propt het in elkaar en laat op het de werkbank vallen. Ze is pezig en sterk in haar sportbeha en hardloopbroekje, en ik zie haar rauwe kwetsbaarheid terwijl ik me afvraag waar de politie blijft.

'Heb je al iets gehoord van de politie van Concord?' vraag ik aan Marino. 'Zijn ze er al?'

41

De spieren van haar schouders en bovenarmen spannen als ze een opgevouwen zeil pakt en het uitspreidt naast het stuk vloer waar ze een paar minuten geleden nog op stond te springen.

Ik zie weer eens hoe buitengewoon fit en gedisciplineerd Lucy is. Ze drinkt zelden alcohol. Ze is veganist. Elke dag gaat ze hardlopen en traint ze met gewichten en TRX-banden. Ik vang een glimp op van de kleine libelle op haar platte onderbuik en denk aan wat die grappige tatoeage verbergt. Carrie heeft haar een litteken bezorgd. Carrie heeft haar een onuitwisbaar merkteken gegeven. Het is mogelijk dat Carrie in het huis is. Ze zou zich in de naastgelegen kamer of die daarnaast kunnen verschuilen. Lucy en Janet hebben daar geen idee van, en ik kan ze niet bereiken.

'Ik heb helemaal niets gehoord,' zegt Marino op mijn vraag over de politie van Concord. 'Ik zal mijn contactpersoon daar nog eens bellen.'

Ik ken niet elk hoekje en gaatje van het huis dat Lucy heeft laten bouwen nadat we een jaar of vijf geleden zijn teruggekeerd naar Massachusetts. Maar de ruimte waarin zij en Janet zich nu bevinden, ken ik wel, en ik weet dat daar bewakingscamera's hangen. Lucy is volkomen vertrouwd met geavanceerde technologie en werkt uiterst nauwgezet. Evenals Janet. Nog maar een paar maanden geleden dachten ze erover Desi te adopteren en het beveiligingssysteem te perfectioneren.

'Echt, ze komen hier binnenvallen en laten ons zo achter, en dan mogen wij niets achter de hand hebben?' Lucy trekt een paar dikke leren werkhandschoenen aan en pakt de koevoet. 'Over een ongelijke strijd gesproken.'

'Er zijn geen woorden om te beschrijven hoe oneerlijk dit is,' zegt Janet.

'Die *kurz* wordt hier ergens neergelegd. Dat weet je, hè?'

'Heeft Erin iets gezegd wat jou het vermoeden geeft dat ze valse bewijzen gaat achterlaten?'

'Ze wilde dat ik dat dacht en vast ging inpakken voor mijn tocht naar de gevangenis.'

'Waar kan ze hem verstopt hebben?'

'Misschien in het bos, op de plek waar iemand is geweest, maar waar de camera's niets hebben opgepikt,' zegt Lucy. 'Misschien is hij daar begraven, als een soort piratenschat, zodat de FBI hem op magische wijze tevoorschijn kan toveren en me achter de tralies kan zetten. Misschien was Carrie daar wel in het bos en keek ze hoe Erin het verdomde ding begroef. Dat zou bijna grappig zijn.'

'Heb je Erin ooit echt met de MP5K gezien?'

'Nee, en ik zou er ook niets van geweten hebben als Carrie niet per se had willen opscheppen. Ze kon de verleiding niet weerstaan om het erin te wrijven.'

'Dus je weet het alleen omdat Carrie het gezegd heeft, niet omdat je het zelf gezien hebt.' Janet is jurist, maar ik zou nooit gedacht hebben dat ze als een jurist zou klinken op wat een privémoment met haar partner zou moeten zijn.

'Ze zal de schijn wekken dat ik het al die tijd heb gehad, terwijl het eigenlijk bij haar was.' Lucy heeft het over het machinegeweer dat Carrie gestolen heeft en dat ik in de eerste video om haar nek heb zien hangen. 'Ze heeft het weer in de oorspronkelijke staat gebracht en er op 14 februari 1998 een dodelijk valentijnscadeautje voor haar leeghoofdige voormalige schoonheidskoningin van gemaakt. En we weten wat er negen jaar later is gebeurd.'

'Erin heeft dat niet rechtstreeks tegen je gezegd.' Janet lijkt haast wel een zaak op te bouwen.

'Ze heeft genoeg gezegd om duidelijk te maken waar ze naartoe wilde.'

'En ze heeft het gesprek uiteraard niet opgenomen.'

'Dat doen ze nooit.'

'Heb je Erin ooit met het bedoelde machinegeweer gezien? Denk goed na, Lucy.'

'Nee. Toen ik tegen Carrie had gezegd dat ze bij me uit de buurt moest blijven, begon ze op te scheppen. Ze beweerde dat ze de MP5K weer schietklaar had gemaakt en dat ze Erin had geleerd ermee te schieten en het schoon te maken, dat soort dingen. Dat was haar cadeautje voor Valentijnsdag, een dag op de schietbaan met een gevaarlijk wapen, en Erin was verdomme zo'n kluns. Ze kon niet eens een pistoolmagazijn herladen. Ze kon de patronen er niet in krijgen zonder magazijnlader, of iemand anders moest het voor haar doen. Ik kan me niet voorstellen dat zij met een machinegeweer zou kunnen schieten.'

'Maar dat is toch gebeurd. Carrie heeft haar geleerd een wapen af te vuren waarvan Erin nu beweert dat het van jou kwam. Met andere woorden: Erin liegt. En ze laat valse bewijsstukken achter.' Janet is heel open en uitgesproken als het om Erin Loria gaat. Dat doet ze opzettelijk, maar ik geloof niet dat Lucy het doorheeft.

'Dat is wat Carrie toen gezegd heeft,' antwoordt Lucy. Ik twijfel er niet meer aan dat Janet de *Verdorven hart*-video's heeft gezien. 'Erin had het over de aanslag op de voormalige premier van Pakistan. Ik wist precies wie ze bedoelde. Wie zou het anders kunnen zijn? En dat kan maar één ding betekenen. Carrie praat verdomme met de FBI. Ze praat met Erin. Misschien heeft ze de MP5K wel onlangs aan haar gegeven.'

'En dan is er als bij toverslag een overeenkomst met fragmenten van een kogel.' Janet maakt van deze opmerking een verklaring, een heel bezwarende verklaring, afhankelijk van tegen wie hij gericht is. 'Waarom is er eigenlijk naar gelijkenissen gezocht? Vooral nu?'

'Het is net iets voor Carrie om zoiets in gang te zetten. Ze hoeft alleen maar wat met verschillende databases te knoeien, die van de NSA, de FBI of Interpol bijvoorbeeld, waar ze maar zin in heeft. Ze kan een forensisch rapport vervalsen en zelf een match fabriceren,' zegt Lucy, en ik denk aan de vraag die Jill Donoghue me vanmorgen stelde.

Ze vroeg of ik ooit van *data fiction* had gehoord. En dat is kennelijk wat Lucy hier beschrijft.

'Ze zou dat heel gemakkelijk kunnen doen, en bovendien kent ze mensen bij de inlichtingendiensten. Nu begrijpen we ook waarom het ministerie van Defensie in je huis verscheen in de gedaante van een zogenaamde belastinginspecteur,' zegt Janet, en ik zie de donkere man in het goedkope pak voor me, die beweerde bij de belastingdienst te werken.

'Carrie komt eindelijk terug naar de Verenigde Staten, klaar om flink wat commotie te veroorzaken,' zegt Lucy. 'Ze hackt een paar databases en zorgt voor een politiek pandemonium.'

Wij krijgen geen penningen, pistolen en andere leuke dingen, zei de man die zich voorstelde als Doug Wade.

Hij loog tegen Jill Donoghue en mij. Iedereen liegt.

'Carrie zorgt ervoor dat de fragmenten die na de aanslag zijn veiliggesteld terug te voeren zijn op een machinegeweer dat eens in het bezit van de FBI is geweest,' zegt Lucy. 'Besef je wel hoelang ze dat ding bewaard heeft?'

'Typisch iets voor haar,' zegt Janet.

'Zo doet ze dat. Ze verzamelt dingen die ze tegenkomt en bewaart ze zo lang als nodig is. Tot ze ze op een slimme manier kan gebruiken.'

'De timing is niet toevallig.' Janet zorgt ervoor dat ze alleen maar naar Lucy kijkt.

'Natuurlijk niet.'

'Opeens is er een match tussen de MP5K en kogelfragmenten. En opeens wordt Erin Loria naar Boston overgeplaatst en zit ze je achterna tot aan de poorten van de hel.'

'Daar dreigde Carrie altijd mee. Ze zei dat ik moest oppassen dat de poorten van de hel niet tegen mijn kont dichtsloegen als ik naar binnen ging,' zegt Lucy, en ik hoop dat ik de toespelingen van Janet en haar verkeerd begrijp.

Ze lijken te suggereren dat de vermiste MP5K eind december 2007 in Pakistan terecht is gekomen. Het wapen kan de Verenigde Staten in verband brengen met de aanslag op de voormalige premier Benazir Bhutto.

Uiteindelijk werd Scotland Yard bij de zaak betrokken. Ik weet nog dat werd vastgesteld dat Bhutto was omgekomen door stomp trauma, veroorzaakt bij een terroristische aanval op haar voertuig.

Er zullen kogelfragmenten zijn geanalyseerd. Die zullen zijn vergeleken met eventuele in beslag genomen wapens, en misschien was een daarvan een ongebruikelijk machinegeweer dat eens in het bezit is geweest van de FBI. Benton heeft het gehad. Daarna Erin Loria, al was het misschien maar kort. Het zou net iets voor Carrie Grethen zijn om ervoor te zorgen dat het wapen een enorme opschudding teweegbrengt, vooral als dat ten koste gaat van de Amerikaanse overheid, in het bijzonder het ministerie van Justitie.

Wat verschrikkelijk om dat een niet bijzonder slimme of angstaanjagende FBI-agent aan te doen. Hoewel ik een enorme hekel heb aan Erin Loria, wens ik haar dat toch niet toe. De hele wereld zou over haar heen vallen. Het zou zelfs de FBI schaden als uitkwam dat FBI-agent Erin Loria, voormalig schoonheidskoningin en getrouwd met een federaal rechter, op een gegeven moment een machinegeweer in haar bezit had dat is gebruikt bij de moord op een wereldleider. Misschien probeert ze zichzelf te redden ten koste van mijn nichtje. Als er koppen moeten rollen, is het niet die van Erin Loria. Dat denkt ze tenminste.

'Carrie moet contact hebben met iemand binnen de regering,' zegt Lucy. 'Hoe weten ze anders over de *kurz*?'

'Je baseert dit op een paar vage vragen van Erin,' zegt Janet. 'Dat is tenminste mijn indruk, want ik was er niet bij.'

Ze zegt het alsof ze iets wil vastleggen, en ik vraag me af tegen wie Janet het op dit moment heeft. Lucy? Of de FBI? Of heeft ze het tegen mij?

'Waarom zou Erin anders willen weten waar ik op 27 december 2007 was? Ze vroeg naar het machinegeweer dat ik, ik citeer, had "gestolen en verborgen" in mijn kamer. Waar kan dat anders vandaan komen dan van Carrie?' Lucy wrikt het gebogen uiteinde van de koevoet tussen twee tegels.

'Ik kan me voorstellen dat ze zoiets gezegd heeft.'

'Erin vroeg wat er gebeurd was met wat zij een MP5K-prototype noemde, en dat was het niet. Het was gewoon een heel vroeg model, zo vroeg dat het een serienummer van één cijfer had.'

'Het is net iets voor Carrie om Erin lang genoeg met iets te laten spelen om haar verdacht te maken,' zegt Janet. 'Carrie heeft een wettelijke verantwoordelijkheid in het leven geroepen. Maar niet alleen voor Erin.'

'Ook voor Benton.' Lucy aarzelt niet om zijn naam te noemen.

Maar Janet heeft tot dusver niet eens naar hem verwezen. Ik blijf het gevoel houden dat ze voorzichtig is. Ze praat alsof ze weet dat dit geen privégesprek is.

'Stel je voor dat een wapen dat je ooit illegaal in handen hebt gehad, al was het maar een dag, gebruikt blijkt te zijn bij de moord op Benazir Bhutto,' voegt Janet eraan toe.

'Zelfs als Carrie liegt en valse documentatie verspreidt, is het nog steeds een slechte zaak als het bekend wordt.'

'Vergeet de publicitaire nachtmerrie,' zegt Janet. 'Een dergelijke zaak verjaart niet, en dat is precies waarom die idioot van het ministerie van Defensie hier was. De FBI is een Trojaans paard voor het ministerie van Defensie, daar hebben we genoeg voorbeelden van gezien. Je denkt dat ze het ene doen, maar in werkelijkheid doen ze iets heel anders.'

'Nu heb ik dus het Pentagon achter me aan,' zegt Lucy, en ze klinkt eerder geïrriteerd dan iets anders.

'In ieder geval iemand.' Janet heeft nog steeds niet naar een camera of in de richting van een camera gekeken.

Ik blijf voor me zien wat ik als allereerste zag toen ik op de videolink klikte: Janet die haar telefoon weer vastmaakte aan haar broekband. Ze heeft er iets mee gedaan. En daarna werkte hij kennelijk niet meer. We hebben hem gebeld en hij ging niet over.

Ze heeft het bewakingssysteem geactiveerd. Daarna heeft ze haar telefoon uitgezet om ervoor te zorgen dat niemand haar kon bereiken.

'Dit is anders wel grappig. Had ik gelijk of niet?' Lucy wrikt nog een tegel omhoog. 'De bodemradar in die patserige helikopter van hen heeft hier niets kunnen vinden.'

Ik hoor steen langs steen schuiven als ze tegels weghaalt, en daarna haalt ze er nog drie omhoog. Eronder zitten een stalen plaat en een soort bedieningspaneel. Lucy tikt een code in en drukt op een knop. Een elektrische motor komt zoemend tot leven. De metalen ondervloer komt in beweging en gaat open als een luik.

Ze laat de koevoet en de schop in het gat vallen, en ze verdwijnen in de leegte en komen kletterend op de bodem terecht. Er is een ladder en Lucy daalt af in een ondergrondse schuilplaats waarover ik tot op dit moment niets wist. Net als haar botenhuis dat geluiden maskeert en haar stiltetuin. Zoveel waar ik niet van op de hoogte was. Ik hoor de schop ergens overheen schrapen. Wie ziet dit nog meer of gaat dit zien? Het is ongelooflijk om te denken dat Janet degene zou kunnen zijn die Lucy's noodnummer heeft gehackt en die ervoor zorgt dat ik meekijk.

Kon ik nu maar even met Lucy praten.

'Is alles in orde?' roept Janet naar beneden. 'Gaat het?'

'Ja, hoor.' Lucy's stem klinkt gedempt en ze is niet meer te zien in deze geheime ruimte, waar ze bezittingen bewaart die op het huiszoekingsbevel staan, maar die niet zijn gevonden.

Lucy weet precies hoe FBI-agenten een huis doorzoeken. Als ze zich ertoe zet, kan ze al hun procedures, protocollen en technologie te slim af blijven. Ik zie haar dozen met munitie door de opening tillen, op de vloer zetten en opzij schuiven. Dan komt er een slank aanvalsgeweer met een zilverkleurige metaalafwerking, een Nemo Omen Win Mag .300, die ze behoedzaam op het zeil legt.

Het wordt gevolgd door een tweede geweer met een andere afwerking, en ik herken vuurwapens die Lucy dodelijke kunstwerken noemt. Ik heb er wel eens mee geschoten. Zo blijft ze onder mijn ogen de rechtsgang belemmeren. Het maakt niet uit dat ik het haar niet kwalijk neem. Het is niet van belang dat de FBI haar schandelijk behandelt. Ze pleegt een misdrijf en ze zouden haar meteen arresteren als ze het wisten. Ik zie haar de kuil uit klimmen. De motor start weer en ze sluit het luik. Dan klinkt er een luide zoemer. Er staat iemand bij Lucy voor het hek.

Laat het alsjeblieft de politie zijn.

'Wie is daar?' Janet loopt naar een beeldscherm.

Lucy pakt de twee aanvalsgeweren, lichtgewicht en zo nauwkeurig als een laserstraal. Ze glanzen in verschillende tinten zilver, koper en groen.

'Ik geloof dat het een agent is,' zegt Janet. 'Wat doet de politie hier?'

'Verdomme,' zegt Lucy. 'Wat nou weer?'

Ik kan het beeld op het scherm niet onderscheiden. Het is te ver weg. Janet raakt de display aan en vraagt waarmee ze kan helpen. Dan hoor ik een mannenstem. Hij klinkt bekend. Als hij begint te hoesten als een kettingroker, besef ik dat het dezelfde staatsagent is die vanmorgen hier in het huis van Chanel Gilbert was. Ik dacht dat hij ziek naar huis was gegaan. Dat is kennelijk niet zo, maar hij klinkt alsof hij het wel had moeten doen. Agent Vogel. Ik weet nog steeds zijn voornaam niet.

'Met wie heb ik het genoegen, mevrouw?' Hij hoest weer als Janet antwoord geeft. 'We hebben een melding gekregen en willen zeker weten dat alles goed is daarbinnen.'

'Prima,' zegt Janet. 'Wat voor melding?'

'Mevrouw, u moet het hek opendoen. We willen even binnenkomen, gewoon om zeker te weten dat alles in orde is.'

'Doe maar open,' zegt Lucy tegen Janet.

'Ik doe het hek open,' zegt Janet tegen het beeldscherm.

'We zien u bij de voordeur,' zegt agent Vogel terwijl Lucy met haar voet dozen met munitie over de vloer naar een werkbank duwt.

Dan zie ik het weer. Janet haalt haar telefoon van haar broekband en typt iets met haar duimen, waarschijnlijk om de toetsenblokkering op te heffen. Meteen wordt mijn scherm zwart. Ik krijg geen beelden meer door. Als ik weer op de link klik, gebeurt er niets. Ik kijk op en zie tot mijn schrik Benton in de deuropening staan, die iets bekijkt op zijn telefoon. Zijn oortje knippert felblauw. Verrast en geschrokken blijf ik naar hem staan staren. Ik heb geen idee hoelang hij daar al staat en waarom, of hoe hij is binnengekomen.

'Ze zijn veilig, Kay.' Benton heeft dezelfde kleren aan als toen ik vanmorgen het huis verliet. 'De politie van Concord, de staatspolitie en onze agenten zijn op Lucy's terrein of staan op het punt het te betreden, en er zijn nog meer mensen onderweg.'

'Is de politie al in het huis?' Ik geloof niet dat dat mogelijk is.

'Ze zijn onderweg.' Hij loopt naar binnen.

'Dat is niet hetzelfde als bij hen zijn, echt op dit moment naast hen staan. Je weet met wie we te maken hebben, Benton.'

'Lucy, Janet, Desi, Jet Ranger: iedereen is aanwezig en veilig.' Hij kijkt me strak aan met zijn amberkleurige ogen en weet heel goed wie ik bedoel. 'Hun overkomt niets.'

'Hoe kunnen we daar al zeker van zijn?'

'Omdat ik het je zeg, Kay. Ze zijn niet alleen, nu niet en straks ook niet.' Hij ziet er alert en onverstoorbaar uit, maar ik twijfel er niet aan dat hij het zwaar heeft gehad.

Dit kan geen goede dag voor hem zijn geweest, en in de verwardheid van zijn dikke, zilverkleurige haar en de strakheid om zijn ogen en zijn mond zie ik tekenen van stress en vermoeidheid. Het pak is een van mijn favoriete, parelgrijs met een heel smalle, crèmekleurige streep, en het is hevig gekreukt. Zijn witte overhemd is ook gekreukt. Waarschijnlijk door de vijfpuntsgordel die hij in de helikopter om heeft gehad, valt me in.

'We moeten zeker weten dat alles goed is met iedereen,' houd ik vol. 'Ze zal je willen laten denken dat alles oké is, en je weet wat er gebeurt als iedereen zich veilig voelt.'

'Ik weet wat er gebeurt. Ik weet hoe ze denkt,' zegt hij, en ik besef dat het huis van Chanel Gilbert niet in de gaten wordt gehouden door de FBI.

Als de FBI dit huis zou bespioneren, zou Benton dat weten. Dan zou hij niet vrijuit praten. Zijn woorden zouden vreemd en bedacht klinken, net als die van Janet. Of hij zou helemaal niets zeggen. Als iemand dit huis in de gaten houdt, is het Carrie, en ik ben bijna zover dat het me niet kan schelen. Ze lijkt toch al alles van ons te weten.

42

Hij doet de deur dicht en dan staan we alleen in de slaapkamer van Chanel Gilbert.

In iemands slaapkamer, in ieder geval.

Ik kan er niet zeker van zijn wiens kamer dit is.

‘Ik weet dat je van streek bent,’ zegt Benton. ‘Ik begrijp dat je op dit moment het gevoel hebt dat ik je in de steek heb gelaten en heb voorgelogen.’

‘Van streek? Ik zou eerder zeggen: ongelukkig, in de war, bezorgd, gemanipuleerd.’ Dit is niet hoe ik wil klinken. ‘Wie was ze, Benton? Ik heb de duikfoto’s gezien in de bibliotheek. Wie was ze in godsnaam?’

Hij zegt niets.

‘Ik heb het wetsuit gezien dat ze aanhad. Zwart met een rits op de borst, en dat zag ik ook in de video die de camera in mijn duikmasker had gemaakt. Jij en ik hebben geen pakken met ritsen aan de voorkant. Onze wetsuits hebben geen twee witte strepen op het been, maar dat van haar wel, als ik afga op de ingelijste duikfoto’s die gemaakt zijn in de Bermudadriehoek. Moet ik je geheugen nog verder opfrissen?’ Ik blijf praten, ook al moet ik ervan uitgaan dat dit geen privégesprek is.

Ik moet weten of degene die afgelopen juni in Fort Lauderdale mijn leven heeft gered, dood is. Vermoord. Waarschijnlijk doodgeslagen door Carrie.

‘Haar gebitsgegevens bevestigen de identificatie,’ zeg ik tegen Benton. ‘Maar dat zegt niets. Wie was ze?’

‘Ik begrijp welke indruk dit wekt,’ zegt Benton eindelijk.

‘Misschien wil je me ook even vertellen wie Doug Wade is, nu we toch bezig zijn.’

‘Ik weet niet goed wie je bedoelt.’

‘Ik bedoel de man die ik in Lucy’s huis tegenkwam en die niet echt van de belastingdienst is. Hij is van het ministerie van Defensie, en dat zou hier niet bij betrokken zijn als dit niet méér over de nationale veiligheid ging dan over een opgeklopte zaak tegen Lucy...’

‘Daar kunnen we het later wel over hebben...’

'Maar ik snap niet hoe je kunt denken dat ik van streek ben. Waarom zou ik van streek raken door het feit dat ik op dit moment niemand meer kan vertrouwen?' Ik ben emotioneel, en dat is het laatste wat ik wil. 'Hoe ben je hier binnengekomen? Heb je haar Range Rover meegenomen zonder het aan de politie te melden? Of misschien heeft een zogenaamde agent van de belastingdienst dat gedaan.'

'Haar Range Rover?' Benton fronst.

'Een rode Range Rover, die hier eerder nog stond, maar nu weg is.' Ik voel de tranen branden en knipper ze weg. 'Maar ik geloof niet dat het cameraatje in het zilveren doosje van jullie is.' Ik besef hoe boos ik ben en dat ik afstand moet nemen voordat ik mijn zelfbeheersing verlies. 'Dat was zelfs voor de FBI te slordig gedaan. Het was alleen bedoeld om ons bang te maken. Het is gewoon psychologisch terrorisme dat we een zaak als deze moeten onderzoeken en elke seconde bang moeten zijn dat we bespioneerd worden. Jij zou nooit de klokken opwinden.'

'Wat zou ik niet doen?'

'Of kaarsen neerzetten. Jij zou niet van die smerige spelletjes met me spelen. Je collega's misschien wel. Maar jij niet, en je zou het ook nooit toestaan.'

'Wat voor spelletje, Kay?'

'Meerdere spelletjes, Benton.'

'Ik weet niets over een zilveren doosje.'

'Ik ben blij het te horen.' Het kan me niet schelen wie het nog meer hoort.

'Wat voor kaarsen?'

'Je moet de woonkamer in om de geur te ruiken. Ik neem aan dat ze er nog zijn en dat ze niet onder onze neus zijn verdwenen, zoals het keukenafval. Nieuwe, witte votiefkaarsen die er volgens mij pas onlangs zijn neergezet, mogelijk toen wij bij Lucy waren, en toen zijn ook de klokken opgewonden. Kaarsen die naar mijn favoriete geurtje ruiken, Benton. Het geurtje dat jij altijd voor me bestelt als verjaardagscadeautje.'

'Dat hebben wij niet gedaan. We zijn nu pas het huis binnengekomen.'

'En dat weet je zeker. Je weet alles wat je collega's doen. Nou, ik kan je een heleboel vertellen wat zij niet weten, dingen van heel lang geleden. Gevaarlijke dingen.'

Hij zegt niets. Hij vraagt niet over welke gevaarlijke dingen ik het heb. Hij blijft me rustig aankijken, met af en toe een korte blik op zijn telefoon.

'Ik denk dat ik weet wat er gebeurd is,' zeg ik tegen hem, en zijn stilte zegt genoeg.

Hij weet van de video's. Hij heeft ze gezien.

'De FBI is hier natuurlijk niet binnengeslopen om dit alles voor mij persoonlijk in scène te zetten.' Ik voel mijn angst toenemen, en daarmee ook mijn woede.

Benton, wat heb je gedaan?

'Waarom zouden ze al die moeite doen om speciaal die Italiaanse kaarsen te zoeken?' De angst slaat door me heen. 'Ze hebben niet...'

'Kay?'

'Maar dat ga je mij niet vertellen. Ik zal alles wel weer zelf moeten uitvinden. Ik zal er zelf achter moeten komen wat je weet en wat niet. Je gaat tegenover mij niet toegeven dat het jouw schuld is dat er een inval is gepleegd bij Lucy en dat Marino en ik gevolgd zijn door een van die verdomde helikopters van jullie.'

'Ben je klaar, Kay?'

'Ik ben nog maar amper begonnen, Benton.'

'Ik bedoel hier in huis. Ben je klaar met je werk hier, want ik ga niet weg als jij niet meegaat. Je blijft hier niet zonder mij.'

Als hij buitengewoon ernstig en gespannen is, word ik altijd herinnerd aan zijn lengte. Hij lijkt dan hoog boven me uit te torenen en zich over me heen te buigen om met me te praten, zijn sterke kin omhoog, zijn scherpe trekken roofzuchtig als die van een adelaar of een havik.

'We hebben niet veel tijd,' zegt hij vervolgens.

'Wie is er verder nog bij je?'

'Ik heb ze gezegd me af te zetten. Ik ben alleen binnengekomen. We moeten gaan.'

'Dat heb je tegen je collega's van de FBI gezegd. De collega's met wie je in de helikopter zat vlak voor het noodweer losbrak. De collega's die een reden proberen te verzinnen om Lucy's leven te verwoesten of er misschien zelfs een eind aan te maken.' Dat onvergeeflijke feit wrijf ik er nog even goed in. 'De collega's die doen wat het Pentagon van ze vraagt, want dat is precies wat er gebeurt. Anders zou er nooit iemand van het ministerie van Defensie bij Lucy opduiken met het verhaal dat hij van de belastingdienst is.' Ik wind er maar geen doekjes om, want ik ben ervan overtuigd dat hij dit alles al weet.

'Daar kunnen we nu niet verder over praten.' Zijn gezicht staat somber en in zijn ogen ligt een gespannen blik. 'We hebben misschien nog een kwartier voordat ze terug zijn met de anderen.'

Het hele huis zal krioelen van de FBI-agenten. Ze zullen het onderzoek overnemen, zoals Marino en ik al verwachtten. Ik weet wat er dan gaat gebeuren.

Het maakt niet uit dat ik federale jurisdictie heb. Je kunt niet bij wet bepalen dat diensten moeten samenwerken, en de FBI staat niet bepaald bekend om zijn goede werkrelatie met andere instanties. Ze zullen deze plaats delict overnemen en vervolgens ook het bewijsmateriaal. Ze kunnen doen wat ze willen.

'Het huis is nog niet gecontroleerd op afluisterapparatuur,' zeg ik. 'Het is mogelijk dat er mensen meeluisteren. Maar dat hoef ik jou waarschijnlijk niet te vertellen.'

'Ik ben blij dat je het doet.' Zijn stem is droog en ironisch.

'We moeten er tegenwoordig bij elke plaats delict rekening mee houden, denk ik.' Ik begin het bed af te halen en hij geeft geen antwoord. 'Maar ook dat weet jij beter dan ik.' Ik kijk naar hem op. 'Je kunt moeilijk iets niet weten als je het zelf hebt gedaan.'

'Wat heb ik gedaan, Kay?'

Maar dit keer ben ik degene die zwijgt. Ik vouw voorzichtig de sloop op die zwart werd onder het uv-licht. Het papier ritselt luid terwijl ik onder de ogen van Benton het bewijsmateriaal inpak. Ik voel zijn blik. En ook dat hij druk is met zijn telefoon. Nieuwe plannetjes, nieuwe spelletjes, denk ik onwillekeurig terwijl ik de dop van een viltstift trek en de geur ruik van inkt. Ik trek mijn handschoenen uit, doe de sporenkoffer dicht en pak hem op.

Non fare i patti con il diavolo, zei mijn vader altijd.

'Ik heb in mijn jeugd één ding geleerd' – ik kijk Benton recht aan – 'en dat is dat je geen pact met de duivel moet sluiten. Alleen al door daarin toe te stemmen, val je in een put waar je niet meer uit kunt klimmen. Of is het al te laat?'

Benton blijft voor de gesloten deur staan. Te oordelen naar zijn nietszeggende gezicht heeft hij geen idee waar ik het over heb. Maar dat is niet waar. Ik voel heel sterk dat het niet waar is. Hij is misschien niet op de hoogte van alles wat er gebeurt, maar wel van het meeste. Hij is op z'n minst verantwoordelijk voor een deel ervan, en ik ben in een zeer merkwaardige positie beland. Ik kan geen onderscheid meer maken tussen Carries wangedrag, dat van de overheid of dat van mijn man.

'Waarvoor is het te laat, Kay?' vraagt Benton.

'Je hebt het waarschijnlijk al gedaan,' antwoord ik. 'En dan heb ik het ook over de video's die ik vandaag heb gezien, tegen mijn wil, mag ik daar wel aan toevoegen. Want ik heb er niet bepaald om gevraagd. En niemand heeft toegegeven dat hij ze gestuurd heeft. Als je begrijpt waar ik het over heb. Ik vermoed van wel.' Hoe meer ik verwijs naar de *Verdorven hart*-video's, hoe stiller hij wordt.

Hij weet het.

'Nou, ik hoop maar dat je zeker bent van je zaak, Benton. Want je speelt met vuur. Je moet niet dansen met Carrie Grethen of met haar in gesprek gaan.' Ik blijf hem even recht aankijken en hoor verre voetstappen in de gang.

Gedane zaken nemen geen keer, en Benton gaat niet luisteren. Als ik naar hem kijk, kan ik zien dat het te laat is om wat hij in beweging heeft gezet een halt toe te roepen.

'Ik moet gaan kijken hoe ver ze in het lab zijn,' zeg ik tegen Benton, en ik doe de deur open.

'U moet even wachten.' Marino klinkt vastberaden, maar vrij beleefd voor zijn doen. 'Mevrouw? Als u mij even... Het is heel belangrijk dat ze horen wat u me net hebt verteld.'

'En of dat verdomme belangrijk is!' Amanda Gilbert stormt op ons af als een onweersbui. Ik herken de beroemde producer bijna niet.

Ze ziet er aanzienlijk ouder uit dan ze is, in de zestig. Haar roodgeverfde haar ligt slordig om haar schouders en ze heeft holle ogen, donkere poelen van verdriet en iets anders, wat ik probeer te identificeren voor het te laat is.

'Eruit.' Haar stem trilt als ze met haar vinger naar me wijst. 'Ik wil dat iedereen mijn huis uit gaat.'

Ik voel haar haat en woede, niet wat ik verwacht in een scenario als dit. Ze is net door een hal gelopen die besmeurd is met het bloed van haar dochter, maar er zijn geen tranen te bekennen, alleen woede en verontwaardiging.

'De huishoudster,' zegt Marino tegen Benton en mij. 'Die hebben ze niet.'

'Hoe bedoel je, die hebben ze niet? Helemaal niet?' vraag ik. 'Met wie heeft Hyde dan gesproken toen hij hier vanmorgen arriveerde?'

'Ik heb geen idee,' zegt Marino.

'Wie het ook was, ze kende Chanel.' Benton stelt het vast als een feit.

'Er is geen huishoudster? Hield uw dochter het huis zelf schoon?' vraag ik aan Amanda Gilbert, maar Marino geeft antwoord.

'Chanel was hier blijkbaar sinds het voorjaar niet geweest,' zegt hij. 'En ze ruimt liever haar eigen troep op.'

'Waar was ze dan?' vraagt Benton aan haar moeder, maar ik ben ervan overtuigd dat hij het al weet, en ik vind het verschrikkelijk om te bedenken hoe ik voor de gek ben gehouden en hoelang dat al aan de gang is.

'En wie mag jij wel zijn?' wil ze weten, en hij vertelt het haar. Dan vraagt hij: 'Had ze een rode Range Rover?'

'Niet dat ik weet.'

'Er staat er een op haar naam. Ik neem aan dat u dat ook niet wist.'

'Waar doel je op? Identiteitsfraude?'

'Wie heeft u op de hoogte gesteld van de dood van uw dochter?' vraagt Benton. Hij heeft het beslist niet over identiteitsfraude.

Hij heeft het over spionage. De vermoorde vrouw kan best Chanel Gilbert zijn. Maar ze was ook nog iemand anders. Haar moeder heeft waarschijnlijk geen idee wie en wat haar dochter werkelijk was.

'Ik ben erachter gekomen toen zij me een e-mail stuurde.'

Amanda Gilbert wijst naar mij, maar het is niet waar. 'De lijkschouwer heeft me een e-mail gestuurd. Met andere woorden, een politicus. Dus ik moet verdomme een gekozen beambte vertrouwen?'

Ik heb haar zeker geen e-mail gestuurd, en Bryce zweert dat het lab het ook niet gedaan heeft.

'Ik ben eigenlijk geen lijkschouwer. En ik ben ook geen gekozen ambtenaar. Ik vraag me af of u ons die e-mail kunt laten zien,' zeg ik rustig en voorzichtig.

Ze zoekt hem op op haar telefoon en laat hem aan Marino zien, en als hij naar mij kijkt, weet ik hoe de vork in de steel zit. De mailserver van het CFC is gehackt. Carrie heeft mogelijk mijn e-mailaccount gehackt en heeft zich toegang verschaft tot de database van mijn organisatie, en als dat waar is, is de ramp niet te overzien. Er kan geen andere verklaring zijn, tenzij Lucy via mijn e-mailaccount een bericht heeft gestuurd aan Amanda Gilbert. Dat betwijfel ik ten zeerste.

Er is geen enkele reden waarom Lucy van de dood van Chanel zou hebben geweten voordat het nieuws nog niet zo lang geleden op Twitter verscheen. Ik probeer me voor te stellen wat Carries eindspel zou kunnen zijn, terwijl Benton aan Amanda Gilbert vraagt hoelang ze al de eigenaar is van dit huis. Alsof hij dat niet allang weet.

'Waar ze is geweest? Moet ik daar nu weer antwoord op geven?' Amanda Gilbert is openlijk vijandig tegen ieder van ons, maar lijkt mij het meest te wantrouwen.

'Weer?' Benton houdt haar nauwlettend in het oog en ik vermoed dat hij die vragen niet voor zichzelf stelt, maar voor ons.

'Dat gaat je verdomme geen moer aan! Ik heb niets meer te zeggen tegen die vervloekte FBI!'

Niets meer, denk ik. Ze heeft met een van Bentons collega's gesproken. In ieder geval met iemand, en Benton is zo vriendelijk te vragen wie.

'Ik weet de naam niet meer.'

'U weet niet meer welke agent contact met u heeft opgenomen?' vraagt hij. 'Was het een man? Een vrouw?'

'Een of andere vrouw, zo stom als het achtereind van een varken.'

Erin Loria.

'Zo te horen was ze heel dom en kwam ze uit het zuiden,' zegt Amanda Gilbert.

'Het zou helpen als u me wilde vertellen wat u besproken heeft,' zegt Benton voor Marino de kans krijgt.

'Nou, laat ik jullie vooral helpen.' Haar stem trilt en in haar ogen glanzen de tranen. 'Chanel is duiker en fotojournalist van beroep. Ze is altijd op reis en krijgt allerlei opdrachten waar ze niet over wil praten.'

Ze is meer dan dat, als ze in Fort Lauderdale was toen ik werd neergeschoten. Als Chanel de duiker op de video is die door mijn masker is opgenomen, was ze bij het scheepswrak toen Carrie me bijna vermoordde. Het is wel duidelijk wat dat zou betekenen, en ik vermoed dat het waar is. Chanel Gilbert werkte mogelijk voor de militaire inlichtingendienst of voor Homeland Security. Lucy en Janet kenden haar, en ik denk dat dat ook voor Benton geldt. Het betekent dus dat Chanel getuige was van de aanval.

En nu is ze vermoord.

Ze had onder ede kunnen verklaren dat Carrie leeft en dat Lucy onschuldig is. Maar Chanel Gilbert, of wie ze ook was, is er niet meer.

Misschien is ze daarom vermoord.

'Dit is verdomme mijn huis,' zegt Amanda Gilbert met een van woede trillende stem. 'Ik ben hier verdomme opgegroeid. Het is mijn ouderlijk huis. Mijn vader heeft het verkocht toen ik ging studeren en toen het een paar jaar geleden weer op de markt kwam, besloot ik het te kopen voor Chanel en haar eventuele gezin. Ik dacht dat ze dan misschien een rustiger leven zou gaan leiden, dat ze wat rust en vrede zou leren kennen en misschien niet steeds zou verdwijnen om rond te reizen.'

'En op Bermuda?' vraagt Marino. 'Ik vroeg me af of u daar ook een huis hebt.'

'Ik heb een heleboel huizen tot mijn beschikking. En Chanel gebruikt ze stuk voor stuk voor bliksembezoeken. Ze was hier bijna nooit. Sinds ze uit het leger is ontslagen omdat ze PTSS heeft, is ze nooit lang op één plek.'

'Een stoornis die ze wellicht behandelde met medicinale marihuana?' opper ik, en als ze geen antwoord geeft, voeg ik eraan toe: 'Hoewel ik op basis van wat ik heb gezien niet geloof dat ze haar medicatie hier kocht.'

'Mevrouw,' zegt Marino tegen haar, 'ik weet hoe moeilijk dit is. Maar u moet ons helpen door onze vragen te beantwoorden. We moeten van u aannemen dat uw dochter nooit een huishoudster heeft gehad en dat ze haar eigen troep opruimt. Dan wil ik u dit vragen. Wie was Elsa Mulligan?'

'Wie?'

'De dame die zei dat ze uw huishoudster is,' antwoordt Marino. 'Degene die uw dochter gevonden heeft.'

'Ik heb nog nooit van haar gehoord.' Ze richt haar aandacht op mij en haar ogen staan verwilderd. 'Wie heeft haar echt gevonden? Niet een of andere denkbeeldige huishoudster, dat staat verdomme wel vast! Wie was het dan? Wie is er in dit huis geweest...' Ze verheft haar stem steeds meer.

Carrie is in dit huis geweest.

'Er is verdomme geen huishoudster! Zo iemand bestaat niet!'

'De kaarsen, de spinnewielen, de ijzeren kruisen en de kristallen,' som ik voor haar op. 'Was uw dochter bijgelovig of hield ze zich bezig met occulte zaken?'

'Absoluut niet!'

'En uw binnenhuisarchitect heeft die voorwerpen ook niet hier neergezet?'

'Ik weet helemaal niet over wat voor voorwerpen je het hebt!'

'U zult ze wel zien als u de woonkamer in loopt,' antwoord ik, en ik moet steeds aan Carrie denken.

De buren hebben haar misschien wel weken of maanden het huis in en uit zien gaan zonder daar iets achter te zoeken. Ze konden niet weten dat de jonge vrouw in de rode Range Rover niet de eigenaar van het huis was. Carrie heeft zich bediend van wat ze maar wilde. Vandaar die potpourri en amuletten in kamers die ze heeft bewoond, en ik heb ook een vermoeden waarom de sloop zwart werd onder ultraviolet licht.

Ik heb gehoord van beddengoed dat is behandeld met koperoxide, vooral slopen. Een stof die is geïmpregneerd met nanodeeltjes koper zou helpen tegen rimpels en andere tekenen van veroudering, en er kan geen twijfel over bestaan hoe belangrijk een jeugdig uiterlijk voor Carrie is.

Ze heeft in Chanels bed geslapen.

'Volgens de buren is iemand in en uit gelopen,' zegt Marino. 'Ons is verteld dat de rode Range Rover vaak op de oprit stond. Van wie was die dan in godsnaam?'

'Hoe durven jullie! Jullie allemaal! Hoe hebben ze jullie binnen kunnen laten?' Ze doet een stap naar me toe en ik ruik alcohol en knoflook in haar adem. 'Jouw nicht heeft mijn dochter verleid! Ze heeft mijn prachtige dochter in koelen bloede vermoord, en dan laten ze jou in het huis? Ze laten je knoeien met het bewijs!'

Ze pakt me met een ijzeren grip bij mijn arm. De tranen stromen uit haar bloeddoorlopen ogen en over haar vlekkerige, opgezette gezicht.

'Heb je enig idee wat mijn advocaten zullen doen met jullie, met Lucy Farinelli, met de hele rotzooi?' gilt ze, en ze begint onbeheerst te huilen.

43

Ik voel mijn been als ik alleen in de SUV zit die Jen Garate voor me heeft achtergelaten. De pijn dringt door tot in het bot en klopt op het ritme van de regen die langzaam op het dak valt en langs de ramen glijdt.

Het is een witte Ford Explorer met het donkerblauwe logo van het CFC, de weegschaal van het recht en de esculaap, die symboliseren waar ik voor sta en voor moet vechten, wat ik heb gezworen te verdedigen en nooit geweld aan te doen. Gerechtigheid en geen kwaad doen. Maar er is geen gerechtigheid meer. En ik wil iemand kwaad doen. Als ik een leugendetectortest zou moeten ondergaan, zou ik ervoor zakken als ik zei dat ik Carrie Grethen niet dood wilde hebben. Ik wil dat wel. Ik wil dat ze hoe dan ook voorgoed onschadelijk wordt gemaakt. Mijn blik schiet voortdurend heen en weer. De hele dag al staan mijn zenuwen strakgespannen en bonst mijn hart als een razende. Ik kijk voortdurend in mijn spiegels en mijn Rohrbaugh ligt op mijn schoot. Ik wacht. En de vragen blijven maar komen.

Misschien maakt het deel uit van het masterplan dat ik nu in deze auto rijd. Misschien was dat van tevoren voorzien, net als dat ik vanmorgen de truck zou kiezen, en ik houd er rekening mee dat er ook met de SUV is geknoeid. Straks raakt hij onbestuurbaar op de snelweg of ontploft hij. Misschien is dat wat er nu staat te gebeuren en is mijn tijd op deze planeet voorbij. Ik ben nergens meer zeker van, en zeker niet van de loop of voortgang van de gebeurtenissen of wiens verantwoordelijkheid dat is. Is dit de bedoeling? Is het voorbeschikt? Of voelt het alleen zo? Zit Carrie erachter, of iemand anders?

Twijfel niet aan jezelf.

Dan denk ik aan Lucy en de stress bereikt een piek, zodat er kortsluiting ontstaat. Wat kunnen we nog geloven? Wat is de waarheid? Wie zal het zeggen? Ik weet niet wat er verder nog in scène is gezet en welke akelige verrassingen me nog meer te wachten staan terwijl ik uitkijk naar Marino en Benton. Ze zijn nog in het huis, met een moeder die gek is geworden van verdriet en woede. Ze heeft genoeg macht en geld om me alle problemen te bezorgen die ze maar wil. Als ik afga op haar gedrag, zal ze dat ook zeker proberen, en haar beschuldigingen klinken na in mijn hoofd, als een dissonant koor dat niet wil ophouden.

Wie heeft haar het idee gegeven dat Lucy haar dochter verleid en vermoord heeft? Waarom zou Amanda Gilbert überhaupt over mijn nichtje beginnen? Waarom zou een filmproducer uit Hollywood ooit van haar hebben gehoord? Tenzij Lucy en Chanel elkaar inderdaad kenden, maar dat lijkt ook vreemd. Waarom zou Lucy Chanel kennen als Chanel een spion was? Waarom hebben ze elkaar getroffen op Bermuda? Ik herinner me dat Lucy zei dat degene die ze daar had ontmoet een vriendin van Janet was. Dus misschien kende Chanel Gilbert Janet eerst.

Ik weet niet goed wat dat kan betekenen. Maar ik twijfel er niet aan dat iemand de moeder reden heeft gegeven te geloven dat ik met het bewijs zou kunnen knoeien. Ik hoef niet lang na te denken om erachter te komen wie die iemand is. Erin Loria zit achter Lucy aan. Ik kan me best voorstellen dat de agressieve, zelfingenomen FBI-agent met haar zuidelijke afkomst en accent Amanda Gilbert heeft gebeld en haar allerlei propaganda, misvattingen en regelrechte leugens heeft opgedist. Maar waarom precies? Om ervoor te zorgen dat we een rechtszaak aan onze broek krijgen? Om Lucy erin te luizen en mij te laten ontslaan? Om ons tegen elkaar op te zetten en dan toe te kijken hoe we elkaar kapotmaken? Wat is de echte bedoeling van Erin Loria?

Ik betwijfel ten zeerste of het iets van doen heeft met het handhaven van de wet, met haar baan. Al die vragen komen bovendrijven uit de diepe, donkere poel van wantrouwen in mijn ziel. Ik weet niet meer wie me de waarheid vertelt. Zelfs mijn eigen man kan ik niet meer vertrouwen, mijn hele familie eigenlijk niet. Ik zet de blower harder om de ruiten schoon te houden. Gelukkig regent het al veel minder en waait het niet meer zo hard. Het onweer trekt zich in de verte terug. Ik kan het amper meer horen, en in het zuiden breekt de lucht en worden de wolken minder hoog, zoals altijd wanneer het natuurgeweld over zijn hoogtepunt is.

Ik blijf de omgeving in de gaten houden terwijl ik kort mijn e-mails en berichten bekijk. Als mijn telefoon gaat, besef ik hoe snel ik tegenwoordig schrik. Ik ben hyperalert en schichtig. Ik herken het nummer van de beller, maar het verbaast me.

'Scarpetta,' zeg ik.

'Ik vind het erg om te moeten beginnen met: dit geloof je nooit.' Ernie steekt meteen van wal.

'Waarom bel je vanuit het vuurwapenlab?' vraag ik.

'Daar kom ik zo op, maar eerst het belangrijkste,' zegt hij. 'Het metamateriaal dat je hebt laten binnenbrengen, kan afkomstig zijn van Lucy's camerasysteem, waarvan ik vermoed dat het zó uit *Star Trek* zou kunnen komen.'

'Ik heb het haar gevraagd en ze zei dat het daar niet van was,' antwoord ik meteen.

'Niet dat ik ooit zoiets heb gezien in relatie tot een bewakingssysteem,' zegt hij.

'Lucy heeft me gezegd dat ze het metamateriaal nooit eerder gezien had, maar dat ze vermoedde dat het kwarts of calciet zou kunnen zijn.'

'Dat klopt,' beaamt hij. 'Het is een calciet van zeer hoge kwaliteit, dat wordt gebruikt voor geavanceerde optische instrumenten, bijvoorbeeld in cameralenzen, microscopen en telescopen. Maar de zeskantige vorm is heel vreemd.'

'Dus we weten niet waar het metamateriaal vandaan kan komen als we geen mogelijke bron vinden die vergelijkingsmateriaal kan opleveren.'

'Precies,' antwoordt hij. 'En dat brengt me bij je bizonvezel. Je wilt natuurlijk weten waar die vandaan komt, want hij is beslist heel oud en interessant.'

'Zei je bizonvezel?'

'Als in "Home on the Range" en muntjes van vijf dollarcent uit de tijd van mijn grootvader.'

'Hebben bizons vezels?'

'Net als schapen. Voor de eenvoud zal ik de vondst een haar noemen. Maar technisch is het een vezel, en het is de eerste keer dat ik deze match tegenkom in mijn dierendatabase,' zegt hij trots en bijna met genegenheid. 'Daar heb ik dus niet voor niets al die jaren aan gewerkt. Je wacht altijd op die ene keer dat er zoiets vreemds opduikt...'

'Bizons zijn niet bepaald inheems voor deze streek.' Ik kijk recht voor me uit naar een zwarte SUV die achteruitrijdend over de oprit op me af komt.

Geen arrestatieteam, denk ik. Hij ziet er eerder uit als een soort limousine.

'Als we het in de context bekijken, Kay, denk ik dat die haar heel oud is,' zegt Ernie. 'Hij komt mogelijk van een bizonhuid of een kleed of kledingstuk dat van bizonhuid is gemaakt, iets wat binnen bewaard wordt of vroeger binnen bewaard werd. Het huis in Cambridge waar je truck geparkeerd stond toen je die stofvlok en de pijl vond, is heel oud.'

'Ja, meer dan driehonderd jaar.' Mijn volledige aandacht is bij de SUV, een Cadillac Escalade met donkergetinte ramen en een kenteken van een verhuurbedrijf.

Langzaam rijdt hij achteruit op me af, met horten en stoten en fel oplichtende achterlichten, terwijl Ernie me vertelt dat hij een beetje heeft rondgeneusd. Hij heeft wat zitten graven, zoals hij het zegt, en hij herinnert me er voor de honderdste keer aan dat hij archeoloog had moeten worden.

'Wat heb je opgegraven?' Mijn blik is gericht op de naderende zwarte SUV.

'Dat het huis van de Gilberts is gebouwd door een rijke Engelsman die eigenaar was van een scheepvaartmaatschappij,' zegt hij. 'Volgens mijn informatie was het vroeger een behoorlijk groot landgoed, in de tijd dat Cambridge nog tot het platteland behoorde en er niet veel meer was dan een kleine school die Harvard heette. Oorspronkelijk omvatte het een rokerij, een gastenhuis, een keuken en een onderkomen voor de bedienden, en in een van de artikelen stond dat er 's winters koeien in de kelder werden gehouden. Die lieten ze dan buiten om te grazen en daarna gingen ze terug naar de ingebouwde stallen.'

'Je kunt je voorstellen wat voor sporenmateriaal je op zo'n plek zou vinden.' Ik zie waar hij heen wil.

'Sporen als het stukje Venetiaans glas, dat deel zou kunnen zijn van een handelskraal,' zegt hij. 'Dat zou passen bij de scheepvaartmaatschappij. Evenals bont.'

Maar waar kunnen dergelijke alledaagse, maar kwetsbare objecten zo lang en buiten het zicht bewaard zijn gebleven? Ik heb hier nog niets gezien wat een soort tijdcapsule zou kunnen vormen. Het huis is in de loop der eeuwen meermalen gerenoveerd en uitgebouwd, en de bijgebouwen zijn verdwenen. Er is niet veel meer van over dan kapotte stenen onder een heg in de achtertuin, zoals ik door het raam heb gezien. Dan dendert de FBI-helikopter weer door mijn hoofd en denk ik aan wat Lucy zei over de bodemradar. De FBI zocht Lucy's terrein af naar dingen die ze begraven zou kunnen hebben. Misschien kunnen ze beter hier zoeken.

Ik verdring de impuls om uit de SUV te stappen en rond te kijken. Benton en Marino kunnen elk moment naar buiten komen. Het zou niet verstandig zijn om alleen over het terrein te gaan dwalen, en ik blijf zitten met de portieren op slot terwijl Ernie me vertelt wat hij te weten is gekomen over de vroege Amerikaanse bonthandel. Hij zegt dat de vezels die onder de ondervacht van een bizon zitten kunnen worden gesponnen, zodat je een stof krijgt die lijkt op kasjmier, en dat is een van de redenen waarom de huiden tot het eind van de negentiende eeuw een populair exportartikel waren.

'Het komt erop neer,' voegt hij eraan toe terwijl ik de Escalade langzaam dichterbij zie komen, met horten en stoten alsof er iets mis is met de bestuurder, 'dat alles wat we vinden dezelfde context lijkt te hebben.'

Het water spat om de grote banden en vormt druppels op de glanzend zwarte carrosserie. De ruitenwissers staan niet aan en de achterruit is beslagen, dus ik begrijp niet hoe de bestuurder iets kan zien. Ik sta op het punt uit mijn SUV te springen als de Escalade een paar centimeter van mijn voorbumper blijft staan. Hij sluit me in, hoewel ik hier overduidelijk niet zomaar geparkeerd sta. Mijn motor draait en mijn lichten zijn aan. Om het nog maar niet te hebben over het feit dat ik in de wagen zit.

Ik blijf de Escalade in het oog houden, wachtend tot er iemand uitstapt.

Dat gebeurt niet. Het portier gaat niet open en ik kom tot de conclusie dat het de limousine van Amanda Gilbert is. Misschien heeft hij haar afgezet en is hij toen om een of andere reden weggereden. Nu is hij terug.

'Waar heb je die bizonvezel precies gevonden?' vraag ik aan Ernie.

'Op de bevedering van de pijl,' antwoordt hij. 'In dat blond geverfde haar.'

'Menselijk?'

'Zoals je al vermoedde, helaas, want het suggereert niets goeds. Het haar zit vol met lijm, dus je kunt je voorstellen wat er allemaal aan vastzit,' antwoordt hij. 'Ik kan niet zeggen van wie het haar afkomstig is. Hopelijk wordt dat snel duidelijk via het DNA. Maar we kunnen het natuurlijk hebben over het DNA van een van onze vroege voorouders. Ik neem aan dat het weefsel en het haar heel oud zouden kunnen zijn.'

'Dat zijn ze niet. Het stukje scalp is gedroogd, maar niet gemummificeerd, en er hing een lichte ontbindingsgeur aan. Ik denk dat het ergens op een redelijk koele en droge plek is bewaard, maar dat het relatief vers is.'

'Hoe vers?'

'Dagen oud. Misschien weken,' zeg ik. 'Het hangt ervan af waar het is bewaard nadat het is verwijderd.'

'Postmortaal? Dat hoop ik tenminste wel. Maar haar kennende zal ze dat lang niet zo leuk hebben gevonden.'

Ernie heeft gereedschaps- en andere sporen onderzocht die Carrie Grethen volgens ons heeft achtergelaten bij het plegen van gewelddaden, waaronder het laatste jaar minstens zes moorden. Hij weet waartoe ze in staat is. Hij twijfelt niet aan haar bestaan. Voor hem is het niet handig of politiek voordelig om haar misdaden in Lucy's schoenen te schuiven. Hij voelt zich niet gedwongen een strijd met Carrie aan te gaan die we alleen maar kunnen verliezen, en ik ben bang dat dat nu is gebeurd. Wat zij in beweging heeft gezet, is misschien al te ver gegaan om er iets tegen te doen.

Non fare i patti con il diavolo. Non stuzzicare il can che dorme.

'Op dit moment kan ik niet met zekerheid zeggen dat het na de dood is gebeurd,' zeg ik tegen Ernie.

Sluit geen pact met de duivel. Maak geen slapende honden wakker, zei mijn vader altijd.

'Het is mogelijk dat het slachtoffer nog leeft,' leg ik uit. 'Je hoeft er niet aan dood te gaan als je gedeeltelijk gescalpeerd wordt.'

'Dus ze heeft nog iemand uit de weg geruimd of gaat dat doen,' antwoordt Ernie.

'Het gaat niet om het elimineren van mensen omdat dat goed uitkomt.' Ik voel de haat in dat diepe, donkere hoekje van mijn ziel. 'Daar gaat het bij haar nooit om, ook al schiet ze iemand op een afstand van anderhalve kilometer dood. Het gaat om macht en overheersing. Het gaat erom haar onverzadigbare behoeften te bevredigen, die onvermijdelijk diepe pijn en verwoesting betekenen voor iedereen die op haar pad komt.'

'Ik hoop maar dat ze niemand gevangenhoudt en martelt,' zegt Ernie dan.

Als ze de kans krijgt, vindt Carrie het leuk om in mensen te snijden. Als ze in de stemming is, wacht ze niet tot haar slachtoffer dood is voordat ze aan de slag gaat met een scherp mes of een geslepen beitel, zoals ik een keer heb meegemaakt. Het is maar net wie of wat tot haar verbeelding spreekt, en ze kan heel impulsief zijn. Benton zegt dat ze grillig kan zijn, maar zo'n vriendelijk woord zou ik voor iemand als zij niet gebruiken. Maar ze is wel zo glad als paling in een emmer snot, zoals ik het een keer heb horen omschrijven.

Als Carrie één gebrek heeft dat haar fataal kan worden, is het haar emotionaliteit. Ze weet van geen ophouden. Als we afgaan op haar voorgeschiedenis, kan het jaren duren voor de grond haar weer te heet onder de voeten wordt en ze verdwijnt of ons laat denken dat ze dood is.

'Als ik dat weefsel onder de microscoop kan bekijken,' zeg ik tegen Ernie, 'zou ik moeten kunnen bepalen of er een vitale reactie was. Dan zou ik met zekerheid moeten kunnen zeggen of de verwonding postmortaal is of niet.'

'Enig idee wie ze te grazen kan hebben genomen?'

'Wie het ook is, ze daagt ons uit,' antwoord ik, en ik moet af en toe aan de jongen denken.

Wat is er gebeurd met Troy Rosado? Wat heeft Carrie met hem gedaan nadat ze zijn vader had vermoord door de politicus vanaf zijn eigen jacht dood te schieten terwijl hij in het water wachtte tot hij kon gaan duiken? Ik zeg tegen Ernie dat hij het DNA-lab op de hoogte moet stellen van mijn sombere vermoeden. Het zou net iets voor Carrie zijn om een getroebleerde tiener als partner te nemen en hem over te halen te doen wat zij wil. Om hem naderhand op haar geheel eigen manier te bedanken. Op gruwelijke wijze, dus.

'Wat weet je over de lijm op de pijl?' Mijn woede nadert het kookpunt. 'Hebben we daar al een chemische analyse van? Is het iets bijzonders?'

'Cyanoacrylaat, gewone secondelijm, dus.'

'Verder nog iets?'

'Tot dusver is het qua sporenonderzoek net een bouillabaisse.' Ernie vertelt opgewekt over alle afval die je in het leven tegenkomt en die hij ziet als een schat. 'Haren van runderen, en ik geloof dat ik al gezegd heb dat mensen koeien in de kelder hielden. En haren van herten, wat niet ongewoon is. Ik heb bovendien wol, katoenpluksel en andere natuurlijke vezels ontdekt, en daarnaast nog stuifmeel en stukjes van kakkerlakken en krekels. En kaliumnitraat oftewel salpeter, zwavel, koolstof en sporen van ijzer, koper en lood, waarvan alles zo'n beetje is doordrongen,' zegt hij, en nu begrijp ik wat hij in het vuurwapenlab doet.

Salpeter, zwavel en koolstof zijn de basisbestanddelen van buskruit. In het bijzonder zwart buskruit.

'Wat echt vreemd is, zijn piepkleine bolletjes van een metaal dat op een gegeven moment gesmolten is geweest,' zegt Ernie. 'Van die bolletjes die je vaak ziet op de huid, vooral rond brandwonden na elektrocutie.'

'Maakt het misschien deel uit van kruitsporen?' Ik denk aan de korrel die ik heb gezien en die eruitzag als een zwarte suikerkristal.

'Het gesmolten metaal is koper, en het staat naar mijn mening niet in verband met kruitresten. Zoals ik al zei, associeer ik het met brandwonden die we zien bij dodelijke elektrocutie. Ik zet je op de luidspreker,' zegt Ernie. 'Dan kan de echte wapengek een duit in het zakje doen.'

'Je weet zeker dat het geen kruitresten zijn, een mengsel van verbrand en onverbrand kruit, wat we vaak zien bij schietincidenten?' Ik stel mijn vraag in andere bewoordingen. 'Met andere woorden: kan het residu van iets moderns afkomstig zijn? Is er een krankzinnige reden waarom zich kruitsporen in mijn truck bevonden kunnen hebben? En is dat dan misschien de reden waarom jullie het aantreffen in het lab?'

'Ik zou zeggen van niet. Daar kan ik categorisch in zijn.' Nu is niet Ernie aan het woord. 'Niemand heeft schonere voertuigen dan wij, en als het zwarte buskruit in kwestie verbrand was, zou het heel fragiel zijn. Grote kans dat we het dan niet zouden vinden.'

De diepe stem met het accent uit het middenwesten behoort toe aan Jim, het hoofd van het vuurwapenlab.

'Verbrand zwart kruit is buitengewoon corrosief,' legt hij uit. 'Vooral in combinatie met vocht, bijvoorbeeld condensatie die zich vormt als een geweerloop afkoelt. Er ontstaat een chemische reactie waarbij zwavelzuur wordt gevormd, en als je dat niet weet en je wapen niet meteen schoonmaakt nadat je met zwart buskruit hebt geschoten, dan is de loop meteen onherstelbaar aangetast. En dan heb ik het over uren. Wat we hier hebben, is geen verbrand buskruit. Het zijn zeker geen kruitresten.'

Onverbrand zwart buskruit kan, in tegenstelling tot verbrand zwart buskruit, oneindig goed blijven als het veilig in een verlaten arsenaal ligt of door roestvorming is verzegeld in een oud wapen, en Jim en Ernie denken dat we daarmee te maken hebben. Onverbrand kruit dat wel honderden jaren oud zou kunnen zijn. Ik denk aan de verhalen die ik heb gehoord over antieke vuurwapens vol munitie, waarvan mensen denken dat ze niet meer werken tot ze per ongeluk afgaan.

'Hoeveel kanonskogels heb je niet gebruikt zien worden als deurstopper of aan hekken zien hangen, vooral toen je in Virginia woonde?' zegt Jim.

'Als ik voor elk exemplaar een dollar zou krijgen, was ik nu rijk,' antwoord ik.

'De meeste mensen hebben geen idee dat een kanonskogel uit de Amerikaanse Revolutie of de Burgeroorlog nog steeds kan exploderen en dat ze hun huis in feite versieren met een bom.'

'Kan het zwarte buskruit hedendaags zijn?' Ik stel de vraag nog eens, omdat het antwoord van groot belang is. 'Is dat ook maar enigszins mogelijk? Hoe kunnen we er zeker van zijn dat iemand het niet gebruikt om een explosief te maken?'

'Zwart buskruit is geen speelgoed,' zegt Jim. 'Het zou heel onpraktisch en gevaarlijk zijn om het voor een bom te gebruiken.'

'Dat geldt overal voor. Het hangt er maar van af over wie je het hebt.'

'Hoor eens, ik ben de eerste die zal zeggen dat we niet te lichtvaardig moeten denken over een potentiële ramp. Veiligheid voor alles. Zeker, de persoon over wie we het hebben, kan zelf zwart kruit maken. Ik deed het ook toen ik klein was; de garage was een waar scheikundelab. Het is een wonder dat ik oud genoeg ben geworden om te mogen stemmen en drank te mogen kopen.'

'De persoon over wie ik me zorgen maak, maakt misschien zelf haar wapens en haar patronen,' zeg ik tegen hem en Ernie. 'Dan kunnen er sporen van kruit, lood, ijzer en koper te vinden zijn in haar werkplaats en mogelijk ook elders. Daarom vraag ik of we er absoluut zeker van zijn dat het zwarte buskruit oud is en niet van een plek komt waar iemand een massavernietigingswapen zou kunnen maken.'

'Mijn persoonlijke mening is dat het een overblijfsel is uit dezelfde tijd als het andere sporenmateriaal.' Het is Ernie die het zegt, en ik graaf in mijn geheugen.

44

Ik kan me niet herinneren dat ik ooit zwart buskruit heb gezien in werkplaatsen die Lucy's eigendom waren of waarin ze heeft gewerkt. Ik herinner me ook niet dat ik de moderne variant Pyrodex heb gezien.

Mijn nichtje heeft zich altijd beziggehouden met hoogstaande technologie en knoeit al met elektronica en apparaten sinds ze kan lopen. Schieten met een vuursteengeweer of voorlader is niet aan haar besteed. Ze heeft nooit veel belangstelling gehad voor oude dingen. Ze las liever een boek over natuurkunde dan over geschiedenis. Ze verzamelt geen antiek en is niet bijzonder sentimenteel over het verleden.

Lucy herlaadt haar eigen patronen en doet dat al bijna zo lang als ze met haar prachtige wapens schiet. Ik heb altijd benadrukt dat veiligheid voor alles gaat en ik zou er zeer ongelukkig mee zijn als Lucy met zwart buskruit zou werken. Het vat snel vlam, het is hoogst onvoorspelbaar, en ik heb genoeg zaken onderzocht waarbij iemand had besloten een vuile bom te maken en vervolgens in zware plastic zakken in het mortuarium arriveerde. Ik weet nog hoe verbaasd ik in het beginstadium van mijn carrière was dat het eerste probleem bij dergelijke gevallen was om vast te stellen wie de bommenleggers waren en wie de slachtoffers.

Het was niet altijd meteen duidelijk of de ontweide lichamen zonder handen of hoofd die ik moest onderzoeken het gevolg waren van een wreed complot dat bijna letterlijk samen met de bedenker in rook was opgegaan. Af en toe straft het kwaad zichzelf. Dat zal ik niet hardop zeggen. Maar ik denk het wel.

'Hoeveel korrels heb je gevonden?' vraag ik aan Ernie, terwijl ik me afvraag of Carrie weet wat we ontdekt hebben.

Zijn deze sporen met opzet door haar achtergelaten? Dat zou

namelijk kunnen. Het zou heel goed kunnen. En zo ja, tot welke gevolgtrekkingen hoopt ze dat we zullen komen en wat hoopt ze dat we zullen doen? Ik wil me niet met haar inlaten. Ik wil niet naar haar pijpen dansen, maar ik doe het zelfs terwijl ik mezelf voorhoud dat ik me teweer moet stellen. Ik had er niet mee moeten beginnen, maar dat heb ik wel gedaan, en de timing is niet aan mij. De choreografie is niet van mij. Ik ben niet uitgenodigd. Ik ben ingelijfd en gemanipuleerd. Maar dat maakt op dit punt niet meer uit.

I fatti contano più delle parole. Nog iets wat mijn vader altijd zei.

'Vijf,' zegt Ernie in antwoord op mijn vraag. 'Twee in de stofvlok en drie in de bevedering, het geverfde mensenhaar dat aan de pijl was gelijmd. En trouwens, Jim moest weg voor een getuigenverklaring. Hij zei dat ik moest bellen als er nog iets anders was.'

Daden zeggen meer dan woorden. Dat bewijs ik terwijl ik hier zit. Als ik niet wilde meespelen, had ik uren geleden al terug moeten gaan naar het lab. Maar zo zit ik niet in elkaar, en dat weet Carrie.

'Ik heb je net een paar foto's gestuurd,' zegt Ernie.

'Wacht even.' Ik log in op de laptop die in de middenconsole is ingebouwd.

Ik open de beelden die Ernie heeft gestuurd; honderd keer vergroot zien de korrels zwart buskruit eruit als afgebrokkelde stukjes kool, zwart en onregelmatig. Vijfhonderd keer vergroot lijken ze wel meteorieten, groot genoeg om een ruimtevaartuig op te laten landen, ruw en getand en uiterst onregelmatig van vorm. Ze zitten tussen ander afval, dingen die eruitzien als dikke kabels en touwen en kristallen in felle kleuren. Vuil is alleen vuil als je het niet van dichtbij bekijkt. Onder een vergrootglas verandert het in een verwoeste wereld vol kapotte gebouwen en woningen en de uit elkaar vallende overblijfselen van voorbije levens van bacteriën, kevers en mensen.

'Nou, het ziet er beslist niet uit als rookzwak kruit, en het lijkt helemaal niet op enig gefabriceerd voortstuwingsmiddel dat ik ooit heb gezien.' Ik sla de foto's op in een map. 'Zulke korrels kunnen allerlei vormen en afmetingen hebben, maar ze zijn wel uniform en komen niet voor in de natuur. Ze lijken helemaal niet op wat je me hier laat zien. Toch moet ik het nog eens vragen, Ernie. Oud of nieuw? Stel dat iemand zwart buskruit aan het maken is? Zou dat er hetzelfde uitzien als eeuwen geleden?'

'Ze zou het zelf kunnen maken,' zegt hij terwijl ik de voordeur van het huis open zie gaan. 'Eigen fabricaat, natuurlijk is dat mogelijk. Jim zegt dat de meeste mensen die zich tegenwoordig nog met zwart buskruit bezighouden doe-het-zelvers zijn. Het is zo riskant als wat, maar niet heel moeilijk. Alleen salpeter, zwavel en koolstof en een paar scheutjes water en voilà, je hebt een cake gebakken. Maar ik zeg er altijd bij: probeer dit niet thuis.'

De eerste die op de veranda verschijnt is Amanda Gilbert, en een diep gevoel van naderend onheil dendert als een aardbeving door me heen.

'Als het droog is, breek je het in stukjes en duw je het door een zeef of een vergiet, wat je maar in de keuken hebt.' Ernie gaat verder met zijn dodelijke kookles terwijl mijn gedachten steeds op Carrie Grethen blijven botsen.

Wat zou het wreed en sluw zijn als ze haar toevlucht nam tot een simpele bom van zwart buskruit met een vernietigende lading van kogellagers en spijkers. Ik word veel liever neergeschoten. En de meeste mensen zouden mijn voorkeur delen. De gedachte aan zo'n gruwelijke dood zou Carrie ongetwijfeld amuseren. Of misschien wil ze ons verminken en kwellen, ons terroriseren, ons langzaam uit elkaar scheuren, hier een stukje van een ledemaat, daar een stukje scalp.

Ik zie Amanda Gilbert, Benton en Marino staan praten op de voorveranda terwijl Ernie me vertelt over andere microscopische fragmenten die hij belangrijk vindt. Het is mogelijk dat het zwarte buskruit ooit is opgeslagen in eiken vaten, is zijn conclusie. Het zou afkomstig kunnen zijn uit de Amerikaanse Revolutie of de Burgeroorlog. Tenzij iemand het zelf heeft gemaakt. Het zwarte kruit dat Ernie heeft gevonden, kan niet nieuw zijn. Hij is er heel zeker van dat het dat niet is, maar ik schort mijn oordeel op. Als ik op deze dag ergens bij stilsta, is het wel dat ik heel voorzichtig moet zijn met mijn oordeel.

'Ik denk aan een bijgebouw of een kelder.' Hij wil weer weten of we overal gezocht hebben. 'Het is heel veelzeggend dat ik nog niets heb gevonden wat in de moderne tijd thuishoort. Niets synthetisch bijvoorbeeld, zoals polyester- of nylonvezels.'

'We hebben in de kelder gekeken.' Ik kijk door het zijraampje naar Amanda Gilbert, die op de voorveranda met Marino staat te redetwisten. 'Hij is leeg en schoon. Hij is niet afgesloten of verzegeld. Je kunt erin komen via luiken die zich in de tuin bevinden.'

'Het zou een plek kunnen zijn die vroeger dienstdeed als wapenkamer en later voor iets anders is gebruikt,' oppert Ernie. 'Houd dat maar in gedachten als je rondkijkt.'

Amanda Gilbert, Benton en Marino lopen in de lichte, maar gestaag vallende regen de trap af. Ik zeg tegen Ernie dat ik moet ophangen als de chauffeur uit de Escalade stapt, een mannetje met half dichtgeknepen ogen en enorme oren onder zijn uniformpet.

Ik zie hoe hij het achterportier opent voor Amanda Gilbert en nu verbaas ik me niet meer over zijn grillige, hortende rijstijl van zo-even. Marino en Benton stappen bij mij in de SUV en uiteraard gaat Marino meteen voorin zitten. Zonder iets te vragen. Ik rijd achter de Escalade aan, maar houd afstand.

'Wat is er binnen gebeurd?' Ik rijd langzaam over de bakstenen, die onder water staan.

'Ze is spinnijdig.' Marino klopt op zijn zakken, zoals hij altijd doet als hij een sigaret moet hebben. 'Dat is er gebeurd. Ze daagt ons waarschijnlijk stuk voor stuk voor de rechter.'

'Ik kan en zal je het volgende vertellen,' zegt Benton achter me terwijl we langs andere oude huizen rijden, waarin Chanel Gilberts rijke buren uit vooraanstaande families wonen.

Maar voordat hij verder kan gaan, val ik hem in de rede. 'Heeft Amanda jullie verteld waarom ze denkt dat Lucy iets te maken heeft met de moord op Chanel?'

'Misschien is dat de reden waarom de FBI een inval heeft gedaan bij Lucy.' Marino zit scheef op zijn stoel, zodat hij naar me kan kijken terwijl we praten, en ik moet hem als altijd vertellen dat hij zijn gordel om moet doen. 'Met andere woorden, Erin Loria is de adder onder het gras. Maar wat ik niet snap, is hoe ze er zo snel van geweten kan hebben. Die klootzakken bij jullie hadden een heli in de lucht voordat wij zelfs maar wisten dat het moord was.' Dit is tegen Benton gericht.

'Je hebt gelijk. We wisten niets van de moord, maar wel van de relatie,' antwoordt Benton.

'De relatie tussen wie?' Ik breng de SUV bij Brattle Street tot stilstand.

'We hebben bewakingsbeelden van de luchthavens die Lucy heeft gebruikt bij haar reisje naar Bermuda. We weten wanneer ze daar geland is en wanneer ze naar Boston is teruggekeerd. We weten dat Chanel Gilbert bij haar in de privéjet zat.'

'Wat krijgen we verdomme nou?' Ik kijk hem via mijn achteruitkijkspiegel recht in de ogen. 'Heeft Lucy Chanel van Bermuda hierheen gevlogen?'

'Ja.'

'Weet je dat absoluut zeker?'

'Chanel Gilbert stond op de passagierslijst, Kay,' zegt hij. 'En toen de agenten op Logan het vliegtuig binnengingen, hebben ze de paspoorten gecontroleerd, zoals je zou verwachten. Er bestaat geen twijfel aan de identiteit van de vrouw in Lucy's toestel.'

'Integendeel, volgens mij zijn er heel wat twijfels over wie erin zat.' Ik concentreer me op het rijden en vermijd zorgvuldig diepe plassen en grote, afgerukte takken.

Ik probeer niet toe te geven aan mijn gevoelens. Het is al erg genoeg dat Lucy Chanel op Bermuda ontmoet kan hebben. Maar als Lucy haar naar Boston heeft gevlogen, wordt ze waarschijnlijk ook verdacht van de moord. Het zou iets kunnen verklaren van wat er vandaag is gebeurd. Maar ik geloof niet dat het alles verklaart.

'Zijn we er absoluut zeker van dat Chanel in het vliegtuig zat?' vraag ik nogmaals. 'In tegenstelling tot iemand die deed alsof ze Chanel was? Of misschien moet ik me afvragen of iemand de identiteit van Chanel Gilbert had overgenomen. Wie is er in godsnaam vermoord als zij het niet was?'

'We zijn zeker van haar identiteit,' zegt Benton, maar dat is geen antwoord.

Hij mag zeker zijn van haar identiteit, dat betekent niet dat hij ons de waarheid daarover vertelt.

‘Werkte ze voor jullie?’ vraag ik recht op de man af. ‘Was ze een undercoveragent van de FBI?’

‘Niet van ons. Maar ze werkte wel met ons mee.’

‘Ik krijg het gevoel dat ze zich niet alleen met fotografie heeft beziggehouden nadat ze de marine had verlaten,’ zeg ik droog en een beetje scherp. ‘Maar ze kan heel goed aan PTSS hebben geleden. Ik kan me voorstellen dat het enorm veel stress oplevert om voor een inlichtingendienst als de CIA te werken. Wanneer hebben zij en Lucy samen in het vliegtuig gezeten?’

‘Ze zijn eergisteren, op woensdag dus, op Logan geland,’ zegt Benton.

‘Ik neem aan dat je naast de passagierslijst ook de catering hebt gecontroleerd,’ zeg ik.

‘Waarom vraag je dat?’

‘Weet je wat Lucy had besteld voor haar gast?’

‘Een roerbakgerecht met garnalen en zilvervliesrijst.’ Hij kijkt me nog steeds strak aan via de spiegel. ‘Naast de gebruikelijke dingen die je bij Lucy aan boord kunt verwachten. Noten, rauwe groenten, hummus, tofu. Haar vaste bestelling.’

‘Heeft iemand koude chinees gegeten? Niet dat ik dat niet duizenden keren heb gedaan, meteen uit het bakje,’ zegt Marino en ik ga langzamer rijden als het water tegen de onderkant van de SUV slaat. ‘Maar niet in een privévliegtuig. Lucy heeft geen grote keuken en ze weigert een steward mee te nemen. Een roerbakgerecht lijkt dus een vreemde keus.’

‘Chanels maaginhoud wijst uit dat ze garnalen, rijst en groenten heeft gegeten, maar de timing klopt niet,’ antwoord ik. ‘Het maal was nog maar amper verteerd. Ze heeft het zeker niet gegeten tijdens de korte vlucht van Bermuda naar Boston. Maar ik vraag me af of ze het mee naar huis heeft genomen voor later. Als ze al maanden niet thuis was geweest, zoals haar moeder beweert, zal er niets in de koelkast hebben gezeten, niets om te eten, tenminste.’

‘En dat hebben we ook gezien toen we de keuken doorzochten,’ beaamt Marino.

‘Er was alleen vers sap, en we kunnen er niet van uitgaan dat dat van haar was. Ik vermoed eigenlijk dat het niet zo was,’ antwoord ik. ‘Hoe laat is Lucy op Logan geland?’

'Kort na enen,' zegt Benton. 'En je hebt gelijk. Chanel heeft niet aan boord gegeten. De piloten herinneren zich dat ze iets te eten heeft meegenomen. Ze moesten een tasje voor haar zoeken.'

'Je hebt met de piloten gepraat.' Ik ga door op wat hij net heeft gezegd en hij zwijgt even, alsof hij moet nagaan welke informatie hij wel en niet wil delen.

Dan zegt hij: 'Ja.'

'Ik vraag me af wat je ertoe bracht dat te doen, Benton. Wat hoopte je te ontdekken? Heb je de piloten gevraagd naar Chanel Gilbert? Of gingen je vragen over Lucy en waar de douane op uit was toen haar toestel na de landing op Logan werd doorzocht?'

'Het was de douane niet. Het was de DEA.'

'Aha. Nou, het verhaal wordt steeds stuitender. Laat me raden. De DEA is komen opdagen omdat werd vermoed dat Lucy een manier had gevonden om Janets stervende zus van medicinale marihuana te voorzien?'

'Het lijkt erop dat Lucy het misschien van Chanel Gilbert kreeg.'

'Hoe is het dan in een oude houten doos in de kast terechtgekomen?' vraagt Marino. 'Wie heeft het daarin gedaan als Chanel hier sinds het voorjaar niet meer is geweest?'

'Het voorjaar was ongeveer de tijd dat Lucy en Janet beseften dat ze iets moesten hebben om Natalie te helpen. Wat jullie hebben gevonden, kan sinds die tijd in de houten doos hebben gezeten,' zegt Benton. 'Verder weet ik het ook niet.'

'En dat moet verklaren hoe Janet, Lucy en Chanel elkaar kenden?' vraag ik. 'Vanwege Natalie en de marihuana?'

'Nee,' zegt Benton. 'Dat is bijzaak. De medicinale marihuana heeft niets te maken met hoe die drie elkaar hebben leren kennen, maar het bleek wel iets wat ze gemeen hadden. Inderdaad vanwege Natalie.'

Ik begin me af te vragen of Janet Lucy heeft voorgesteld aan een spion. En waarom Janet zo iemand zou kennen.

'Haar moeder zal het spul wel in Californië of daar in de buurt voor haar kopen,' zegt Marino.

'Ik denk dat Chanel heel goed in staat was zich alles te verschaffen wat ze wilde hebben,' zegt Benton. 'En mijn antwoord op jouw vraag, Kay' – hij kijkt me via de spiegel recht aan – 'luidt dat Lucy producten, zo zullen we het maar noemen, naar Virginia vervoerde. Men gelooft dat zij ze aan Natalie gaf in de maanden voor haar dood.'

'Als de FBI nu eens tijd en middelen zou besteden aan echte misdaden,' zeg ik. 'Dan zou de wereld er heel anders uitzien.'

'Gelukkig hebben ze geen wapens of smokkelwaar gevonden toen ze Lucy's vliegtuig doorzochten,' zegt Benton.

'Godverdomme,' roept Marino uit. 'Zitten die klootzakken van de FBI gewoon dingen te bedenken waarop ze haar eventueel zouden kunnen betrappen? Zo klinkt het namelijk wel.'

Daar heeft Benton geen antwoord op. Geen antwoord dat hij ons wil meedelen, tenminste. In plaats daarvan begint hij over iets wat ik al die tijd al heb vermoed. Het verbaast me niet, maar het is hard om het hem zo rechtstreeks te horen bevestigen. De FBI gelooft dat Carrie Grethen een verzinsel is, een duivels ingenieus bedenksel van Lucy *toen ze het verkeerde pad op ging*. Drukpunten. Drijfveren. Onrust in een huiselijk leven dat al geen stevig fundament heeft, en Lucy is labiel. Ze is altijd labiel geweest. *Laten we er geen doekjes om winden, Kay. Ze is een sociopaat.*

45

'Ik ben niet degene die dat zegt,' voegt Benton eraan toe, alsof dat het gemakkelijker voor me zal maken. 'Het zijn alle anderen.'

Met 'alle anderen' bedoelt hij dezelfde mensen als altijd. Zijn mensen. De FBI. Ik ben me bewust van Marino, die naast me op de passagiersstoel zit met zijn portofoon rechtop op zijn bovenbeen. Hij heeft ergens belangstelling voor opgevat en draait het volume hoger.

'Dit is zo verkeerd, en dat weet je best, Benton.' Ik blijf via de achteruitkijkspiegel naar hem kijken.

'Daar ben ik het niet mee oneens.'

Dan herinner ik hem aan het H&K-machinepistool, een vroeg model met een houten voorgreep. Ik weet nog dat het eens in mijn huis in Richmond heeft gelegen.

'Het zat in een koffertje, en ik neem aan dat je dat had opgeborgen in de wapenkluis. Je moet het op een gegeven moment aan Lucy hebben uitgeleend.' Ik vertel wat ik me vaag herinner.

'Waarom zou ik iets wat ik in een wapenkluis bewaar uitlenen aan een kind?'

'Lucy was geen kind,' antwoord ik, maar de chronologie klopt niet helemaal, en dat zit me dwars.

'Als je het hebt over de MP5K, dan moet Lucy een jaar of tien zijn geweest. Of op z'n hoogst twaalf toen hij aan mijn eenheid cadeau werd gegeven,' zegt Benton, en ik denk terug aan de tijd dat hij kwam aanzetten met dat onheilspellende koffertje, dat volgens hem rechtstreeks uit een James Bond-film kwam. 'Ik had hem op een avond toevallig bij me toen ik naar jou toe kwam. Ik heb hem toen aan je laten zien omdat het een nieuwigheid was.'

'Heb je ooit gemeld dat hij uit mijn huis was verdwenen nadat je hem in de wapenkluis had opgeborgen?'

'Ik heb hem nooit in jouw wapenkluis opgeborgen en hij is nooit van mij geweest, Kay.'

'Maar je had hem op een gegeven moment in je bezit.'

'Ik persoonlijk?' Zijn gezicht in de achteruitkijkspiegel is ondoorgrondelijk.

'Ja.'

'Eén keer maar. Heel kort, in 1990, en toen heb ik hem ook meegebracht naar jouw huis.' Hij heeft die blik in zijn ogen die verschijnt wanneer hij weet dat wat ik nu ga zeggen onjuist is.

'En uiteindelijk is hij in verband gebracht met de moord op Benazir Bhutto,' vertel ik hem, en dan word ik afgeleid door Marino's portofoon.

Een agente bevindt zich bij River Basin. Ze klinkt gespannen als ze vraagt om versterking en een rechercheur.

'En jij gelooft dat?' Bentons spiegelbeeld kijkt verbaasd. Alsof ik iets grappigs heb gezegd.

'Carrie had hem. En daarna Erin Loria. Uiteindelijk is hij in

Pakistan beland,' zeg ik tegen hem terwijl Marino zijn recente gesprekken doorneemt om een nummer te achterhalen. 'Erin Loria kan er een boel problemen mee krijgen, en ik denk dat dat een van de redenen kan zijn waarom ze Lucy erin probeert te luizen.'

'Ik weet niet van wie je die informatie hebt,' zegt Benton, 'maar het machinepistool waar jij het over hebt, was een rekwisiet dat mijn eenheid heeft gekregen als bedankje toen die filmlui in 1990 in Quantico waren om *Silence of the Lambs* op te nemen. Een paar mensen kregen wat leuke Hollywoodspeeltjes zoals pistoolmitrailleurs, handboeien en posters met gezochte mensen erop. Toen Lucy vele jaren later stage kwam lopen, zag ze de MP5K in mijn kantoor en vroeg of ze hem mocht lenen. En dat was prima, want het pistool was volkomen onschadelijk en legaal,' voegt hij eraan toe, en ik voel me heel dwaas. 'Het was een echte MP5K, maar de loop was dichtgemaakt, de trekkergroep was verwijderd en zelfs de systeemkast was doorgezaagd.'

'Is het mogelijk dat Carrie hem in handen heeft gekregen en heeft gerestaureerd, zodat er weer mee geschoten kon worden?' vraag ik terwijl Marino telefoneert.

'Ja, dat heb ik gehoord,' zegt hij tegen een andere agent. 'Wat is er aan de hand?'

'Het zou wel moeilijk zijn, maar zeker mogelijk.' Bentons blik blijft op me gericht als ik in de spiegel kijk.

'Dat zou een behoorlijk slimme zet zijn geweest, of niet soms? Iemand geeft een machinepistool aan de profilers van de FBI. En het hoofd van die afdeling leent het uit aan mijn negentienjarige nichtje. Dan steelt Carrie het en jaren later wordt het gebruikt voor een wereldschokkende misdaad, wat onze regering enorm in verlegenheid zou brengen en heel slecht zou zijn voor onze banden met andere landen als de waarheid boven tafel kwam. En dan zou het ook nog een paar carrières op de klippen laten lopen. In het bijzonder die van Erin Loria. Heb ik gelijk, Benton? Is dat van Bhutto waar?'

'Erin zou zeker kunnen denken dat het waar is. Volgens mij is het op dit moment onzeker of het bluf is of een voorbeeld van knoeien met de gegevens. In beide gevallen heb je gelijk. Als het bekend werd, zou er een enorm probleem zijn met de perceptie.'

Gegevensvervalsing.

'We moeten het hier later verder over hebben,' zegt hij.

'Zoals het nu gaat, komt er misschien geen later.' Ik wil niet razend klinken, maar dat doe ik toch. 'Als die vervloekte MP5K ooit ook maar indirect met Lucy in verband wordt gebracht, maakt het niet meer uit of het pistool een filmrekwisiet is geweest. Misschien is het hersteld. Ik vermoed zo dat Carrie dat geblinddoekt voor elkaar had gekregen,' zeg ik, en Benton zwijgt. 'Denk je eens in hoeveel problemen ze kan veroorzaken, of er nu geknoeid is met de gegevens of niet. Wie gaat bewijzen dat ermee geknoeid is of zelfs maar toegeven dat het zo is? Want alleen dat zou al rampzalig zijn voor de perceptie van de burger. Je weet wat ze zeggen over wraak. Wraak is zoet. En dat blijft het, ook al wacht je jaren, tien jaar of nog langer, om iemand die je haat te gronde te richten.'

'Ik wist toen al wat Carrie had gedaan,' zegt Benton. 'Lucy moest uitleggen waarom de MP5K niet werd teruggezet in de vitrine op mijn afdeling. Ze zei dat Carrie hem had en dat ze hem niet terug wilde geven, en daarna gingen ze uit elkaar en dat was dat. Er is papierwerk over de verdwijning van het pistool of het rekwisiet. Natuurlijk kon het weer bedrijfsklaar worden gemaakt, dat wist Lucy ook. Zelfs als tiener was ze veel te slim om zich te laten beetnemen.'

'Erin Loria waarschijnlijk niet. Nog steeds niet.'

'Daar ga ik niet tegen in.'

'Als een filmrekwisiet weer werd omgetoverd tot een werkend vuurwapen en kennelijk gebruikt is om een aanslag te plegen...' Ik geef hem het scenario: 'Dan zou Erin echt kunnen geloven dat ze flink in de problemen zit.'

'Vooral als Carrie haar paranoïde heeft lopen maken,' beaamt Benton. Hij weet veel meer dan hij zegt.

'Dat zou kunnen verklaren waarom ze een inval deed in Lucy's huis. Het zou een verklaring kunnen zijn voor een van de meest vergezochte huiszoekingsbevelen die ik in tijden heb gezien. Wiens idee was het om Erin Loria over te plaatsen naar Boston?'

‘Ze heeft een verzoek ingediend nadat jij in Florida was neergeschoten.’

‘Dat zal best. Waarschijnlijk rond de tijd dat ze zich liet wijsmaken dat een voormalig filmrekwisiet dat ze eens illegaal in haar bezit had gehad, opeens in verband werd gebracht met kogelfragmenten die zijn veiliggesteld na een moordaanslag uit 2007,’ antwoord ik. ‘Maar zelfs als het Erins idee was om achter Lucy aan te gaan, dan moet de FBI hebben meegewerkt, anders was er niets gebeurd. Dus in wezen heeft de FBI Erin Loria met opzet hiernaartoe overgeplaatst zodat zij Lucy het leven zuur kon maken.’

‘Dat zal ik niet ontkennen,’ zegt Benton. Op hetzelfde moment krijg ik bevel van Marino om het gaspedaal in te drukken.

‘Via Cambridge Street naar Charlestown Avenue.’ Zijn stem klinkt luid en dringend. ‘De oude grindgroeve.’

Er is geen goede reden te bedenken waarom hij met zijn patrouillewagen naar River Basin zou zijn gegaan, vooral niet in dit weer. Hij reageerde niet op een oproep. Hij had geen afspraak. Niet officieel, tenminste.

Agent Park Hyde, eenheid 237, heeft geen contact opgenomen met de meldkamer. Hij heeft niemand ervan op de hoogte gesteld dat hij naar de sluizen in de Charles River Dam ging, waar de boten doorheen varen om in de haven van Boston te komen. De verlaten grindgroeve is op zijn best een naargeestige, geïsoleerde plek, en ik kan me de reactie van de agent die Hydes politiewagen tussen de zandbergen aantrof slechts voorstellen. Niet op slot. Met een lege accu. Hyde zit niet in de auto. Maar er is iets met de kofferbak. Zo te horen kan niemand hem openkrijgen.

‘Ik begrijp niet waarom ze er niet in kan komen,’ zegt Benton tegen Marino.

‘Ze?’ informeer ik.

‘Agent Dern,’ zegt Marino. ‘Ze zit bij de afdeling jeugdcriminaliteit, en dat is waarschijnlijk een van de redenen waarom zij op de oproep reageerde. Ze dacht waarschijnlijk dat ze die snotapen zou kennen die rondrijden in de rode SUV die we nog steeds proberen te vinden.’

'Ja, een nieuwe, dure, rode SUV die heel goed de wagen kan zijn die bij het huis van de Gilberts is verdwenen,' antwoord ik. 'De Range Rover die op naam zou staan van Chanel Gilbert,' voeg ik eraan toe. 'Ik neem aan dat Carrie haar identiteit heeft gestolen?'

'Ze zou elke identiteit aannemen die haar uitkomt als ze daar iets mee zou bereiken,' zegt Benton. 'Wat is er gebeurd bij River Basin?'

'Die oproep waarin gemeld werd dat een van de verdachten een vuurwapen zou hebben?' zegt Marino. 'Nou, er heeft nog iemand gebeld dat er schoten waren gehoord in de oude grindgroeve.'

'Dat er mogelijk schoten zijn gehoord,' merkt Benton op. 'We kunnen niet met zekerheid zeggen wie steeds het alarmnummer belt.'

'De agent is erheen gegaan en is uit haar auto gestapt om te kijken of iets erop wees dat de rode SUV en die snotapen daar geweest waren. Ze liep er rond toen ze Hydes patrouillewagen aantrof. Je kunt hem waarschijnlijk alleen zien als je te voet bent. Ik ken die groeve, en niemand zou ooit met een auto dicht bij die bergen zand en grind komen die daar al eeuwen liggen. Er worden altijd grapjes over gemaakt dat je in een zinkput zou verdwijnen. Ik weet vrij zeker dat de auto daar met opzet is achtergelaten door iemand die niet wilde dat we hem snel zouden vinden. Het bestaat niet dat Hyde er zelf heen is gereden.'

'Ik begrijp niet waarom agent Dern de kofferbak niet open kan krijgen,' zegt Benton. 'Tenzij hij op de een of andere manier is dichtgemaakt.'

'Ze zegt dat hij is dichtgelijmd,' antwoordt Marino, en ik denk aan de zilveren doos in de vorm van een vis, die hij met aceton open heeft gekregen. 'Misschien zit er wel weer een camera in, nietwaar, doc?' Zijn kaakspieren verstrakken. 'Of een ander duveltje in een doosje, zoals een vermoorde agent.'

'Als Hyde erin zit, is hij waarschijnlijk dood,' zeg ik. 'Maar laten we daar niet van uitgaan. We moeten ons ook zorgen maken over het feit dat er buskruit is opgedoken, in het bijzonder zwart buskruit. Misschien is het oud en levert het voor niets of niemand gevaar op, maar daar kunnen we niet zeker van zijn.'

'Het wordt een knalfuif.' Marino pakt zijn telefoon om te bellen. 'Carrie wil er een vuurwerkshow van maken. Godverdomme.'

Ik hoor dat hij agent Dern aan de lijn krijgt en haar bevel geeft de kofferbak niet aan te raken. Hij blaft dat ze uit de buurt van de auto moet blijven. Zo te horen stribbelt ze tegen. Iedere agent die een knip voor de neus waard is, zou zich over maar één ding zorgen maken, en dat is de veiligheid van agent Hyde. Als hij in de kofferbak ligt, moeten ze hem er meteen uit zien te krijgen. Stel dat hij nog leeft?

'Hoor je iets bewegen?' vraagt Marino aan Dern terwijl hij het raampje een stukje opendraait en een sigaret opsteekt. 'Is er enig teken dat er iemand in zou kunnen liggen? Oké. We zijn er binnen drie minuten.' Dan beëindigt hij het gesprek en zegt hij tegen Benton en mij: 'Hoe kan hij in de kofferbak liggen zonder te schoppen of slaan om eruit te komen? Ze zegt dat ze niets hoort. Je kunt maar beter zo spoedig mogelijk Harold en Rusty sturen voor het geval onze vermoedens werkelijkheid blijken.'

'Bel jij ze maar,' antwoord ik. 'En als je toch bezig bent, zeg dan dat ze een boormachine meenemen en een endoscoopcamera uit het vuurwapenlab. Ik neem aan dat de explosievendienst alles heeft wat nodig is, maar we kunnen er beter mee dan om verlegen zitten.'

'We kunnen die kofferbak niet onschadelijk maken met een waterkanon, want als er iemand in ligt, zou dat zijn einde betekenen.' Marino is zo gefrustreerd als de hel.

'Daarom boor je een gaatje en kijk je eerst even,' zeg ik tegen hem terwijl ik snel naar de rivier rijd. 'En ik bedoel niet jij persoonlijk, Marino. Als er ergens buskruit rondslingert, zou ik geen boormachine willen inzetten, tenzij de explosievendienst dat zelf doet.'

'Hoeveel tijd hebben we?' werpt hij tegen. 'Geen tijd te verliezen als er ook maar enige kans is dat Hyde nog leeft.'

'Wat we met zekerheid weten, is dat de kofferbak met een bedoeling is dichtgelijmd,' zegt Benton. 'Dat kan alleen maar een slechte bedoeling zijn. Als er geen lijk in ligt, moeten we ons zorgen maken over een andere akelige verrassing, zoals een bom.'

'Maar waarom zou je de kofferbak dan dichtlijmen?' zegt Marino. 'Waarom laat je niet gewoon een of andere arme agent de klep openmaken en knal? Einde verhaal.'

'Als je de kofferbak niet gemakkelijk open krijgt, worden er meer mensen bij gehaald. Hoe meer mensen, hoe meer schade,' antwoordt Benton. 'Misschien krijg je zo wel twaalf mensen te pakken in plaats van één.'

'Of dat moeten we veronderstellen,' concludeer ik.

46

Marino is er echt niet bij met zijn hoofd. Dat wordt nog erger als de oude pakhuizen, de opslagsilo's, de roerloze transportbanden en de jakobsladders voor ons opdoemen.

Een hoog hek, flinke heuvels van grind en zand, een roestige spoorlijn en daarbovenuit lange bochten van de I-93 en de U.S. 1. Daarachter zijn de Zakim Bridge met zijn kabels en de skyline van Boston te zien, waarvan de bovenste verdiepingen van torens en gebouwen schuilgaan in de mist. Het regent niet hard, maar wel gestaag. Het zal modderig zijn bij de rivier en de laagst gelegen stukken zullen onder water staan.

Ik kijk via de achteruitkijkspiegel naar Benton. Hij kijkt met doffe en sombere ogen terug. Ik kan niet aan hem zien of hij contact heeft met zijn collega's van de FBI.

'Wat gebeurt er aan jouw kant?' vraag ik terwijl Marino door het zijraampje kijkt en belt met het hoofd van de explosievendienst.

'Vijftien, twintig minuten?' zegt Marino. 'Ja, normaal gesproken hoeven we niets aan te raken en kunnen we erbij blijven wachten tot we een ons wegen. Maar niet als de mogelijkheid bestaat dat een politieman in die verdomde kofferbak dood ligt te gaan. Ja, kom zo snel mogelijk, maar ik begin alvast. Ja, dat hoor je luid en duidelijk.' Hij beëindigt het gesprek en laat de telefoon op zijn schoot vallen.

'Moet ik jouw collega's daar ook verwachten?' vraag ik aan Benton. 'Ik hoop namelijk van niet.'

'Ik heb ze niets verteld,' zegt hij, en Marino werpt hem een korte, boze blik toe.

'Gelul.' Marino kijkt weer door het raampje en zegt: 'Een van mijn mannen wordt vermist of is dood en daar weet de FBI niets van?'

'Het is niet aan mij om hen op de hoogte te stellen, tenzij jij dat aan me vraagt,' zegt Benton tegen Marino's achterhoofd. 'Als je me uitnodigt te helpen en daarmee ook het bureau vraagt assistentie te verlenen, wordt het iets anders.'

'Wanneer heb ik jullie ooit uitgenodigd en wanneer hebben jullie ooit op een uitnodiging gewacht? Jullie doen altijd gewoon wat jullie willen.'

'Het gaat niet om "jullie". Het gaat erom dat ík probeer te helpen,' zegt Benton. 'En ik zal er geen doekjes om winden: dit is een spel. Maar dat betekent niet dat het geen dodelijk spel is.'

'Je hebt ons vandaag al zo verdomd goed geholpen dat ik niet weet hoe ik je ooit zal kunnen bedanken,' zegt Marino met bijtend sarcasme. 'Al dat rondvliegen en kijken hoe ze een inval bij Lucy doen en hoe haar spullen worden weggesjouwd. En dan die planning die erin is gaan zitten, want jullie moesten weten waar ze was en wanneer en wat het beste moment zou zijn voor een dergelijke overval. Aangenomen dat de DEA haar niet eerst te pakken zou krijgen.'

Ik draai een onverharde toegangsweg op, waar de zwaailichten een aanrollende golf in rood en blauw vormen.

'Jullie zijn waarschijnlijk al dagen of weken plannetjes aan het uitbroeden, en ik weet wel zeker dat jullie geen informatie waar jullie toevallig toegang toe hebben gekregen hebben doorgegeven.' Marino gaat door met zijn tirade. 'We hebben het tenslotte alleen maar over familie. Waarom zouden jullie ons verdomme iets vertellen?'

Benton zegt niets. Hij weet dat hij een woordenstrijd met een gespannen en woedende Marino uit de weg moet gaan.

'Op dit moment hebben we misschien te maken met een gesneuvelde agent, zo eenvoudig is het.' Hij gaat er voorlopig niet over ophouden. 'En ik hoef geen hulp van die klote-FBI. Als jullie klootzakken je erbuiten hadden gehouden, had Carrie Grethen misschien niet nog iemand vermoord, dit keer een agent.'

‘Wees voorzichtig...’ begint Benton, maar Marino snijdt hem de pas af.

‘Voorzichtig? Voorzichtig! Daar is het verdomme een beetje te laat voor,’ schreeuwt Marino tegen hem, en ik besef wat hier aan de hand is.

Marino is bang. Hij is doodsbang dat we doodgaan. Hij doet zijn best om niet in paniek te raken, en de woede helpt hem daarbij. Boosheid is veiliger dan die verlammende angst.

‘Wou je soms zeggen dat jij voorzichtig bent geweest, Benton? Laten we het eens hebben over Erin Loria. Die zou als politievrouw een verdomd slecht figuur slaan. Bij de FBI zal zo’n leugenachtige, manipulatieve teef die appeltjes te schillen heeft en zo nodig oude koeien uit de sloot moet halen wel niet opvallen. Haar op Lucy’s zaak zetten is net zoiets als John Wayne Gacy op je kinderen laten passen.’

‘Ik heb duidelijk gemaakt dat ik niets te maken heb met Erins overplaatsing,’ zegt Benton.

‘Nou, wat toevallig toch dat Lucy haar nog van Quantico kende.’

‘Ik betwijfel of dat toeval is.’

‘Jezus Christus! Jij zegt dat soort dingen ook altijd maar alsof het de normaalste zaak van de wereld is. Je betwijfelt of het toeval is? En dan leun je gewoon achterover en laat het allemaal gebeuren alsof het je verdomme niets aangaat.’

‘Ik leun niet achterover om iets te laten gebeuren als ik daar niet een heel goede reden voor heb,’ zegt Benton terwijl ik op ruime afstand van minstens zes politiewagens blijf staan.

We stappen uit en ik loop knerpend over het grind en spetterend door de plassen naar de achterkant van de suv. Het geroffel van de regen is trager en zachter geworden. Een goede dertig meter van Hydes patrouillewagen staan agenten in regenpak bij elkaar. De wagen is nat en bemodderd. Hij ziet er leeg en doods uit. Wat we ook gaan doen, we lopen een verschrikkelijk risico. Ik zie geen mogelijkheden die geen afgrijselijke gevolgen kunnen hebben, en Marino heeft alle reden om boos en bang te zijn.

Bij het vermoeden van een explosief in een voertuig handelt de explosievendienst dat meestal veilig af door het voertuig weg te halen in een bombestendige container. Met een draagbaar röntgenapparaat kan worden vastgesteld of er een explosief in zit, en als dat zo is, maken ze de energiebron onschadelijk, vaak met een waterkanon. Maar wat Marino zei is waar. Hyde zou dat waarschijnlijk niet overleven, aangenomen dat hij in de kofferbak ligt en niet al dood is.

Rusty en Harold komen aanrijden en ik draaf naar hun bus, die door de modder hotst. Ze parkeren en ik doe de achterkant open terwijl zij in hun regenpakken uitstappen. Ik pak de zwarte plastic koffers met de endoscopische camera en de boor, en Marino neemt ze van me aan.

'Ik neem dit wel op me.' Hij commandeert me op dezelfde manier als agent Dern.

'Je beseft toch wel dat ze een afstandsbediening kan hebben of een andere manier om de bom te laten afgaan...' zegt Benton tegen hem terwijl hij op ons af komt.

Maar Marino wil niet luisteren.

'Iemand moet het doen. Als Hyde bewusteloos is en misschien dood ligt te bloeden, hebben we geen tijd te verliezen. Voor hetzelfde geld ligt hij daar te stikken, dus ik ga zeker niet op de explosievendienst staan wachten,' zegt Marino snel om mijn tegenwerpingen voor te zijn, maar ik ga hem niet tegenhouden. 'Jij moet hier weg, doc.'

'Absoluut niet,' antwoord ik. 'Volgens mij is dit een goed moment om een dokter in de buurt te hebben.'

'Het is geen verzoek. Maak nu meteen dat je wegkomt!'

'Ik ga nergens heen en jij moet wachten op de explosievendienst. Als agent Hyde in die kofferbak ligt, is het onwaarschijnlijk dat hij daar bereidwillig in is gestapt en nog leeft. Het is goed mogelijk dat hij daar het grootste deel van de dag al ligt. Jij leeft, en dat staat van hem op dit moment absoluut niet vast. Laat iemand in beschermende kleding een gat in de kofferbak boren. Als dit een val is, loop je er met open ogen in, Marino.'

'Als ik het niet doe, wie dan?' Zijn ogen zijn groot en glazig en diep in die ogen zie ik de donkere schim van onontkoombaarheid en angst.

Marino weet dat dit voor hem bedoeld kan zijn. Hij wil alles op het spel zetten voor een agent die hij amper kent, want dat is wat politiemensen doen. De broederschap van de penning, denk ik. Ik begrijp zijn beweegredenen, maar kan het er met geen mogelijkheid mee eens zijn.

'Ik heb de leiding over deze plaats delict en ik geef jullie bevel weg te gaan,' zegt Marino tegen me, maar ik blijf hem negeren. 'Rusty, Harold, jullie moeten achteruit, en een flink eind ook. Die wagen zou kunnen exploderen als ik ga boren.'

'Dat hoef je ons geen twee keer te zeggen,' zegt Rusty, en hij en Harold stappen haastig weer in de bus. 'We gaan een paar straten verderop staan,' roept Harold ons toe. 'Bel maar als jullie klaar zijn.'

'Tenzij je een enorme knal hoort. Zoek in dat geval een goed heenkomen.' Marino loopt alleen naar de patrouillewagen, die eenzaam tussen enorme bergen zand en grind staat.

Hij staat even stil, draait zich om en kijkt me recht aan, en als duidelijk is dat ik niet in mijn SUV ga stappen en weg ga rijden, pakt hij zijn portofoon. Ik kan niet horen wat hij zegt terwijl hij zich weer omdraait en naar de auto loopt. Maar er komt meteen een geüniformeerde agent op me af lopen, een jonge kerel die ik wel eens eerder heb gezien.

Hij vertelt Benton en mij beleefd maar vastberaden dat we nu moeten vertrekken en als dat geen reactie oplevert, waarschuwt hij ons. Als we niet meteen weggaan, hinderen we een politieonderzoek. Alsof hij echt een agent van de FBI en het hoofd van de lijkschouwersdienst in de boeien gaat slaan, dus ik negeer hem en zie dat Marino weer stilstaat. Hij draait zich naar ons om en de regen roffelt en spettert nog wat trager. Maar het lijkt harder. Het lijkt onheilspellender.

'Ga weg!' brult hij. 'Maak in godsnaam dat je wegkomt!'

Als het gebeurt, wil hij niet dat ik het zie.

Hij loopt verder. Benton en ik stappen weer in de SUV, maar dit keer komt hij voorin zitten, en we kijken in ondraaglijke stilte toe. Marino is nu bij de achterkant van de patrouillewagen. Hij staat tot zijn enkels in de modder, zet de koffers op het hoogste en droogste stukje grond dat hij kan vinden en maakt ze open. Ik zie hoe hij de boor oppakt en er een accu in duwt. Hij loopt om de kofferbak heen, bukt zich en komt weer overeind terwijl hij elk detail bestudeert en beslist waar hij het gat gaat maken.

Die auto gaat bij de eerste wenteling van het stalen bitje de lucht in.

'Het is niet wat wij denken,' zegt Benton als Marino de bovenkant van de kofferbak kiest, precies in het midden van het deksel. 'Dit is niet wat wij denken, Kay. Het is wat zíj denkt. Dit is haar fantasie en we doen haar het plezier erin mee te gaan.'

'Wil je suggereren dat de auto niet zal exploderen? Dat dit bluf is?'

'Dat weet ik niet. Maar ik ken haar. Ik denk dat het bluf is, maar dat zou ik nooit kunnen zeggen. We moeten weg.'

'Carries fantasie? En jij weet wat die is, Benton? Is het niet heel gevaarlijk om ervan uit te gaan dat je net als zij kunt voelen en denken?'

Ik ben zo bang voor Marino dat ik niet weet of ik moet schreeuwen of huilen.

'Zie je niet hoe verraderlijk het is om te denken dat je haar fantasieën kunt doorgronden?' Ik hoor het hoge gejank van de boor.

Ik wacht op de scherpe donderklap, de opbollende zwarte rookwolk. Maar er komt niets.

'Ik ken de formules waarmee we kunnen vaststellen wie ze is en wat ze doet,' zegt Benton. 'En ze denkt dat ze hetzelfde bij ons kan doen.'

'Maar dat kan ze niet.' Ik sluit mijn raampje en zet de auto in zijn achteruit. 'Dat kan ze met geen mogelijkheid, niet precies tenminste. Ze heeft geen Steen van Rosetta die haar kan helpen mensen als wij te ontcijferen, wat ze zich ook mag verbeelden. Carrie mist te veel morele bouwstenen. Een geweten, bijvoorbeeld.'

'Onderschat nooit hoe sluw ze is, Kay,' zegt Benton.

'En onderschat jij nooit hoe kwaadaardig en hoe ziek ze is. Ze is niet zoals wij.' Ik ga iets naar achteren, draai de auto en rijd weg terwijl ik wacht op de genadeklap. 'En ze kan met geen mogelijkheid precies zoals jij denken en voelen.'

'Dat betekent dat ze een misrekening kan maken.'

'Net als wij,' antwoord ik. Hij gaat er niet tegen in, maar stemt ook niet in.

Ik kan de boor niet meer door het metaal horen snerpen als ik langzaam wegrijd door het overstroomde River Basin en voortdurend in mijn achteruitkijkspiegel kijk. Ik blijf Marino in de gaten houden tot hij een kleine gestalte is die ik amper kan herkennen. Dan gaan we een bocht om en is hij weg, en ik vraag me af of ik hem ooit nog in levenden lijve zal zien.

'Ziek?' Benton komt terug op mijn eerdere woorden. 'We kunnen er niet van uitgaan dat ze krankzinnig is, dat weet je heel goed.'

'Ik heb het over haar lichamelijke gezondheid.' Misschien zie ik Marino nooit meer.

Even ben ik te erg van streek om iets te kunnen zeggen. Ik krijg amper lucht terwijl ik wacht op het geluid waarmee het einde van de wereld zal komen. Niet de hele wereld. Maar die van mij. Wordt het een harde klap of een zacht gejammer? Hoe kondigt de dood zich aan als het uiteindelijk onze beurt is? Dat zou ik moeten weten. Maar ik weet het niet. Niet vandaag. Niet nu.

'Wat is er met haar gezondheid?' vraagt Benton nogmaals, en ik vind de gedachte aan wat hij volgens mij gedaan heeft onverdraaglijk.

'Ernie heeft sporen van koper ontdekt in de stofvlok en in de bevedering,' antwoord ik. 'Hij zegt dat de monsters die ik genomen heb ervan doordrongen zijn.'

'Het zou van de koperen pijl kunnen komen, neem ik aan,' zegt Benton, maar hij denkt aan iets anders, is bezig met de zoveelste gevaarlijke berekening die waarschijnlijk onjuist zal blijken. 'Ze verwacht dat we hier zullen blijven.'

'In tegenstelling tot wat we in werkelijkheid doen, wegrijden en wachten tot Marino dood is?' Ik proef gal in mijn keel.

'We moeten ons afvragen wat zij denkt dat we zullen doen.' Bentons handen liggen losjes om de telefoon in zijn schoot en hij kijkt voortdurend wat er op het schermpje verschijnt. 'Om te beginnen zal ze voorspellen dat jij zegt wat je net gezegd hebt,' voegt hij eraan toe. Hij is nu iemand anders, de persoon die bezit van hem neemt als hij de duivel oproept, als hij het kwaad uitnodigt zich in de discussie te mengen.

'Als het waar is dat ze een bloedziekte heeft die niet wordt behandeld,' zeg ik tegen hem, 'dan zou ze wel eens problemen kunnen hebben.'

Terwijl ik het zeg, word ik geplaagd door de twijfel die steeds weer de kop opsteekt. Waarom zou Carrie willen dat ik weet dat ze gezondheidsproblemen kan hebben? Waarom zou ze haar zelfgemaakte video's gebruiken om te onthullen dat ze een levensbedreigende genmutatie heeft geërfd waaraan haar moeder en haar grootmoeder zijn overleden – als ze tenminste de waarheid vertelde? Waarom zou ze me willen laten weten dat ze lijdt aan polycythemia vera? Daarmee heeft ze me reden gegeven om te vermoeden dat ze lichamelijke klachten heeft die veel verder gaan dan enige verwonding die ik haar afgelopen juni op de bodem van de zee bij Fort Lauderdale kan hebben toegebracht.

Ik vertel Benton dat Carrie kan lijden aan hoofdpijn en vermoeidheid als ze regelmatig bloed heeft laten aftappen. Ze kan zich zwak voelen, slecht zien en ernstige complicaties krijgen die haar kunnen doden of anderszins uitschakelen. Door een beroerte, bijvoorbeeld. Het lijkt onmogelijk dat zo'n monster uiteindelijk op zo'n alledaagse manier kan worden verslagen.

'Ik heb alle dokters, flebologen en klinieken in de buurt gevraagd of iemand die ook maar enigszins beantwoordt aan Carries signalement zich heeft laten aderlaten,' zegt Benton tot mijn verrassing en mijn teleurstelling. 'Dat blijkt niet zo te zijn. Maar ze is een meester in vermommingen en creatieve oplossingen.'

'Dan heb je de video's gezien.' Ik begin weer over de *Verdorven hart*-video's, maar hij zegt niets. 'Hoelang weet je daar al van, en van haar bloedziekte?' Ik dring aan.

'Ik weet dat ze lijdt aan polycythemia vera,' zegt hij.

'Moet ik aannemen dat je toegang hebt tot laboratoriumuitslagen die een gestegen hematocrietwaarde laten zien en beenmerg vol precursors van rode bloedcellen?'

Hij zegt niets.

'Het antwoord is nee. Met andere woorden, Benton, ik zie niet hoe je het kunt weten. Tenzij je hetzelfde hebt gezien als ik: de opnamen die ze in het geniep heeft gemaakt.'

Hij heeft de video's gezien. Maar dat gaat hij niet zeggen.

'Als ze al bijna een jaar in deze streek verblijft, zoals wij vermoeden, moet ze hoe dan ook in staat zijn om elke twee maanden bloed af te tappen,' zeg ik dan, want hij gaat niet praten over wat hij met zijn manipulaties in gang heeft gezet. 'Tenzij ze een andere manier heeft gevonden om met haar problemen om te gaan.'

'Dat zou kunnen,' zegt hij, en op dat moment ken ik mijn man en ook weer niet.

Ik word eraan herinnerd dat ik niet zou kunnen wat hij doet. Ik heb nooit het verlangen gehad om verbonden en verstandhoudingen aan te gaan met schoften en monsters. Ik verbeeld me niet dat ik ze kan begrijpen. Ik wil hun vriend niet zijn en ik verzet me tegen de verleiding om me in te beelden dat ik net als zij kan denken. Dat kan ik waarschijnlijk niet. Ik zou het misschien niet doen als ik het zou kunnen, of wellicht kan ik het al en weiger ik dat te erkennen. Maar de liefde van mijn leven, de man met wie ik 's nachts in bed lig, is een heel ander geval.

'Hoe is dit verdomme gebeurd?' Ik praat heel zachtjes, amper hoorbaar, terwijl ik mijn oren spits voor de knal of het donderende geluid van een afgaande bom.

'Alles verloopt precies volgens plan,' zegt Benton. Hij probeert mensen als Carrie in bepaalde banen te leiden en komt daar misschien verontrustend dicht bij.

Op zijn eigen verbijsterende manier oordeelt hij niet over de mensen die hij opjaagt en hij haat ze ook niet. Ze zijn niet meer dan haaien of slangen of andere dodelijke wezens in de grote pikorde van de voedselketen. Hij aanvaardt dat hun gedrag van tevoren vaststaat, alsof ze geen eigen wil hebben. Hij heeft geen gevoelens voor ze. Geen gevoelens die de rest van ons ook maar enigszins kan begrijpen.

'Ze geeft ons een keuze en ze gelooft dat ze precies weet wat we zullen beslissen,' zegt hij terwijl ik op weg ga naar het lab. Eindelijk. Het is al bijna halfzes.

In het CFC bevind ik me maar een paar minuten van River Basin als het ergste zou gebeuren, en ik stel me natuurlijk alweer voor hoe dat eruit zou zien. Dan roep ik mezelf een halt toe. Ik kan het idee dat Marino dood kan gaan niet verdragen, laat staan uiteengereten door een explosie. Hij maakt er altijd grapjes over dat hij veel te veel weet over de dood en hoe vernederend die kan zijn. Hij zou niet willen dat mensen lachen om de foto's van zijn sectie.

Je zorgt er toch wel voor dat ze ze niet aan iedereen laten zien en me uitlachen, hè doc? Want ik heb vaak genoeg meegemaakt dat ze dat doen...

'Wie is er bij het huis van de Gilberts? Is daar al iemand?' vraag ik Benton terwijl hij door iets heen scrolt op zijn telefoon.

'We hebben agenten ter plaatse.'

'Ernie vraagt zich af of er plekken zijn in dat huis waar we nog niets van weten en die een verklaring zouden kunnen bieden voor het bewijsmateriaal dat we moeten identificeren. Jullie agenten zouden moeten uitkijken naar ruimten die niet meteen in het oog springen,' zeg ik. Dan gaat zijn telefoon.

'Ja,' zegt hij, en hij luistert. 'Het moet ergens vandaan komen,' antwoordt hij uiteindelijk kortaf en niet bijzonder vriendelijk.

Hij vertelt waar we precies zijn en beëindigt het gesprek.

Dan kijkt hij naar mij en zegt: 'We hebben daar vier agenten en ze hebben allemaal hetzelfde gehoord. Een soort bonzend geluid dat ze niet kunnen thuisbrengen.'

'Marino en ik hebben ook een paar keer zoiets gehoord.' Ik blijf via mijn spiegels uitkijken naar de smerige rookpluim van een bom met zwart buskruit.

Ik wacht op het alarmsignaal op de scanner, het teken van een noodgeval, maar ik zie en hoor niets wat me kan vertellen wat er met Marino gebeurt. Ik blijf mezelf voorhouden dat alles goed is, omdat ik het anders zou weten. Hij moet inmiddels een behoorlijk gat hebben geboord en daar de camera aan het lange snoer in hebben geduwd, zodat hij kan zien wat er in de kofferbak zit.

'Vind je het erg om er even langs te gaan?' vraagt Benton, maar ik begrijp hem niet.

'Waarlangs?'

'Het huis van de Gilberts. Laten we even gaan kijken waar ze het over hebben. Dat geluid moet ergens vandaan komen.'

47

Ik draai Binney Street in. De minuten kruipen voorbij. Ik heb niets over Marino gehoord en ik houd het bijna niet meer.

'Wat gebeurt er bij hem?' vraag ik aan Benton terwijl we terugrijden naar de campus van Harvard. 'Zoveel tijd hoeft het niet te kosten om erachter te komen wat er in die kofferbak zit. Hij heeft negen of tien millimeter nodig om de camera erdoor te kunnen steken. Dat is niet zo'n groot gat. Hij moet inmiddels weten wat erin zit,' voeg ik eraan toe, en het is me niet ontgaan dat ik helemaal geen sirenes hoor.

Ik hoor niets op de scanner wat erop zou kunnen duiden dat Hyde in de kofferbak is aangetroffen en dat er hulpdiensten onderweg zijn. Rusty en Harold geven ook geen enkel teken van leven.

'Lucy en Janet zijn veilig uit hun huis vertrokken,' zegt Benton alsof we het over hen hebben. Hij bekijkt de berichten op zijn telefoon met behulp van een coderingsapp van de FBI die hem in staat stelt veilig te communiceren. 'Ik heb gezegd dat jouw kantoor op dit moment de veiligste plek voor ze is. Ik vond dat ze nog niet naar jouw huis of ergens anders heen moesten gaan tot we een beter idee hebben van wat er aan de hand is.'

'En Desi en Jet Ranger?'

'Ze zijn allemaal veilig, Kay. Ik heb een berichtje gehad van Janet. Ze zegt dat Desi en Jet Ranger in jouw kantoor zullen wachten. Iedereen zal je daar opwachten, en dat is een grote geruststelling.'

'Het is fijn dat ze je een berichtje heeft gestuurd. Ze weet zeker dat we op dit moment samen zijn. Hoe dan ook.'

'Waarom zeg je dat zo?' Hij kijkt recht voor zich uit.

'Ze heeft mij geen bericht gestuurd. Ze denkt zeker dat jij het wel zult doorgeven. Janet weet vast hoeveel zorgen ik me maak,' zeg ik, maar Benton geeft geen antwoord. 'Ik vergeet soms dat jullie vrienden waren voordat zij Lucy leerde kennen. Jij hebt ze zelfs aan elkaar voorgesteld.'

'Een van mijn betere beslissingen.'

'Ze is door jou bij de FBI gegaan.'

'En daar ben ik heel blij om, want anders zou ze Lucy niet hebben ontmoet, en ik weet niet goed hoe we er nu voor zouden staan als Janet er niet was geweest.'

'Ze stuurt jou een bericht en mij niet.' Ik zeg het nog maar een keer. 'Ze heeft je niet gevraagd aan mij door te geven dat alles goed met ze is, en dat is verrassend, want ze weet hoe ik me voel. Ik was vanmorgen op hun landgoed. Ze is zich bewust van mijn bezorgdheid, zachtjes uitgedrukt.'

'We hebben elkaar altijd bijzonder na gestaan.'

'Zelfs in de jaren dat ze uit elkaar waren en geen contact meer hadden.'

'Janet is via mij op de hoogte gebleven,' zegt hij. 'Zij is altijd Lucy's grootste beschermer geweest.'

'En nog steeds.'

'Ja.' Hij kijkt me aan. 'Het zou goed zijn als je het daarbij zou laten.'

'Dat gaat echt niet lukken. Ik moest wel zien dat Janet zich heel erg bewust leek van de camera's in het huis, vooral die in de werkplaats, waar Lucy tegels uit de vloer verwijderde en geweren tevoorschijn haalde die de FBI had gemist. Ik had het rare gevoel dat Janet wist dat ze gefilmd werden.'

Benton geeft geen antwoord en ik hoor de stem van Carrie in mijn hoofd. Ik zie haar glanzende ogen als ze in de camera kijkt.

Je kent het evolutionaire doel van de psychopaat inmiddels wel, nietwaar?

'Als ik niet beter wist, zou ik denken dat Janet Lucy kwaad probeerde te doen in plaats van te helpen,' hoor ik mezelf tegen Benton zeggen, terwijl ik denk aan de opnamen die ik heb gezien. 'Ik weet namelijk niet zo zeker hoe Lucy ermee geholpen wordt als op video wordt vastgelegd dat ze de rechtsgang belemmert en een misdrijf pleegt.'

'Een video die heel vernietigend zou zijn als hij ooit openbaar werd,' zegt Benton. 'Vooral de Democraten kunnen het niet gebruiken als bijvoorbeeld de wapenlobby verder op stang wordt gejaagd met beelden van twee jonge vrouwen die moeten vrezen voor hun leven en dat van hun kind omdat de FBI binnen is komen stormen en zonder goede reden al hun wapens heeft meegenomen.'

We hebben zelfs nooit een behoorlijk gesprek gevoerd. Niet eens een vriendschappelijk gesprek. En dat is schokkend als je bedenkt wat je van mij had kunnen leren.

Carrie had het tegen Benton. Ze heeft die opnamen jaren geleden gemaakt met hem in gedachten. Dat zeg ik tegen hem als we over de campus van Harvard rijden, langs de Yard met zijn oude bakstenen muren en smeedijzerwerk.

'Als ik terugdenk aan alles wat ik in die geheime *Verdorven hart*-opnamen heb gezien, lijkt het me nu logisch dat ze niet mij in gedachten had bij haar monologen,' zeg ik tegen Benton. 'Ze had het tegen jou.'

'Ze is zo'n enorme narcist dat ze ervan uitgaat dat ik alles, maar dan ook alles over haar wil weten.' Hij bevestigt dat hij de opnamen heeft gezien, maar dat is niet alles.

'Jij hebt dit gedaan. Samen met Janet,' zeg ik beschuldigend tegen Benton, maar tegelijkertijd ben ik vreemd opgelucht.

Ik ben om de allerbeste reden voorgelogen. Benton is allereerst loyaal aan zijn familie.

'Jullie proberen met zijn tweetjes onze familie te redden, maar intussen kan dat onze ondergang worden.' Ik hoop dat dat de waarheid is.

'Dat laat ik niet gebeuren, Kay,' zegt hij. 'En Janet ook niet. Daar moet je het bij laten.'

'En in welke mate is Lucy erbij betrokken? In hoeverre doet zij hieraan mee, Benton?'

'Je moet het laten rusten, Kay,' zegt hij, maar dat kan ik niet.

'Je hebt dit allemaal vastgelegd in de hoop dat Lucy's naam gezuiverd zal worden en dat tegelijkertijd zal worden aangetoond dat Erin Loria een onbetrouwbare agent is die haar in de val probeert te lokken.' Ik kijk even naar hem en mijn argwaan groeit. 'Die opnamen uit 1997 zijn echt en toch weer niet.'

'Er is in geknipt.'

'Je hebt er fictie van gemaakt om ermee te kunnen manipuleren.'

'Ik heb ervan gemaakt wat nodig was. We zitten weer in de verkiezingscyclus. Het verhaal over Bhutto zou op een heel ongelukkig moment komen,' zegt hij. 'En het is des te geloofwaardiger omdat Janet gefilmd is terwijl ze dingen zegt die Lucy kunnen schaden. Dat maakt de opnamen authentiek. Janet zegt dingen die bezwarend zijn voor Lucy. Maar tegen de tijd dat de FBI het allemaal moet afhandelen, zal dat niets meer uitmaken. De timing is uitermate slecht, en dat wist Carrie toen ze knoeide met de gegevens over de zaak Bhutto.'

'Voor de FBI en de huidige regering is de timing inderdaad rampzalig,' antwoord ik. 'Maar niet voor Carrie. Ze geeft helemaal niets om wat je net allemaal zei, behalve dat ze het fantastisch zal vinden dat ze een ramp heeft kunnen ontketenen. Wie heeft Janet overgehaald te filmen wat er in hun kelder gebeurde?'

Ik denk aan het moment waarop ik merkte dat Benton in de deuropening van de slaapkamer van Chanel Gilbert stond. Ik twijfel er inmiddels niet meer aan dat hij dezelfde livebeelden bekeek als ik. Hij en Janet zijn partners. En Lucy is misschien ook hun partner. Ze doen dit met z'n drieën en ik ben degene die erbuiten is gelaten. Benton geeft niets toe, maar het is logisch.

'En de andere video's?' vraag ik. 'De beelden waar Carrie verantwoordelijk voor zou zijn? Vertel me alsjeblieft dat jij daar ook achter zit, dat jij degene bent die ervoor gezorgd heeft dat ze aan mij werden toegezonden.'

'Als echtpaar hoeven we niet tegen elkaar te getuigen.' Benton kijkt me aan. 'Wij hoeven nooit over dit gesprek te praten. Maar het klopt. En Janet heeft me geholpen.'

'En de timing van die cyberbommetjes, waarvan ik moest denken dat ze afkomstig waren van Lucy's noodnummer? Je moet dit ver van tevoren gepland hebben, en ik probeer het verband te vinden tussen de dood van Chanel Gilbert en het feit dat je ze me nu hebt toegestuurd.'

'Het tijdstip van de moord is door Carrie bepaald. Niet door ons,' zegt Benton. 'Maar of er een verband is? Ja. Het lijkt erop dat ze al een tijdje wist wie en wat Chanel Gilbert was. Als je denkt aan Carries vroegere banden met Rusland en aan wat ze daar bij ons weten de laatste tien jaar heeft gedaan, is het geen verrassing dat ze een aantal mensen van onze inlichtingendiensten is tegengekomen.'

'Hadden Carrie en Chanel een persoonlijke band?'
'Dat zou me niets verbazen.'
'Ik neem aan dat je ervoor gezorgd hebt dat de video's me werden toegezonden omdat je wist dat er vanmorgen een huiszoeking zou worden gedaan bij Lucy,' zeg ik dan, en Benton geeft geen antwoord. 'Ik wil alleen zeker weten dat je niets te maken hebt met de moord op Chanel...'
'Jezus, Kay. Natuurlijk niet.' Hij kijkt me recht aan en zegt nog eens: 'Je moet het hierbij laten. Het enige wat erover gezegd hoeft te worden, is dat de informatie in de opnamen die je hebt gezien een stokje zal steken voor wat Erin Loria Lucy probeert aan te doen. Dit is een goed moment om vertrouwen in me te hebben. We moeten hier niet verder over praten.'
'Stom van me dat ik dit niet zelf heb bedacht.' Ik zet de ruitenwissers uit, want het regent bijna niet meer. 'Ik had het moeten weten toen Carrie bekende dat ze een bloedziekte heeft, dat ze lichamelijke klachten zou kunnen hebben. Ik hoef geen profiler te zijn om te weten dat ze niet zwak zou willen overkomen. Niet tegenover mij. Maar ze kon de verleiding niet weerstaan om het aan jou te bekennen.'
'Overdracht van gevoelens. Iets wat vaak gebeurt tussen een cliënt en een psychiater.'
Ik kijk naar hem. 'Hoelang heb je deze opnamen al, Benton?'
'Al sinds ze zijn gemaakt, zo'n beetje.'
'Weet Lucy hiervan?'
'Aanvankelijk niet. Op de oorspronkelijke opnamen noemt Carrie me bij naam. Jou niet.'
'Dus Lucy heeft ze ook gezien. Jij, Janet en Lucy hebben dit samen gedaan. Dat dacht ik al. Oké. Nu weet ik het tenminste.'
Een grijze mist doet het lamplicht vervagen en verbergt de toppen van hoge bomen en gebouwen. Harvard Square ligt er bijna verlaten en in nevelen gehuld bij.
'Ik geloof dat we wel kunnen zeggen dat we dit allemaal samen moeten doen,' antwoordt Benton.
'De MP5K was een filmrekwisiet en de gegevens die hem in verband brengen met een moordaanslag zijn waarschijnlijk vervalst,' zeg ik dan. 'De video's blijken propaganda te zijn...'
'Dat zijn ze niet,' valt Benton me in de rede. 'De beelden zijn

echt. Carrie had echt camera's verstopt in Lucy's kamer.'

'Je hebt de opnamen al zeventien jaar en opeens besluit je er montages van te maken en die naar mij te sturen.' Ik volg het spoor naar de zekere eindbestemming. 'Je gebruikt Carries eigen geheime opnamen tegen haar, en dat doet veronderstellen dat zij de video's ook gezien heeft.'

'Daar kunnen we wel van uitgaan.'

'Dat kan dus maar één ding betekenen. Carrie Grethen heeft overal toegang toe,' zeg ik tegen Benton. Voor ons ligt de oprit van het huis. 'Ze ziet alles wat we doen.'

'Nu zit je op het juiste spoor,' zegt hij.

'Gegevensvervalsing.'

'Daar gaat het allemaal om,' zegt hij. 'Dit is Carries grote slag. Ja, ze ziet en manipuleert zo'n beetje alles, en dat is al een tijdje zo.'

We hotsen voor de zoveelste keer over de oude bakstenen en door de diepe plassen. Ik parkeer achter drie SUV's van de FBI, vlak bij de voorgevel van het huis.

'Heb je contact met je mensen?' Ik zet de motor af. 'Want in het licht van alles wat er gebeurd is, vind ik dat we niet naar binnen moeten gaan als we niet weten dat alles in orde is met jullie agenten.'

Ik hoef niet te herhalen wat er twee maanden eerder in Zuid-Florida is gebeurd, waar we op een heel vervelende manier ontdekten dat Carrie onze back-up had vermoord.

'Ik waarschuw je maar even dat je vanwege het veronderstelde verband tussen Lucy en Chanel een aantal van de agenten die bij de inval bij Lucy waren ook hier weer zult tegenkomen,' zegt Benton, en hij zegt erbij dat de vier agenten zich over het huis hebben verspreid.

Behalve het eigenaardige, bonzende geluid van een zware dichtslaande deur hebben ze niets onverwachts ontdekt. Dat heeft Erin Loria aan Benton gemeld. Wij staan inmiddels op de veranda. Hij probeert de voordeur. Die is niet op slot. Het alarmsysteem is uitgezet. Ik hoor gepiep als we de deur opendoen, maar dat komt niet van het alarm. Het is Bentons telefoon.

Hij kijkt op het schermpje. Dan legt hij een hand op mijn arm en laat me het beeld zien dat hij heeft ontvangen, een foto van de binnenkant van de kofferbak, gemaakt door de endoscopische camera. Er is niets anders te zien dan de gebruikelijke, netjes opgeborgen politiespullen. Ik zie een eerstehulpdoos, een rol toiletpapier, een stapel papieren handdoekjes, spuitflessen met schoonmaakmiddel, een middeltje om ruiten schoon te maken en startkabels. Benton doet de deur open en we stappen de hal in. De geur van ontbinding is zwakker en we horen de bons weer.

Gedempt, maar hard. Precies wat we eerder hebben gehoord, en dan volgen er nog twee bonzen, snel achter elkaar.

Boem! Boem!

Een zwaar geluid met een enigszins metalige klank. Het lijkt luider dan ik me herinner, alsof het volume omhoog is gedraaid. Benton en ik kijken om ons heen. We horen en zien niemand. Hij steekt zijn hand onder zijn colbert en haalt zijn pistool tevoorschijn, en we lopen door de hal. Om de paar passen stoppen we om te luisteren, en als we dichter bij de deur naar de kelder komen, hoor ik stemmen. Benton doet de deur open en we horen de gespannen stem van Erin Loria.

48

Het eerste teken van problemen is dat de lamp boven de trap het niet meer doet. Ik heb een zaklamp in mijn schoudertas en haal hem er samen met mijn pistool uit. Intussen hoor ik Erin Loria ergens onder ons in de pikdonkere kelder schreeuwen.

'FBI! Kom tevoorschijn met je handen in de lucht!' Het is een opname van Erin Loria's stem, en dan klinkt het geluid weer, de dreunende bons. Het lijkt van achter in de kelder te komen, voorbij de luiken, aan de achterkant van het huis. 'FBI! Kom tevoorschijn met je handen in de lucht!'

Carrie drijft de spot met ons door middel van een opname van Erin Loria, die een zin herhaalt die zó uit een overdreven politiefilm zou kunnen komen. De FBI-agenten zijn er niet, er is tenminste geen spoor van ze te bekennen, en als ik met de lamp door de lege kelder schijn, besef ik dat we ons op de gewenste plek bevinden. Onze aanwezigheid is gepland, maar niet door ons. Door haar.

'Blijf vlak achter me,' zegt Benton zachtjes.

Ik zal wel moeten. Ik kan niet wegrennen en ik kan ook niet in het donker blijven staan terwijl hij rondloopt met zijn pistool. Dan valt het licht op een stuk muur dat niet in lijn staat met de rest, en ook dat is opzet. Zo te zien is daar een geheime doorgang. Ik attendeer Benton erop en als we ernaartoe lopen, klinkt de dreunende bons weer. Benton duwt met zijn voet tegen het stuk muur en het beweegt, en als we in de donkere opening van een heel oude tunnel kijken, mogelijk net zo oud als het huis, klinkt het bonzen weer.

Ik ruik de verschaalde, koele lucht van een afgesloten ruimte en laat het licht door de boog links van ons vallen. Weer dat gedreun, en tegelijkertijd licht de tunnel op alsof er een bom is afgegaan. De kreten van Troy Rosado worden overstemd door het gedreun en hij kan elders in het huis onmogelijk worden gehoord. Zijn polsen zijn vastgemaakt aan ijzeren ringen in de muur. Weer een dreun en een felle lichtflits, en ik zie de krankzinnige blik in zijn ogen en zijn korte, blond geverfde haar. Hij is naakt op een handdoek na die met touw om zijn smalle heupen is gebonden, als de lendendoek van Tarzan.

Net binnen zijn bereik hangt een kwaadaardige mobile met een kleine groene teddybeer eraan...

Mister Pickle...

En een Zwitsers legermes...

Het mes uit Lucy's kamer.

Er hangen ook een zilverkleurige sleutel, een flesje water en een reep aan. Ze zijn met elkaar verbonden door kale koperen draden die onder stroom zijn gezet, zodat Troy een schok krijgt als hij naar drinken, voedsel of een manier om zichzelf te bevrijden grijpt. Er hangen nog meer draden aan het plafond, die als de tentakels van een kwal over zijn hoofd, schouders en rug vallen. Ik ruik zijn uitwerpselen als we dichterbij komen. Op de achtergrond staat een roestvrijstalen vrieskast met glazen panelen in de dubbele deur, waarin ik zakken bloed aan rekken zie hangen, tientallen zakken, donkerrood en bevroren.

Ze heeft haar eigen bloed afgetapt.

Ik zie ook een werkplek. Gereedschap. Een keukenmachine. Lege flessen. Over een oude houten werkbank hangt een zwartzijden pyjamabroek. Een naakte paspop op een metalen standaard is net een romp zonder hoofd, en overal zie ik de zilveren glans van spiegels.

Troy stoot een grommend geluid uit als hij opeens uithaalt naar de mobile. Zijn spastische vingers raken het legermes en het schokt heftig terwijl de dreun en de kreten weer klinken en het licht flitst alsof er gefotografeerd wordt.

'Troy?' roep ik naar hem. Zijn ogen worden groter en hij kijkt in dolzinnige angst om zich heen.

Ik weet waarom we hiernaartoe zijn gelokt. Carrie verwacht dat we hem gaan redden. Maar ze heeft daar een prijs aan verbonden die ik meteen te hoog vind. Hij is misschien de enige getuige die kan bevestigen dat Carrie nog leeft en dat ze verantwoordelijk is voor wat er allemaal gebeurt, en ik ben ervan overtuigd dat dat de keuze is die ze me voorlegt. Ik heb Troy nodig om Lucy te redden en ik zie dat Benton zich klaarmaakt, als een gevechtsvliegtuig dat zich met brullende motoren voorbereidt op een luchtaanval.

'Troy? Hier zijn we. Draai je om en kijk achter je.' Nu praat Benton tegen hem, en ik pak hem bij de arm.

'Benton, niet doen.' De kracht van mijn greep maakt duidelijk dat hij niet dichterbij moet gaan.

Ik zie de draden en het water op de stenen vloer en vertel Benton dat we niet bij Troy kunnen komen zonder het risico op elektrocutie te lopen. Maar Benton is in dezelfde toestand als Marino even geleden. Je doet je werk. Je zet je leven op het spel. Je brengt het offer als dat nodig is, want dat hebben mensen als wij gezworen te doen.

Troy brengt een vastgeketende hand naar de zilveren sleutel. Hij slaat er zwakjes en spastisch naar alsof hij half wakker is in een verschrikkelijke droom. Dan probeert hij het mes te pakken en elke keer dat de mobile in beweging komt, wordt het elektrische circuit gesloten. Er volgen een knal en een verblindende flits en Troy gilt. Als hij zijn hoofd wegrukt, zie ik aan de achterkant een gapende lineaire wond, een donkere, bloederige korst op de plek waar een deel van zijn scalp is weggesneden, van zijn kruin naar zijn nek.

Zijn smalle, witte borst gaat snel op en neer; hij is zo in paniek dat hij bijna hyperventileert. Op zijn magere gezicht zijn stoppels te zien en een pluizig snorretje, en hij krimpt ineen bij het geluid van naderende voetstappen. Maar we zien niemand. Behalve wij drieën lijkt er niemand te zijn, en ik besef dat we een andere opname horen die de duivelse Carrie naar believen aan- en uitzet. De voetstappen klinken weer en lijken dichterbij te komen, en Troy vertoont een pavloviaanse reactie. Hij is doodsbang.

'Nee! Alsjeblieft, nee!' Hij begint te jammeren als een baby en hapt tussen de korte kreetjes door naar adem, en intussen klettert en schraapt het metaal over de stenen. 'Nee,' smeekt hij als zijn benen het begeven.

Hij glijdt uit op de natte stenen vloer en probeert uit alle macht zijn evenwicht te hervinden. Zo te zien is hij zo moe dat hij niet meer kan staan, en door zijn gewicht dreigen zijn armen uit de kom te schieten. Hij zakt in elkaar als een lappenpop, dan staat hij weer zwaaiend op zijn benen en kijkt om zich heen zonder iets te zien. Hij slaat weer naar de sleutel en raakt het flesje water, dat tegen Mister Pickle botst, en elke keer dat Troy een schok krijgt, dreunt de donder en flitst het licht.

'Niet weer! Alsjeblieft!' sist hij tussen het gat door waar zijn voortanden hadden moeten zitten. 'Alsjeblieft, doe me geen pijn meer. Alsjeblieft...' Hij huilt schokkend en kan amper een woord uitbrengen. 'Alsjeblieft!'

Hij duikt in elkaar en draait ons zijn naakte rug toe, en op die rug en zijn schouders zitten lange, opgezette brandwonden in verschillende tinten rood. Hij grijpt naar de sleutel die bijna binnen het bereik van zijn geboeide handen hangt en er volgt weer een dreun. Hij gilt, zakt in elkaar en duikt ineen op de natte vloer als een bedreigde duizendpoot.

'Nee! Nee!' gilt hij. 'Alsjeblieft. Ik zal braaf zijn. Laat me alsjeblieft gaan. Ik doe alles wat je wilt. Néé!' Zijn kreten en het gedreun scheuren door de ruimte en ik moet denken aan wat Lucy even geleden tegen Janet zei over de poorten van de hel.

Laat ze niet tegen mijn kont slaan als ik naar binnen ga. Lucy beweerde dat Carrie dat altijd tegen haar zei, en aan dat geluid moet ik steeds denken. Het dichtslaan van de poorten van de hel. Van een gevangenisdeur. Troy schokt van het snikken. Ik begrijp wat Carrie hier in scène heeft gezet. Ik ben me bewust van de keus die ik moet maken en het is een vervloeking, een speciaal op mij toegesneden straf. Ik zie dat er stofvlokken op de vloer liggen.

Overal zie ik water, glanzend en schitterend waar het licht van mijn zaklamp de smerige stenen raakt. Vlak bij Troys blote voeten staat een emmer met vloeistof erin. Ik vermoed dat hij hem steeds omschopt, mogelijk wanneer hij probeert hem naar zich toe te trekken, en ik zie hoe droog en gebarsten zijn lippen zijn. Hij is uitgedroogd en hongerig en Benton wil hem redden.

'Benton, blijf uit de buurt,' zeg ik als Troy weer een schok krijgt, en ik besef dat hij elke keer dat wij het dreunende geluid hoorden werd gemarteld.

Inmiddels is hij gehersenspoeld en zo geconditioneerd dat hij geen onderscheid meer lijkt te kunnen maken tussen echte pijn en de herinnering daaraan. Als de opname door de ruimte dreunt, gilt hij en duikt hij ineen, wat er verder ook gebeurt, en ik ruik ammonia. Ik ruik de verse stank van zijn uitwerpselen op zijn lichaam en de vloer onder zijn smerige blote voeten met de lange, kromgegroeide nagels, alsof deze eens zo mooie jongen wordt veranderd in een beest als een geit.

'We moeten hem daar weghalen voor hij geëlektrocuteerd wordt,' zegt Benton. Hij kijkt om zich heen, en ik weet wat hem voor ogen staat.

Hij wil een schakelkast vinden. Hij zoekt een manier om het circuit te onderbreken. Zijn voeten bevinden zich maar een paar centimeter van het natte deel van de vloer. Ik weet wat hij van plan is. Benton gaat proberen dit joch te redden, een jongen die heeft geholpen zijn eigen vader te vermoorden, een jongen die brandjes sticht en intimideert en verkracht wie hij maar wil. Troy Rosado is uitschot, hoewel ik een dergelijke mening eigenlijk niet mag hebben. Hij heeft zijn hele leven niets anders gedaan dan mensen kwetsen, en dat mag ik ook al niet vinden.

'Blijf hier.' Benton gaat hem redden.

'Je gaat niet dichterbij,' waarschuw ik.

Troy is buiten zinnen van angst en pijn en hij zwaait zwakjes met zijn hand, tastend naar het zilveren sleuteltje aan de lange koperdraad. Tastend naar het mes. Mister Pickle danst langzaam door de lucht. Hij ziet er nog precies zo uit als ik me hem herinner, net als in de eerste video die ik vanmorgen zag. De herinnering eraan is afschuwelijk en ik zoek paniekerig naar een manier om hier een eind aan te maken.

'Verroer je niet,' zegt Benton tegen Troy. 'Je moet stil blijven staan zodat we je hier weg kunnen halen, jongen.'

Maar Troy is helemaal kapotgemaakt en niet meer wie hij ooit is geweest. Hij begrijpt niet wat we zeggen of doen en hij blijft met zijn handen naar de sleutel zwaaien, naar het flesje water, naar de reep, naar een domme speelgoedbeer die ik tientallen jaren geleden heb gered uit een winkel vol troep.

De duivelse mobiel danst om zijn hoofd terwijl hij zichzelf schokken blijft toebrengen en blijft schreeuwen, en mijn aandacht valt op de emmer. Ik buk en pak hem op. Hij zit vol water. Ik ga voor Benton staan, mijn voeten amper drie centimeter van de natte vloer.

'Wat doe je?' roept hij.

Ik verdom het om een van ons hier dood te laten gaan. Het spijt me als Troy doodgaat, maar ik gooi het water over hem heen en over de draden die over zijn rug en schouders hangen, en de vonken schieten eraf als er kortsluiting ontstaat. Stilte en duisternis. De opname van het dreunende geluid is opgehouden. Ik ruik verschroeid haar en vlees als ik het zilveren sleuteltje boven Troys hoofd pak. Ik maak zijn boeien los, laat zijn slappe lichaam op de vloer zakken en begin hem te reanimeren.

EEN WEEK LATER

Sommige geluiden en taferelen roepen meteen de herinnering weer op.

Water dat in de gootsteen klatert. Het klikken van een inductiebrander. Het slaan van de hordeur. Getinkel van glazen en bestek. Flessen die tegen elkaar tikken. De knal van een terugslaande motor. Heel normale gebeurtenissen die meteen het ongewone en abnormale terugroepen.

'Wat neem jij?' vraag ik aan Benton terwijl ik me druk maak over de voorpagina van de *Boston Globe* van morgen.

Ik wil geen ruzie maken. Ik wil me er niets van aantrekken en ik probeer mijn energie niet te verspillen aan boosheid. Benton heeft me alles verteld over dat artikel en soortgelijke artikelen, en hij kan het weten, want zijn kantoor in Boston is verantwoordelijk voor de plaatsing. Aandachttrekkerij. Het opeisen van de eer.

FBI VANGT MASSAMOORDENAAR IN GEHEIME TUNNEL

Dat zijn de koppen en krasse uitspraken die overal opduiken, en dat zal nog wel een tijdje zo doorgaan, hoewel het allemaal leugens zijn. Het is grote flauwekul. De FBI heeft Carrie Grethen niet gevangen. Troy Rosado is geen massamoordenaar. Hij heeft geen FBI- of politieagenten vermoord. Hij is ook niet verantwoordelijk voor wat er in de kelder is gebeurd, integendeel zelfs. Hij was niet meer dan een slachtoffer. Maar de FBI kan het niet laten er een mooie draai aan te geven. Ze hebben data fiction zo'n beetje uitgevonden en staan op het punt eraan ten onder te gaan.

'Ik weet het niet.' Benton schuift met de flessen en kijkt op de etiketten. 'Ik sta in dubio. Misschien kan ik beter niets drinken. We krijgen morgen een verdomd zware dag als het hele verhaal bekend wordt.'

Er zijn foto's van de tunnel, die dateert uit het eind van de zeventiende eeuw, toen een groot terrein werd opgeëist door een rijke Engelsman met de naam Alexander Irons. Hij was getrouwd en had acht kinderen en vele bedienden, dus hij had veel te beschermen. Oude eigendomsgegevens bevestigen dat hij geheime kelders had vol voedsel, kruit en wapens en een fortuin in zilver, goud en huiden. In die tijd deden geruchten de ronde dat hij betrokken was bij kaperij, een beleefd woord voor piraterij.

We weten zeker dat hij koeienstallen in zijn kelder had, die eruitzien als een ijsblokjesvorm van raamloze cellen met stenen muren en aarden vloeren. Ze liggen onder het huis, ongeveer halverwege Carrie Grethens martelkamer en de heg in de tuin waaronder ik losse stenen heb zien liggen.

'Ik zou graag een martini nemen, maar ik ben bang dat ik dan de hele nacht gevloerd ben.' De stoom wolkt op als ik kokend water en pasta uit de pan in een vergiet in het aanrecht giet.

'Overal drank en geen druppel te drinken.' De flessen tinkelen tegen elkaar als Benton een kastje met single malt-whisky's en zeldzame bourbons doorzoekt. 'Ik weet het niet. Wat smaakt goed bij prosciutto di Parma en mortadella?'

'Alles. Maar er is nog een Malvasia spumante als je daar zin in hebt.' Ik schud boven de gootsteen met het vergiet om al het water eruit te krijgen. 'Die gaat goed met de antipasti. Er moet ook nog een Freisa d'Asti staan.' Ik giet de stomende tagliatelle in twee grote schalen. 'Licht en fris, altijd lekker.'

'Niet voor mij.' Nog meer getinkel van flessen. 'Ik denk dat ik iets sterkers nodig heb.'

'Niet iets wat heel zwaar, log en turfachtig is.' Ik scheur de basilicumbladeren aan stukken en de frisse, heldere geur maakt me blij, tot ik erbij stilsta waarom ik niet blij hoor te zijn. 'Ik ben in de stemming voor iets soepels.'

We praten al een uur over aperitieven zonder veel verder te komen en intussen kook ik troostrijk eten: Ragù alla Contadina en tevens een veganistische versie daarvan. Het is alsof we zelfs over heel kleine dingen geen beslissingen meer kunnen nemen, maar over de pasgebeurde verschrikkingen kunnen we gemakkelijk praten. We discussiëren op besliste toon over weglopen en opnieuw beginnen en bespreken tot in de details de mogelijkheden van opsluiting, verminking en dood. Maar we kunnen geen keus maken tussen wijn en whisky. We weten niet wat we willen.

'Wat is dat raar als je niets kunt bedenken wat troost zou kunnen bieden.' Benton heeft dat de laatste dagen al een paar keer gezegd, maar het is meer een observatie dan een klacht. 'Niet dat we niet regelmatig gestrest zijn, maar meestal duurt het niet zo lang als nu, is het niet zo meedogenloos aanwezig. Ik kan nu meer meevoelen met mensen die zich altijd zo voelen. Geen wonder dat ze zich verdoven met sigaretten en drank.'

'Een lichte verdoving lijkt nu wel een goed idee.' Ik sprenkel ongefilterde koudgeperste olijfolie over de pasta en meng alles goed door elkaar met een paar pollepels. 'Ik weet niet goed hoe het is om me getroost te voelen. Het is al zo lang geleden.' Ik doe er vers geraspte Parmigiano Reggiano bij, geplette rode peper en basilicum.

'Ik weet wel hoe ik jou moet troosten.'

'Belofte maakt schuld.' De tweede kom pasta is voor Lucy en Janet, en daarin laat ik de kaas weg. 'Zoals ik al zei: het is al zo lang geleden.'

'Dat kunnen we natuurlijk niet hebben. Zorg maar dat je vanavond niet te slaperig wordt.' Benton pakt glazen uit een kastje. 'Een rode wijn, een Valpolicella misschien, is waarschijnlijk wel zo beschaafd.' Hij gaat naar de wijnkast, doet de deur open, maar sluit hem weer zonder iets uit te kiezen.

Hij loopt terug naar het kastje met sterkedrank en laat precies zien wat mijn vader bedoelde als hij zei dat daden meer zeggen dan woorden en dat mensen stemmen met hun voeten. Benton zet twee kristallen glazen naast een fles whisky, Glenmorangie van achttien jaar oud. Met een zachte plof trekt hij de kurk eruit.

'Je hoeft niet bang te zijn dat ik slaperig word.' Ik roer geplette pruimtomaten door de saus en de hele keuken vult zich met de heerlijke geur van uien, knoflook en verse kruiden uit de aardewerk potten op de veranda. 'Als iemand wijn wil, kan ik de Rincione aanbevelen. Je kunt wel vast een fles opentrekken. Hij moet nog wat ademen voor Jill komt.'

'Ik ben er vrij zeker van dat ze voor het sterkere spul gaat,' zegt hij, en ik vind het niet fijn om hieraan te denken.

'Laten we een Freisa d'Asti in het ijs zetten. Misschien kunnen we doen alsof dit een feestmaal wordt met plezierige gesprekken in plaats van een ondervraging waarvoor we per uur moeten betalen.'

'Probeer niet zo negatief over haar te zijn.'

'O, ik ben niet negatief. Ik ben er alleen niet echt blij mee om een avond met haar door te moeten brengen. Dat is niet meer dan realistisch.'

'Ze probeert te helpen. Ze zou alles voor ons willen doen,

Kay. Ik beschouw haar als een vriendin.'

'Ik begrijp wel dat het niet haar schuld is dat ik haar niet graag zie komen. Ze kan het niet helpen dat ik haar stem nu niet wil horen. Het is niet haar keuze dat ze staat voor alles wat verkeerd is in ons leven. Ze kan er ook niets aan doen dat ik haar associeer met het wegvallen en de vernietiging van alles waarvan ik houd.'

'Er valt niets weg en er wordt niets vernietigd, Kay.' Bentons stem is teder en zijn ogen staan zacht. Ik voel zijn liefde. 'We staan niet toe dat we ook maar iets kwijtraken wat belangrijk voor ons is.'

'Ik wil niet dat Desi bang wordt door wat ze allemaal zegt.'

'We zullen hem beschermen. Dat beloof ik. Maar hij heeft het eerder gehoord, Kay. Hij neemt het allemaal heel goed op.'

'Misschien wel beter dan ik.' Ik roer wijn door de saus. 'Maar ik wil niet dat hij gaat denken dat tante Lucy misschien naar de gevangenis moet. Of nog erger, dat ze slecht is, dat ze haar Zwitserse legermes heeft gebruikt om zich toegang te verschaffen tot mijn truck en dat haar oude teddybeer is gebruikt om iemand te martelen.'

De sporen wijzen uit dat de schroevendraaier in het mes is gebruikt om de schroeven in het achterlicht los te draaien. Het legermes en Mister Pickle zijn bewijsstukken die tegen Lucy gebruikt kunnen worden. Ik twijfel er niet aan dat dit deel uitmaakt van Carries plan, en ik verwacht geen plezierige avond.

'We moeten het maar gewoon over ons heen laten komen.' Benton kust me en schenkt een drankje voor ons in.

Jill Donoghue is onderweg hiernaartoe, en ze komt niet voor de gezelligheid. Het wordt een ellendig karwei om haar bij te praten over alles wat er gebeurd is en wat we kunnen verwachten, totale anarchie namelijk. We moeten praten over mogelijke strafrechtelijke vervolging en ik kan er natuurlijk op wachten dat Troy Rosado een aanklacht tegen me indient nu hij niet langer in levensgevaar is.

De anderen zijn dood. Ik zie steeds hun lichamen voor me, op een hoopje in een oude koeienstal. Juist als ik er niet op verdacht ben, verschijnen ze voor mijn geestesoog. De beelden staan in mijn geheugen gegrift als een enorm en levensecht schilderij, een gruwelijke wandschildering die alle muren beslaat. Ik zie dood en vernietiging en een toekomst die weinig hoop biedt, want we moeten het akelige feit onder ogen zien dat alles wat we tijdens ons werkzame leven hebben opgebouwd in gevaar is. Het is mogelijk dat alles verdraaid of volledig kapotgemaakt is. Het ergste is nog de gedachte dat elke zaak waar we aan gewerkt hebben opnieuw zal moeten worden bekeken en dat slechte mensen in staat zullen worden gesteld de draad gewoon weer op te pikken.

'Iets meer ijs, alsjeblieft.' Ik zet mijn whiskyglas neer. 'En maak er maar een dubbele van.'

'Ze komt net voorrijden.' Benton kijkt door het raam bij de ontbijttafel.

'Ze is vroeg.' Ik draai het fornuis uit.

Ik doe mijn schort af en ga afwezig met mijn vingers door mijn haar. Er is geen spiegel in de keuken, en dat is maar goed ook. Ik weet dat ik er afschuwelijk uitzie. Het eerste deel van de afgelopen week ben ik het lab niet uit geweest. Ik heb niet geslapen. Dat lag niet alleen aan de hoeveelheid werk en de enorme complicaties die dat met zich meebracht. Ik durfde het pand niet te verlaten en mijn ogen niet dicht te doen zolang Amanda Gilbert op oorlogspad was en de FBI overal rondliep.

De FBI heeft alles in de strijd gegooid om te kunnen vaststellen hoe het mogelijk was dat vier van hun agenten, onder wie Erin Loria, zijn vermoord zonder tegenstand te bieden. Ze moeten op dezelfde manier naar beneden zijn gelokt als Benton en ik. Carrie heeft hen weten te elektrocuteren, waarschijnlijk door ze ertoe te bewegen op de natte vloer te stappen waar Benton ook overheen wilde lopen toen ik kortsluiting veroorzaakte in de elektrische boobytrap die hem zeker zou hebben gedood.

Ik zal me altijd blijven afvragen wat ik precies gehoord heb. De rest van mijn leven zal ik door die vraag gemarteld worden. Het gedreun, vier keer snel achter elkaar. Als ik daaraan denk, word ik geteisterd door de angst dat ik op dat moment die vier agenten hoorde sterven. Ik zal het nooit zeker weten, maar ik zal altijd bang zijn dat Carrie ze vermoord heeft terwijl Benton en ik al in het huis waren.

Ze heeft de lichamen diep de tunnel in gesleept en ze in dezelfde stal gegooid waarin we uiteindelijk ook Hyde zouden vinden. Hij heeft in ieder geval een gemakkelijker dood gehad dan de anderen: hij is in de nek gestoken met de koperen pijl die later in mijn truck is verstopt. Het is onwaarschijnlijk dat hij heeft geweten wat hem overkwam. Hij heeft niet geleden. Zijn ruggengraat was doorgesneden. Hij heeft geluk gehad en was meteen dood.

'Misschien kunnen we wat muziek opzetten.' Ik pak het glas whisky van Benton aan nadat hij er een paar extra ijsblokjes in heeft gegooid. 'Het zal ons misschien niet troosten, maar het zal wel helpen.' De drank verwarmt mijn neus en mijn keel. '*Die Zauberflöte*, bijvoorbeeld.'

'Zodat we in operastijl worden herinnerd aan de beproevingen die leiden tot de verlichting.' Benton loopt naar het geluidssysteem in de gangkast. 'Voordat we in de eeuwige nacht belanden.'

Even later begint de ouverture. Ik snijd selderie op het geschetter van het koper, dat wordt beantwoord door de jachtige piccolo's en de haastige violen.

'De databases van de FBI en het CFC zijn gehackt.' Benton komt met een schaal gerookt vlees en brood naar de teakhouten tafel in de achtertuin, waar we allemaal zitten. 'Het is niet te zeggen waar ze verder nog in heeft weten te komen.'

'Je denkt dat we zullen ontdekken dat ze zich toegang heeft verschaft tot nog meer databases.' Jill Donoghue pakt haar glas en ik ruik de sherryachtige geur van de whisky als ik voorbijloop en bordjes en servetten uitdeel.

'Ja.' Benton gaat weer naast Janet zitten, die kijkt hoe Lucy speelt met Desi, Jet Ranger en onze asielhond Sock.

Lucy pakt een groene rubberbal van het grasveld en gooit hem weg, en als ze speels rondrent, vang ik een glimp op van het .40 kaliber pistool in haar enkelholster. Jet Ranger rent een paar passen; dat is voor hem inspanning genoeg. Hij gaat zitten terwijl Sock wegloopt naar zijn favoriete plekje bij de rozenstruikjes en Desi schaterend naar de bal rent. Hij gooit hem terug naar Lucy en op dat moment klapt de hordeur dicht en komt Marino tevoorschijn met een flesje Red Stripe-bier. Hij draagt een pistool aan de band van zijn spijkerbroek. Janet en Benton zijn ook gewapend en ik sta erbij stil dat niemand die me na staat zich ooit heel ver van een wapen bevindt. We weten niet waar Carrie is. We hebben geen enkele aanwijzing.

'We moeten ervan uitgaan dat er door middel van gegevensvervalsing is geknoeid met de dossiers.' Donoghue presenteert het probleem zoals zij het ziet.

'Dat is het punt,' zegt Janet. 'Elk rapport of dossier waar zij in heeft weten te komen, zal in twijfel worden getrokken. De advocaten kunnen zich uitleven.'

'Dat zou ik inderdaad doen.'

'Je zóú het niet doen, je gáát het doen,' zegt Benton tegen haar.

'Er zullen mensen uit de gevangenis worden ontslagen.'

'Op grote schaal,' luidt zijn antwoord.

'Smeerlappen die Benton en Kay graag willen bedanken.' Janet neemt een slokje van de mousserende wijn en kijkt naar Lucy en Desi.

'Ik zou denken dat dat een heel reëel gevaar is,' zegt Donoghue. 'Je weet nooit wie er kan langskomen, en het is tegenwoordig heel gemakkelijk om erachter te komen waar iemand woont.'

'De klassieke wraakactie van Carrie,' zegt Janet.

'En daar gaat het haar om?'

'Het gaat om haar behoefte aan macht. Het gaat om haar verlangen een god te zijn,' zegt Benton.

We zouden naar Californië kunnen gaan. Als we daarheen verhuizen, zijn we veiliger dan hier. Dat is een gegeven. Maar het vooruitzicht om ergens anders opnieuw te beginnen staat me enorm tegen, en ik geloof niet dat we er iets mee zullen opschieten. We kunnen niet aan Carrie ontsnappen. Als ze niet wil dat wij haar vinden, vinden we haar niet, zelfs al zit ze vlak onder onze neus. Het lijkt onmogelijk dat we ons in hetzelfde huis zouden kunnen bevinden zonder dat we daar enig idee van hebben. Maar dat is wat er is gebeurd. Ze heeft het grootste deel van het laatste halfjaar in een ondergrondse tunnel gezeten die sinds de Burgeroorlog afgesloten is geweest. Lucy vermoedt dat Carrie achter het bestaan daarvan is gekomen op dezelfde manier als andere mensen dat hebben gedaan. Het staat in oude documenten. Je moet er alleen in kijken.

'En de ultieme vorm van macht uitoefenen,' zegt Benton tegen Donoghue, 'is om iemand te stalken, om zijn identiteit te stelen en uiteindelijk zijn leven over te nemen.'

'En dat heeft ze gedaan met Chanel Gilbert.' Donoghue kijkt peinzend voor zich uit terwijl Lucy met Sock om de bal vecht.

'Af. Af!' zegt Lucy, en hij laat met een verveeld gebaar de groene bal vallen.

Ik ruik de rozen langs de muur achter ons huis. Het briesje is koel voor augustus. De zon brandt feloranje boven de daken en de bomen, en ik moet zo weer naar binnen om het diner af te maken, maar dat is het niet alleen. Ik wil hier niet zitten. Ik heb er moeite mee om de verhalen aan te horen. Ik heb ze al talloze malen gehoord en ze worden er niet beter op.

Chanel Gilbert was onderwaterfotograaf bij de marine, maar is op een gegeven moment voor de CIA gaan werken. Een van haar aliassen was Elsa Mulligan, en zo noemde Carrie zichzelf toen ze het lichaam had 'aangetroffen' en beweerde de huishoudster te zijn. Het is een akelig verhaal, het akeligste wat je kunt bedenken, en het heeft allemaal te maken met cyberterrorisme en gegevensvervalsing. De man die deze zomer is vermoord in een hotel in Boston, Joel Fagano, was ook van de CIA. Hij en Chanel Gilbert waren collega's, allebei spionnen. Janet kende Chanel eerder dan Lucy haar kende, en niemand heeft me verteld wat dat betekent.

'We weten niet precies wanneer Carrie Chanel in het vizier kreeg.' Benton blijft praten over dingen die niet echt verklaard kunnen worden, niet helemaal, tenminste. 'Het is waarschijnlijk gebeurd toen ze adviseur van de Oekraïense veiligheidsdienst werd,' oppert Janet. 'Maar wie kan zeggen waarom iemand op Carries radar verschijnt?'

'Het is net zo subjectief en persoonlijk als de keuze met wie je uitgaat.' Marino neemt een grote slok bier. 'Het is een beetje alsof ze zich tot bepaalde personen aangetrokken voelt. Dat heb ik altijd gedacht.'

'Er zijn meer overeenkomsten tussen mensen dan verschillen.' Benton neemt nog maar eens een slok, het ijs ratelt zacht. 'Ze worden allemaal verliefd op iemand die op hen lijkt. Chanel was fit en deed aan extreme sporten. Ze was enorm aantrekkelijk, maar een beetje androgyn. Dat zal de narcistische Carrie hebben aangesproken.'

'Dus ze neemt een van Chanels identiteiten over en zelfs haar huis hier in Cambridge? En dan neemt ze ook nog een Range Rover, een SUV die de politie en de FBI nog steeds niet kunnen vinden? Je moet toegeven dat ze ongelooflijk veel lef heeft. Ze lijkt helemaal geen angst te kennen.' Het is nogal irritant dat Donoghue kennelijk flink onder de indruk is.

De gedachte komt bij me op dat ze niets mooier zou vinden dan een berucht monster als Carrie te verdedigen.

'De beste plek om je te verstoppen is in het volle zicht,' zegt Benton. 'De buren zagen een rode Range Rover bij het huis. Ze vingen glimpen op van een jonge vrouw. Waarom zouden ze denken dat er iets mis was? Carrie heeft waarschijnlijk over de hele wereld talloze malen dergelijke stunts uitgehaald.'

'Dus ze kaapte Chanels leven of levens,' zegt Donoghue. 'Waarom besloot Carrie haar dan te vermoorden, meteen nadat ze terugkwam van Bermuda?'

'Het kan eenvoudig een praktische zet zijn geweest,' zegt Benton. 'Chanel was hier heel lang niet geweest. Dus had Carrie haar huis in beslag genomen en vermoordde ze haar toen ze opdook.'

'Toch moet ze er een andere reden voor hebben gehad.' Lucy komt terug naar de tafel en gaat zitten. 'Ik denk dat Carrie nog even is blijven hangen nadat ze jou had neergeschoten,' zegt ze tegen mij terwijl ze de fles Freisa d'Asti uit de ijsemmer pakt. 'Ze zag dat Chanel je naar het oppervlak hielp en in wezen je leven redde, en daarmee was Chanels doodvonnis getekend.'

Net zoals Carrie jou heeft getekend, maar die gedachte verdring ik. Ik wil niet denken aan Lucy's libelletattoo. Ik wil niet voor me zien hoe Carrie haar stak met hetzelfde Zwitserse legermes dat ze zeventien jaar later in een wrede mobile heeft gehangen.

'Ik wil niet zeggen dat ze Chanel uiteindelijk toch niet uit de weg zou hebben geruimd,' voegt Lucy eraan toe.

'Dat had ze zeker gedaan,' zegt Benton. 'Maar dat Chanel Kays leven heeft gered, was de druppel die de emmer deed overlopen. Voor zover je iets kunt simplificeren wat allesbehalve simpel is als je te maken hebt met een misdadiger als zij.'

Toen ik twee maanden en een week geleden bijna doodging, wist ik niet dat andere duikboten in de buurt bemand werden door leden van speciale eenheden. Achteraf verbaast me dat helemaal niet, want Benton weet hoe gevaarlijk Carrie is. Hij zou ons nooit dertig meter laten duiken in water met slecht zicht zonder onze veiligheid te garanderen. Maar we bleken niet veilig te zijn. Zeker de twee politieduikers niet. De legerduikers waren mosterd na de maaltijd, om het met Marino's woorden te zeggen. Maar ze hielpen wel bij het redden van mijn leven nadat ik was neergeschoten, vooral Chanel Gilbert.

'Waarom zou dat voor Carrie een reden zijn geweest om haar te vermoorden?' vraagt Donoghue. 'Dat probeer ik te begrijpen.'

'Dat zal je waarschijnlijk nooit lukken,' antwoord ik.

'Jaloezie. Wrok.' Benton neemt een slokje van zijn whisky. 'Chanel was de held. Ze overtroefde Carrie. Preciezer dan dat zullen we nooit weten wat Carrie ertoe zette. Het is geen exacte wetenschap.'

'Dat is het moeilijke,' zegt Lucy. 'We kennen de details niet en misschien zullen we die nooit kennen. Ik ben bijvoorbeeld niet zeker van de relatie tussen Carrie en Chanel.'

'Hadden ze die dan?' vraagt Donoghue.

'Dat bedoel ik juist,' zegt Lucy. 'Het zou kunnen.'

'Een van de problemen met mensen van de inlichtingendiensten is dat ze nooit lijken te weten aan wiens kant ze staan,' zegt Janet. Ik sta op om me aan het eten te wijden, want ik kan hier gewoon niet meer naar luisteren. 'Ze leiden zo'n vreemd leven,' voegt ze eraan toe, en ik loop met mijn glas naar de achterdeur.

Janet en Lucy vragen of ze kunnen helpen, maar ik zeg van niet. Ik zeg dat ze zich moeten ontspannen en van de aperitief en de antipasti moeten genieten terwijl ik het eten op tafel zet. Als ik de hordeur opendoe, voel ik iets kouds tegen de achterkant van mijn gewonde been en ik blijf staan, draai me om en aai Socks lange, fluweelzachte snuit.

'Aha. Dus jij wilt niet bij de anderen blijven,' zeg ik tegen hem als ik hem binnenlaat. 'Nou, er is niet veel waarmee je me kunt helpen, maar ik ben blij met het gezelschap.'

Ik blijf tegen mijn schuwe, gestreepte windhond praten terwijl ik een la in een van de koelkasten opentrek en er verschillende soorten groenten uit pak, zowel zoete als bittere slasoorten en twee van mijn geliefde, zelfgekweekte tomaten. Even afspoelen en in de slacentrifuge, leg ik opgewekt uit aan Sock, en dan een draai grof gemalen peper en zeezout.

'En we doen de azijn er als laatste bij, zodat de sla niet verlept.' Ik blijf praten tegen een hond die geen antwoord geeft en zelfs niet blaft, en dan hoor ik de achterdeur weer dichtslaan.

Ik schrik, maar denk er meteen weer aan dat ik thuis ben, en niet alleen. Ik hoor snelle, zachte voetstappen in de hal. Als ik de tomaten sta te snijden, komt Desi de keuken in. Hij wil weten waarom ik huil. Ik geef de Vidalia-ui die ik inmiddels sta te pellen de schuld, maar Desi is een opmerkzaam jongetje. Hij blijft midden in de keuken staan, met zijn handen op zijn heupen. Zijn warrige bruine haar valt in zijn grote blauwe ogen.

'Tante Janet zegt dat ik moet helpen met tafeldekken.' Hij trekt een la open en haalt er bestek uit. 'Wil je op de veranda eten of ben je bang?'

De veranda is afgezet met glaspanelen.

'Waar zou ik bang voor moeten zijn?' Ik kijk naar de verschillende soorten azijn en kies een Bordeaux.

We eten niet op de veranda.

'Voor die slechte mevrouw die je pijn heeft gedaan,' zegt Desi. 'Ze zou ons kunnen zien door de ramen als we op de veranda eten. Huil je daarom?'

'Ze kan ons ook in de tuin zien zitten,' merk ik op.

'Dat weet ik. Je kunt hier niet meer wonen, hè?' Hij trekt een stoel onder de tafel vandaan en gaat zitten. 'Maar ik mag mee.'

'Waar gaan we naartoe?'

'We moeten samen blijven, tante Kay,' zegt hij. Als ik familie van hem was, zou ik eigenlijk zijn oudtante zijn.

'Je weet waar de eetkamer is. Door deze deur en dan naar links.' Ik geef hem borden en opgevouwen servetten. 'We gaan chic doen en daar eten.'

'Dat is niet de reden.'

'We doen de kroonluchter aan en doen alsof we prinsen en prinsessen zijn.'

'Ik wil niet doen alsof. Je wilt niet dat we bij de ramen zitten.

Daarom eten we niet op de veranda, hè? Ik wil niet dat die slechte mevrouw ons kwaad doet.'

'Niemand gaat ons kwaad doen.' Ik haal glazen uit een kast en loop achter Desi aan de keuken uit, en intussen denk ik eraan hoe we liegen tegen kinderen.

Ik kan Desi de waarheid niet vertellen. Ik wil niet dat hij in angst leeft. We zijn niet veilig. Maar we hebben er niets aan als hij dat weet. Het maakt de dingen alleen maar erger.

'Ik ga je een trucje laten zien.' Ik doe de albasten kroonluchter in de eetkamer aan. 'Als je tenminste een trucje wilt leren.' Ik trek de gordijnen dicht voor de grote ramen die uitzicht bieden op de zijtuin.

'Ja! Dat wil ik zien!'

Ik haal placemats uit de kast en help hem de tafel te dekken. Dan leer ik hem hoe hij de linnen servetten tot een boom moet vouwen. Een bloem. Een paard. Een strik. Tegen de tijd dat we een elfje maken, zit hij te giechelen. Dat gaat over in een enorme lachbui. Dan vouw ik een hart en leg het op een bord.

'Dit is jouw plek,' zeg ik tegen hem. 'En je weet wat dat betekent, hè?' Ik sla mijn armen om hem heen.

'Het betekent dat ik hier zit!'

'Het betekent dat ik jou mijn hart heb gegeven.'

'Omdat je me lief vindt!'

'Ja.' Ik geef hem een zoen op zijn kruin. 'Ik geloof van wel. Een beetje, misschien.'

Lees nu een fragment uit *Scherp* van Patricia Cornwell:

1

12 juni 2014, Cambridge, Massachusetts

Koper schittert als scherven aventurijnglas boven op de oude bakstenen muur achter ons huis. Ik zie oude ateliers met pastelkleurig stucwerk en rode pannendaken langs de Rio dei Vetrai voor me, en hoog opgestookte ovens, blaaspijpen en stalen glasblazerstafels waarop maestro's gesmolten glas vormgeven. Voorzichtig en zonder morsen draag ik twee met agavesiroop gezoete espresso's naar buiten.

Ik houd de eenvoudige met de mond geblazen kristallen kopjes, helder als bergkristal, vast bij de sierlijk gebogen oortjes en denk met plezier terug aan het moment dat ik ze kocht op het eiland Murano, vlak bij Venetië. De aroma's van knoflook en geroosterde paprika's volgen me naar buiten als de hordeur met een zachte bons dichtslaat. Ik bespeur de aromatische, lichte geur van verse basilicumbladeren, die ik met mijn blote handen in stukjes heb gescheurd. Het is een prachtige ochtend. Hij kan niet beter.

Mijn speciale salade is klaar en de sappen, kruiden en specerijen vermengen zich en dringen in de stukken *mantovana*, dagen eerder op een steen gebakken. Het olijfoliebrood mag niet te vers zijn voor de *panzanella*, net als de pizza eens het voedsel van de armen, die, vindingrijk als ze waren, restjes focaccia en groenten samenvoegden tot *un'abbondanza*. Creatieve, smakelijke gerechten lenen zich uitstekend om mee te improviseren, en vanmorgen heb ik dun geschaafde venkelknol, grof zeezout en grof gemalen peper toegevoegd. Ik heb zoete uien gebruikt in plaats van rode en er een beetje munt bij gedaan van de veranda, waar ik kruiden kweek in grote terracotta olijfpotten die ik jaren geleden in Frankrijk heb opgeduikeld.

Op de veranda blijf ik even staan om naar de barbecue te kijken. De opstijgende warme lucht trilt en de aanmaakvloeistof en de zak met houtskool staan op veilige afstand. Mijn man, FBI-agent Benton Wesley, is geen grote kok, maar hij weet hoe hij een goed vuur moet stoken en is heel erg bedacht op veiligheid. De keurige hoop oranje smeulende kooltjes is bedekt met witte as. Straks kunnen de zwaardvisfilets op het vuur. Dan worden mijn hedonistische overpeinzingen ruw onderbroken en gaat mijn aandacht in een flits weer naar de muur.

Nu zie ik dat het dollarcenten zijn. Ik probeer me te herinneren of ze er eerder ook al waren, toen het nog amper dag was en ik onze greyhound Sock naar buiten liet. Hij was koppig en overdreven aanhankelijk en ik was meer afgeleid dan anders. Ik dacht aan een heleboel dingen tegelijk, gedreven door het euforische vooruitzicht op een Toscaanse brunch voordat we in Boston op het vliegtuig stappen, en nog onder de invloed van een sensuele mist na een lui, gedachteloos ontwaken in een bed waarin alleen genot telde. Ik kan me amper herinneren dat ik onze hond mee naar buiten heb genomen. Er zijn me bijna geen details bijgebleven van ons verblijf in de vaag verlichte, bedauwde achtertuin.

Dus het is heel goed mogelijk dat ik de glanzende koperen munten niet opgemerkt heb, evenmin als enig ander teken dat er een ongenode bezoeker op ons terrein is geweest. Ergens in mijn achterhoofd verkilt iets, er hangt een donkere, onrustbarende schaduw. Ik word herinnerd aan iets waaraan ik niet wil denken.

Je bent al met vakantie terwijl je nog hier bent. Je zou beter moeten weten.

Mijn gedachten gaan weer naar de keuken, naar de blauwstalen 9 mm Rohrbaugh in zijn foedraal op het aanrecht bij het gasfornuis. Het lichtgewicht pistool met zijn greepplaten met geïntegreerde laser gaat waar ik ga, zelfs als Benton thuis is. Maar vanmorgen heb ik niet één keer gedacht aan wapens of veiligheid. Ik heb het minutieuze toezicht op de nachtelijke leveringen aan mijn hoofdkwartier van me afgezet, de discrete zwarte zakken in de witte bestelwagens zonder ruiten, de vijf dode patiënten die stil liggen te wachten op hun afspraak met de laatste dokters op aarde die hen nog zullen aanraken.

Ik heb de gevaarlijke, tragische, morbide realiteit uit mijn hoofd gezet en ik zou beter moeten weten.

Verdomme.

Dan redeneer ik dat allemaal weg. Iemand speelt een spelletje met centen. Meer is het niet.

2

De tuin van ons negentiende-eeuwse huis in Cambridge grenst aan de noordzijde van de Harvard-campus. We wonen tegenover de Academy of Arts and Sciences en de faculteit theologie ligt om de hoek. Het komt regelmatig voor dat mensen een kortere weg nemen en over ons terrein lopen. Onze tuin is niet afgezet; de vervallen muur is eerder een ornament dan een barrière. Kinderen klimmen er graag overheen en verstoppen zich erachter.

Het is vakantie – waarschijnlijk zijn ze neergelegd door een kind dat zich verveelde.

'Heb je gezien wat er op de muur ligt?' In het gefilterde zonlicht loop ik over het gras naar de stenen bank rond de magnolia, waar Benton de krant zit te lezen terwijl ik de brunch klaarmaak.

'Wat had ik moeten zien?' vraagt hij.

Sock ligt uitgestrekt aan zijn voeten en kijkt me verwijtend aan. Hij weet precies wat hem te wachten staat. Toen ik gisteravond laat de koffers tevoorschijn haalde en keek welke tennis- en duikspullen ik wilde meenemen, liet hij meteen treurig zijn oren hangen. Hij graaft altijd van die emotionele gaten voor zichzelf, maar nu is het gat dieper dan ooit. Het lukt me maar niet hem op te vrolijken.

'Dollarcenten.' Ik geef Benton een kop espresso van versgemalen koffiebonen, een robuust, gezoet genotmiddel dat onze vleselijke lusten hevig prikkelt.

Hij nipt er voorzichtig aan.

'Heb je gezien dat ze daar werden neergelegd?' vraag ik. 'Toen je de barbecue aanmaakte, bijvoorbeeld? Lagen de muntjes er toen al?'

Hij kijkt naar het rijtje glanzende munten op het muurtje. Ze liggen met de randen tegen elkaar aan.

'Ik had ze nog niet ontdekt en heb ook geen mensen gezien. Ze zijn er in elk geval niet neergelegd toen ik hier zat,' zegt hij. 'Zijn de kooltjes al bijna warm?' Het is zijn manier om te vragen of hij de barbecue goed heeft aangemaakt. Zoals iedereen vist hij graag naar complimentjes.

'Je hebt het perfect gedaan, dank je. Misschien moeten we nog een kwartiertje wachten,' zeg ik, terwijl hij zich weer verdiept in een artikel over de schrikbarende toename in het aantal creditcardfraudes.

De ochtendzon valt schuin op zijn hoofd en geeft een zilveren glans aan zijn haar, dat iets langer is dan normaal. Het hangt over zijn voorhoofd en krult aan de achterkant.

Ik zie het kuiltje in zijn krachtige kin, de fijne rimpeltjes in zijn scherpe, knappe gelaatstrekken en de vriendelijke lijntjes van het glimlachen. Zijn lange, smalle handen zijn mooi en elegant – de handen van een musicus, vind ik altijd, of hij nu een krant, een boek, een pen of een wapen vasthoudt. Ik ruik de subtiele, aardse geur van zijn aftershave als ik over zijn schouder leun om het artikel vluchtig door te kijken.

'Ik vraag me af wat de creditcardmaatschappijen zullen doen als het nog erger wordt.' Terwijl ik een slokje van mijn espresso neem, denk ik terug aan de vervelende ervaringen die ik onlangs met cyberdieven had. 'De wereld gaat failliet aan criminelen die we niet eens kunnen zien of oppakken.'

'Het verbaast me niets dat keyloggen snel om zich heen grijpt en zo lastig op te sporen is.' De pagina ritselt als hij hem omslaat. 'Iemand krijgt jouw creditcardnummer in handen en winkelt ermee via PayPal-achtige accounts, vaak op andere continenten. Dat is niet te traceren, en dan heb ik het nog niet eens over malware.'

'Ik heb de laatste tijd helemaal niets op eBay gekocht. Ik doe ook niets met Craigslist en dat soort sites.' We hebben deze discussie de laatste tijd wel vaker gevoerd.

'Ik weet dat het vervelend is. Maar het overkomt andere voorzichtige mensen ook.'

'Het is jou nog nooit gebeurd.' Ik kam met mijn vingers door zijn dikke, zachte haar, dat al zilvergrijs werd toen hij nog heel jong was, voordat ik hem leerde kennen.

'Jij koopt meer dan ik,' zegt hij.

'Niet waar. Jij draagt mooie pakken, zijden dassen en dure schoenen. Je weet wat ik elke dag draag. Cargobroeken. Operatiekleding. Rubberen operatieklompen. Hoge schoenen. Behalve wanneer ik naar de rechtszaal moet.'

'In gedachten zie ik je nu voor me zoals je naar de rechtszaal gaat. Draag je een kokerrok, die met het krijtstreepje en de split aan de achterkant?'

'En degelijke pumps.'

'Het woord "degelijk" past niet bij wat ik in mijn hoofd heb.' Hij kijkt naar me omhoog, en ik geniet van de aanblik van zijn slanke, gespierde hals.

Vanaf zijn tweede halswervel strijk ik zachtjes omlaag naar de zevende, en ik druk mijn vingertoppen langzaam in zijn longus colli. Ik voel dat hij zich ontspant, dat hij loom wordt en zich laat meevoeren op het heerlijke gevoel. Hij zegt dat ik zijn kryptoniet ben, en ik hoor aan zijn stem dat dat echt zo is.

'Wat ik wil zeggen, is dat je onmogelijk op de hoogte kunt blijven van alle kwalijke softwareprogramma's die toetsaanslagen registreren en informatie doorgeven aan hackers. Het kan al gebeuren als je een geïnfecteerd bestand opent dat als attachment bij een e-mail zit. Ik heb er trouwens een harde dobber aan om helder na te denken als je dit doet.'

'Hoe kan er in vredesnaam een keylogprogramma worden gedownload met al die antispionagesoftware, eenmalige wachtwoorden en firewalls die Lucy gebruikt om onze server en e-mailaccounts te beschermen? En die harde dobber was mijn bedoeling. Ik wil dat hij zo hard mogelijk wordt.'

De cafeïne en agavesiroop missen hun uitwerking niet. Ik herinner me hoe zijn huid aanvoelde, zijn pezige slanke lijf toen hij onder de douche mijn haar inzeepte. Hij masseerde mijn hoofdhuid en mijn nek en streelde me tot ik het niet meer uithield. Ik krijg nooit genoeg van hem. Dat kán gewoon niet.

'Software kan geen malware scannen die hij niet herkent,' zegt hij.

'Volgens mij is dat hier niet aan de orde geweest.'

Mijn nicht Lucy programmeert en onderhoudt het computersysteem van mijn hoofdkwartier, het Cambridge Forensic Center, het CFC. Ze is een genie op technologisch gebied en zorgt heus wel dat het computersysteem niet op die manier kan worden gehackt. Ik kan er helaas niet omheen dat ze eerder andermans computers hackt en infecteert dan dat ze zelf slachtoffer wordt van dergelijke praktijken.

'Zoals ik al zei, is het waarschijnlijk in een winkel of restaurant gebeurd.' Benton slaat de pagina om en ik strijk met mijn vinger over zijn rechte neusbrug, de welving van zijn oor. 'Dat denkt Lucy ook.'

'Sinds maart al vier keer?' vraag ik, maar ik denk aan onze douche, de glanzende witte metrotegels en de kletterende waterstralen, waarvan het ritme en de intensiteit door onze bewegende lichamen steeds veranderden.

'En je geeft je creditcard ook aan Bryce als hij telefonisch iets voor je bestelt. Niet dat hij er onverstandige dingen mee zou doen, in elk geval niet met opzet. Toch wil ik liever dat je dat niet meer doet. Hij begrijpt de realiteit niet zo goed als wij.'

'Hij ziet elke dag de vreselijkste dingen,' zeg ik.

'Dat betekent nog niet dat hij ze begrijpt. Bryce is veel naïever en lichtgeloviger dan wij.'

De laatste keer dat ik mijn kantoormanager heb gevraagd iets met mijn creditcard te bestellen, was een maand geleden. Op mijn verzoek heeft hij mijn moeder voor Moederdag een gardenia gestuurd. De meest recente fraudemelding was gisteren. Ik kan me echt niet voorstellen dat die iets te maken heeft met Bryce of mijn moeder, al past het wel bij mijn disfunctionele familie als mijn aardige gebaar werd bestraft met iets vervelenders dan mijn moeders gebruikelijke gezeur en haar gewoonte om me te vergelijken met mijn zus Dorothy, die in de gevangenis zou zitten als het strafbaar was om een egocentrische narcist te zijn.

De in vorm gesnoeide gardenia werd ontvangen als een harteloze blijk van minachting omdat er al gardenia's in mijn moeders tuin staan. *Alsof je een Eskimo ijs cadeau doet. Dorothy heeft me beeldschone rode rozen met gipskruid gestuurd*, waren de letterlijke woorden van mijn moeder. Het deed er niet toe dat ik de moeite had genomen haar favoriete bloeiende plant te laten afleveren, die in tegenstelling tot snijbloemen blijft leven.

'Het is in elk geval erg vervelend, en mijn nieuwe creditcard arriveert natuurlijk als wij in Florida zijn,' zeg ik tegen Benton. 'Dat betekent dat ik zonder kaart van huis moet. Dat is een slecht begin van de vakantie.'

'Je hebt je creditcard niet nodig. Ik trakteer.'

Dat doet hij meestal. Ik heb een goed inkomen, maar Benton is enig kind en heeft flink wat oud geld geërfd. Zijn vader, Parker Wesley, had zijn geërfde fortuin heel verstandig belegd, in kunst bijvoorbeeld, die hij aan- en verkocht. Meesterwerken van Miró, Whistler, Pissarro, Modigliani, Renoir en andere kunstenaars hingen vaak een tijdje in Bentons ouderlijk huis. Parker handelde ook in oldtimers en zeldzame manuscripten, waarvan hij er niet één heeft gehouden. Het was de kunst om te weten wanneer je ze moest verkopen. Benton zit ook zo in elkaar. Wat hij aan zijn roots in New England heeft overgehouden, zijn een slimme logica en een ijzeren, noordelijke vastberadenheid waarmee hij ploeteren en ongemak verdraagt zonder met zijn ogen te knipperen.

Dat betekent niet dat hij geen levensgenieter is of dat hij zich iets van andermans mening aantrekt. Benton houdt niet van pronken en verspillen, maar hij doet wat hij wil, en ik laat mijn blik over onze prachtig aangelegde tuin en de achterkant van ons recentelijk geschilderde vakwerkhuis dwalen. Het hout is staalblauw geschilderd en de luiken zijn granietgrijs. Op het donkere leien dak staan twee roodbruine gemetselde schoorstenen en in sommige ramen zit nog steeds het originele, getrokken glas. Als we ons werk niet hadden, zou je ons bestaan uiterst beschermd en bevoorrecht kunnen noemen, en mijn blik valt weer op de koperen muntjes die vlakbij in de zon liggen te schitteren.

Sock ligt doodstil op het gras en volgt me met zijn blik als ik naar de oude bakstenen muur loop. Ik ruik de geur van de Engelse rozen, abrikooskleurig en roze met warmgele tinten. De forse, welig tierende struiken komen inmiddels tot halverwege de muur en het doet me genoegen dat de theerozen het dit jaar ook uitzonderlijk goed doen.

De zeven dollarcenten liggen met de afbeelding van Lincoln naar boven. Ze komen allemaal uit 1981, dus zijn ze meer dan dertig jaar oud. Het rare is dat ze eruitzien alsof ze net geslagen zijn. Misschien zijn ze vals. Ik denk na over het jaartal. Lucy's geboortejaar. En ik ben vandaag jarig.

Ik laat mijn blik over de oude bakstenen muur dwalen. Hij is ruim vijftien meter lang en ongeveer anderhalve meter hoog, en in gedachten omschrijf ik hem dichterlijk als een rimpel in de tijd, een wormgat dat ons met andere dimensies verbindt, een poort tussen 'hen' en 'ons', tussen het verleden en het heden. Onze afbrokkelende muur is een metafoor geworden voor onze pogingen het huis te barricaderen tegen mensen die ons kwaad willen doen. Die pogingen zijn zinloos als iemand ons echt te grazen wil nemen, en op een onbereikbare plaats diep in mij flakkert iets op. Iets in mijn geheugen. Een weggestopte of nog nauwelijks gevormde herinnering.

'Waarom liggen hier zeven centen, allemaal uit 1981, allemaal met de kop naar boven?' vraag ik.

Het zicht van onze beveiligingscamera's reikt niet tot de uiteinden van de muur, die een beetje scheef hangt en eindigt in kalkstenen pilaren die schuilgaan onder klimop.

Toen ons huis aan het begin van de negentiende eeuw door een rijke transcendentaal filosoof werd gebouwd, besloeg het terrein de hele straat en werd het omringd door een slingerende muur. Daar is niet meer van over dan een afbrokkelend stukje muur en zo'n tweeduizend vierkante meter grond, met daarop een smalle verharde oprit en een vrijstaand koetshuis dat nu als garage fungeert. Degene die de centen heeft achtergelaten, staat waarschijnlijk niet op de camerabeelden, en ik krijg weer een onaangenaam gevoel, een flard van iets wat me is ontschoten.

'Ze lijken wel opgepoetst,' voeg ik eraan toe. 'Dat kan niet anders, tenzij ze nep zijn.'

'Buurtkinderen,' zegt Benton.

Over de rand van de *Boston Globe* kijkt hij me met zijn amberkleurige ogen aan en er speelt een glimlach om zijn lippen. Hij draagt een spijkerbroek, instappers en een windjack van de Red Sox. Als hij de krant heeft neergelegd en zijn espresso heeft weggezet, staat hij op van de bank. Hij loopt naar me toe, slaat van achteren zijn armen om mijn middel heen en geeft me een kus op mijn oor. Daarna laat hij zijn kin op mijn hoofd rusten.

'Als het leven altijd zo heerlijk was als nu, ging ik misschien wel met pensioen. Dan hield ik gewoon op met diefje en agentje spelen.'

'Dat zou je nooit doen. En wás het maar zo dat je alleen maar diefje en agentje speelde. We moeten zo eten en ons klaarmaken om naar het vliegveld te gaan.'

Hij werpt een blik op zijn telefoon en typt snel een reactie op een bericht. Volgens mij gaat het hooguit om één of twee woorden.

'Alles in orde?' Ik trek zijn armen dichter om me heen. 'Wie stuur je een berichtje?'

'Niets aan de hand. Ik rammel van de honger. Zorg eens dat het water me in de mond loopt.'

'Gegrilde zwaardvissteaks *salmoriglio*, dichtgeschroeid, bestreken met een marinade van olijfolie, citroensap en oregano.' Ik leun tegen hem aan en voel zijn warmte, de frisse lucht en de hete zon. 'Je favoriete panzanella. Tomaten, basilicum, zoete uien, komkommer...' Ik hoor bladeren ritselen en ruik de delicate, citroenachtige geur van de magnoliabloesem. 'En die gerijpte rodewijnazijn die je zo lekker vindt.'

'Stevig en verrukkelijk, net als jij. Mmm, ik krijg er zin in.'

'Bloody mary's. Mierikswortel, vers geperste limoenen en habaneropepertjes om ons in de stemming te brengen voor Miami.'

'En daarna gaan we douchen.' Deze keer kust hij me op mijn mond. Het interesseert hem niet wie het ziet.

'Dat hebben we al gedaan.'

'En we moeten nog een keer. Ik voel me érg smerig. Misschien heb ik nog een cadeautje voor je. Als je het aankunt.'

'De vraag is of jij het aankunt.'

'We hebben nog twee uur de tijd voordat we naar het vliegveld moeten.' Hij kust me nogmaals, langer en hartstochtelijker, maar ondertussen hoor ik in de verte het snelle, hortende geluid van een krachtige helikopter. 'Ik houd van je, Kay Scarpetta. Elke minuut, elke dag, elk jaar ga ik meer van je houden. Waarmee blijf je me toch betoveren?'

'Eten. Ik kan goed koken.'

'Ik prijs de dag waarop jij geboren bent.'

'Daar denk je dan heel anders over dan mijn moeder.'

Opeens trekt hij zijn hoofd nauwelijks merkbaar een stukje terug, alsof hij iets ziet. Hij knijpt met zijn ogen tegen de zon en kijkt in de richting van de Academy of Arts and Sciences. Die ligt ten noorden van ons terrein, met alleen een rij huizen en een straat ertussen.

'Wat is er?' Ik volg zijn blik en hoor de helikopter naderen.

Vanuit onze achtertuin zien we het geoxideerde metalen dak, dat boven de bomen op het dichtbeboste terrein uit piept. Het heeft de kleur van oud, aangetast koper. In het hoofdgebouw van de Academy worden vaak lezingen gegeven door vooraanstaande zakenlieden, regeringsleiders, academici en wetenschappers. Het gebouw wordt het 'Huis van de Denkers' genoemd.

'Wat zie je?' Ik volg Bentons strakke blik en hoor het kabaal van de laagvliegende helikopter dichterbij komen.

'Ik weet het niet,' zegt hij. 'Ik dacht dat ik daar iets zag oplichten. Een soort flits van een camera, maar dan minder fel.'

Ik tuur naar het bladerdek van de oude bomen en het hoekige, groene metalen dak. Mij valt niets bijzonders op. Ik zie helemaal niemand.

'Misschien de reflectie van de zon op een autoruit,' opper ik.

Benton typt weer een kort berichtje op zijn telefoon. 'Het was ergens tussen de bomen. Ik geloof dat ik het vanuit mijn ooghoek al eerder had gezien. Er schitterde iets. Misschien lichtte er iets op. Ik weet het niet zeker...' Hij tuurt nogmaals en het geluid van de helikopter is inmiddels oorverdovend. 'Ik hoop dat het niet zo'n ellendige journalist met een telelens is.'

Einde fragment